D0356835

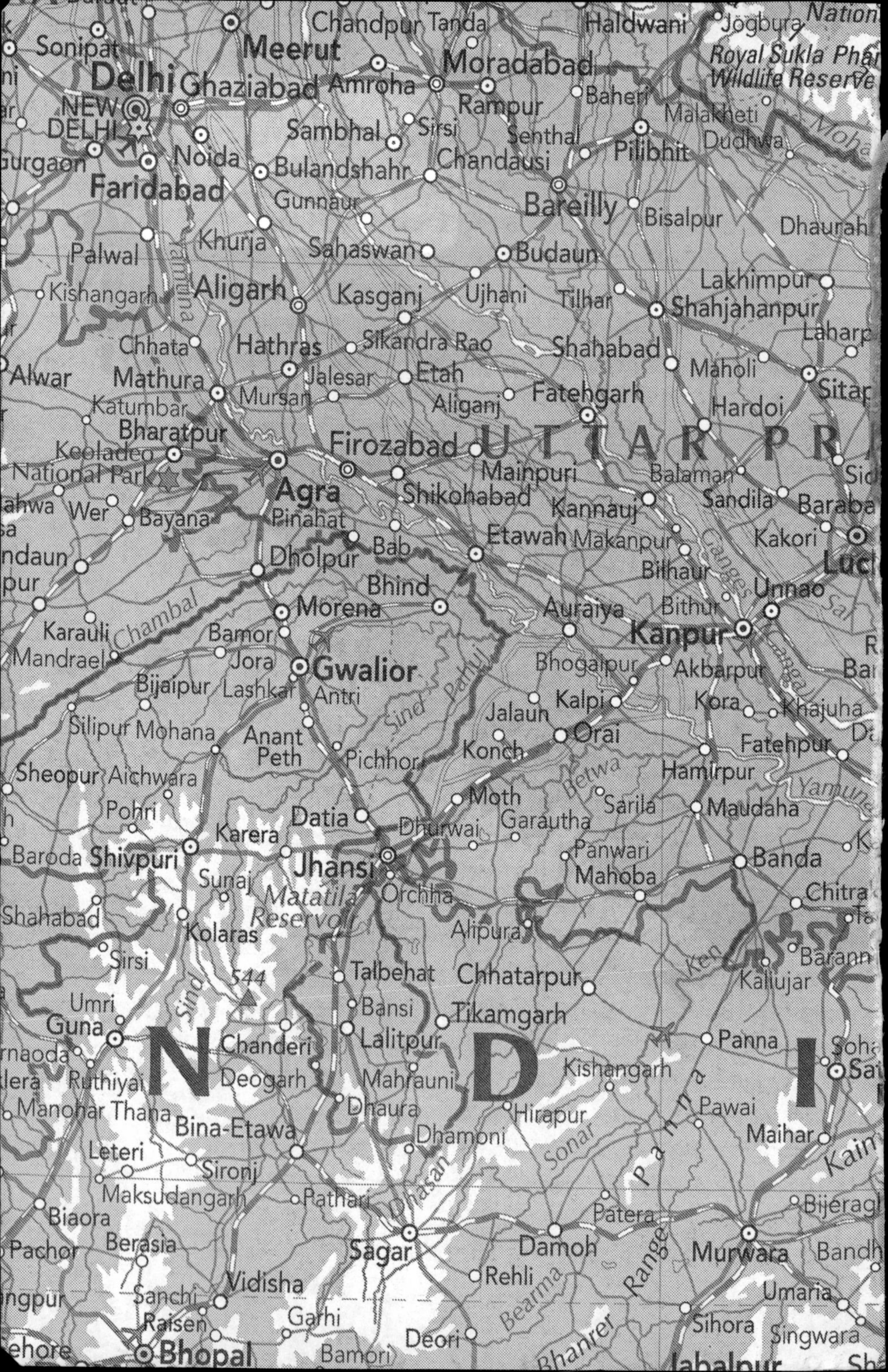

Chandpur Tanda
Haldwani
Jogbura
Sonipat
Meerut
Royal Sukla Phanta Wildlife Reserve
Delhi
Ghaziabad
Amroha
Moradabad
NEW DELHI
Rampur
Baheri
Malakheti
Sambhal
Sirsi
Senthal
Pilibhit
Dudhwa
Gurgaon
Noida
Bulandshahr
Chandausi
Faridabad
Gunnaur
Bareilly
Bisalpur
Dhaurahra
Palwal
Khurja
Sahaswan
Budaun
Yamuna
Kishangarh
Aligarh
Kasganj
Ujhani
Tilhar
Lakhimpur
Shahjahanpur
Chhata
Hathras
Sikandra Rao
Shahabad
Alwar
Mathura
Jalesar
Etah
Maholi
Katumbar
Mursan
Aliganj
Fatehgarh
Hardoi
Bharatpur
Keoladeo National Park
Firozabad
UTTAR PR
Agra
Mainpuri
Balamau
Shikohabad
Sandila
Wer
Bayana
Kannauj
Pinahat
Bab
Etawah
Makanpur
Kakori
Dholpur
Ganges
Bhind
Bilhaur
Unnao
Chambal
Morena
Auraiya
Bithur
Karauli
Bamor
Kanpur
Mandrael
Jora
Gwalior
Bhogaipur
Akbarpur
Bijaipur
Lashkar
Antri
Sind
Pahuj
Jalaun
Kalpi
Kora
Khajuha
Silipur
Mohana
Anant Peth
Pichhor
Konch
Orai
Fatehpur
Sheopur
Aichwara
Betwa
Hamirpur
Moth
Sarila
Yamuna
Pohri
Datia
Garautha
Maudaha
Karera
Dhurwai
Baroda
Shivpuri
Jhansi
Panwari
Banda
Sunaj
Matatila Reservoir
Orchha
Mahoba
Chitra
Shahabad
Kolaras
Alipura
Sirsi
544
Talbehat
Chhatarpur
Ken
Barann
Kaliujar
Umri
Sind
Bansi
Tikamgarh
Guna
Lalitpur
Panna
N
Chanderi
D
I
Ruthiyai
Deogarh
Mahrauni
Kishangarh
Manohar Thana
Dhaura
Hirapur
Pawai
Bina-Etawa
Dhamoni
Sonar
Maihar
Leteri
Sironj
Dhasan
Panna
Maksudangarh
Pathari
Patera
Bijeragh
Biaora
Sagar
Damoh
Murwara
Pachor
Berasia
Bandh
Rehli
Bearma
Range
Vidisha
Sanchi
Umaria
Raisen
Garhi
Sihora
Deori
Singwara
Bhopal
Bamori
Bhanrer
Jabalpur

Tibrikot
Lunh
Annapurna Conservation Area
Dailekh
Dhaulagiri
8167
Syang
Gyirong
NEPAL
Surkhet (Birendranagar)
Annapurna I
8091
Manaslu
8163
Rukumkot
Dana
Gyirong
Xixabangma
Mahabharat Range
Beni
Himalchul
7864
Sallyana
Baglung
Babai
Sarda
Pokhara
Langtang National Park
Dhang Range
Tulsipur
Piuthan
KATHMANDU
Nepalganj
Tansen
Kali Gandaki
Bhaktapur (Bhadgaon)
Dundwa Range
Butwal
Patan (Lalitpur)
Bhinga
Royal Chitwan National Park
Bahraich
Jarwa
Jhawani
Balrampur
Dhabarau
Bhikhna Thori
Amlekhganj
Lumbini
Gandak Barrage
PRADESH
Sindhuli Garhi
Gonda
Bansi
Bagaha
Colonelganj
Padrauna
Malangwa
Great Gandak
Faizabad
Basti
Khalilabad
Hata
Tamkuhi
Bettiah
Motihari
Ghaghara
Gorakhpur
Sitamarhi
Rudauli
Deoria
Akbarpur
Tanda
Rudarpur
Gopalganj
Dohrighat
Barhaj
Siwan
Kesariya
Darbhanga
Jais
Sultanpur
Jainpur
Maunath Bhanjan
Amethi
Patti
Azamgarh
Sahatwar
Manjhi
Lalganj
Sai
Chhapra
Hajipur
Bela
Jaunpur
Rasra
Ballia
Ganges
Kunda
Ghazipur
Dinapur
Ganga
Patna
Allahabad
Buxar
Ara
Bhadohi
Mokama
Varanasi
Mughal Sarai
Bikramganj
Son
Jehanabad
Bihar Sharif
South Tons
Bhabhua
Mirzapur
Chunar
Sasaram
Dehri
Halia
Tilothu
Gaya
Robertsganj
Aurangabad
Deo
Mangawan
Range
Morhar
Son
Tilaiya Reservoir
Kon
Chhatarpur
Sidhi
Nagar Untari
Chatra
Jhumritilaiya
Dudhi
Madwas
Garhwa
Daltenganj
Simaria
Palamu
Hazaribagh
Mara
Govind Ballash Pant Sagar
JHARKHAND
Harchoka
Bokaro Reservoir
Janakpur
Deosil
Mailan Hill
Ramgarh
Deogarh
1027
Partabpur
1255
Lohardaga
Ranchi
Burhar-Dhanpuri
Baikunthpur
Range
Kurasia

HISTOIRE DE MES ASSASSINS

TARUN J TEJPAL

HISTOIRE DE MES ASSASSINS

roman traduit de l'anglais (Inde)
par Annick Le Goyat

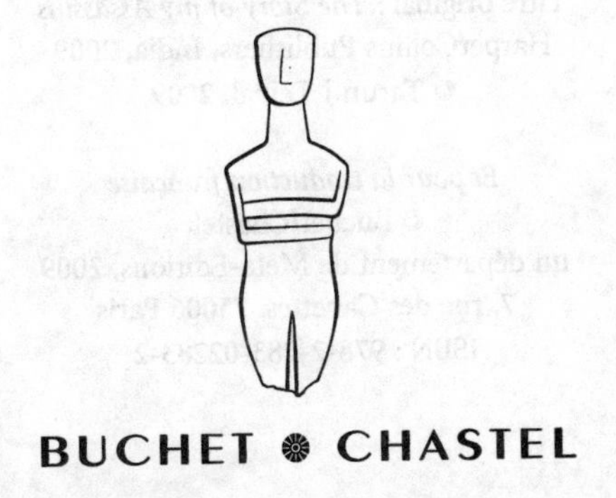

BUCHET • CHASTEL

DU MÊME AUTEUR

Loin de Chandigarh, Buchet/Chastel, 2005

Titre original : *The Story of my Assassins*
HarperCollins Publishers, India, 2009

7, rue des Canettes, 75006 Paris
ISBN : 978-2-283-02283-2

Sommaire

Un couteau est un bel objet. Il n'est pas fait pour tuer. Pour ça, il y a le pistolet. Le couteau sert à effrayer, à semer la terreur dans la mémoire de ton adversaire. Le couteau est un instrument d'orfèvre, le pistolet un ustensile de quincaillier. Une balle ne te donnera jamais la finesse, la précision d'une lame. Avec un couteau, tu peux décider de la punition exacte que tu veux infliger. Faire une incision de douze centimètres de long, un trou de cinq centimètres de profondeur, trancher la moitié d'un doigt, épointer le nez, sectionner la langue en deux, couper un testicule en rondelles, agrandir la taille d'un trou du cul, effiler les oreilles, dessiner une fleur sur un torse, une étoile sur une joue. Tu peux réaliser toutes ces jolies choses. Si les circonstances l'exigent, tu peux aussi sortir les entrailles, découper le cœur, planter un drapeau dans la cervelle. Avec un pistolet, une seule chose est possible : un trou dans la peau. Les tueurs utilisent une arme à feu. Les artistes préfèrent l'arme blanche.

À Neena, orfèvre de la générosité,
mon amie la plus précieuse.

LIVRE 1

Mr Sarbacane & Co

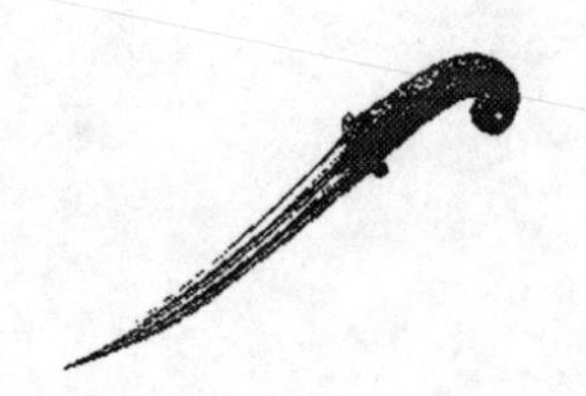

Avis d'assassinat

Le matin où j'appris la nouvelle de ma mort, j'étais assis dans mon bureau du deuxième étage, face à la baie vitrée ouvrant sur les torsades jaunes d'un laburnum dont l'or aveuglant avait en quelques jours viré au blanc laiteux, comme délavé par un détergent corrosif. Derrière l'arbre prématurément dégarni de ses frisons en ce milieu de mai, le ciel était d'un bleu irréprochable. D'ici quelques minutes, il commencerait à pâlir, puis le soleil le parerait d'un éclat tel qu'il deviendrait impossible de lever les yeux, même pour observer les avions rugissants qui descendaient pour atterrir, le ventre lourd.

Il n'était pas encore sept heures du matin.

Je m'étais faufilé très tôt hors de ma chambre obscure, sans un regard ou presque pour la tache endormie de ma femme étalée sur le ventre, bras et jambes fléchis, qui semblait écrasée par un pied géant. En me brossant les dents dans l'évier de la salle à manger, j'avais jeté un coup d'œil aux journaux du week-end qui abondaient en annonces de plaisirs alléchants, puis, fuyant le thé que Felicia avait mis à infuser, quitté la maison en silence. La ruelle était figée dans la stupeur d'un dimanche matin ; pas une feuille ne bougeait dans la rangée de flamboyants ni dans le pipal solitaire. Rambir, notre veilleur de nuit, avait abandonné son poste ; il dormait probablement déjà dans sa chambre-lit, ou s'adonnait à ses rites matinaux.

La seule animation venait du bâtard du quartier, occupé à fourrager dans les déchets du tas d'ordures de l'angle. Borgne, la robe panachée de différentes nuances de brun, une tête allongée de rongeur, le chien avait été baptisé Jeevan par un voisin en référence au méchant des films indiens des années soixante : regard fourbe et ricanement nasillard.

Je ne laissai pas le temps à Jeevan de trottiner vers moi. Je m'engouffrai dans la voiture et claquai la portière. Depuis quatre ans, j'avais évité avec succès d'entamer une relation avec lui.

Des relations, j'en avais assez.

Le parking du bureau était agréablement désert, à l'exception d'un vieux scooter Bajaj vert, rebondi et cabossé, la tête penchée et les yeux fêlés. Son propriétaire était affalé sur le sofa sans accoudoirs du hall d'entrée, juste derrière la porte. À mon arrivée, il se leva avec empressement, titubant et cherchant les boutons de sa braguette ouverte.

Sippy avait la mine ravagée d'un homme qui a passé les cinquante dernières années à se masturber à mort : les joues et les orbites creuses, des mèches rares sur un cuir chevelu pigmenté, les bras et les jambes maigres comme des baguettes, et l'air flagorneur de celui qui ne pense qu'à remettre ça. Il bataillait pour ajuster ses boutons tout en cherchant les clés de mon bureau. J'écartai d'une tape sa main tâtonnante du tiroir ouvert, plongeai la mienne dans le bric-à-brac de métal et de laiton, et pêchai mon jeu de quatre longues clés amarrées à une cuissarde miniature en cuir brun à haut talon. Délirant fantasme européen inspiré par une revue étrangère ou un film ? Qui, en Inde, pouvait inventer un porte-clés pareil ?

Le téléphone sonnait déjà quand je poussai la porte de mon bureau au deuxième étage. Sippy voulait savoir si je désirais un thé. J'avais à peine allumé et tiré les stores en plastique que la sonnerie se faisait de nouveau entendre. Un petit pain à l'omelette ? L'ordinateur avait tout juste fini de démarrer que Sippy rappelait encore. Un œuf ou deux, l'omelette ?

J'attendis que les icônes se fussent alignées en haut et en bas de l'écran à la façon de deux équipes de football avant le début d'un match. Après la grande ère de l'alphabétisation, le monde revenait à l'ère de l'illettrisme. Pendant des siècles, on avait traqué les mots pour définir chaque image, chaque sensation, chaque sentiment. À présent, on cherchait une image pour chaque sensation, chaque sentiment. Publicité, télévision, cinéma, photographie, informatique, téléphonie mobile, art graphique, animatronique – tout était conçu pour transformer le gribouillis du mot en splendeur de l'image. À travers la planète, des Picasso Photoshop accroupis devant leur machine mariaient des images hétéroclites afin de produire des scènes tellement inattendues qu'aucun mot n'avait une chance de résister. L'imagination n'avait plus besoin du langage pour explorer ses recoins les plus obscurs. Elle voyait ses méandres les plus fantastiques restitués en images préfabriquées, offertes à tous. Notre Mordor était le même. Notre Frankenstein était le même. Notre Fée Clochette était la même. Inutile dorénavant d'imaginer Davy Jones – une firme d'art graphique de la Silicon Valley fabriquait le pirate des Caraïbes pour nous.

Chacun piochait dans le réservoir universel d'images. Le monstre individuel était mort. La passion personnelle, le chagrin intime, morts. La colère était une icône. Le bonheur, une icône. La souffrance, une image. L'amour, une image. Le sexe, un organe. Le futur, une matrice. Si vous pouviez l'imaginer, le sentir, on vous le montrait – en plusieurs couleurs, sous tous les angles – sans les efforts du verbe. Même Dieu, pour finir, se trouverait rétréci. Pas plus grand que l'écran. Pas plus dense qu'un pixel.

Je n'avais pas encore activé une seule des icônes des joueurs en ordre de bataille que le téléphone se remit à sonner. Une voix inconnue me demanda en hindi si elle pouvait me parler. Sippy avait dû brancher le standard sur ma ligne directe pendant son absence. Je répondis que c'était dimanche et que je n'étais pas à mon bureau. La voix demanda à parler à quelqu'un d'autre, n'importe qui. Je répondis qu'il n'y avait personne dans les bureaux le dimanche matin, hormis moi, l'homme de ménage, et que je n'étais pas autorisé à communiquer les numéros privés. La voix affirma que c'était d'une importance capitale. À quoi je répondis que le dimanche du sahib aussi. La voix dit : « Tu n'es qu'un chutiya et tu mérites de passer ta vie à balayer ! »

De son côté, mon téléphone portable s'était mis à bourdonner sur la table comme un insecte pris au piège. C'était ma mère. Je glissai un mouchoir plié dessous pour étouffer le bruit. À peine éteintes, les vibrations reprirent, et le Nokia noir et argent rampa avec le mouchoir vers le bord. J'attendis leur plongeon pour les rattraper au vol avec la dextérité d'un joueur de champ sur un terrain de cricket, et les remis bien à plat sur la surface de verre. La lumière du petit écran palpitait sans interruption. Ma sœur de Bombay, puis ma femme, de nouveau ma mère, un autre numéro inconnu, et un autre, le directeur de la diffusion, le responsable de l'espace publicitaire embauché deux mois plus tôt, encore ma mère. J'attribuai ce raffut à une nouvelle ânerie diffusée dans les médias. La ligne du standard sonna à son tour.

Je décrochai. « Sippy ?

– Sirji, ils disent que vous êtes mort. »

Je m'emparai de la télécommande, pivotai d'un demi-tour sur mon fauteuil, et fis feu sur le téléviseur. Un chœur de chanteurs gesticulants explosa dans la pièce. Je zappai et regardai défiler un étonnant buffet varié de combats de crocodiles, de joueurs de cricket à l'œil allumé, de golfeurs marchant à grands pas, d'hommes pieux au torse nu, de vedettes de cinéma qui parlaient, de vedettes de cinéma qui dansaient, de vedettes de cinéma qui jouaient, toutes sortes de films anciens et récents dans des langues différentes, avant de tomber enfin sur une chaîne d'informations. Une photo de moi, bouche ouverte, surpris au milieu d'une phrase, peut-être au cours d'une conférence de presse, occupait l'écran. En travers de ma poitrine était inséré un encart en lettres rouges : « Flash Info ! » Au bas de l'écran passait la bande du téléscripteur : « *Tentative d'assassinat avortée contre un journaliste. Cinq hommes interpellés.* »

Je zappai sur une autre chaîne d'infos. Nouvelle photo de moi, prise avant que je rase ma moustache. De nouveau : « Flash Info ! » et la bande du téléscripteur : « *Un journaliste échappe à une tentative de meurtre. La police déjoue l'attentat.* » Je montai le son. Une jolie fille expliqua d'une voix grave que je l'avais échappé de justesse. La police avait été prévenue par un indicateur. On avait découvert des armes sophistiquées, notamment des fusils d'assaut AK-47 et des pistolets automatiques. Aucune information ne filtrait encore sur le mobile de l'assassinat, mais une source interne laissait entendre qu'il s'agissait de tueurs à gages.

Mon téléphone portable avait de nouveau vibrionné jusqu'au bord de la table. Un numéro inconnu clignotait furieusement. Je lui donnai vie. Une voix jeune, féminine et fébrile lança : « Un instant, s'il vous plaît, je vous passe en direct sur le studio. »

La voix du studio était également jeune et féminine, mais le ton grave et sérieux. Elle annonça que la station m'avait en ligne, en live, en primeur, et en exclusivité.

« Merci d'avoir choisi notre chaîne ! dit la voix du studio. Comment vous sentez-vous ?

– Bien, répondis-je.

– Êtes-vous très ébranlé par les événements ?

– Oui.

– Avez-vous reçu des menaces, récemment ?

– Non.

– Avez-vous une idée de l'identité des tireurs ?

– Non.

– Vous êtes-vous senti en danger au cours des dernières semaines ?

– Non.

– Selon la police, il s'agit de tueurs à gages. Vous le croyez ?

– Je ne sais pas.

– Pensez-vous que le gouvernement y soit pour quelque chose ?

– Je ne sais pas.

– Est-ce que votre famille est inquiète ? Effrayée ?

– Je ne sais pas.

– Avez-vous peur ? Êtes-vous angoissé ?

– Pas encore.

– Que comptez-vous faire à présent ? »

Manger mon omelette.

« Je n'y ai pas encore réfléchi.

– Vous n'aviez vraiment aucun soupçon ?

– Non.

– Qu'avez-vous fait en apprenant la nouvelle ?

– Rien. »

Il y eut un silence. Beaucoup trop long pour une émission de télévision en direct. La voix reprit, plus pressante :

« Merci de nous avoir accordé une interview exclusive et de nous avoir livré vos premières impressions à chaud sur votre assassinat ! »

C'est elle qui coupa la communication.

Sara ouvrit la porte dès la première note du carillon, toute luisante de la lotion dont elle s'était enduite à la hâte. Je frottai ma joue contre la sienne dans une semi-étreinte, allai droit dans sa chambre rafraîchie par le climatiseur ronflant, et m'allongeai sur le lit. Le seul éclairage de la pièce venait d'une lampe de chevet jaune faiblarde. La fenêtre était masquée par de lourdes tentures bleues, en partie repliées pour encadrer la grille en plastique du climatiseur. Le nom de la marque collé sur la grille était Napoléon, ce qui signifiait qu'il avait été bricolé dans quelque arrière-boutique de la ville. Climatiseurs Napoléon, porte-clés cuissardes en cuir à hauts talons, ce pays possédait une imagination enfiévrée.

« Tu veux du thé ? »

J'acquiesçai et commençai à me déshabiller. Une grande serviette-éponge à fleurs reposait sur le dossier de la chaise du bureau. J'en saisis un coin et la reniflai. Ça sentait le moisi. Je la fis glisser au sol et la poussai dans un angle du bout du pied, puis je mis mes vêtements à la place sur le dossier de la chaise. Jean, chemise et caleçon. Quand Sara revint avec les deux tasses de thé, j'étais assis sur son côté du lit encore tiède et froissé de la nuit, une jambe relevée pour masquer ce qui était en train de se produire en moi. J'avais repoussé sa pile de lectures – papiers, magazines, ouvrages sur le développement économique, rapports d'ONG, un mensuel féminin glamour, une anthologie de Hunter Thompson offerte par moi qui avait l'air de l'encombrer –, repoussé le tas entier jusqu'à l'extrême coin du côté non utilisé du lit et posé un oreiller dessus pour que rien ne s'envole. Elle me tendit ma tasse et s'assit sur le bord du lit, sans me toucher. Dans le halo de la lampe de chevet, je distinguai le duvet sur sa lèvre supérieure. Le soleil avait rôti ses bras minces d'une teinte chocolat. Quand elle leva le coude pour boire une gorgée, la hachure claire de son aisselle apparut nettement.

« Comment se fait-il qu'on t'ait laissé sortir un dimanche matin ? » demanda-t-elle.

Je ne répondis rien. Je la regardai dans les yeux. Je voulais changer de registre.

« Quoi ? dit-elle. Encore ? Désolée, c'est dimanche. La crèche est fermée. »

J'enfonçai une main entre ses cuisses et serrai sa chair pleine et lisse. J'attendis. Sa chaleur irradiait. Puis j'entrevis la lueur dans ses yeux, et un changement se produire en elle. Ses muscles se relâchèrent une fraction de seconde pour me laisser entrer. Elle était prête. Mes doigts esquissèrent une valse lente pour préparer l'ouverture. Elle eut un tressaillement involontaire, puis se figea, totalement immobile, sans bouger un seul muscle, les doigts crispés sur sa tasse, me défiant du regard. L'heure du jeu avait sonné. Je répondis de toute la longueur de mon doigt. Elle retint son souffle, ses yeux se dilatèrent, mais pas un de ses cils ne remua. Je retirai ma main et caressai sa lèvre supérieure du bout de mes doigts luisants. Elle se contentait de me regarder sans bouger. En plein mode activiste. Un désir fulgurant me transperça. J'étendis ma jambe et, posant ma main sur le côté de sa tête, l'abaissai vers moi. Elle résista, la nuque raidie. Je poussai plus fort.

« Tu me fais mal, dit-elle.

– Vois dans quel état tu me mets.

– N'importe qui peut produire cet effet sur toi. »

Sa tête était à mi-parcours, mais elle tenait toujours sa tasse. Je tendis ma main droite pour la prendre.

« Donne, salope ! »

Elle leva les yeux, provocatrice, exigeante.

Je dis : « Saali randi ! »

Elle absorba une longue gorgée de thé et lâcha la tasse. Le temps de la poser sur la table de chevet, je baignais dans sa bouche de thé tiède. Je me laissai aller en arrière, mes doigts dans les boucles de ses cheveux mi-longs. Puis je commençai à l'insulter, avec acharnement, en hindi, en anglais, retrouvant des termes et des expressions que je n'avais pas utilisés depuis le collège, des mots de la rue, des phrases tirées de mauvais films pornos, que je débitais à la suite, de façon absurde, comme le font les jeunes gens surexcités. Et à chaque volée de mots crus, tout particulièrement en hindi, elle devenait merveilleusement incontrôlable, donnant et prenant, donnant et prenant, dans la plus simple et la plus complexe de toutes les transactions.

Plus tard, beaucoup plus tard, tandis que Napoléon Bonaparte rafraîchissait notre sueur et que nous nous désaltérions avec du thé en y trempant des biscuits crayeux, je regardai sans passion son corps nu, étendu en face de moi au pied du lit. Elle possédait deux merveilleuses moitiés appartenant à deux corps distincts. Au-dessus de la taille, elle était étroite, fragile, depuis le nez fin jusqu'aux épaules frêles, la poitrine faite pour le plaisir, pas pour l'allaitement. Dessous, elle était pleine et ample, avec des hanches et des cuisses de femme, faites pour enfanter, pas pour l'objectif d'un photographe – au contraire de la partie supérieure –, mais pour les délices de la vraie vie. Deux grains de beauté caractéristiques poinçonnaient son corps pour certifier son unicité : le premier, voyant, sur la clavicule délicate, et son jumeau secret, en haut de la cuisse droite, à l'orée du buisson touffu. Pour concilier ses deux moitiés hétérogènes, elle avait trouvé une solution : de longues jupes évasées avec des tee-shirts moulants en coton sans manches, qui masquaient les excès et rehaussaient la fragilité.

Dressée sur un coude, la tête dans le creux de sa paume gauche, elle parlait. C'était ce qu'elle faisait de mieux. Elle parlait politique, sociologie, anthropologie, histoire, économie, écologie, le tout dans un magnifique entremêlement qui m'épuisait et me fascinait. Elle démembrait la nouvelle économie libérale qui était en train d'ouvrir l'Inde au monde, maudissait le fléau de la mondialisation, vilipendait la politique patriarcale, réclamait la mobilisation des basses castes, annonçait la mort de l'Inde dans les mains d'une droite hindoue déferlante. Dans cinq ans, ce serait un État fasciste. Les gens comme elle et moi en seraient réduits à se cacher. Les libertés que nous tenions pour acquises auraient disparu. La situation serait pire que sous l'État colonial parce que, cette fois, nous en serions responsables. Je pense qu'elle vit le sourire dans mes yeux car sa rage éclata. Elle se leva d'un bond pour fouiller dans sa bibliothèque et sortit une anthologie Oxford de poésie anglaise.

« Écoute ça, aboya-t-elle en ouvrant une page marquée par un signet.

"*Sur la souffrance, ils ne se trompaient jamais,*

Les Vieux Maîtres. Ils comprenaient

Sa place dans la vie humaine ; ils savaient qu'elle survient

Tandis qu'un autre mange, ouvre une fenêtre, ou passe avec indifférence…" »

Elle lisait avec force et colère, avec la voix et le rythme d'une manifestante, non d'une amoureuse de poésie. Elle termina et me regarda d'un air menaçant.

« Tu comprends ce que veut dire Wystan Hugh Auden ? »

Je secouai la tête.

« Wystan nous dit que le fascisme nous gagne sans même que nous le sachions ! Il nous dit que nous souffrons de l'illusion de la normalité. Il nous dit que les pires horreurs se déroulent autour de nous tandis que nous menons joyeusement notre petite vie. Le fait que les journaux continuent de paraître, la télévision de ronronner, les avions de décoller, les trains de rouler, et nous de chier chaque jour, ne signifie pas que tout va bien. Mon cher phallo-crétin, Icare a plongé dans l'océan et se noie tandis que nous bavardons allègrement sur le navire ! »

Je l'observais, fasciné. Elle arpentait la chambre en discourant, et ses deux corps se mouvaient différemment. Ses jambes-plaisir ondulaient, tandis que ses graciles bras photogéniques gesticulaient furieusement. Chez elle, la satiété sexuelle ne générait pas l'habituelle torpeur mais plutôt une grande anxiété morale et intellectuelle. C'était un sujet de recherche. Je songeai aux obscénités qu'elle m'avait poussé à proférer quelques minutes plus tôt.

« Toi ! reprit-elle, s'en prenant à moi. Toi !

– Qu'est-ce que j'ai fait ?

– Rien ! Justement. Sais-tu pour qui écrivait Wystan Hugh Auden ? Pour les gens comme toi. Qui sont pires que les autres. Ceux qui n'ont pas de voix pour s'exprimer. Toi, tu en as une et tu chuchotes à peine. On sait bien que tes petites révélations et tes petits articles ne sont pas ce qu'ils devraient être ! Au fond, ce ne sont que des branlettes d'amour-propre. Et ce poseur prétentieux que tu as pour associé ! Vous et vos reporters, vous prenez votre pied ! Vous possédez un énorme canon et vous l'utilisez comme une sarbacane pour tirer des petits pois ! »

Bigre. Le contrat social post-coïtal. Je somnolais et mon intérêt s'était étiolé. La folle salope avait besoin d'une dose de Vedanta pour se nettoyer la tête. Injures en hindi pour le corps, philosophie hindoue pour l'âme. Trop peu d'hindouisme, trop de foutaises occidentales, c'était son problème. Je songeai à l'information diffusée par les chaînes de télévision. J'avais été assassiné. Par qui ? Mon téléphone portable indiquait déjà plus de quarante appels en absence et le nombre ne cessait d'augmenter. Je fermai les yeux et son discours s'estompa.

Une fois dans la voiture, j'allumai le moteur et le climatiseur, inclinai mon dossier en arrière aussi loin que je pus, et fermai les yeux. Au bout du compte, c'était toujours épuisant. En dehors du fonctionnel, il fallait peu de temps à une relation pour se détériorer. Je devais simplement éviter de voir Sara pendant quelque temps, mais je savais que je n'y arriverais pas. Soudain, même la perspective de rentrer m'apparut comme un soulagement. Au moins, je n'aurais pas à parler, ni à écouter. Et si cela devenait insupportable, je pourrais m'enfermer dans mon minuscule bureau pour mijoter et – va te faire foutre, Wystan Hugh Auden – continuer de ne rien voir.

Tous les conduits d'aération étaient braqués sur moi, pourtant je ruisselais de sueur. La gaine synthétique du volant était brûlante. Mon téléphone ne cessait de bourdonner. Je passai en revue les appels en absence et les messages. Toutes les personnes que je connaissais m'avaient téléphoné et continuaient d'appeler. J'allais démarrer lorsque son nom apparut avec insistance sur l'écran. Comme elle ne renonçait pas, je finis par répondre.

« Oui ?

– Pourquoi ne me l'as-tu pas dit ? »

Elle avait dû allumer la télévision après mon départ.

Je perçus l'agitation avant même de m'engager dans la rue. Plusieurs véhicules inconnus stationnaient à l'angle, et de nombreuses personnes traînaient sous l'ombrage du large pipal, dont deux au moins en uniforme. Je pris lentement le virage. Sous l'auvent du porche exigu de ma maison fourmillait une petite foule de gens. Le portail en fer était grand ouvert, une voiture de police Gypsy garée juste devant. Jeevan inspectait les pneus de son œil unique en remuant la queue et pissait dessus.

Je pénétrai dans un tumulte de saluts, de questions, de bénédictions. Il y avait là des parents, des amis, des collègues, des voisins, des flics, et des cameramen avec de gros yeux qui leur poussaient sur l'épaule. Le troisième œil de Shiva ouvert pour détruire ; l'œil épaulé des médias ouvert pour enregistrer, nous marier tous dans un vaste collectif de chagrin et de festivités, de lamentations et de désir, de stigmates et d'étoiles. Magistral tour de passe-passe : le conformisme par le truchement de la liberté. Ce que les Mao-Staline n'avaient pu obtenir par la violence et la coercition.

Ma mère bondit sur moi comme Tom sur Jerry, et s'accrocha à ma taille telle une sangsue en poussant des vagissements, tandis que, chancelant, je circulai en serrant des mains et en produisant des sons incohérents.

Ma femme était adossée au montant de la porte, mince, grande, claire, inexpressive – indécise comme toujours en ma présence, toute sa beauté affadie par la tristesse. Sa grosse mère, les yeux rougis par des larmes forcées, lui caressait l'avant-bras. Son père chauve était ratatiné dans un fauteuil du salon, attendant timidement son heure. Petit employé en toutes circonstances.

Je remarquai un inconnu : corpulent, le visage rond, des cheveux ras et une moustache broussailleuse, vêtu d'une chemise saharienne grège. Il se tenait à l'écart, les bras croisés sur sa bedaine, observant le cirque d'un air affable. Sous son large pantalon, il portait des chaussures pointues en cuir noir. Près de lui se trouvait un grand jeune homme imberbe, au maintien un peu ondulant. La boucle d'un cordon de nylon dépassait légèrement sous l'ourlet droit de sa saharienne grise. J'approchai en traînant des pieds, ma mère toujours agrippée à ma taille, et tendis la main à l'homme corpulent.

Avec un sourire compréhensif, il me dit à voix basse : « Si on allait dans un endroit calme ? »

Je pris le plateau de biscuits fourrés à l'orange que Felicia avait apporté, le fis entrer dans le bureau, verrouillai la porte derrière moi, et me laissai choir sur le sofa élimé. L'homme s'assit sur l'une des deux chaises en bois de la pièce, devant la petite table de travail que j'utilisais parfois. Il tira un livre de l'étagère et en examina la couverture. *Le Festin nu.* Je plaçai le plateau de biscuits à côté de lui.

Il posa le livre sur la table, prit un biscuit, et me dit de sa voix basse et monotone :

« Tout le monde vous admire. Vous rendez un grand service à la nation.

– Chacun de nous fait ce qu'il doit faire.

– Non. Nous, nous faisons ce qu'on nous dit. Vous, c'est différent, vous apportez quelque chose au pays.

– Votre travail est très important. »

Il caressa la couverture du *Festin nu*. Entre deux bouchées de biscuit, il reprit :

« Nous obéissons aux ordres de nos supérieurs. Et eux aux ordres des leurs. Or les ordres ne sont pas toujours justes. Mais notre boulot n'est pas de poser des questions. Si on commence à poser des questions, il y aura une montagne de "pourquoi" et plus de police. Quand j'ai débuté dans ce métier, notre instructeur nous répétait tous les jours de garder présent à l'esprit que, dans notre domaine, si on a raison neuf fois sur dix et une fois tort, ça ne peut pas aller, mais si on a tort dix fois sur dix, ça va. Alors on obéit et on a toujours raison, même si on se trompe souvent. »

Il débita tout cela de sa voix monocorde. Il s'appelait Hathi Ram – son père avait servi dans un bataillon indien de l'armée britannique en Birmanie, et s'était découvert une passion pour les éléphants. Il avait appris à son fils à se comporter comme un hathi, un éléphant : gentil mais fort, obéissant mais ne se laissant pas bousculer. Son père était un naïf, selon lui, un simple soldat, un homme d'un autre temps et d'un autre monde. De nos jours, dans la police, il fallait être un bahurupiya, un transformiste, un maître de l'imitation capable de se composer un visage selon les circonstances. Souris avec les aînés, éléphant avec les jeunes, loup avec les suspects, tigre avec les inculpés, agneau avec les politiciens, renard avec les hommes d'argent. Ainsi, il n'était pas toujours Hathi Ram, l'éléphant – parfois il était Chooha Ram, Lombdi Ram, Sher Ram ou Bakri Ram. De nos jours, dans la police, votre attitude dépendait de votre interlocuteur.

« Qui êtes-vous, en ce moment ? » lui demandai-je.

Un large sourire fendit son visage. Ses cheveux ras étaient plus gris que bruns, mais sa moustache teinte restait très noire. D'épais poils poivre et sel jaillissaient du col ouvert de sa chemise. Il feuilleta les pages du *Festin nu* comme un paquet de cartes à jouer, et répondit :

« En ce moment, je suis Dost Ram. Un ami. Nous devons veiller sur vous. Nous ne voulons pas qu'il vous arrive malheur. »

Dans sa rondeur bonhomme, son regard était fixe et dur.

« Que se passe-t-il ? demandai-je. Qui veut m'abattre ?

– On ne sait pas grand-chose. On cherche.

– Mais vous avez sans doute…

– Je vous l'ai dit, sahib. Nos supérieurs nous donnent des ordres et nous les exécutons. Notre boulot n'est pas de demander pourquoi, sinon il y aurait une montagne de questions et aucun travail de fait.

– Combien sont-ils ?

– Cinq, je crois. D'après ce qu'en dit la télévision.

– Hathi Ram, si vous ne savez rien, pourquoi êtes-vous ici ? Pas pour en apprendre davantage de ma bouche, je suppose ?

– Sahib, je ne suis pas devenu sous-inspecteur en fréquentant les universités ni en passant des examens interminables. La police est remplie de ces charmants garçons qui ont encore des dents de lait et les poils du pubis bien noirs, et je suis certain qu'ils connaissent beaucoup de choses que j'ignore. Je suis devenu sous-inspecteur en traînant mon cul kaki dans les ruelles de cette ville inculte pendant trente ans, et s'il y a une chose que j'ai apprise en usant mes semelles, c'est que rien, à Delhi, n'est ce qu'il paraît être. Mais j'ai également compris que l'un des meilleurs moyens de traiter une affaire est de la prendre simplement. Les gens simples comme moi peuvent devenir dingues en essayant de découvrir les motivations et les méthodes des gens haut placés. Certains, dans la police, passent leur temps à tenter de les découvrir. Ils leur fournissent des informations et reviennent avec des instructions. Moi, non. Je fais juste ce que mes supérieurs me disent. Je ne suis ni un tendre ni un ange. Je suis un bahurupiya, un polymorphe par nécessité, rien de plus. Parfois, ce que je fais est bien, parfois non. Mais je le fais en respectant mon devoir, et ce n'est pas à moi de juger. Je me contente de suivre la *Gita*. Fais ce que tu as à faire. Trouvez-vous juste qu'Arjuna ait tué le grand Bima en se cachant derrière Sikhandin ? Trouvez-vous juste que le noble Yudhishtira ait menti afin que le grand Dronacharya soit tué ? C'est Krishna qui les a conduits à agir ainsi. Seul Dieu sait ce qui est bien et ce qui ne l'est pas. Les hommes, eux, font seulement leur devoir. »

Pas une inflexion dans la voix, juste ce timbre bas et monotone, et le bruissement continuel des pages feuilletées du *Festin nu*. Lorsqu'il eut terminé, Hathi Ram prit un biscuit fourré à l'orange, l'ouvrit en deux, mit d'abord la moitié la moins crémeuse dans sa bouche, puis l'autre quelques secondes après.

« Et quel est votre devoir, aujourd'hui, Hathi Ram ?

– M'assurer que vous êtes sain et sauf, et que vous le resterez. »

Le règne des ombres

Je ne revis pas le sous-inspecteur Hathi Ram de plusieurs semaines, mais un jeune homme imberbe au teint clair devint un élément constant de ma vie. Il s'appelait Vijyant, il était timide, candide, et suffisamment novice pour prendre son travail au sérieux. Il restait posté à l'extérieur de toutes les portes que je franchissais – bureau, maison, restaurants – et entrait en action dès que j'apparaissais. Il regardait à droite, à gauche, alentour, et foudroyait du regard quiconque osait jeter un coup d'œil dans notre direction. Dans la voiture, il s'installait sur la banquette arrière quand je conduisais, et sautait à terre avant que le moteur fût éteint pour ouvrir ma portière et me couvrir. Il gardait son grand pistolet automatique 9 mm noir légèrement usé dans la ceinture de son pantalon, l'extrémité opérante probablement nichée au frais dans les profondeurs de son bas-ventre. Parfois, quand j'écartais l'écran de bambou pour regarder par la fenêtre de mon bureau, je le voyais assis sous le porche minuscule, caressant doucement du bout des doigts le 9 mm posé sur ses genoux, et fredonnant un tube célèbre de Mukesh. *Chal akela chal akela chal akela, tera mela peeche chutha rahi chal akela.*

Hathi Ram, alias Dost Ram, l'ami, avait dit de lui : « Jeune prodige ! C'est mon jeune prodige ! Un jaanbaaz – un courageux prêt à risquer sa vie en un quart de seconde. À son arrivée dans le service, j'ai dit à l'inspecteur : "Où est le moule dans lequel ce garçon a été forgé ? J'ai besoin de beaucoup d'autres de sa trempe." L'inspecteur m'a répondu : "Laissez-lui un an, après nous en reparlerons." Mais l'inspecteur avait tort. Même nous, nous n'avons pas réussi à le corrompre. Sa place serait auprès de ministres, de députés, de personnalités de marque. Moi je veux qu'il veille sur vous. Parce que, à mes yeux, votre vie est bien plus importante que la leur. »

Tout cela fut énoncé à portée d'oreille de l'intéressé. Lorsque Hathi Ram eut terminé, il le regarda, mince, lové dans son costume de safari, et s'exclama :

« Quoi ? J'ai dit quelque chose de mal ? »

Vijyant sourit et, tapotant son pubis d'acier, répondit :

« Je fais mon devoir. »

Le jeune homme avait le même niveau universitaire que moi : une licence de lettres, et le même cursus – sciences politiques et histoire. Peut-être même avait-il obtenu de meilleurs résultats à ses examens. La différence entre nous était qu'il avait fait ses études en hindi, à Hapur[1]. Après son diplôme, son père l'avait convaincu de briguer un emploi de fonctionnaire. Après tout, le gouvernement, le sarkar, était maibaap : père, protecteur, gardien.

1. Ville de l'Uttar Pradesh.

Une fois sous l'aile du maibaap, vous étiez invincible. Les tempêtes de chômage cycliques ne vous touchaient pas ; dans les hôpitaux publics, les microbes et les maladies trouvaient à qui parler ; les prix inflationnistes de l'immobilier n'avaient aucun effet sur les logements maibaap ; les écoles de l'État résonnaient des cris joyeux de vos enfants ; et lorsque vos cheveux tombaient, que vos membres devenaient infirmes, le maibaap vous laissait rentrer chez vous mais continuait de vous envoyer un chèque tous les mois pour vos vieux jours. Une fois intégré dans le giron du maibaap, on prenait soin de vous jusqu'à la fin, jusqu'à ce que soit venu le moment de vous déposer sur le bûcher de votre crémation. Et ce jour-là, si vous étiez vraiment béni, vos propres enfants étaient déjà eux aussi en sécurité sur les genoux du maibaap, imperméables aux ravages qui brisaient les vies ordinaires.

Par le petit bout de la lorgnette de Hapur – avec ses rues abandonnées, ses caniveaux boueux, ses échoppes borgnes, sa circulation engorgée, et son épaisse couverture de poussière –, de la lointaine Hapur, donc, le monde paraissait dangereusement impraticable, beaucoup trop vaste, trop complexe, trop malveillant, et envahi de gens très rusés, très riches et très puissants. Hapur était trop petite pour un garçon finaud, et le monde trop grand pour un petit garçon.

Son père aurait été terrifié de l'y envoyer sans arme pour y survivre ; et, surtout, Vijyant lui-même aurait été terrifié de s'y aventurer. Le gouvernement, le sarkar, le maibaap : père, protecteur, gardien, c'était leur seul espoir. Dans l'immense monument du maibaap, inutile de commander une chambre à coucher ou un bureau – même les rats grouillants étaient à l'aise et en sécurité.

Une recherche débutait, un voyage. D'abord, par l'entremise de quelqu'un – parent ou ami – qui connaissait quelqu'un à

Delhi. Idéalement, un courtier, un combinard. Certes, le jeune homme semblait très bien et en mesure de se débrouiller seul, mais pourquoi courir un risque ? Jamais de la vie ! Ils remonteraient la chaîne de transmission, dont chaque maillon s'esclafferait : « Hapur ! Hapur ke papud ! » jusqu'à l'homme qui, enfin, formulerait la transaction.

Cet homme-là était un artiste, parfaitement conscient de sa place dans l'univers. Le gardien des portes. Il s'était modelé lui-même : gestuelle, intonation, mouvements de tête, en s'inspirant d'une star de cinéma de sa jeunesse – Dev Anand, Dilip Kumar, ou Raj Kapoor. Il se montrait tour à tour volubile, flegmatique, renfermé, sermonneur, dédaigneux, réconfortant, philosophe. Toujours philosophe – les jongleurs de la morale, les dribbleurs de l'éthique, ont besoin de philosophie bien plus que les prêtres et les professeurs. Il se présentait d'autorité comme un travailleur social, obligeant, altruiste ; les corruptions et la cupidité appartenaient à ceux qui venaient toquer à sa porte.

Après maints marchandages, prières, promesses et contre-promesses, le père devait retourner à Hapur afin de réunir en hâte le pot-de-vin.

Comme le garçon était candide, enclin à soulever des questions innocentes, il fallait le tenir à l'écart de la procédure, l'inciter à se préparer pour l'examen physique. Pompes, abdos, lait à outrance.

Le père ayant strictement observé les règles, l'artiste gardien des portes ayant exercé sa munificence, Vijyant pouvait être accueilli dans le sein du maibaap, avec le rang d'agent de police. Sa vie entière était prise en charge par le sarkar. Il avait l'assurance de pouvoir circuler dans le château maibaap pour le restant de ses jours.

À présent, tout ce qu'il avait à faire était de me garder. Contre quoi, je l'ignorais. Et il n'était pas seul. Il fut le premier à se montrer, ce fameux dimanche matin, avec le sous-inspecteur Hathi Ram, mais, les jours suivants, deux autres le rejoignirent. Bien que nettement plus âgés – des thullas, vétérans subalternes bourrus, bedonnants et catarrheux –, ils semblaient aux ordres de Vijyant. Tous trois étaient censés se relayer par rotations de huit heures, mais ils avaient concocté un horaire très compliqué et je ne savais jamais qui succédait à qui. D'ailleurs, je m'en contrefichais. En quelques semaines, ils devinrent des ombres, allant où j'allais, se déplaçant quand je me déplaçais, s'évanouissant dès que j'entrais quelque part, se fondant dans la nuit, se matérialisant dans la lumière.

Comme ils ne portaient jamais d'uniforme, mais leurs vêtements personnels – la chemise large pendante étant la seule constante –, il m'était encore plus facile d'oublier leur présence. De toute façon, je faisais en sorte qu'ils demeurent de vraies ombres, ne parlant jamais sans y être invités, prenant leurs repas et faisant leurs ablutions dans les créneaux inopinés que ma vie leur autorisait. Je les décourageais fermement de me questionner sur mon emploi du temps et mes projets.

Passé ma curiosité initiale à l'égard de Vijyant, je décidai de refuser toute intimité avec l'un ou l'autre d'entre eux. Je les préférais sans visage, sans nom, sans passé. Je ne voulais rien connaître de leur village natal, de leur école, de leurs problèmes familiaux, des conditions de vie difficiles de leurs parents, de leurs déboires au travail, de leur caste, de leur religion, de leur dialecte, de leurs opinions sur la politique, l'identité nationale, l'économie, Gandhi, Nehru, la corruption, la criminalité, le cricket, les hindous, les musulmans. Rien.

Il y avait bien trop d'opinions dans ce pays, trop d'histoires mélodramatiques. Personne ne voulait mettre un couvercle sur quoi que ce soit ; tout le monde voulait tout dire sur tout. En 1947, Nehru avait déclaré que nous étions une nation en quête d'expression. Cinquante ans plus tard, l'expression s'était muée en clameur hystérique, babil fou, braillement inextinguible. Nous étions une nation de Shéhérazades redoutant de mourir à la moindre seconde de silence. Pour ma part, je m'étais façonné un visage d'acier et des hochements de tête impénétrables. Cela ne faisait pas toujours taire tout le monde, mais endiguait partiellement le flot effrayant.

Ironie de la chose, mes confrères de la presse ne cessaient d'aggraver la situation. Âmes sensibles prêtes à tout, agents de battage médiatique et de délire organisé, ils prospéraient sur l'emphase, l'image ampoulée, l'analyse apocalyptique. Ils concouraient à créer une ambiance de larmes, de lamentations, de gesticulations de désespoir. Un immense vacarme. Ce continuel débordement émotionnel, ces pleurnicheries sans fin, en privé ou en public, étaient grotesques. On aurait pu croire que nul ne connaissait l'esprit hindou qui imprégnait pourtant leurs gènes.

Lorsque Gudagesha, le grand Arjuna, pourfendeur d'ennemis, archer hors pair, héros parmi les héros, coincé entre les armées déployées des Pandavas et des Kauravas, affligé et submergé par l'émotion, déclare à Krishna : « Je ne combattrai pas », alors Hrishikesha, Govinda, Krishna, l'omniscient dieu, sourit et répond : « Tu parles le langage de la sagesse, mais tu t'apitoies sur ceux qui n'ont que faire de ta pitié. L'homme éclairé ne s'endeuille ni pour les vivants ni pour les morts. Il n'est pas vrai qu'il y eut un temps où ni moi, ni toi, ni ces rois n'étions des hommes. Il n'est pas vrai non plus qu'aucun de nous ne doive jamais, dans l'avenir, cesser d'être. Comme l'âme passe physiquement à travers enfance et jeunesse et vieillesse, de même passe-t-elle à travers les changements de corps. Cela ne saurait troubler le sage. Ô fils de Kunti, les contacts matériels, qui donnent le froid et le chaud, le plaisir et la douleur, choses éphémères qui vont et viennent, apprends à les supporter, ô Bhârata. L'homme que ces choses ne troublent ni n'affligent, ô cœur de lion entre les hommes, l'homme sage qui demeure égal dans le plaisir et la douleur, celui-là se rend digne de l'immortalité. »

Or nous étions devenus un peuple qui ne pouvait ni rivaliser avec l'humilité de Gudagesha, ni entendre les sages paroles de Hrishikesha. Nous voulions tout étaler, comme dans les confessionnaux, dans les magazines de charme, et comme, de plus en plus, dans les pages enflammées des journaux grandiloquents. *Cosmo* rencontre Bollywood qui rencontre MTV sur la plaine sacrée de Kurukshetra pour la grande bataille des Mahacrétins !

Mon indifférence aux deux nouvelles ombres était telle que je n'avais même pas enregistré leurs noms. Ils n'étaient d'ailleurs pas de nature à s'en formaliser. L'un et l'autre – bedaine et catarrhe – allaient et venaient sans un hochement de tête ; ils regrettaient probablement leur affectation de gardes du corps à un poids léger comme moi. À plusieurs reprises, ils avaient glissé les noms de poids lourds de la politique auxquels ils avaient été attachés – des personnages présidant aux destinées de millions de gens, devant la porte desquels riches et puissants s'inclinaient révérencieusement, qui avaient le pouvoir de muter des officiers d'un mouvement de menton, d'accorder des autorisations d'un simple paraphe, de faire ou défaire des carrières et des fortunes entre une bouchée de toast et une gorgée de thé.

Plusieurs personnes me conseillèrent la prudence, soupçonnant mes ombres d'être là non pour me protéger, mais pour m'espionner. À les croire, les informations concernant ma vie et mes déplacements remontaient directement au Bureau de renseignements, puis, de là, aux plus hauts échelons du gouvernement. Dans des pièces aux murs épais, sous les halos jaunes de lampes basses, de sinistres personnages en costume gris décodaient la signification de mes haltes déjeuners solitaires chez McDo.

Jai, mon associé, un barbu à l'âme sensible – qui détectait une conspiration dans chaque mesure prise par l'État et passait ses soirées à se tourmenter sur de banals problèmes humains dans son luxueux salon –, me dit : « Ils montent un gros dossier contre toi. »

Il est vrai que mes ombres possédaient une sorte de journal de bord, un épais registre recouvert de toile marron, dans lequel je les surprenais à inscrire laborieusement des annotations à différentes heures de la journée, et qu'ils fermaient précipitamment dès que j'apparaissais. Mais à moins de solliciter fortement leur imagination, ils n'avaient rien à écrire.

Bureau, maison, club de sport, restaurants, cinémas, Sara. C'était tout mon univers. Rien à commenter. Seul l'appartement de Sara me posait problème. Au début, je tentai de les semer, mais cela les affola et je ne tenais pas à ce qu'ils alertent le poste de commandement de la police pour me faire rechercher, toutes sirènes hurlantes, dans l'immeuble cube incolore où je gisais, nu et enfiévré, au milieu d'une explosion paroxystique d'injures en hindi, devant le Napoléon bourdonnant.

Alors, je les emmenais avec moi et les laissais croupir sous les arbres bruns décolorés, livrés à leurs suppositions. La première fois, Sara se percha sur la pointe des pieds pour les épier du fenestron de sa salle de bains et remarqua :

« Ils n'ont pas l'air capables de te protéger contre quoi que ce soit. Celui-ci ressemble au gros surveillant de cantine de mon ancienne fac ! »

J'observai son corps composite, la promesse de son épanouissement, et répondis :

« La police indienne fait la guerre par des moyens frauduleux. Ce type est un vrai tueur. »

Je me tenais derrière elle, sa croupe généreuse contre mes cuisses, ses cheveux frisés au parfum de shampooing fruité sous mon menton, ses épaules photogéniques dans mes mains. Le « vrai tueur » était assis à la lisière du parking, sous un orme poussiéreux, chaussé de ses sandales de cuir, sa chemise de brousse déboutonnée jusqu'à la taille, et il s'éventait avec un magazine serré dans sa main droite, l'index de la gauche profondément enfoncé dans son oreille.

Remuant sa chair pleine contre mes cuisses, Sara demanda :

« Il médite ?

– Les méthodes de la police indienne sont implacables et impénétrables. »

Pour l'impénétrabilité, j'avais raison. Les semaines se succédèrent et personne ne vint m'expliquer ce qui se passait vraiment, ni à quoi tout cela rimait. Les ombres affirmaient ne rien savoir, et même si elles savaient quelque chose, il y avait peu de chances que cela dépasse leurs tâches élémentaires. Le sous-inspecteur Hathi Ram n'avait pas reparu après ses deux premières visites éclair. Je me retins de lui téléphoner – bien qu'il m'eût donné son numéro de portable – ou de demander d'autres renseignements. Je pressentais qu'il s'agissait d'une sorte de jeu. Montrer de l'anxiété, comme Jai et les autres, eût été la reconnaître. Nous en étions encore aux préliminaires, au stade de l'échauffement, aux exercices d'assouplissement, nous nous tournions autour en observant nos mouvements, essayant de déceler chez l'autre l'appréhension et l'incertitude. L'intensité du vrai combat dépendrait de notre aptitude à jauger nos postures et nos compétences réciproques.

Au cours de ma vie, j'ai appris une ou deux choses sur le pouvoir. D'abord, il se nourrit de la peur. Le pouvoir fort repose sur le contrôle, mais le petit pouvoir repose uniquement sur la peur. Au village, j'avais toujours vu mes oncles rosser des sous-fifres, et celui parmi eux qui reculait le plus recevait double dose. Je me souviens d'un certain Ghoda, un basse caste, un type assez grand qui se recroquevillait dès l'instant où l'un de mes oncles commençait à avancer vers lui, et qui glapissait avant même de recevoir le premier coup. « Hai ! Ils ont tué ma mère ! Hai ! Ils vont m'assassiner aujourd'hui ! Hai ! Ayez pitié d'un pauvre homme ! Hai ! Dieu cruel, pourquoi suis-je né ! »

Ses cris étaient si stridents que tous les ouvriers agricoles qui travaillaient dans les champs savaient que le spectacle allait commencer. Ghoda poussait des hurlements hystériques, il implorait pitié, pardon, invoquait sa mère, Dieu, la justice, le destin. Aucune douleur n'aurait pu générer pareilles lamentations : elles naissaient de la peur, la peur abjecte. Et mes oncles prenaient plaisir à le battre, même mon oncle de quinze ans. La plupart du temps, la raclée ne s'arrêtait que lorsque leurs bras étaient fatigués.

Il n'était pas rare, quand ils s'ennuyaient, assis en rond sur leur charpoy sous le palissandre de la cour, de les entendre proposer soudain, pour se distraire ou divertir un visiteur :

« Vous voulez voir le cirque ? Ghode da gana ! Le cheval qui chante ! » Et le basse caste de couiner dès qu'on le hélait. La terreur qui se lisait dans ses yeux excitait l'assistance. L'un de mes oncles regardait le visiteur, ou nous, et s'esclaffait : « Avez-vous jamais entendu un si joli chant en ville ? Sur votre radio de brousse ? Eh bien, écoutez les merveilleuses mélodies de notre Radio Ghoda locale ! » Et à coups de poing, de pied, de bâton et de badine, ils se jetaient sur lui.

Les policiers, l'expérience me l'avait appris, étaient comme eux des amateurs de petit pouvoir. Ils avaient besoin de leur dose quotidienne de peur. Ils se réveillaient chaque matin comme des chiffes molles puis, au fil de la journée, ils se gavaient de peur. À ma connaissance, aucun flic n'avait jamais été plus authentiquement lui-même qu'en présence d'un accusé ou d'un individu sans défense. En fait, dans ces moments-là, la plupart d'entre eux prenaient leur pleine mesure au point de ressembler à des acteurs de cinéma, parlant et se mouvant avec un sens accompli du drame, avec la conscience intuitive qu'un rapport inégal crée une scène qui exige un minimum de théâtralité.

Je savais que si un seul d'entre eux – des ombres les plus humbles aux cimes vertigineuses de l'État – détectait la peur dans mon regard, ils deviendraient voraces. Car, au cours des siècles, nous n'avions pas seulement été des Mahalarbins quand nous étions vassaux, mais nous avions également fait nos preuves comme Mahalarbins barbares quand nous étions dominants.

Ainsi donc, je ne posai aucune question et n'eus aucune explication. Les semaines s'écoulaient, les ombres allaient et venaient, et, de temps à autre, un nouveau visage anonyme traversait ma vie.

Hathi Ram était assis dans mon bureau, avec ses chaussures noires à bout pointu et sa large chemise de brousse. Il caressait *Le Festin nu.* Il était récemment allé chez le coiffeur car ses cheveux gris étaient hérissés comme une pelouse tondue et sa moustache luisait de teinture noire. Le visage bonhomme et rondouillard souriait, les yeux étaient durs et fixes.

Il me tendit une main molle et dit de sa voix basse :

« Le samedi est un jour réservé pour la femme et la famille. Je suis désolé de vous déranger, mais vous savez, pour la police, il n'y a ni samedi ni dimanche, ni vacances ni Diwali, ni été ni hiver, ni jour ni nuit, ni bien ni mal, ni père ni mère, ni épouse ni petite amie.

– Hathi Ram, vous rendez d'immenses services à la nation.

– Je vous en prie, monsieur, ne vous moquez pas ! Nous savons tous combien il y a d'eau dans ce lait. En fait, tout le monde est au courant. Personne ne fait confiance à la police, personne ne l'aime. C'est vrai, si nous n'étions pas de tels eunuques, l'aspect même de ce pays changerait. Mais nous devons faire ce qu'on nous dit de faire. Nous sommes censés servir la population, mais ce sont nos supérieurs qui décident de quelle manière la servir. Parfois, au poste, quand nous travaillons un garçon qui s'est fourvoyé et qu'il braille trop fort, nous lui disons : “Tais-toi, maaderchod, n'oublie pas que nous sommes à ton service, alors sois reconnaissant !” Nous obéissons aux ordres. Nous ne pouvons pas les mettre en question. Si nous commencions à demander pourquoi, il y aurait des montagnes de pourquoi et pas de police. Et ce serait pire.

Un peu de lait dans l'eau vaut mieux que pas de lait du tout. Au moins, il y a l'illusion. Dans les pauvres masures, on met deux cuillers de lait dans un verre d'eau et l'enfant boit avec bonheur. Nous sommes un pays pauvre et il faut se nourrir d'illusions quand le lait fait défaut. Ne soyez pas sévère avec nous. Nous autres policiers ne sommes que l'une des nombreuses illusions de notre grand pays. Arre, monsieur, si vous regardez autour de vous, vous verrez que, au fond, nous sommes seulement des marchands de fantasmes. Khyali pulao, sut-sut ke khao. »

Il débita tout cela sans la moindre inflexion, de sa voix basse et monocorde, en claquant lentement les deux moitiés du biscuit fourré à la crème d'orange l'une contre l'autre comme des cymbales en guise d'accompagnement. Une telle égalité d'humeur ne pouvait venir que d'une longue et intime fréquentation de la violence et de l'injustice. Je n'avais vu cela que chez d'anciens policiers – peut-être était-ce également fréquent chez les médecins et les dictateurs. Un calme méditatif face à la nature du monde, loin du moralisme appuyé des manuels scolaires, de l'art, des médias et de la religion. Une zone de fonctionnalité peu encline à l'agitation devant la mort du corps, ni à l'exaltation de la sacralité du corps.

Les hommes mouraient, le mal était fait, l'injustice l'emportait souvent – à tort ou à raison –, et il n'y avait pas de quoi se torturer. On pouvait passer sa vie à y songer, ou à s'en arranger. En fait, alors même que l'on discourait, le chaos et la mort continuaient de s'engouffrer par la porte. Inondations, tremblements de terre, viols, meurtres, incendies criminels, attentats à la bombe. Fléaux, microbes, terreur. Alors, autant mettre de côté les jérémiades et accomplir simplement son travail, rentrer chez soi, effectuer quelques tâches ajournées le samedi en cas de nécessité, jouer des cymbales avec des moitiés de biscuits fourrés à l'orange et caresser *Le Festin nu.*

« Vous êtes en sécurité », me déclara-t-il.

J'acquiesçai.

« Les hommes comme vous sont importants pour le pays, poursuivit-il. C'est à nous de faire en sorte qu'on ne touche pas un cheveu de votre tête. Vous ne risquez rien. »

J'opinai et attendis la suite.

« Nous allons encore renforcer votre sécurité, dit-il.

– Il s'est produit quelque chose ?

– Aucun problème. Tout va bien. Nous haussons simplement le niveau de votre protection.

– Hathi Ram, dis-je, ne me traitez pas comme un chutiya. Je ne suis pas tombé de la dernière pluie. Dites-moi ce qui se passe. »

Sans changer d'un iota sa tonalité, il répondit :

« Je ne vous cache strictement rien, monsieur. Tout va bien. Nous avons simplement reçu l'ordre d'élever votre niveau de protection.

– Je croyais que les suspects avaient été arrêtés.

– Oui, ils sont chez nous. On s'occupe d'eux. On leur donne du bon temps.

– Qui sont-ils, Hathi Ram ? Vous ne m'avez rien dit.

– Nous discutons avec eux. Beaucoup. Gentiment, patiemment. Vous savez comme nos hôtes peuvent se montrer réticents. Ils sont toujours très lents à se décider, il leur faut du temps pour se mettre à l'aise, pour parler librement et avec entrain. On doit les aider à se détendre, à se sentir en confiance. Bientôt, ils voudront nous raconter toute leur vie.

– Donc, pour l'instant, il n'y a rien que vous puissiez m'apprendre ?

– Rien, monsieur. Rien que je sache. Sinon que vous êtes en sécurité. Mon travail est de vous protéger. Pas de mener l'enquête. À moi non plus, on ne dit rien. Je suis un tout petit rouage dans une immense machine qui me dit ce que je dois faire et je ne peux pas demander d'explications. Si un minuscule écrou comme moi commence à demander pourquoi, il y aura une énorme montagne de pourquoi et pas de machine. »

Je l'observai – si calme, si grave, si apparemment sincère. Il colla délicatement les deux moitiés du biscuit et les enfourna dans sa bouche.

Avant la fin du week-end, j'avais commencé à me prendre pour un commissaire du peuple soviétique ou un gros bonnet de la drogue. Ou encore, plus justement, pour le stéréotype du méchant politicard d'un film hindi. La catégorie dans laquelle on m'avait hissé me semblait d'une importance sinistre. Z. Le seul que cela excitait était Vijyant :

« Qui sait ? Vous aurez peut-être droit à un Z+ ! »

Pour lui, le prestige de ma nouvelle situation était grisant.

Ayant débuté avec un seul flic en civil armé d'un 9 mm, je jouissais désormais d'une quasi-section :

Trois gardes du corps en uniforme dotés de fusils automatiques.

Un chef de section d'âge mûr portant son 9 mm fourré dans l'entrejambe.

Une voiture Ambassador blanche avec un chauffeur en civil.

Un amoncellement de sacs de sable devant ma maison.

Un autre devant le bureau.

Deux gardes de faction derrière chacun, en uniforme et armés de fusils automatiques.

Un petit projecteur illuminant le portail de ma maison toute la nuit, mais laissant dans le noir les sentinelles derrière les sacs de sable.

Une grande tente vert kaki – dont l'ouverture béait à demi d'un air de consternation – au bout de la ruelle de derrière, où les soldats de la section se reposaient tour à tour.

À côté, une cabine de douche en grosse toile tenue par quatre hampes de bambou et dallée de briques plates, alimentée en eau par un tuyau de caoutchouc tiré depuis notre jardin et accroché autour d'un margousier.

Un gros véhicule de police qui apparaissait à intervalles réguliers et distribuait thé et nourriture à la garnison, avec force grincements et cliquetis de son hayon arrière.

Et enfin quelques talkies-walkies grésillant et baragouinant à longueur de journée.

Le chef de section et deux fusiliers me filaient dans l'Ambassador blanche férocement accrochée à mon pare-chocs. Le troisième montait dans ma voiture à côté de moi quand je conduisais, berçant contre lui son fusil automatique noir dont le court canon perforé pointait vers le pare-brise. À l'arrière, méditant sur son rôle dans le nouveau dispositif, se tenait l'une des ombres originelles. Quand c'était Vijyant, il gonflait le torse et affichait son sentiment d'importance tout neuf ; Bedaine ou Catarrhe, eux, montraient un air effacé et un état de rétrécissement avancé.

Jai affirma, en se lissant la barbe :

« Ils te manipulent ! »

Mes beaux-parents réagissaient comme Vijyant, préférant s'abandonner avec délices à mon statut nouvellement acquis, plutôt que de redouter les balles d'un assassin. Ma femme, à sa manière de ravissante godiche, n'avait aucune opinion et se contentait de répéter sur un ton horriblement solennel : « Je t'en prie, sois prudent. » Son affreuse mère surveillait et harcelait la section à la façon d'un sergent recruteur. Mon père assistait à tout cela le regard ailleurs, dans un silence quasi total.

Ma mère, bien sûr, ne faisait que gémir.

Tous les matins de sa vie, elle avait récité la *Bhagavad-Gita*[1], longuement et à voix haute, sans jamais en comprendre un mot. Assise dans son puja, son coin de prière aux couleurs tapageuses orné de gravures criardes dans des cadres bon marché en cuivre et argent, elle se déchaînait aux petites heures du matin après son bain, avant même qu'un verre d'eau ne lui eût souillé le gosier. Assise en tailleur, la tête recouverte d'une dupatta, elle se balançait d'avant en arrière en psalmodiant à tue-tête – l'édition reliée de la *Gita* de Gorakhpur était ouverte devant elle sur un pupitre en noyer, la mèche de coton de la lampe de prière imbibée d'huile de moutarde brûlait

1. Littéralement « chant du bienheureux », sixième livre du *Mahabharata*, il s'agit d'un dialogue entre le dieu Krishna et Arjuna, prince guerrier. Grand poème philosophique et religieux, c'est l'un des trois principaux textes canoniques de l'hindouisme. *(N.d.T.)*

vigoureusement, et des vapeurs d'encens très sucrées complétaient l'effet théâtral.

Quand elle avait terminé – dans un crescendo d'appels claironnés à l'adresse des dieux – elle marquait sa page avec une vieille plume de paon, emballait avec soin le livre dans une étoffe de satin rouge et, au dix-huitième jour du cycle, quand elle arrivait au chapitre 18, le dernier – Om Tat Sat –, elle recommençait au début.

Encore et encore. Mois après mois. Année après année. « Pour la protection des bons et la destruction de ceux qui font le mal, pour rétablir l'ordre, d'âge en âge, je viens à l'existence. Celui qui connaît ainsi la nature de ma naissance divine et mon œuvre divine, quand il abandonne son corps, il n'a pas à renaître, il vient à moi, ô Arjuna. Délivrés de l'attraction, de la peur, de la colère, prenant refuge en moi, beaucoup d'êtres purifiés par l'austérité de la connaissance sont arrivés à ma nature d'être. »

Tout au long de ses décennies de litanies, ma mère avait réussi à ne se délivrer de rien, sauf de sa raison. Et tout ce qu'elle avait acquis, c'était le lamento. Qu'elle déployait imprudemment, à chaque occasion. Je me suis souvent demandé comment mon père lui aurait survécu. J'avais le sentiment que, s'il avait émergé de son tombeau de papier, il l'aurait tout simplement étranglée, ne fût-ce que pour couper le son.

Sara eut la même réaction que Jai, avec cette vision du monde typique des citadins informés et sophistiqués, qui cherchent à voir l'Histoire derrière l'histoire. Fidèle à elle-même, elle regarda par l'autre bout de la longue-vue. Elle ne s'intéressait pas à la manière dont le pouvoir cherchait à me régler mon compte, mais à la façon dont le pouvoir manipulait les individus déresponsabilisés pour exécuter ses ordres. Dès l'instant où la première ombre fit son apparition, Sara céda à l'angoisse ; elle était beaucoup plus inquiète que moi.

Chaque fois que je franchissais sa porte, elle entamait l'interrogatoire. Qui est là ? Bedaine, Catarrhe, Vijyant ? Elle se perchait sur la pointe des pieds pour regarder dehors par le fenestron de la salle de bains tandis que j'étreignais par-derrière son corps inégal. Et elle fustigeait mon indifférence, ma froideur, mon insensibilité.

« J'espère que, le moment venu, ils te témoigneront aussi peu de sollicitude que tu en as eu pour eux ! »

Sitôt après, son agressivité se muait en fureur.

« Pourquoi risqueraient-ils leur vie pour toi ? Qu'as-tu de si précieux, monsieur Sarbacane ? Je parie que leur vie vaut mieux que la tienne et mérite davantage de protection ! Chacun d'eux a probablement la charge d'une famille dans le besoin – une femme qui trime dur, des parents malades, des enfants dans des écoles au-dessus de leurs moyens ! Alors que toi, Mr Sarbacane et ton empotée d'épouse au teint clair – Hello, Dolly ! – vous menez une vie malhonnête, vous vous détestez mutuellement, vous exécrez votre famille débile, et vous prétendez sauver la nation ! »

Quand Sara était lancée et approchait de son point culminant, marchait de long en large et agitait ses jolis bras, je lâchais, les dents serrées : « Sale pute ! » Elle marquait un temps d'arrêt, le souffle court, puis sa diatribe d'amorçage reprenait de plus belle et enflait, de manière plus saccadée. « L'État utilise ces pauvres bougres pour ses basses besognes !

Ce sont des flics – ils devraient veiller sur les gens simples qui ont besoin de protection et qui n'en ont pas, qui sont harcelés par ceux qui ont de l'argent et des muscles ! Ils devraient être dans les villages et les bidonvilles, travailler pour les miséreux au lieu de gaspiller leur temps à escorter un salaud d'élitiste comme toi à sa séance de baise hebdomadaire ! »

Je l'observais, impassible, et, le moment venu, je lançais d'un ton venimeux : « Saali Rand ! » Entre cet instant et celui où je la plaquais contre le mur, s'écoulaient quelques minutes d'échange d'injures, les miennes principalement en hindi, puériles, répétitives, absurdement colorées – où il était question d'organes génitaux exposés à tort et à travers. À l'approche de la fin, quand je la clouais contre le mur, sa tirade idéologique se muait en provocation sexuelle, cette fois uniquement en hindi. « Arre, emporte ton petit luli ailleurs ! Des queues comme la tienne, j'en ai vu des tas ! Bien plus longues, et plus grosses ! Prends ta petite allumette et va essayer de mettre le feu à ta Dolly-doll ! Ce qu'il me faut, moi, c'est une belle grosse bougie ! »

Sara était faite pour être prise debout. Une fois que j'étais en elle, tenant dans mes mains sa chair pleine, son intonation commençait à changer. Sous mes baisers, sa bouche cigarette devenait de plus en plus câline, tendre, prolixe en paroles caressantes ; terminé le hindi, seules de douces phrases anglaises s'épanouissaient. « Oui, je t'en prie. Tu es délicieux. Si doux. J'adore comme tu bouges. Tu me manques tellement. Ne t'arrête pas. Pourquoi ne peux-tu pas venir tous les jours ? J'adore ce que tu me fais. J'adore ce que tu me fais. J'adore ce que tu me fais. »

Plus tard, nue devant Bonaparte, étendue sur le dos, elle cédait de nouveau à ses tourments. Mais de façon plus calme, élaborant des hypothèses sur les flics et les tueurs. Peu à peu, au fil des semaines, elle acquit la conviction que toute cette affaire était une machination. Mais la singularité de son esprit était telle que ce n'était pas pour moi qu'elle s'inquiétait. Elle me croyait capable de me débrouiller seul. « Foutue élite indienne. Les seuls vrais brahmanes de l'Inde moderne : la classe moyenne supérieure anglophone ! Meilleures études, meilleure langue, meilleurs amis ! Fréquentant le système, comprenant le système, capable de déchiffrer le système dans ses moindres replis. En fait, la classe qui a pratiquement inventé le système ! La seule putain de caste créée par les Britanniques pour dominer sans pitié les castes originelles ! »

Sara se préoccupait beaucoup des pauvres bougres utilisés par le système. Ceux qui étaient supposés me garder et ceux qui étaient supposés me tuer. Pour reprendre ses termes, les vraies basses castes de l'Inde, dépourvues d'argent et d'influence – impitoyablement déployées l'une contre l'autre pour réaliser le programme de la classe dominante. Classe dont j'étais membre de plein droit.

Au début, Sara exigea de moi des informations, sur les ombres et sur les tireurs. Mon mutisme déclenchait ses diatribes. « Comment peux-tu ne pas vouloir savoir ? Comment peux-tu être aussi indifférent ? Tu n'es peut-être même pas concerné ! » Et ainsi de suite, jusqu'au moment où je la clouais au mur.

Dans son histoire, mon rôle se réduisait à celui d'appeau et mon sort importait peu. Les flics étaient des victimes accessoires, des dommages collatéraux, condamnés pour avoir veillé sur moi. Les tueurs étaient des victimes à part entière. Des innocents que le système voulait piéger. Restait à connaître les motifs : économiques, politiques, religieux ou terroristes.

Les véritables victimes étaient les assassins.

Mr Lincoln rencontre Frock Raja

Cette année-là, les pluies flânèrent jusqu'en septembre, avec des assauts épileptiques. Une soudaine cataracte de grosses gouttes exubérantes se déversait pendant des heures, réveillant le souvenir des moussons de l'enfance où aucun jour ne passait sans une copieuse rincée. Au bout d'une heure à peine, alors que l'averse n'avait pas encore déployé toute sa force, les caniveaux débordaient déjà, les routes se noyaient, la circulation se bloquait à chaque carrefour, chaque passage souterrain, chaque entrée de lotissement. Les voitures de la classe dominante tant décriée par Sara calaient, tandis que les basses castes chutaient dans les bouches d'égout sans plaque. Dans ces moments-là, il était difficile de croire que Delhi était une cité moderne – si organisée en apparence, si décorative sous un ciel clair et un soleil éclatant, avec ses larges artères, ses arbres luxuriants, ses échangeurs volants.

Le chancre était le béton.

Dans un excès de coquetterie, on avait étouffé une grande partie de la ville. Les habitants de Delhi, toujours en quête de nouvelles façons d'étaler leurs richesses, avaient acheté tous les revêtements de sol imaginables existant sur le marché et en avaient posé partout où c'était possible. Marbre – vert, rose, népalais, bhoutanais –, pierre – dorée de Jaisalmer, grise de Kota, rouge de Agra, rose de Jaipur –, granit – noir, brun, moucheté –, carrelage – d'Italie, du Maroc, d'Espagne –, fausse pierre, faux bois. Trottoirs, arrière-cours, jardins, allées, esplanades, ruelles, tout était pavé et cimenté. Chaque pore était bouché, chaque souffle jugulé : la terre se parait d'un lustre brillant et dur.

Les grosses gouttes de pluie rebondissaient dessus. Puis, comme par réparation, des jours entiers se succédaient sans une ondée ; le courant électrique fluctuait, les transformateurs déficients rendaient l'âme, le bourdonnement des générateurs et la puanteur des vapeurs de diesel emplissaient l'air, la touffeur tapait sur les nerfs, la ville scrutait le ciel grondant en le maudissant. Ce qui faisait dire à Sippy, dans un de ses éclairs de lucidité : « Sirji, c'est une malédiction de l'époque. Il n'y a presque plus de lait dans le lait, et il n'y a presque plus de pluie dans la pluie. »

Nous avions du temps libre pour les commentaires oiseux sur la météo. Les investisseurs amis de Jai avaient perdu tout appétit pour l'entreprise depuis plusieurs mois. Ils avaient fermé le robinet et le magazine était irrémédiablement tombé de cent douze pages à quatre-vingt-seize, puis à soixante-douze, puis à quarante-huit. À chaque dégringolade, Jai s'adressait aux membres du personnel tel Abraham Lincoln lors du discours de Gettysburg, leur assurant l'imminence du redressement et de l'immortalité. Chacun de nous devait tenir son poste, simplement mais résolument, et continuer de tirer. Sur quoi, il ne le précisait pas. Ce salaud était tellement éloquent, avec son regard brûlant et ses grands gestes, qu'il m'arrivait de me laisser prendre à ses tirades. Mais une fois l'état de transe retombé, je me disais que, tout au long des siècles, des individus de son espèce avaient conduit des milliers d'hommes à une mort précoce.

Nous en étions désormais réduits à quarante pages et deux mois de salaire de retard. Les investisseurs – trois anciens camarades de collège de Jai, baptisés par nous Chutiya, Nandan et Pandey, autrement dit Con, Bête et Snob –, avaient cessé de prendre nos appels téléphoniques. Leurs assistants eux-mêmes, sans pourtant jamais déroger à la politesse – « soyez assuré que votre message sera transmis » – répondaient sur un ton de plus en plus glacial. À l'inverse, le comptable, Santoshbhai, un vieux de la vieille d'une soixantaine d'années – avec une moustache hitlérienne et quelques cheveux étirés en travers de son crâne chauve – se montrait toujours extrêmement chaleureux quand nous implorions un transfert de fonds. Mais, bien entendu, il ne pouvait rien pour nous. « Arre bhai, je ne fais que compter l'argent, je ne le gagne pas ! Si je pouvais vous le donner, vous n'auriez pas à le demander deux fois. Il me suffit d'un simple signe du chotte sahib… » Mais le chotte sahib, à savoir le Nandan du trio, était probablement injoignable, occupé à s'imbiber de scotch et s'adonner aux plaisirs de la chair.

En désespoir de cause, ne sachant quoi faire mais dans la nécessité d'agir, nous persistions à appeler Santoshbhai dans l'espoir fou que, un jour, il commettrait l'imprudence de nous envoyer de l'argent et de s'expliquer ensuite avec le chotte sahib. Comme au cinéma : le vieux serviteur au grand cœur qui finit par gagner l'attention du jeune Turc.

Je dois avouer que je n'étais pas surpris par la mauvaise tournure des événements. Le trio m'avait toujours inspiré un certain scepticisme et je ne crois pas qu'ils m'appréciaient non plus. Au début, aveuglé par son enthousiasme, Jai n'avait pas lésiné sur l'étendue de leurs mérites. « Des types bien, qui ont fait fortune et ne cherchent plus vraiment à s'enrichir. Ils veulent investir dans le social, dans les choses qui ont du sens. Je les connais depuis qu'ils sont en culottes courtes. Des gars corrects, pas des gosses de riches. En tout cas, les financiers parfaits pour notre projet. On ne peut pas rêver mieux. Au moins, ils parlent le même langage que nous. On pourra s'entendre. Souviens-toi du type que nous sommes allés voir à Connaught Place et qui voulait voir notre bilan. On ne savait même pas de quoi il parlait. Pense aux raseurs pour qui on a travaillé. Ça ne peut pas être pire ! »

En réalité, le trio se révéla bien plus calamiteux. De vrais imbéciles. Pas assez intelligents pour se consacrer exclusivement à gagner de l'argent, assez stupides pour avoir acheté le magazine à Jai après un de ses numéros grandiloquents au cours d'une soirée huppée.

Dès le jour où Jai me les présenta, dans un bar d'hôtel, ils m'apparurent comme des abrutis. Des Pieds Nickelés. Chutiya-Nandan-Pandey. Vêtus de costumes neufs et impeccables, manucurés, coiffés, imbibés d'eau de toilette. Tout d'abord, je notai leur très léger accent américain – deux d'entre eux avaient fait leurs études à l'étranger. Ensuite, tout en s'efforçant de poser des questions sérieuses, ils lâchèrent quelques plaisanteries ineptes et s'esclaffèrent bruyamment, en s'assenant, au hasard, de grandes claques sur le dos, les mains ou les cuisses. Des collégiens dans leur dortoir évoquant la bretelle de soutien-gorge du professeur de géographie.

Exportateurs de prêt-à-porter, ils avaient gagné des millions en exploitant une main-d'œuvre miséreuse dans des usines de vêtements bas de gamme destinés aux supermarchés occidentaux. Bondhu Ram confectionnait du Calvin Klein et apparentés. On appelait les deux spécialistes du sous-vêtement Kuchha King, le roi de la culotte, et Kuchha Singh (c'était un Sikh tondu). Le troisième était surnommé Frock Raja, autrement dit le maharajah de la robe, son domaine de prédilection. Issus de la même école huppée que Jai, leurs pères les avaient installés dans le textile à une période où l'on encourageait beaucoup les exportations. Ils avaient gagné assez d'argent pour cinq générations, avant le nivellement des terrains de jeu économiques. L'abîme entre Bondhu Ram et Calvin Klein – entre Jaunpur et la Cinquième Avenue – était assez colossal pour contenir cette immense fortune et ses excès.

Le bar était tout de bois poli et de verre, avec des fenêtres hautes comme les murs. Derrière, une fille superbe à peau blanche faisait des longueurs dans la piscine bleu paradis. Elle portait un bikini jaune et ouvrait la bouche dans un grand O à chaque brasse. Il aurait mieux valu qu'elle porte une burqa orange et ferme la bouche. L'eau de la piscine donnait l'impression d'avoir été astiquée avec soin avant d'être versée dans le bassin par les serviles serviteurs qui chuchotaient près de nous. L'Inde tout entière, ou presque, l'aurait volontiers dégustée comme un sorbet.

Me souvenant des conseils de mon Guru, je me transformai très vite en homme au masque de fer, plongeai dans le bol de cacahuètes salées, et observai le déroulement des événements. Jai s'efforçait de faire de l'humour, avec demi-sourires et minauderies. Il possédait l'étonnante faculté de se faire passer pour le pire des abrutis, le débile le plus profond. Monsieur Lincoln va vers le peuple.

À la troisième tournée de whisky, ils parlaient de la soirée du premier anniversaire, du lieu de la réception, de la musique, des starlettes qu'ils aimeraient inviter. Ils avaient renoncé à m'impliquer dans la discussion et nageaient dans leur mer de félicité. Pendant ce temps, j'avais enfourné mon bol de cacahuètes dans le masque de fer, largement entamé celui de Jai, et mis en marche les moteurs de grande flatulence.

Les adieux furent démonstratifs, avec force effusions et vannes tonitruantes. Mr Lincoln passait d'une accolade à l'autre. Dans le hall dallé de granit de l'hôtel, se déroulaient maints épanchements du même genre dont le joyeux vacarme résonnait alentour. L'affliction nationale à croissance rapide : l'opulente euphorie.

Je me contentai de simples poignées de main, l'estomac chaviré par les cacahuètes.

Dans le hall de l'hôtel, alors que leurs chauffeurs les emportaient déjà dans leurs Mercedes et autres Pajero, et que nous attendions nos modestes voitures, Jai me demanda :

« Quelle est ton impression ?

– Cons, bêtes et snobs.

– Tu as parfaitement raison ! s'esclaffa-t-il. Qui d'autre pourrait financer des dingues comme nous ? »

Pour la réunion suivante, ils nous invitèrent dans la ferme de Frock Raja, le maharajah de la robe. La propriété se trouvait à proximité des immeubles cubiques de Vasant Kunj où habitait Sara, au milieu d'un parc de rêve de deux hectares, avec des fontaines où des sirènes scandinaves en marbre à l'opulente poitrine indienne crachaient de l'eau, des dinosaures de jardin, une piscine qui avait la forme d'une robe à volants et un bar aquatique au niveau de la taille, des masques d'Halloween lumineux sur des arbustes sculptés, des pelouses manucurées et ondoyantes où des oiseaux de fer colorés prenaient leur envol, des rangées de hêtres taillés à la même hauteur le long des allées, de la musique sirop Clayderman gazouillant dans tous les coins du jardin, un étang digne de Yeats avec les cinquante-neuf cygnes du parc de Coole, une salle à manger dans une fausse écurie où deux magnifiques chevaux créaient l'ambiance, avec pour fond sonore le rythme syncopé de leur respiration et le piétinement de leurs sabots.

Une imagination tout aussi délirante se déployait à l'intérieur de la maison. Mélange hallucinant de statues, de tableaux, de tapis, d'étoffes, de lampes, de meubles, d'antiquités, de cascades – bouddhas d'Extrême-Orient, Aphrodites grecques, selles et stetsons du Far West, vieux fusils à silex, paravents japonais en soie, machettes amazoniennes, masques africains, impressionnant rhinocéros en ébène, tapis persans. Il fallait se frayer un chemin au milieu de l'encombrement décoratif, louvoyer, freiner. Mr Lincoln émettait de petits bruits mouillés approbateurs tandis que le maharajah de la robe guidait la visite avec assurance. J'avais repris mon masque de fer à la vue de la première sirène à gros seins.

Après avoir traversé de nombreux salons, de nombreuses salles à manger, de nombreux bars, de nombreuses vérandas, on nous conduisit de nouveau à l'Écurie. Les deux superbes alezans étaient attachés derrière une demi-cloison en bois et verre, légèrement en contrebas, ce qui permettait aux convives de sonder leurs grands yeux tristes. La robe des chevaux luisait, l'odeur acide de leur cuir était imperceptible. On les avait sans doute récurés pour la soirée. Mr Lincoln posa des questions intelligentes sur leur race et leur vitesse. Mr Lincoln va aux courses.

J'engloutis des poignées de noix de cajou grillées. Mr. Masque de Fer inaugure l'usine à flatulence.

Kuchha King, Kuchha Singh, et Frock Raja s'esclaffaient et s'assenaient de grandes claques partout où ils le pouvaient. Messieurs Chutiya-Nandan-Pandey discutent de la bretelle de soutien-gorge du professeur de géographie.

Puis Frock Raja utilisa une télécommande pour éteindre toutes les lumières de l'Écurie. Des milliers de fausses étoiles et galaxies étincelèrent au-dessus de nos têtes. Avec les ébrouements des chevaux, on aurait pu se croire sous la voûte céleste dans l'Ouest sauvage, juste avant le règlement de comptes à OK Corral. C'était quelque chose. Mr Lincoln se mit à miauler. Le maharajah de la robe parla de la paix de l'univers et poussa de gros soupirs de satisfaction.

Quand les lumières revinrent, le ballet des claques reprit, ainsi que le débat sur les qualités respectives des whiskies pur malt. Highlands, Lowlands, Speyside, Backside, marais, tourbe, nez, palais, ambre, or, vallon, plaine, fumé, iodé, bouquet. Et de Michael Jackson ! J'en fus d'abord quelque peu confondu, puis je m'aperçus qu'il ne s'agissait pas de l'extraterrestre dansant mais d'un célèbre spécialiste du whisky. Pendant ce temps, Mr Lincoln éblouissait son monde – mains virevoltantes et regard incandescent.

Le ton vigoureux et joyeux des affirmations tapageuses et des noms célèbres ne s'altéra que lorsque Jai aborda timidement les détails du marché, les sommes nécessaires au projet, le partage des actions. Dès lors, l'exubérance des sirènes à gros seins, les grasses plaisanteries ponctuées de claques sonores sur les cuisses, les firmaments étoilés, les boisés et les tourbés ainsi que les ambrés et les fumés s'évaporèrent dans l'étripage systématique de Jai.

Mr Lincoln fut réduit à un Abraham efflanqué, hésitant et empoté. Et tandis que l'homme au masque de fer détruisait impitoyablement toutes les noix de cajou en vue, un accord fut conclu qui nous octroyait à peine un tiers de ce que nous avions espéré. Une poignée de main entérina l'alliance. Et le trio recommença à s'esclaffer et à se taper les cuisses. Abraham était maintenant en caleçon, et son éloquence un vague souvenir.

Dehors, sur l'allée de fausses pierres, devant le jet d'eau jaillissant de la bouche de la sirène, Abraham fut propulsé d'une accolade à une autre. Traînant dans leur sillage, je palpai rapidement le sein lisse d'une fausse vénus de Milo. Sa rondeur se nicha agréablement dans ma paume.

Une fois passé le grand portail de fer forgé, alors que nous roulions vers les cubes de Vasant Kunj, Mr Lincoln retrouva peu à peu de sa superbe.

« Sinistres salopards ! Exploiteurs à la petite semaine ! Chutiyas ! Enfin, on a eu ce qu'on voulait. »

Je le regardai sans un mot, et mon estomac tourmenté par les noix de cajou salées éructa une réponse.

Je ne dis rien de tout cela à quiconque. Sauf bien sûr à Guruji. Le temps m'avait appris à ne rien lui cacher, pas même Sara. Il avait un don pour deviner tout ce qui se passait dans ma vie, et cette fois j'avais réellement besoin de son conseil. Avant la signature de l'accord, un soir, je sautai dans ma voiture et m'engageai sur la Grand Trunk Road[1]. À vingt heures, j'avais quitté le pont Markanda, contourné Shahabad à droite, et, dans la nuit lumineuse, trouvé le vieux banian marquant l'entrée de la piste menant à l'ashram. Avec les innombrables bandes de tissu rouge attachées à ses branches – certaines neuves, la plupart effrangées –, l'arbre semblait vivant, en mouvement. Le nombre des disciples de Guruji ne cessait de croître et leurs vœux drapaient le banian vénérable.

Je conduisais lentement, en seconde, et la voiture tanguait comme un navire sur des eaux agitées. Les pluies, les tracteurs et les chars à bœufs – avec leurs herses et leurs chariots – avaient creusé des ornières et des sillons dont il fallait se méfier. À chaque erreur de trajectoire, les roues s'enfonçaient des deux côtés dans les fondrières et le châssis raclait désagréablement le sol. Les phares plongeaient et louchaient dans une mer noire. La poussière giclait en petites explosions et douchait la voiture. Je dus m'arrêter à plusieurs reprises pour la laisser retomber et repérer le chemin. À chaque arrêt, j'entendais le rugissement lointain des camions sur la grande route.

Bientôt, les lumières du dera de Guruji apparurent. Il y en avait quatre : une forte, sur le toit de la bâtisse en briques nues, et trois autres, diffuses, éclairant les extrémités des murs d'enceinte. Une sentinelle montait la garde devant le portail de fer et je baissai ma vitre pour me faire reconnaître. C'était un vieil homme, avec une barbe blanche flottante et un turban bleu enroulé lâchement autour de la tête. Il portait un ancien

1. Grande route intercontinentale qui traverse l'Inde d'est en ouest. *(N.d.T.)*

fusil à deux coups, avec une sangle en épaisse toile verte, et une cartouchière de balles rouges en travers de la poitrine.

Selon Guruji, l'engagement du pouvoir spirituel était immuable et clair : un sage pouvait protéger les autres mais pas lui-même, guérir les autres mais pas lui-même. À lui seul, il pouvait prendre soin de foules entières, mais il fallait des foules entières pour prendre soin de lui.

C'était la réponse que j'aurais donnée aux remarques cyniques de Sara et de Jai, si j'y avais été sensible. Les vanités – et les limites – de la raison.

L'année précédente, regardant par la petite lorgnette de son anglo-activisme, Sara m'avait agressé. « Au fond, tu es aussi con que ces types qui se pavanent dans des réceptions débiles en criant bonne année ! Tu veux prendre ton pied en faisant du cinoche pseudo-mystique avec des Pirs et des Babas ! Tu pourrais aussi bien te branler devant des Djinns ! Trouve-toi un mélange adéquat de pseudo-modernité et de pseudo-mysticisme ! » Elle était en colère. Elle voulait passer le Nouvel An au lit avec moi en regardant *Z* de Costa-Gavras.

La nuit du réveillon, j'avais préféré assister à une frénésie bien plus extraordinaire chez Guruji. Tandis que des centaines de personnes embouteillaient le dera – enveloppées dans des couvertures rêches, le visage encapuchonné contre le froid mordant, assis, debout, pelotonnés, des enfants endormis sur leurs genoux –, tandis que des centaines d'adeptes psalmodiaient avec une ferveur grandissante, Guruji, isolé dans son sanctuaire intérieur, avait commencé à osciller tel un palmier sous un vent violent.

Il était assis sur le vieux coussin de soie marron à pompons qui avait appartenu à Babaji, et qui devenait sien une nuit par an. Derrière lui, l'étalage d'images pieuses accrochées au mur – effigies de dieux et de déesses hindous, de Bouddha, Mahâvîra et Jésus-Christ, l'éloge d'Allah en calligraphie perse – était éclairé par des guirlandes de petites ampoules scintillantes.

Guruji était nu à l'exception du dhoti rouge sombre, son corps splendide dans sa maigreur dépouillée, ses côtes ciselées, ses tendons étirés comme des fils d'acier. Ses longs cheveux épais et striés d'argent tombant sous ses épaules étaient emportés dans un mouvement souple par ses rotations de plus en plus rapides. Ses jambes étaient croisées – les chevilles bien calées au-dessus des cuisses – et immobiles. Le torse semblait du caoutchouc.

Guruji se tenait sur une estrade en bois. La seule personne à l'approcher était sa mère, minuscule femme insecte aux traits délicats et au regard rayonnant. Sa tête blanc neige était recouverte d'une dupatta blanche. Dans sa narine brillait un clou d'or, mais ses bras ne portaient pas les bracelets habituels. De sa main osseuse, elle tenait la cheville gauche de Guruji. Elle était là pour le retenir au sol, pour l'empêcher, le moment venu, de s'élever vers des régions d'où l'on ne revient pas.

Vingt centimètres plus bas, devant l'estrade, la pièce était bondée de ses fidèles intimes, certains jambes croisées, certains accroupis, certains à genoux. Des centaines de bâtons d'encens formaient de lentes volutes de brume et absorbaient les odeurs de la sueur et des couvertures. Je me trouvais près de la porte, laquelle était obstruée par des hommes enchâssés de biais. Je m'agrippais d'une main à l'embrasure pour ancrer solidement ma place. En face, la petite fenêtre grouillait de dizaines de visages aux grands yeux. Derrière nous, dans l'étroit couloir, et dans la cour à ciel ouvert, les corps agglutinés oscillaient doucement, poussés vers l'entrée, puis refoulés. Leur mouvement de flux et reflux accompagnait le rythme du chant. *Bhole, bhole, bam bhole ! Bhole, bhole, bam bhole !* Par la gueule béante de plusieurs haut-parleurs vieillots en fer-blanc attachés aux piliers et aux arbres, une voix réglait la cadence des croyants.

Alors que les minutes tictaquaient vers minuit, la mélopée passa en mode *allegro*. Guruji, plongé dans une transe méditative, les yeux dans le vague, pivotait au niveau de la taille, de plus en plus vite. Sa vieille mère lui tenait solidement la cheville, le regard luisant du même émerveillement que celui qui se lisait sur tous les visages. Plus personne ne bougeait, la concentration était totale. L'assistance respirait à peine.

Les rotations de Guruji s'accélérèrent. Ses membres inférieurs demeuraient inertes comme la pierre, retenus par la serre décharnée de sa mère.

Soudain, il poussa un cri, une sorte d'étrange son primal. Les fidèles étaient figés. Nombre d'entre eux avaient joint les mains dans un geste d'obéissance et de prière. La vieille mère baissait la tête pour éviter le fouet de la chevelure volante.

Un autre cri s'éleva, profond, un grondement venu d'un lieu inconnu. Dans sa fièvre, mon voisin se mit à trembler et murmura : « Il vient ! Il vient ! Il vient ! » De nombreux dévots tremblaient, à présent. Un jeune homme s'évanouit et fut emporté à l'extérieur de mains en mains, comme un paquet, sans la moindre perturbation. Je jetai un coup d'œil à ma montre. Encore une minute avant minuit. À Delhi, Jai dansait déjà les bras en l'air – probablement avec un chapeau pointu sur la tête – dans une salle stroboscopée, sur un pot-pourri anglo-hindi frénétique, tamponnant joyeusement son corps contre Chutiya-Nandan-Pandey et ceux de leur espèce. Assise devant sa télé, Sara nourrissait sa rage en regardant les manifestants anti-guerre de Costa-Gavras se faire tabasser. Quelqu'un devrait payer pour cela. Moi, probablement.

Guruji n'était plus qu'une chevelure volante, mû par quelque mélodie céleste et retenu au sol par la griffe de sa mère. Commença alors à s'élever l'écho d'un grondement, nettement plus fort que les cris précédents, semblable à celui du tonnerre qui approche, ou d'un tigre dans la forêt. Le grondement recouvrit la psalmodie, étouffa les respirations. Lorsqu'il se fut estompé, Guruji était immobile et tous les sons, y compris celui des haut-parleurs, s'étaient tus. Les cheveux trempés du Guru pendaient sur son visage émacié, son torse luisait de sueur. Il avait les yeux fermés. Mais, chose étonnante, il ne haletait pas. Il ne semblait même pas respirer. Les fidèles attendaient, pétrifiés.

Pour moi, c'était la première fois, mais certains avaient déjà assisté à cette scène et cela ne diminuait en rien leur stupeur admirative. Au contraire.

Quand Guruji rouvrit les yeux, ce n'étaient plus ses yeux. Sa vieille mère tomba instantanément à plat ventre devant lui, le front sur le sol. Puis, relevant la tête, elle lança d'une voix claire et sonnante : « Babaji di jai no ! » Et Bhura de répéter aussitôt : « Babaji est venu ! Babaji di jai no ! » Alors, dans tout le dera, une clameur s'éleva : « Babaji di jai no ! »

Je joignis ma voix aux autres. C'était grisant, hallucinant.

Babaji, le grand Pir de Machela, le sage qui avait jadis éloigné l'armée de Nadir Shah des villages sous sa protection en ouvrant, en une nuit, un ravin propice sur la route des envahisseurs ; le saint homme dont une imposition des mains pouvait drainer des furoncles, ressouder des os, soulager la douleur et guérir la maladie ; qui pouvait dire l'avenir et le passé, et modifier le présent ; qui ne faisait aucune distinction entre hindous et musulmans, n'appartenait ni aux uns ni aux autres ; dont les bénédictions rendaient fertiles le bétail et les femmes stériles ; dont la munificence couronnait les efforts des mariés et des commerçants ; qui pouvait faire venir la pluie quand la terre se craquelait, et le soleil quand la terre était inondée ; qui vécut cent ans et ne mourut pas mais accomplit son Samadhi. Babaji, grand Pir de Machela, qui, trois cents ans plus tard, avait choisi Guruji comme disciple consacré et lui avait transmis ses pouvoirs transcendantaux. Pouvoirs qui atteignaient leur pleine puissance chaque 31 décembre, à l'instant où Babaji pénétrait le corps de Guruji et s'incarnait littéralement en lui.

Au cours de cette nuit magique, tous les problèmes de furoncles, de bétail, de commerce, de carrière, de douleur, de passion, de propriété et de progéniture, tout ce qui avait affligé les fidèles au cours de l'année sans trouver de solution, étaient traités par le grand Pir lui-même.

Penché en avant, Guruji écoutait patiemment les requêtes de ses fidèles, interrogeait, répondait, interrogeait, répondait, ensuite de quoi, il puisait au hasard une pièce de monnaie dans un immense bocal en verre posé près de lui, la pressait contre son front, se concentrait un moment, puis l'offrait au solliciteur.

La pièce de monnaie était un talisman. Une protection, un révélateur, un connecteur. Bhura, son serviteur, avait l'habitude de dire, avec un rire grave : « C'est le téléphone portable de Guruji. Grâce à cela, il peut garder le contact avec tous ses protégés. » Tout au long de la journée, la pièce de monnaie devait rester dans une coupelle remplie d'eau claire devant la divinité de la maison. La nuit, il fallait la sortir de la coupelle, la sécher et la placer sous son oreiller. Si l'on voyageait et qu'il n'y avait pas d'image sainte à proximité, on devait mettre la pièce au pied d'un arbre ou d'une plante, même une plante d'intérieur. Il n'existait aucune différence entre l'énergie des dieux et celle du monde naturel. On pouvait aisément substituer l'une à l'autre.

Il était plus de deux heures du matin lorsque je tombai à mon tour aux pieds de Guruji-Babaji.

« Guruji, lui demandai-je, est-ce que je fais ce qu'il convient de faire ?

– Ne crains rien, mon fils, répondit-il d'une voix qui n'était pas la sienne. Tu sauras quand tu te trompes.

– Mon projet sera-t-il couronné de succès ?

– Le succès est une illusion, mon enfant. Tu le sais. Mais, oui, tu auras le succès que tu recherches, et à la hauteur de ton mérite.

– Guruji, puis-je me fier à Jai et à ceux avec qui je partage ce projet ? Jai affirme que ce sont des gens sûrs. »

Il répondit, avec la voix qui n'était pas la sienne : « Sois vigilant. Sois toujours vigilant. L'apparence du très riche et du très pauvre est toujours trompeuse : l'un étale ses profusions, l'autre ses privations. Les gens dont tu parles ne se préoccupent que d'eux-mêmes. Tu ne les intéresses pas. Ils ont de l'argent mais pas de morale. Ils te suceront jusqu'à la moelle puis ils te jetteront, comme le noyau d'une mangue. Tu dois les utiliser avant qu'ils ne t'utilisent. Ne sois pas la mangue, sois la bouche qui suce. La mangue est goûteuse, mais n'oublie jamais que c'est la bouche qui savoure. »

C'était l'un des plus grands mérites de Guruji. Un cœur réaliste battant dans le corps de la spiritualité. Il comprenait que l'un et l'autre devaient travailler comme une entité coordonnée pour avoir un sens. Je l'avais vu donner des conseils sur la façon de manœuvrer un voisin cupide en usant de subterfuges, ou de vendre une tête de bétail avant que ses difformités apparaissent. Sur la manière de pousser sa belle-mère à retourner chez elle en hâte, de forcer par la contrainte et la tromperie des enfants récalcitrants à se soumettre, de courtiser son patron pour obtenir une promotion, de séduire un banquier pour qu'il accorde un prêt.

« Guruji, demandai-je, y a-t-il une chose en particulier que je doive faire ?

– Garde tes lèvres scellées, me répondit-il avec la voix du grand Pir. Trouve le fil le plus solide et couds solidement tes lèvres. Parler peut dérouter l'ennemi, mais le silence le confond bien davantage. Laisse l'adversaire lancer toutes ses flèches, et deviner si ton carquois est plein ou vide. »

Il ferma les yeux, plongea la main gauche dans le bocal de verre, tâta les pièces de monnaie, en sortit une, la plaça sur son front en articulant ses bénédictions, et la glissa ensuite dans la paume de ma main. C'était une lourde pièce de cinq roupies. Après quoi il posa sa main sur ma tête et ce fut fini. Je dus batailler pour me frayer un passage vers la sortie au milieu des corps haletants et malodorants.

Guruji-Babaji ne changea pas de position jusqu'à cinq heures le lendemain après-midi, jusqu'à ce que tous ses disciples eussent été entendus, conseillés et bénis. Ensuite interviendrait le rituel du retour. La vieille mère dénouerait la dupatta blanche, Guruji descendrait du gaddi marron de Babaji, ses enfants le baigneraient dans un baquet d'eau du Gange, ses longs cheveux seraient à nouveau noués et entourés d'un safa, un turban safran, et il romprait son jeûne de trente-six heures avec un verre de lait chaud tandis que Bhura lui masserait les jambes.

Ce jour-là, je n'avais pas encore fait la connaissance de Chutiya-Nandan-Pandey. J'avais seulement entendu parler d'eux par Jai.

Lorsque je revins au dera quelques semaines plus tard, avant la signature de l'accord, et grimpai l'escalier à l'arrière du toit, l'odeur âcre de la bouse dans mes narines, Guruji était assis jambes croisées sur un charpoy. Quelques habitués se tenaient devant lui, accroupis sur une natte et enveloppés dans des couvertures sombres. C'était la deuxième semaine de février et, malgré le froid glaçant, Guruji était simplement vêtu de son mince dhoti blanc, avec un châle brun et rêche sur les épaules, son torse maigre nu et éclairé par le faisceau de la lampe tempête. Sur sa tête était noué le safa safran, et il tirait sur son hookah.

Ses premières paroles à mon endroit furent : « Haan Sher Dilliwalla, as-tu dîné ou non ? Va manger avant de parler. »

Vingt minutes plus tard, l'estomac réchauffé par un plat de gobhi-dâl-roti, j'étais de retour sur le toit. Les silhouettes emmitouflées des villageois avaient disparu. Seul restait le fidèle Bhura, qui massait ses mollets.

Il me demanda : « Alors, tu l'as fait ?

– Non, non, pas encore, répondis-je. Sans votre bénédiction ? Sûrement pas. » Je lui expliquai les termes de la négociation, mes rencontres avec le trio d'investisseurs. Lorsque j'en arrivai à la description de la ferme du maharajah de la robe, il s'esclaffa : « Voilà qui explique le dicton : "ceux que les dieux veulent rendre ridicules, ils les inondent de richesses !" »

Je conclus en précisant : « Ils nous donnent beaucoup moins que ce que nous espérions. »

Guruji demeura silencieux. De temps à autre, un oiseau de nuit criait, parfois juste au-dessus de nous, et l'on entendait le relais d'aboiements épisodiques des chiens du voisinage. J'avais froid malgré mon blouson matelassé et la capuche plaquée sur mes oreilles.

« Tu as tort », me dit Guruji.

J'attendis. Je levai les yeux pour essayer de localiser la traînée légère de la Voie lactée. Une étoile filante écorcha le ciel.

Finalement, Guruji reprit :

« Qu'avons-nous ? Rien. Pouvons-nous faire ce que nous désirons avec rien ? Non. Si notre travail se développe, en tirons-nous avantage ? Oui. S'il échoue, perdons-nous quelque chose ? Non. Le sage voyageur utilise n'importe quel cheval pour parvenir à destination. Peu lui importe à qui appartient l'animal. Il pense seulement au plaisir de chevaucher et de se faire conduire où il veut aller. Nous avons des objectifs, mais pas de monture. Nous avons besoin d'un cheval – même s'il porte une robe de femme. Enfourchons donc l'animal qui attend devant notre porte. Par la suite, si nous en trouvons un meilleur, nous pourrons l'échanger. Ne restons pas comme des imbéciles assis dans leur jardin à discutailler du voyage. Agissons comme des aventuriers et mettons-nous en selle. Si la peste et les embûches doivent s'abattre sur nous, elles le feront aussi bien dans la maison que sur la route. Mieux vaut les affronter bravement en terrain découvert que lâchement tapi dans sa chambre. »

Je songeai au maharajah de la robe et à ses sirènes dégoulinantes. Seul Guruji pouvait élaborer un raisonnement aussi élevé à partir d'un aussi pauvre matériau.

Au moment où j'allais partir, il me suggéra de donner deux kilos de farine et deux kilos de riz aux pauvres chaque lundi devant un temple, et de faire flotter sur le fleuve une diya allumée le premier jour de chaque mois. Je devrais m'abstenir de manger de la viande et de boire de l'alcool le mardi, et si je pouvais abandonner définitivement l'un et l'autre, je comblerais de joie le grand Pir de Machela.

Il me conseilla également de signer le marché avec le trio d'investisseurs entre cinq heures et demie et six heures et demie du soir, entre chien et loup, à l'heure où l'armée des djinns sous ses ordres était au maximum de sa puissance et en mesure de protéger mes intérêts. J'insistai donc fermement sur l'heure de la signature, sans fournir d'explication, précisant seulement que j'annulerais notre accord si l'horaire n'était pas respecté.

Mon entêtement empêcha Jai d'argumenter.

La signature eut lieu au bord de la piscine en forme de robe à volants, avec le stylo Montblanc du roi de la culotte, dans la lumière mourante du jour qui baignait les arbres manucurés, bercée par le piano de Clayderman.

Le bouchon d'un magnum de champagne explosa, la mousse jaillit, et je fis un effort pour avaler le liquide aigrelet.

Mr Lincoln prononça un discours à faire dresser les cheveux sur la tête et verser des larmes à des hommes d'âge mûr.

Pingouins et assassins

L'immense et haute salle d'audience était bondée, animée par un tourbillon incessant de gens qui entraient et sortaient, se parlaient à voix basse. Les registres émotionnels étaient exacerbés : anxiété, peur, agressivité, ressentiment, découragement se lisaient sur tous les visages. Les seules créatures calmes semblaient être les robes noires éparpillées çà et là, pingouins dans leur élément naturel patinant en souplesse sur le glacier cruel de la justice organisée.

Cinq minutes seulement après avoir franchi le majestueux portail en fer forgé du tribunal de Patiala House, j'avais compris que je m'engageais dans une aventure qui allait changer le regard que je portais sur l'énigme qu'était l'Inde. Avant la fin de la journée, j'allais apprendre qu'aucun Indien de la classe moyenne, issu d'un quelconque collège St Jean Marc Paul ou Marie, avec bonnes sœurs roucoulantes et pères fouettards jacassant dans l'excellent anglais de la reine et dissertant sur la liberté et la démocratie, n'avait la moindre idée de ce qu'était ce pays s'il n'avait pas erré dans les séracs gelés de son système judiciaire. S'il n'avait pas été assisté par un avocat et guidé par lui à travers les rayons X du grand corps de la loi, de l'ordre et de la justice.

À l'extérieur des grilles du tribunal, couraient les grandioses avenues du Delhi construit par Lutyens, qui encerclaient avec une impériale assurance les imposants édifices du stade national, du musée national d'art moderne et de la Porte de l'Inde, puis montaient à Raisina Hill où se dressaient les monolithes de North et South Blocks, métaphores toujours actuelles du caractère impérieux et impénétrable de l'État, avant de s'achever à l'intérieur du gigantesque palais présidentiel, lui-même métaphore exemplaire de l'ornementation futile. Patrouillées par des jeeps, ces artères de cérémonie abritaient un espace où l'État pouvait continuellement se convaincre de sa puissance et de sa raison d'être. Le premier nabot venu, endossant ces atours étatiques, se sentait capable de mettre à genoux le plus grand des citoyens.

Mais à l'intérieur des hautes grilles du tribunal, la splendeur de l'État se désagrégeait. Tout n'était que chaos et effervescence. Dès l'instant où l'on se frayait un passage entre les scooters, les bicyclettes et les voitures garés devant, entre les groupes compacts de plaideurs, de pingouins et de policiers – lesquels tenaient bizarrement les mains des criminels qu'ils convoyaient comme des amoureux, la Cour suprême ayant interdit de menotter les petits délinquants. Partout, ce n'était que saleté, détritus et vacarme. Partout, il fallait enjamber de grosses chaînes placées au hasard en guise de barrières. Le bourdonnement incessant était celui des transactions. On se serait cru dans un bazar animé où il était possible de négocier n'importe quelle affaire, à condition d'avoir une attitude décontractée et un portefeuille bien garni. En allant vers le fond retrouver mon avocat, je dépassai des kiosques de conseillers juridiques qui ressemblaient davantage à des échoppes vendant cigarettes, biscuits et confiseries, qu'à des officines traitant de graves affaires légales.

La plupart des pingouins avaient l'air de colporteurs, non de professionnels de la plaidoirie.

À l'intérieur de l'édifice jadis opulent, construit pendant le Raj britannique comme avant-poste de la maison royale de Patiala, la gloire de l'État tombait elle aussi en lambeaux. Les vastes escaliers, les sols de marbre, les balustrades en teck, les fenêtres sculptées, les plafonds cannelés, tout était en perdition. Souillé, crasseux, écaillé ; chaque angle était maculé d'un clair-obscur de crachats de chiques de bétel rouge sang. Malgré leurs dimensions spacieuses, les couloirs étaient sombres et moisis, mal éclairés, les vitres des fenêtres et les ventilateurs obstrués par la crasse et le mobilier. Et aussi par des bipèdes, assis, debout ou tentant de circuler. Un grand nombre de ces gens étaient de toute évidence des paysans, avec leurs visages émaciés et mal rasés, leurs couvertures épaisses et leur odeur de transpiration et de bétail. Je dus tendre les mains devant moi pour repousser et écarter ceux qui entravaient notre passage. Mes ombres faisaient de même, jouant des coudes. J'avais laissé mes fusiliers à l'extérieur, leur présence étant par trop mélodramatique. Juste au moment où je commençais à prendre plaisir à bousculer cette foule imbécile, Sara me donna un coup furieux dans les fesses pour m'imposer un peu de retenue.

Contraint d'aller pisser dans l'urinoir de fortune sous l'escalier, je dus payer ce privilège d'une roupie et survivre à une puanteur qui aurait dissuadé le plus vaillant des plaideurs. Manifestement, la peur de la loi relâchait les vessies.

Mon pingouin, Sethiji, était un homme d'âge moyen, pansu, doté des manières joviales et dynamiques d'un entremetteur.

Parent éloigné de Jai, il avait, par son aisance à faire travailler les autres, une certaine ressemblance avec lui, mais en plus grossier et plus vulgaire. Un sourire enjoué ne quittait jamais son visage et il vous serrait la main après chaque phrase. À Delhi, la cohue est une affaire extrêmement tactile : on se touche, on se presse, on se frotte. De dégoût, j'enfonçai mes mains dans mes poches, et Sethiji reporta ses démonstrations sur une des ombres. Il appelait Sara « bhabhiji », supposant qu'elle était mon épouse, et s'inclinait devant elle avec courtoisie toutes les trois minutes, ce qui la mettait en rage. Dans la salle du tribunal, il lui fit libérer un siège en moins de deux, mais elle refusa de s'asseoir.

Le ventre de Sethiji était si spectaculaire qu'il avait besoin de bretelles pour maintenir son pantalon. La robe et le pantalon noirs luisaient à force d'usure, le col de la chemise blanche était élimé, les chaussures de cuir éculées. « Dame Justice est aveugle, disait-il. Seul compte le poids dans sa balance. Plus le poids est lourd, meilleures sont les chances. » Ses pouces étaient en permanence accrochés dans ses bretelles et ne s'en extrayaient en voletant que pour serrer la main de son interlocuteur après chaque phrase.

Il avait à ses côtés trois jeunes pingouins : un fils et deux neveux, qui l'entouraient avec vigilance et guettaient ses ordres. Sethiji était un véritable roi pingouin, un maître en son jeu.

Ce coin de couloir disposait d'une immense fenêtre, conçue pour des yeux princiers mais sale et fermée, donnant sur des arbres luxuriants. Sara regarda dehors. Elle m'évoqua un dessin au fusain ; son corps déparié était une invite inopinée. Je savais qu'elle fulminait contre tout ce qui éveillait habituellement sa rage. Cet endroit était un paradis pour la rage. En l'amenant ici, je lui avais fourni du combustible pour des semaines entières d'invectives. Et ce n'était pas fini. Pauvreté, justice, classes sociales, démocratie. Quelques épinglages spectaculaires contre le mur se profilaient.

Et Sethiji ne cessait d'attiser les braises. À un moment, son portable sonna. Laissant son pouce gauche coincé dans une bretelle, il saisit le téléphone déglingué de la main droite et le plaça à cinq centimètres de son oreille. « Bonjour, très chère, dit-il lentement avec son large sourire amusé. Non, madame, je n'ai pas besoin de prêt. Ni pour la maison, ni pour un mariage, une voiture ou une charrette. Je me remarierais volontiers, mais ma femme avale deux cuillerées de chywanprash par jour et n'a pas l'air de vouloir mourir avant une bonne centaine d'années. L'éducation ? Chère madame, mieux vaudrait brûler l'argent que de le gaspiller dans les études de mes fils. Le principal de leur collège m'a dit : "Gardez-les plutôt chez vous, ainsi vous servirez la cause de l'instruction." Voilà pourquoi je compte en faire des avocats, chère madame. Seuls les rejetés peuvent comprendre les souffrances des déprimés ! Quant à ma voiture, c'est une Maruti. Rouge. Croyez-vous sincèrement que je devrais en acheter une autre ? Et arrêter le traitement médical de mon père ? Le pauvre est en train de mourir d'un cancer. L'intestin. Vous voyez ce que je veux dire ? Bien sûr que oui. Tout le monde connaît l'intestin ! Mais mon père est vieux. Ce n'est pas grave s'il meurt maintenant. Après tout, je pourrais le conduire à sa crémation dans la nouvelle voiture. Cela lui ferait sûrement plaisir ! Non, madame, non, ne raccrochez pas ! Attendez ! Moi aussi j'ai une chose à vous dire ! Y a-t-il une personne dans votre famille qui ait été violée, assassinée ou qui se serait suicidée ? Chère madame, mon cabinet juridique est spécialisé dans les affaires de meurtre et de viol.

Non, madame, vous ne pouvez pas couper la communication maintenant. Vous m'avez téléphoné, vous devez m'écouter. D'accord, d'accord, si ce n'est pas dans votre famille, peut-être parmi vos amis ? Pas un seul viol ? Pas de meurtre ? Non ? Eh bien, vous avez beaucoup de chance, madame ! Mais à l'avenir, si quelqu'un de votre entourage est violé ou tué, vous saurez qui appeler ! Sethi et fils, avocats ! Plus exactement, fils et neveux. Spécialisés dans le viol et le meurtre. Allô ? Allô ? Madame ? Madame ! Vous m'avez téléphoné, vous devez m'écouter ! Allô ? »

Sara se décolla de la fenêtre et s'éloigna à grands pas vers la salle d'audience. Sethiji demanda en souriant : « Bhabhiji ne se sent pas bien ? Ou est-ce notre muflerie qui l'a contrariée ? » Je me contentai de sourire.

En entrant dans la salle, je les vis. Adossée contre un placard en bois, Sara les observait intensément. Ils se tenaient debout, à l'angle opposé de l'estrade. Cinq, alignés, de biais, tournés vers Votronneur. Deux policiers en uniforme les encadraient, chacun tenant les poignets de celui qui se trouvait près de lui. Derrière eux, cinq autres policiers montaient la garde, armés de vieux fusils Enfield – les tristement célèbres 303 – qu'ils portaient à l'épaule. Du matériel datant de la Seconde Guerre mondiale, l'arme réglementaire de la police indienne dans la plupart des États, si lourde et si peu maniable que, d'après la rumeur, un fuyard pouvait être loin de Delhi avant que le policier ait le temps de le mettre en joue et de tirer. La seule qualité du 303 était sa portée et sa puissance. En visant bien, on pouvait atteindre le fugitif même après qu'il aurait quitté Delhi et gagné l'État voisin.

Dans la salle virevoltante, les cinq détenus se distinguaient parce qu'ils étaient menottés et encordés les uns aux autres. Un seul, à l'extrême droite, avait les chevilles entravées par des fers. Dessous, il portait des Nike rouges à la mode. Son corps charnu remplissait le jean bleu et la chemise mauve. Le bras que serrait le policier était épais et musclé. Il avait l'air jeune, à peine trente ans, et un teint inhabituellement clair. Une moustache de brigand, dense et retroussée avec arrogance. Les bouts en étaient recourbés et nettement détachés des joues. Il ne cessait de les toucher – emmenant du même coup les menottes et la main du policier – pour tortiller lentement les pointes. Il se tenait campé sur ses puissantes jambes de sprinter, ses épaules carrées bien redressées. Rien dans son regard ni sa posture ne suggérait la peur ou la contrition. Quand il me repéra, il eut un léger battement de cils de reconnaissance, puis une lueur de mépris irréductible traversa ses yeux.

Ses compagnons étaient plutôt insignifiants. Petits, minces, presque chétifs, ils seraient passés inaperçus dans n'importe quelle foule. L'un d'eux était noir de peau, comme du charbon brûlé, et un autre très clair, avec un type légèrement asiatique, népalais – Sippy l'aurait surnommé Chingfunglee, le bridé. À eux quatre, ils ne semblaient même pas capables de tuer un rat d'égout. À l'inverse, le brigand au teint clair paraissait en mesure d'en occire trois avant de prendre son petit déjeuner et d'entamer sa journée de travail. Malgré la corde assez lâche qui les reliait ensemble, les quatre se serraient à l'écart du cinquième. Ils baissaient les yeux et se parlaient à voix basse. Le jeune brigand ne leur prêtait aucune attention. Après m'avoir manifesté son mépris, il s'était tourné vers Votronneur, qui menait sa tâche avec des chuchotements de conspirateur. Le policier qui lui tenait le bras était également grand, de loin le plus grand de toute sa section.

J'avais conscience que, dans cette salle trépidante, tous les yeux, peu à peu, s'étaient posés sur lui. Même Votronneur lui glissa un coup d'œil ou deux.

Sethiji expliqua :

« On dit que c'est le futur roi de l'Uttar Pradesh. Il s'appelle Hathoda Tyagi. Avant ses dix-neuf ans, il avait déjà assassiné cinq hommes en leur défonçant le crâne à coups de marteau. Un vrai curry de cervelle. Maintenant, bien sûr, il exécute ses victimes en leur tirant une balle. Dans l'oreille, dans la bouche ou dans le cul. Aujourd'hui, il vous tue, demain il tue votre ennemi. Pendant que Sethiji se lève pour venir chaque matin au tribunal de Patiala House, Hathoda Tyagi expédie quelques pauvres âmes à Yamraj. À présent, il travaille exclusivement pour les chefs de la mafia. Ils font appel à lui pour les gros contrats. Vous devriez être fier. Je ne suis pas le seul à vous considérer comme un personnage important. La mafia aussi !

– C'est une machination », remarqua Sara.

Je la regardai.

« Tu ne vois pas qu'ils sont victimes d'une machination ? insista-t-elle.

– Qu'est-ce qui te fait croire ça ?

– Oh, je t'en prie, épargne-moi tes airs hautains, Mr Sarbacane ! répliqua-t-elle d'une voix basse et tranchante. Même un aveugle verrait qu'ils ont été piégés ! Regarde ces quatre pauvres types. On dirait qu'on vient de les tirer de la rue pour arranger les affaires de quelqu'un. Ils ne sauraient même pas égorger un poulet ! »

Le procureur – un presque chauve à l'allure de rond-de-cuir comme mon père, mais au regard vif de commerçant – me demanda :

« Connaissez-vous ces hommes ? »

Je les observai. Quatre d'entre eux baissèrent les yeux. L'homme au curry de cervelle me toisa comme si c'était moi qui étais inculpé.

« Non, répondis-je. Je ne les connais pas. »

Dans la salle, l'effervescence s'était un peu calmée.

« Savez-vous qu'il y a eu une tentative d'assassinat contre vous ?

– Oui, je suis au courant.

– Vivez-vous sous la protection de la police vingt-quatre heures sur vingt-quatre ?

– Oui.

– Savez-vous qui a voulu vous faire tuer ?

– Non, je l'ignore.

– Mais admettez-vous avoir des ennemis qui pourraient souhaiter votre mort ? Des personnes que vous auriez offensées ou blessées par votre travail ?

– Oui, c'est possible.

– Vous n'avez aucune raison de penser que ces hommes puissent ne pas être les tueurs engagés pour vous abattre ?

– Non, aucune. »

Votronneur me jeta un regard grave, pâteux, comme si j'avais fait une déclaration de grande importance. On aurait vraiment dû lui coller une barbe sur le menton.

L'avocat de la défense, plus moineau que pingouin, flottant dans une robe noire miteuse et portant une moustache en trait de crayon à l'ancienne, me dit avec un mouvement de bras étudié :

« Examinez ces hommes avec attention. Connaissez-vous l'un d'eux ?

– Non, monsieur.

– J'insiste. Observez-les encore. Très attentivement. Avez-vous jamais vu ces hommes ? »

Je fis ce qu'il me demandait et scrutai lentement leurs visages. Le policier placé à l'extrême gauche de la rangée redressa le menton de l'homme qu'il maintenait – pommettes proéminentes, gros nez, barbe de plusieurs jours très noire. Instinctivement, les autres relevèrent aussi la tête. Ils se ressemblaient. Ils ressemblaient à n'importe qui. Les routes, les bazars, les bureaux de l'Inde entière étaient remplis de leurs semblables. À mes yeux, ils étaient les sosies de Sippy, juste un peu plus robustes. Des anonymes aux emplois anonymes, qui périssaient incognito dans des accidents de trains, des incendies, des inondations, des attaques terroristes, des émeutes. Au mieux, de la chair à statistiques. Je savais néanmoins que c'était à cela que ressemblaient les criminels, c'est-à-dire à n'importe qui, et non aux modèles stylisés que le cinéma du monde entier se plaisait à présenter. Il y a plus de criminels qui se fabriquent une image sur les stéréotypes du grand écran que l'inverse. Des cinq inculpés, l'homme au curry de cervelle était celui qui étudiait les films avec le plus d'application.

« Non, monsieur, je ne les ai jamais vus. »

En vérité, j'aurais pu les avoir vus depuis toujours et ne pas m'en souvenir.

Le petit avocat reprit d'une voix maniérée :

« Aviez-vous conscience que quelqu'un voulait votre mort ? »

Visiblement, ce point-virgule d'homme s'était lui aussi inspiré du cinéma. Tout le monde, dans ce foutu pays, était une imitation d'un personnage de film indien. Il lissait les rabats de sa grande robe et contractait sa bouche ; sa fine moustache ondulait, hypnotique. Je l'imaginais bien : écolier mauviette, fils mauviette, mari mauviette, père mauviette, mais dominateur au tribunal.

« Non, je n'en avais pas conscience.

– Y a-t-il eu le moindre indice de menace ? Un coup de téléphone, une lettre, une rumeur, une remarque amicale ? D'un collègue ou d'un informateur ?

– Non, monsieur. Pas réellement.

– Pourtant vous étiez sous protection policière ?

– Oui.

– Depuis quand ?

– Quelques mois.

– Pourquoi ?

– Je ne sais pas exactement. On ne m'a rien dit.

– On ne vous a rien dit. Bien entendu. Qui vous a placé sous protection policière ?

– Le gouvernement, le ministère de l'Intérieur… les services secrets… Le sous-inspecteur est arrivé avec ses hommes le jour où j'ai appris la nouvelle, et il m'a dit que j'avais besoin d'une protection.

– On vous a dit, on vous a dit. La police nous raconte toutes sortes de choses. On vous a dit. Et vous n'avez pas pris la peine de demander pourquoi ? De mettre en doute leurs explications ? Vous avez simplement cru ce que vous disait cette même police dont vous dénoncez les mensonges, les violations des droits de l'homme, les abus et les bavures ? Un journaliste d'une telle valeur, Votronneur ! Dont nous respectons tous le travail. Un homme en lutte continuelle contre la corruption, contre le gouvernement et ses méfaits, un défenseur de la société ! Pourtant, cette fois, vous avez cru la police. Vous avez cru qu'elle disait la vérité – ce dont, bien sûr, je ne doute pas. Même la police dit la vérité, parfois.

Le sourire de Sethiji se crispa légèrement. Votronneur semblait avoir entamé d'autres consultations en aparté avec son assistant et un pingouin. Sara avait l'air aussi féroce que le spécialiste du curry de cervelle. À eux deux, ils m'auraient démembré en un rien de temps, lui en me défonçant le crâne, elle en m'arrachant mon outil.

« Non, monsieur. Je n'ai ni cru ni mis en doute leur parole. Je les ai simplement laissés faire leur travail.

– Bien, très bien. Il faut toujours laisser la police faire son travail. Même les journalistes d'investigation. Pouvons-nous en conclure que vous faites confiance à la police ?

– Non, je n'irai pas jusque-là.

– Donc, en règle générale, vous ne lui faites pas confiance, mais dans ce cas particulier, oui ?

– En effet, oui. Comme je viens de vous le dire, je les ai laissés faire leur travail.

– Risquons une hypothèse. Vous aimez les hypothèses ? Il paraît que les journalistes aiment les hypothèses. C'est votre cas ?

– Bien sûr.

– Supposons que la police ait voulu piéger des innocents. Pour une raison quelconque. Politique, personnelle, financière, peu importe. Cette police dont, en général, vous vous méfiez. Elle inculpe des innocents de tentative d'assassinat contre vous, les enferme et vous met sous protection. Bien entendu, jamais la police ne ferait une chose pareille. Nous essayons seulement d'émettre une hypothèse. »

C'était à se demander si Sara ne faisait pas partie de l'équipe de la défense !

Le procureur aux yeux vifs de commerçant, qui avait souri et bavardé avec Sethiji, se manifesta soudain.

« Objection, Votronneur. À quoi riment ces questions trompeuses ? Mon honorable confrère ne peut pas formuler une hypothèse et demander au témoin de la commenter. C'est un tribunal. On n'est pas ici pour se livrer à des élucubrations !

– C'est vrai, renchérit Sethiji, notre honorable confrère ne doit pas s'égarer ! »

Et Votronneur de conclure : « Ne faites pas perdre de temps à la cour, Bhandariji. Nous aurons tout loisir d'étudier la question. »

Les plumes du moineau restèrent lisses. Avec une lenteur délibérée, il caressa les revers de sa robe élimée et répondit :

« Milord, la vie de cinq innocents est en jeu. Il n'y a parfois qu'une simple hypothèse entre la corde et le cou.

– Finissons-en, Bhandariji. »

Le minuscule avocat de la défense pivota vers moi et reprit :

« Dirons-nous que vous n'avez aucune raison de supposer que ces hommes vous voulaient du mal ?

– Oui.

– Dirons-nous que ma petite hypothèse pourrait être juste ? En tant qu'hypothèse, rien de plus. Oui ?

– Oui. »

Avant que Sethiji ne me pousse précipitamment vers la sortie, je jetai un dernier regard aux cinq hommes.

LIVRE 2

Chaku

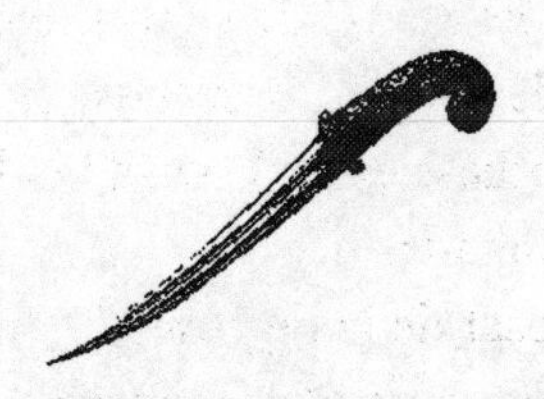

Le fils de Dakota

Dans les premières années de sa vie, Chaku vit si rarement son père qu'il supposa que c'était son oncle. Quant à l'homme qui était son oncle – le frère cadet de son père –, il le prit pour son père. C'était bien sûr irréfléchi, comme souvent chez les enfants, car Chaku n'appelait pas son oncle Pitaji, mais Chacha, et son père – quand il le croisait – Pitaji. Simplement, il pensait que Chacha signifiait papa. Au cours de ses dix premières années, il ne vit pas son père plus de trois fois ; son oncle était là presque tous les jours.

Leur village dans l'État de l'Haryana, à quelques kilomètres de la Grand Trunk Road, s'appelait Kikarpur, du nom du bosquet de kikars épineux, des gommiers rouges, qui poussaient sur un tertre sableux derrière le hameau. Mais ils ne vivaient pas dans ses maisons de brique nue et de terre battue. Pour atteindre leur lopin de quatre hectares, il fallait marcher quinze minutes à travers champs et franchir un cours d'eau peu profond en sautant sur un tronc d'arbre tombé en travers. Pour les visiteurs arrivant de la ville, les indications étaient simples : demander à n'importe quel villageois la ferme de Fauladi Fauji. Après avoir traversé des champs hérissés de blé et d'orge dans la direction indiquée, on apercevait deux hauts palmiers dattiers qui se croisaient à leur cime comme s'ils s'enlaçaient. C'était l'endroit où l'on traversait le cours d'eau sur le tronc d'arbre. Sur l'autre rive, on était chez eux. Les chiens aboyaient furieusement, mais ne mordaient pas.

Chacha, comme les palmiers dattiers, aimait les effusions. Il étreignait les visiteurs et leur assenait de grandes claques dans le dos. Et les occasions ne manquaient pas. Chaque semaine, quelqu'un passait par là. Les habitants de la région, de Karnal, Kurukshetra ou Pipli, restaient dormir une nuit ou deux ; ceux qui venaient de plus loin, Amritsar, Gurdaspur, et parfois Delhi ou Meerut, séjournaient plusieurs semaines. La grand-mère de Chaku n'y voyait rien à redire. Chacha embrassait les invités et plaisantait avec eux, et la vieille faisait la cuisine sans rechigner. Le chulha restait allumé de l'aube jusque tard dans la nuit.

Dès l'arrivée des hôtes, on installait des charpoys supplémentaires sous le margousier, les verres de thé circulaient, on racontait et ressassait les histoires de famille, on échangeait et disséquait les dernières nouvelles. Plus tard, on sortait le vieux paquet de cartes à jouer tenu par un élastique rouge, et les parties de sweep commençaient : quatre joueurs, de nombreux supporters divisés, des plaisanteries et des insultes. Chaku, qui ne quittait jamais son Chacha – lisant les cartes par-dessus son épaule – devint un joueur chevronné dès l'âge de sept ans.

À l'époque, personne ne l'appelait encore Chaku. Son nom était Tope Singh[1], en hommage à son père conducteur de blindé dans l'armée indienne. Chaque fois que le garçon se distinguait par un coup brillant, surtout quand il contribuait à

1. Tope signifie canon. Singh, qui signifie lien, est le nom générique des Sikhs. *(N.d.T.)*

faire un pli au sweep, son Chacha disait : « Il n'est pas seulement un canon, il est l'espoir de l'Inde. » Et quelqu'un d'ajouter : « Il faut reconnaître que le canon est petit, mais que l'obus est de taille ! » Ses prouesses aux cartes lui donnèrent une place parmi les adultes, et une haute idée de lui-même. Il apprit très vite que, pour impressionner les grandes personnes, il suffisait d'un peu de dextérité, de quelques coups éblouissants, et d'un sourire désarmant.

Tandis que son oncle présidait les tournois de sweep – Chacha passait parfois des jours à guetter un visiteur dans l'espoir d'entamer une partie –, et que sa grand-mère entretenait le feu pour la cuisine, son grand-père, Fauladi Fauji, tirait sur sa pipe à eau, assis près du hacheur à fourrage devant le fenil. De temps à autre, le vieillard jetait un regard de biais vers l'agitation tranquille des joueurs de cartes sous le margousier, mais sans jamais, ou presque, leur adresser la parole. Quand, à leur arrivée, les visiteurs plongeaient à ses pieds, il grommelait simplement : « Tout va bien ? » ou : « Que votre vie soit longue. » Après cela, il ne manifestait plus le moindre désir de parler à quiconque, sauf parfois après dîner, au retour d'une promenade dans les champs, quand il buvait son verre de lait fumant. Il hélait d'un ton sec l'un des invités mâles : « Approche, Sukha, et raconte-moi comment tu as gaspillé ton temps. » Et Sukha, sautant sur l'occasion, s'exclamait : « Oh, Fauladi Taiya, c'est la seule chose que je sache faire dans la vie ! Pour le reste, c'est zéro. »

Sukha, alors âgé de quarante ans, essayait de gagner sa vie de multiples manières. Entrepreneur multirécidiviste, il avait ouvert et fermé des magasins d'articles électriques, d'appareils ménagers, de pièces détachées de bicyclettes, de tissus, de confiserie, de quincaillerie, de fruits et légumes. Il avait fait une tentative dans l'industrie laitière, se levant avant l'aube pour surveiller la traite de ses bufflonnes. Son incursion dans l'élevage de volailles s'était soldée par un échec cuisant : il avait fini par manger jusqu'au dernier poulet avec ses amis. Il n'y avait pas une seule banque à Ambala qui ne lui eût consenti un prêt, pas un seul programme de subvention gouvernementale aux travailleurs indépendants dont il n'eût profité. Il avait aussi été agent agréé pour une compagnie d'assurance sur la vie, et intermédiaire dans de nombreuses chaînes de distribution qui vendaient tout, de l'électroménager aux petits objets en or. Il avait participé à de multiples combines lucratives : loteries, commissions, gros lots, qui s'étaient toutes terminées dans le chaos et la disgrâce. Entre deux, pendant les périodes de jachère, il lui arrivait d'occuper des emplois rémunérés : comptable dans une raffinerie de sucre, instituteur, contrôleur des livraisons pour un gros négociant local.

Mais Sukha ne s'y résignait qu'en dernier recours. Fondamentalement, il détestait travailler pour un patron, gagner un salaire, respecter des horaires de bureau. Il avait l'esprit d'entreprise, le goût du risque, et des rêves mirifiques. « Il ne suffit pas de manger ! Même Bija le fait ! » Il faisait référence au basse caste qui travaillait à la ferme et qui, accroupi près des charpoys, observait en souriant la partie de sweep. Quand quelqu'un l'encourageait à accepter un emploi, Sukha répondait : « Nah bhai, je ne tiens pas à passer ma vie à écouter les récriminations d'un lala quelconque. Combien as-tu mis de cuillerées de sucre dans ton thé ? Combien de fois le contremaître s'est-il lavé les mains ? Croit-il donc que le savon est gratuit ? Renvoie ce Sharma, il a pris trois jours de congé la semaine dernière. Mais, lalaji, sa mère est vieille et mourante, il a dû la conduire à l'hôpital. Et alors ? Tu crois que la mienne est jeune et en bonne santé ? Et il n'est pas médecin, que je sache ! Il n'a donc pas besoin de rester à son chevet ! »

« Pourquoi pas un emploi de fonctionnaire ? » suggérait un ami. Alors Sukha se levait, cambrait les reins pour faire saillir ses fesses et se dandinait comme un canard. « Tu as déjà vu un fonctionnaire qui n'a pas l'air de marcher avec un doigt dans le cul ? Les plus futés, c'est leur propre doigt qu'ils tiennent enfoncé dans le trou. Les imbéciles, c'est celui de quelqu'un d'autre. Eh bien moi, je ne veux ni avoir mon doigt dans le cul de quelqu'un, ni celui d'un autre dans le mien ! »

La vie de Sukha, à quarante ans, était riche d'expériences et d'échecs. Nombre de jeunes gens qui passaient le cours d'eau pour venir à la ferme lui ressemblaient. Des ratés insouciants, prêts à épouser n'importe quel projet nouveau, n'importe quel rêve. À leur manière, c'étaient des hommes créatifs, qui visaient loin, qui cherchaient désespérément à inverser le sort d'un geste magique. Tope fit une découverte sur eux : non seulement ils étaient les plus intéressants, car ils possédaient un fonds inépuisable d'anecdotes et d'histoires, mais ils étaient aussi les plus heureux.

Les amers et les geignards étaient ceux qui avaient un emploi stable, un salaire régulier, qui partaient travailler à l'heure et rentraient à six heures chaque jour. Ceux-là n'avaient que leurs stupides problèmes familiaux à raconter, sur les maladies des enfants, les emprunts à rembourser sur la maison ou le scooter, les douleurs en couches d'une épouse à la langue acérée, le patron qui ne les laissait pas débaucher à l'heure, la promotion qu'il leur refusait, mais, surtout, l'impossibilité d'équilibrer leur budget mensuel. Ces hommes-là se plaignaient sans cesse, ou affichaient un air maussade et amer.

Tout au contraire, les insouciants comme Sukha arrivaient toujours avec une histoire désopilante sur leur dernière tentative infructueuse, et l'excitation d'une nouvelle aventure. Ils invitaient les personnes présentes à investir dans leurs projets insensés, et bien que toujours fauchés – parfois même dangereusement endettés –, ils semblaient beaucoup s'amuser.

Une fois, Sukha vint se cacher pendant deux semaines à la ferme pour fuir des créanciers de Panipat. Il avait soutiré une avance de vingt mille roupies[1] à deux commerçants sur l'obtention d'une licence de station-essence, et il avait déjà flambé sa commission de cinq mille roupies en sorties avec ses amis. Les quinze mille restants, il les avait remis à l'intermédiaire du ministère de l'Industrie à Delhi qui avait promis de s'en occuper. Or la station-essence avait été accordée à un autre postulant. L'intermédiaire refusait de voir Sukha, et les commerçants avaient envoyé leurs hommes de main récupérer l'argent. Pour l'enfant, le séjour prolongé de Sukha à la ferme avait été une vraie fête.

Il dit au petit Tope : « Ton père est simple caporal, moi je te fais caporal-chef. Tu es plus gradé que lui. Deux galons au lieu d'un. Et son tank Vijyanta n'est rien comparé au tank Margousier que je te confie. » Il souleva Tope pour le mettre dans la fourche de l'arbre puis, arrondissant le pouce et l'index de ses deux mains en petits cercles autour de ses yeux, il ajouta : « Je te donne aussi les meilleures jumelles du monde. À présent, garde un œil sur les frontières de notre pays. Si tu vois l'ennemi avancer dans notre direction, tire un énorme pet ! Ça sèmera la panique dans les rangs adverses et nous laissera le temps d'appeler des renforts ! »

1. Environ trois cents euros. *(N.d.T.)*

Après quoi, Sukha et Chacha s'assirent sous l'arbre, jambes croisées sur le charpoy, pour jouer aux cartes et boire de grandes rasades de santri, la gnôle maison. De temps à autre, Sukha levait les yeux et braillait : « Hé ! J'espère que tu ne t'es pas endormi dans ton tank ? Ça fait un moment que je n'ai pas entendu de pet ! » Aussitôt, Tope imitait le bruit en soufflant très fort contre le dos de sa main.

Sukha était mince comme un fil. Ses cheveux épais tombaient sur ses oreilles et il entretenait une fine barbe naissante. Il portait des chaussures pointues à perles : des juttis Patiala, et d'élégantes chemises sahariennes avec un petit col dur. Il avait des amis à l'université de Chandigarh et racontait toutes sortes d'histoires sur leur mode de vie. Tandis que Tope manœuvrait le tank Margousier et scrutait la frontière avec ses jumelles, en bas, sur le charpoy, Sukha narrait des anecdotes hautes en couleur sur les beuveries, les virées à mobylette. Devant Chacha ébahi et incrédule, il décrivait la beauté stupéfiante des filles et leurs vêtements provocants – les pantalons serrés, le rouge à lèvres, les chemisiers échancrés. Les mains de Tope devenaient moites sur le volant du Margousier en l'entendant expliquer comment les étudiantes rendaient visite aux garçons dans leurs chambres et faisaient de leur plein gré des choses qu'il n'imaginait même pas possibles. Visiblement, Chacha était aussi sceptique que lui. Il posait des questions alambiquées, à la manière d'un inspecteur de police, demandait des précisions sur leur physique, leurs postures, leurs faits et gestes, leurs propos. Tel le plus méticuleux des enquêteurs, il exigeait de Sukha qu'il lui décrive absolument tout, encore et encore. Sukha n'épargnait aucun détail. Tour à tour pâle et fiévreux, Tope en arrivait à lâcher le volant pour s'empoigner. Il avait souvent l'impression qu'il allait exploser avec le splendide Margousier.

À la fin de chaque récit, Chacha agitait ses bras maigres et criait à Sukha : « Behanchod, fous le camp d'ici ! Tu vas me rendre dingue ! »

Et Sukha, grattant sa barbe naissante du bout des doigts, répondait : « Tu n'as encore rien entendu ! Attends que je te raconte ce qu'on a fait avec Ruby les-gros-nichons ! »

Il arrivait qu'on aperçût un visiteur difficilement reconnaissable, traversant le cours d'eau. Sukha se précipitait alors dans la petite pièce en terre à l'arrière de la maison où l'on entreposait les céréales. Il n'y avait pas de fenêtre, mais un peu de lumière filtrait sous l'avant-toit et par les interstices du chaume. Tope apportait une lampe-tempête, Sukha et lui s'installaient sur le monticule frais et doré de blé vanné en s'y creusant des sièges confortables, et ils jouaient au sweep.

C'est là que Sukha lui montra son cran d'arrêt pour la première fois. C'était un Rampuria, un couteau fabriqué à Rampur, expliqua-t-il. Avec un manche en bois, trois vis visibles, et une lame de dix centimètres biseautée sur deux faces, incurvée vers le haut et se terminant en pointe acérée. Le cliquet était en cuivre, aisément manœuvrable du bout du pouce. Tope fut autorisé à le prendre en main, à l'ouvrir, à le fermer, à caresser l'acier étincelant. Il testa même le tranchant sur sa peau sans se couper. Sukha expliqua que la lame de dix centimètres valait mieux que celle de quinze, à condition de préférer l'efficacité à l'esbroufe. La lame courte, avec son manche adapté, offrait une meilleure prise pour taillader ou piquer.

Tope voulut savoir s'il s'en était déjà servi contre quelqu'un. Sukha sourit : « À ton avis ? » Tope voulut savoir combien de fois. Sukha ouvrit ses deux mains, les referma, et rouvrit quatre doigts de la droite. C'était la fin de l'après-midi, la lumière dans le petit fenil de terre était un mélange singulier de soleil faiblissant, filtrant ici et là, et du halo jaune de la lampe. La pièce était trop loin à l'arrière de la maison pour entendre les voix du visiteur et de Chacha, mais il y avait la débandade des animaux sur le toit de chaume. Dans l'étrange éclairage, Tope scruta le visage grave de Sukha. Il dit : « Quatorze ? »

Sukha acquiesça.

« Morts ? » demanda encore Tope.

Sukha leva le petit doigt de sa main droite.

« Les autres en ont réchappé ? »

« Oyee Tantia, Tope, je ne suis pas un meurtrier ! Celui que j'ai tué était une erreur. C'était au début, quand je ne savais pas encore bien manier mon Rampuria. Un couteau est un bel objet. Il n'est pas fait pour tuer. Pour ça, il y a le pistolet. Le couteau sert à effrayer, à semer la terreur dans la mémoire de ton adversaire. Le couteau est un instrument d'orfèvre, le pistolet un ustensile de quincaillier. Une balle ne te donnera jamais la finesse, la précision d'une lame. Avec un couteau, tu peux décider de la punition exacte que tu veux infliger. Faire une incision de douze centimètres de long, un trou de cinq centimètres de profondeur, trancher la moitié d'un doigt, épointer le nez, sectionner la langue en deux, couper un testicule en rondelles, agrandir la taille d'un trou du cul, effiler les oreilles, dessiner une fleur sur un torse, une étoile sur une joue. Tu peux réaliser toutes ces jolies choses. Si les circonstances l'exigent, tu peux aussi sortir les entrailles, découper le cœur, planter un drapeau dans la cervelle. Avec un pistolet, une seule chose est possible : un trou dans la peau. Les tueurs utilisent une arme à feu. Les artistes préfèrent l'arme blanche. »

Petit Tope était en émoi. Dans la lumière changeante, il observa le beau visage de Sukha qui faisait courir la lame sur son duvet de barbe. Comme il était fort et calme.

« Tu veux voir ce que les bons artistes peuvent réaliser ? »

Tope hocha la tête, à court de mots.

Sukha prit la lampe à pétrole de sa main gauche, l'approcha de son torse et souleva sa chemise. Son visage s'évanouit dans l'obscurité, mais dans le halo de lumière jaune, sur sa poitrine, apparut une fleur de chair ourlée. L'artiste avait dessiné la fleur à la manière d'un enfant. Avec six pétales autour du cœur : le téton gauche de Sukha. Celui-ci expliqua :

« Quatre hommes me tenaient pendant qu'il dessinait. J'ai hurlé assez fort pour crever les tympans de Dieu, mais la main de l'artiste n'a pas tremblé un seul instant, sa concentration n'a pas faibli. Tu vois comme c'est beau ? Peut-on faire cela avec un pistolet ? Chaque fois que j'enlève mes vêtements, chaque fois que je prends un bain, chaque fois que je me passe les mains sur le corps, je me souviens de cet artiste, de ses assistants, je me rappelle la douleur folle qui m'a donné envie de mourir. C'est cela le pouvoir de l'artiste. On se souvient toujours de lui. Jamais du flingueur. »

Sukha n'en resta pas là. Il montra à Tope ses autres œuvres d'art de chair. Une corde épaisse grimpant de l'intérieur de sa cuisse droite jusqu'à son bas-ventre ; une petite motte rose foncé sur l'épaule gauche, puis, en se tournant, une seconde épine dorsale, suprêmement surréaliste, juste à côté de la première.

« Ça t'a fait mal, Sukha ?

– Il ne faut jamais penser à la souffrance. Si tu penses à la douleur que tu ressens, tu ne peux jamais l'infliger. Si tu as peur de souffrir, tu auras peur de faire souffrir. C'est ce que nos aînés nous enseignent : ne pense pas, agis. Trop de réflexion nuit à la capacité d'action. Mais nos aînés ont tort de dire qu'il faut toujours agir avec sang-froid. Des situations différentes exigent des réponses différentes. Parfois, il faut sculpter la beauté, parfois ôter la laideur. Parfois, quand les chances sont contre toi, ce dont tu as besoin pendant le combat ce n'est pas de froideur mais de rage. Tu dois faire monter cette rage du plus profond de tes entrailles. Elle doit hurler en toi, te transporter au-delà de toute idée de douleur. Le couteau doit devenir une extension de ton bras. Il doit couper, trancher, s'enfoncer avec une fureur née de l'enfer. Tu dois te transformer en derviche. Dans ce cas, il ne peut y avoir de calme dans ta tête ni dans ton corps. J'ai vu un moustique d'un mètre cinquante qui mettait quatre gaillards en fuite parce que sa fureur était plus grande que la leur. Quand tu travailles avec un couteau, il te faut à la fois du talent et du courage. Un homme faible est incapable de planter une lame dans un corps humain. Certains ne peuvent même pas la planter dans un poulet vivant ! Quand tu travailles avec un couteau, tu dois être à la fois un artiste et un fou. D'ailleurs, c'est souvent la même chose. »

Tope blêmit. Il répugnait à voir Chacha coincer un poulet entre ses pieds pour le décapiter ; il détournait les yeux pour ne pas voir le sang gicler et le poulet sauter en cherchant sa tête. Il détestait aussi assister à la plumée et à l'écorchement. C'est seulement lorsque le poulet devenait une volaille lavée et propre, avec sa chair rosée, succulente et sans âme, qu'il commençait à l'apprécier.

Ils étaient maintenant confortablement enfoncés dans le monticule de grains dorés ; son lunghi retroussé sur les cuisses, Sukha ramassait des poignées de blé frais qu'il faisait glisser entre ses doigts, sur ses bras et ses jambes. Tope jouait avec le Rampuria, testait le ressort, caressait la lame, s'exerçait à différentes prises, pour une frappe montante, tombante, en rotonde.

« Bien ! s'exclama Sukha. Ça vient.

– Je veux apprendre », dit Tope en déchiquetant l'air sans pitié.

Sukha éclata de rire.

« Tu veux devenir un Chakumaar ? Ton père tire des obus, et toi tu veux être un artiste du couteau ! D'accord, je vais t'apprendre. Mais à condition que tu coures me chercher un verre de thé bien chaud. »

Sukha disait vrai. Ni le puissant char Vijyanta piloté par son père, ni les exploits militaires de son grand-père ne lui faisaient le moindre effet. Tope les avait trop entendus rabâcher les mêmes histoires. La citation remise à son père en 71 pendant la guerre contre le Pakistan pour la destruction d'un char Patton. La Croix de la valeur militaire acquise par son grand-père pour avoir repoussé avec sa section un assaut japonais en Birmanie, vers la fin de la Seconde Guerre mondiale. Le titre de champion de boxe mi-lourd du régiment obtenu et conservé par son père pendant huit années consécutives. La barre de fer que son grand-père tordait sur sa cuisse ou ses épaules – d'où son surnom de Fauladi Fauji, le soldat robot. L'éloge du sahib Burgess à son grand-père, disant qu'il était la fierté de l'armée britannique, et celui du Major Khan à son père, comparant sa force à celle de son tank.

Tope avait vu les vieux uniformes et les chargeurs de munitions dans le coffre noir cabossé de l'armée. Il avait vu les médailles ternies et les cordelières de cérémonie, les larges ceintures et les rubans décolorés, les chaussettes de laine effrangées et les tricots olive mangés par les mites, la cape imperméable raidie, percée de deux trous pour les bras. L'assortiment de chapeaux de jungle, de bérets et de passe-montagnes. Les photos jaunies collées sur des cartons jaunis, montrant des rangées d'hommes coiffés en brosse – en uniforme amidonné, en large short de sport, en treillis. Tous tellement semblables que le vieil homme devait pointer le jeune homme qu'il avait été au milieu de ses camarades. La déférence avec laquelle son père et son grand-père manipulaient ces vieilleries l'ennuyait. Leurs discours immuables sur la discipline, l'entraînement, l'obéissance, les statuts et règlements, l'emploi du temps minuté, la gloire, l'honneur, l'accablaient.

Dès l'âge de dix ans, Tope comprit que toutes ces choses n'étaient que des copeaux détachés de la réalité, flottant dans un espace et un temps illusoires. Son grand-père s'enfermait dans son pays de chimères et se coupait orgueilleusement de son entourage. Il adressait rarement la parole aux ouvriers agricoles, dédaignait les villageois croisés par hasard, observait un laconisme hostile devant sa famille et les visiteurs. Depuis près de trente ans qu'il était retraité de l'armée, il ne faisait strictement rien sinon tirer sur sa pipe à eau et contempler les champs. Deux fois par jour, matin et soir, il effectuait une longue promenade sur le pourtour de la propriété, sa badine militaire de bambou noueux dans une main, une bouteille de bière brune dans l'autre. Chacha disait de lui : « Il faut lui reconnaître ça. Avec lui, tout ressemble à une inspection de régiment. »

Souvent, quand les ouvriers actionnaient la roue du hacheur à fourrage, Fauladi Fauji s'asseyait à côté sur son charpoy pour observer le hachage des feuilles qui explosaient en riches arômes, comme s'il y décelait une signification cachée. Avare de paroles, inactif, auréolé d'une légende passée, il était désormais considéré comme dépositaire de sagesse et de force. Autour de lui, on marchait sur la pointe des pieds, personne ne le contrariait, et lorsqu'il concédait le privilège de quelques monosyllabes, cela lui valait des débordements de reconnaissance, de révérence et d'admiration.

Son petit-fils ne faisait pas exception à ce traitement minimaliste. Lui aussi devait affronter le ton bourru du vieux et vivre dans une crainte respectueuse. Au début, quand il osait poser des questions au grand homme, il était systématiquement congédié : les enfants ne devaient pas se montrer curieux. Plus tard, après que Tope eut renoncé à essayer de lui parler, le vieil homme le poursuivait de son regard critique, comme si le fait de marcher dans les champs sans scander droite-gauche-droite-gauche était un crime. Sa stratégie était efficace : sa désapprobation muette mettait l'autre sur la défensive, mal à l'aise, et dans l'obligation de jauger l'étendue de sa désapprobation sans pouvoir la contester ni la réfuter. Tope se surprenait souvent à espérer une remarque méchante de son grand-père pour pouvoir répliquer. Mais c'était un espoir vain. Il fallait se résigner à lutter contre le blâme hautain, jamais formulé, né de rien et n'épargnant rien.

Le père de Tope, Dakota Ram – l'unité de Fauladi venait d'être débarquée d'un avion Dakota quand il avait appris la naissance de son fils –, avait été doublement gâté. Pendant des années, il avait subi les arrêtés inarticulés de son père, avant de se frotter à ceux de l'armée. Il en résultait un homme bidimensionnel : l'un recevait ordres et instructions, l'autre les exécutait à la lettre. Probablement jamais le moindre élan d'insouciance n'avait traversé son corps, jamais une pensée originale n'avait traversé sa tête. Il avait toujours fait ce qu'on lui disait de faire – tant son père que l'armée –, et toutes les situations auxquelles il était confronté avaient des réponses connues de lui. Quand il ne les connaissait pas, il demandait à une personne mieux renseignée. Rien dans la vie ou le monde ne devait être examiné, analysé, interrogé ni compris. Il n'y avait que les règles et les procédures, le briquage et l'astiquage, il n'y avait que l'action.

Quand Dakota Ram revenait en permission pour deux mois, il continuait de se lever avant l'aube, de se raser de près, de faire de la gymnastique deux fois par jour, de prendre ses repas comme au bataillon – à six heures, midi et dix-neuf heures –, et de s'interdire les conversations légères avec sa famille. Comme son père, il gardait l'amidon de l'armée en toutes circonstances, et se tenait à distance des frivolités ordinaires. Il pilotait un tank de mille tonnes capable de percer des trous dans l'horizon gros comme des maisons, il avait connu le fracas de la bataille, la mort et la destruction, ses officiers parlaient l'anglais de manière abrupte, mangeaient avec des couverts étincelants, avaient des épouses à la peau claire et aux chignons perchés sur la tête gros comme des melons. Son régiment avait une tradition d'honneur et de bravoure vieille de cent vingt ans, et la lourde responsabilité de défendre le pays. Les parties de cartes, les bavardages futiles, les amourettes et l'amour, ce n'était pas pour lui. Il prêtait volontiers une oreille attentive aux questions de développement du village et autres problèmes sérieux, mais proscrivait les potins et les grandes démonstrations d'amitié. Il saluait chacun, y compris son petit garçon, avec une poignée de main formelle. Chaque soir, avant le dîner, il lampait deux verres de rhum Hercules avec quatre doigts d'eau, mais il buvait seul, avec un sens accompli du cérémonial. Lors de sa première année au régiment, le lieutenant Oomen lui avait dit : « Dakota, quoi que vous fassiez, faites-le avec le style de l'homme blanc ! Ces gens-là vous tirent dessus comme s'ils vous donnaient une médaille, ils chient comme s'ils conversaient dans un salon, et ils boivent comme s'ils assistaient à une cérémonie religieuse. Et regardez-nous ! Toujours à ras de terre, que ce soit pour chier, laver le plancher ou nous faire tuer ! »

Parfois, il invitait Chacha à se joindre à lui, mais jamais pour plus des deux petits verres prescrits, et il servait le rhum en tenant le verre et la bouteille à hauteur de ses yeux. Chacha s'éloignait pour boire son santri et soufflait à sa mère : « C'est comme donner une framboise à un lion ! Sher nu ber ! Ça ne mouille même pas le gosier ! »

À son père, Dakota servait un grand et un petit verre. Mais ils buvaient en silence, assis à cinq mètres l'un de l'autre. Les puits tubulaires gargouillaient, les derniers ouvriers agricoles quittaient les champs, une ultime irruption de pourpre baignait le ciel, et les oiseaux regagnaient leurs nids en saturant l'air de leurs babillages. Derrière eux, la fumée du feu de bois s'élevait du fourneau en vagues lentes, mêlée au fumet du dâl qui se propageait dans le crépuscule. Le bruit de mastication des buffles devant la mangeoire, rejoints par les bœufs rentrés des labours, devenait de plus en plus sonore. Des aboiements localisaient les fermes disséminées. La nuit tombait, des millions d'étoiles éclataient dans le toit du monde. Pendant cette transition magique qui échappe aux citadins, les deux soldats, père et fils, buvaient leur rhum, chacun retranché dans son armure, incapables de donner et incapables de recevoir.

Le jeune garçon, lui, restait près de son Chacha, loin de l'étranger rigide assis sous le margousier. Lors de ses rares visites, le conducteur de char n'avait rien à dire à son fils, rien à lui offrir. Le régiment ne vous enseignait rien sur cet aspect de la paternité. Au régiment, la figure paternelle était le commandant ; il ne livrait ni émotion ni affection, seulement des ordres et un parapluie protecteur. Le commandant était la voix de Dieu. On ne le mettait jamais en doute, ni dans la vie ni dans la mort. Quant à l'autre modèle de paternité de Dakota Ram : celui de Fauladi, il en était très proche. Raclées régulières, obéissance constante, aucune manifestation de sentiments. Le recrutement, les exercices, le camp d'entraînement, qui étaient un cauchemar pour la plupart des recrues, n'avaient été pour lui qu'une formalité, un simple prolongement de la maison familiale.

Pétri de piété filiale, Dakota approuvait sincèrement les règles d'éducation impitoyables de son père. Il jugeait qu'elles lui avaient été très utiles. Qu'elles avaient fait de lui un homme digne de ce nom, insensible à la douleur et à la privation, intrépide face à la mort. Lui aussi se faisait un devoir de rosser son fils une fois par semaine quand il était chez lui. Soit un minimum de huit corrections pendant son congé annuel, et deux pendant ses permissions. Parfois, cela le perturbait d'agir ainsi, mais il savait que la moindre faiblesse de sa part gâterait le caractère du garçon.

Il n'était pas toujours facile de trouver un prétexte de battre Tope. L'enfant se tenait prudemment à l'écart et parlait bas. Alors Dakota le convoquait et le grondait pour ses résultats médiocres en classe. Suivaient des corvées et des devoirs. Tope bataillait avec les maths, les membres et l'esprit déjà ramollis à la perspective du châtiment à venir. Pour varier, Dakota Ram utilisait tantôt sa canne, tantôt sa ceinture de toile, tantôt ses bottes, et tantôt simplement ses grandes mains. Il ne frappait jamais le garçon de toute sa force – ça l'aurait tué –, juste assez pour lui faire mal. En réalité, une fois qu'il avait commencé à taper, Dakota sentait la colère monter en lui. Les couinements de l'enfant l'excitaient. Son premier coup était toujours retenu, froid. Le dernier toujours soutenu, enflammé.

Son propre père, Fauladi, observait la scène, assis sur son charpoy près du hacheur à fourrage, impassible, tirant sur sa pipe à eau qui gargouillait. De temps à autre, pour obtenir l'approbation muette de Fauladi, Dakota assenait à son fils un ou deux coups supplémentaires. La mère de Tope n'était pas en position d'intervenir. La philosophie du châtiment régulier qui s'appliquait à son fils s'appliquait également à elle, mais, par souci des convenances, cela se passait à l'intérieur de la maison. Évidemment, on entendait ses cris bien au-delà. La raclée était une tradition familiale. Encore maintenant, il arrivait à Fauladi de battre sa vieille épouse. Les femmes le prenaient bien – le destin aurait pu leur être plus cruel : les laisser célibataires, sans fils, ou veuves –, et la douleur durait rarement plus d'une journée, sauf quand la canne ou la ceinture touchait un os.

Après la correction de Tope, sa grand-mère faisait chauffer une pierre, l'enveloppait dans un chunni et la donnait à Chacha qui l'appliquait doucement sur les endroits sensibles en lui contant des histoires du *Mahabharata*. À la longue, le héros préféré de Tope devint Bhima. Les autres frères Pandavas – Yudhishtira, Arjuna, Nakul et Sahadev – étaient trop tranquilles et respectueux de la règle. Seul Bhima se rebellait contre les injustices qui les frappaient, jurait vengeance contre tous ceux qui leur causaient du tort. Bhima, le héros à la force illimitée, Bhima qui, au cours de la grande bataille, pourchassa et massacra chacun des cent frères Kauravas pour les punir de la honte infligée à son épouse Draupadi, Bhima qui avait compris que, au-delà d'un certain point, les subtilités morales étaient une faiblesse et un péché. Souvent, lorsque les coups pleuvaient sur lui ou que les cris de sa mère lui déchiraient les oreilles, Tope s'imaginait dans la peau de Bhima, la massue sur l'épaule, exerçant sa vengeance sur son père et son grand-père qui demandaient grâce. Quand il se promenait seul dans les champs, il faisait tournoyer ses bras comme un guerrier et frappait les tiges de blé en criant « Bhimsen ! Bhimsen ! Bhimsen ! ».

Cependant, le corps de Tope ne fit honneur ni à son nom ni à celui de son idole. Entre douze et quinze ans, son ossature resta frêle, ses membres minces, ses épaules étroites, son torse maigre. Il n'atteignit pas non plus la taille escomptée et acheva sa croissance nettement plus petit et gracile que son père et son grand-père. Il ressemblait de plus en plus à son Chacha, l'avorton de la famille. Comme si, par osmose, l'amour de l'oncle l'avait rendu physiquement semblable.

Le regard du vieux Fauladi Fauji se durcit davantage encore. « Tope Singh ! Tu parles d'un canon ! Regarde-le, Dakota ! Tu aurais mieux fait de l'appeler Pistolet, ton fils ! » Le clac-clac métronomique du hacheur à fourrage servait de musique d'ambiance. L'odeur de l'herbe coupée emplissait l'air. Le vieux Fauladi tira vigoureusement sur son hookah, toussa, et poursuivit : « Dans quelle armée vas-tu l'envoyer ? La brigade des nains et des nabots ? »

Le conducteur de char ne répondit rien. Il continua de siroter son petit verre de rhum sombre. Puis il se leva, entra dans la maison, et battit sans un mot sa femme et son fils.

À quinze ans, l'humiliation fait plus mal que les coups. Tope serra sa petite mère en pleurs dans ses bras et lui dit : « J'ai envie de le tuer. » Sa mère, mariée à l'âge de treize ans et déjà vieille à trente-deux, qui n'avait connu de toute sa vie que deux modestes fermes et d'innombrables raclées, dont le seul souvenir réconfortant était l'amour et la tendresse de sa propre mère, répondit en sanglotant : « Il ne faut pas parler ainsi ! Mais je te comprends. »

Le garçon découvrit le goût du sang à seize ans.

Ce fut beaucoup plus facile qu'il ne l'avait imaginé. Pendant près de sept ans, assis seul dans l'obscurité du fenil contre le mur de brique nu du puits tubulaire, au cœur des champs de canne à sucre, au bord du paisible cours d'eau qui ne gonflait qu'à la mousson, sous les palmiers dattiers entrelacés, dans les chemins solitaires qui le conduisaient à l'école du village, sous les épaisses couvertures pendant les nuits d'hiver, il n'avait jamais cessé de jouer avec ce fantasme.

De même que le son naît en tournant simplement le bouton d'une radio, le fantasme naissait avec le déclic de l'ouverture du couteau. Son petit pouce pressait le levier et la lame jaillissait, étincelante. Soudain, une menace se lisait dans ses yeux, dans l'angle de son bras, dans le rictus de ses lèvres. Il ne se sentait plus du tout petit. Il se sentait dangereux, meurtrier, capable de semer la destruction. Autour de lui, les femmes et les hommes – sans visage pour la plupart, mais aussi son père et son grand-père – se recroquevillaient, apeurés et respectueux, baissaient les yeux, marchaient sans bruit. Et quand il traversait le bazar, un murmure de crainte parcourait les allées. De même que le son meurt dès qu'on tourne le bouton de la radio, le fantasme s'évanouissait dès que la lame se fermait avec un déclic. Seul demeurait Tope Singh, le petit avorton.

Pendant sept ans, le garçon vénéra le Rampuria comme un joyau inestimable. Il avait réussi à le cacher de tous les regards fureteurs, dans la maison et dans les champs. Le seul à connaître son existence était Chacha, qui avait juré le secret. En échange, celui-ci avait exigé de Tope la promesse que le couteau ne sortirait jamais des limites de la ferme, en tout cas pas avant ses vingt et un ans. En d'autres termes, Tope ne devrait jamais s'en servir, ni contre un homme ni contre un animal.

De son côté, Sukha, le glorieux Sukha, l'insouciant Sukha, le joyeux Sukha, le donateur du couteau, le philosophe de la lame, avait simplement recommandé : « Traite-le bien, manie-le avec soin. Ne l'utilise pas pour couper des légumes ni pour tailler des crayons. Pour te curer les ongles ni pour te raser la barbe. Ne l'utilise pas pour creuser des trous ni pour égorger des poulets. Souviens-toi qu'un Rampuria a un seul but. Comme une épée, une dague ou un revolver. Un Rampuria est une arme. Il est fait pour semer la peur dans le cœur d'un homme. Pour entailler la chair humaine. Seulement humaine. Souviens-toi que sa lame ne mesure que dix centimètres, mais qu'elle te grandit immensément. Un Rampuria fait de toi un homme, un guerrier. Dans un monde où le respect est rare, le Rampuria t'apporte le respect. Les riches et les puissants, qui se moquent du caractère d'un homme et de sa gentillesse, respectent celui qui engaine un Rampuria. » Puis Sukha avait rentré la lame, caressé le couteau endormi dans le creux de sa main pendant un long moment, et l'avait donné au garçon.

Aussitôt, Tope avait ressenti la vérité des paroles de Sukha. Quand il eut quinze ans, il se rendit chez Rafat, le tailleur du village – un vieux musulman bigleux qui n'avait aucun talent pour piquer droit –, et lui demanda de lui coudre une pochette intérieure étroite pour son pantalon.

L'échoppe en brique et terre battue de Rafat se trouvait à la lisière du village. Devant sa porte passait un caniveau charriant un lent flot de fange. La boutique était vide, hormis la machine à pédale Singer, un dhurrie brun et jaune élimé sur le sol de terre battue, et la chaise sur laquelle Rafat s'asseyait. Dans un coin s'élevait une pile bien rangée de vêtements terminés, et, dans le coin opposé, un tas informe de travaux inachevés d'où s'échappaient rabats et doublures. Rafat portait autour du cou un mètre souple de couturier d'un vert défraîchi, et un morceau de craie bleue sur l'oreille, mais il prenait rarement des mesures car il connaissait les tailles de ses clients. L'essentiel de son travail consistait non pas à confectionner des habits neufs mais à retailler les effets usagés qui faisaient la navette entre pères, fils, frères et cousins. Certains articles étaient recyclés cinq, six ou sept fois ; un pantalon finissait en short de garçonnet, une kurta d'homme en barboteuse. Pendant des années, le tailleur avait modifié les vieux pantalons et chemises olive de Dakota Ram pour Chacha et Tope, en laissant les épaulettes vides, les poches à pattes, les passants de ceinture, les plis. Une fois l'ouvrage achevé, les vêtements ressemblaient à ce qu'ils étaient : des fripes de l'armée, sans l'amidon, le luisant ni les fanfreluches. Et comme Rafat était un piètre artisan, les habits transformés étaient mal ajustés. Si un client commettait l'erreur de se plaindre, le tailleur lui jetait un coup d'œil pardessus ses lunettes et répliquait avec calme : « Regarde-toi ! Es-tu invité à dîner chez le commissaire-adjoint ? » Astucieux, toutefois, il compensait le manque d'esthétisme par un excès de solidité. Il piquait et repiquait tellement toutes les coutures sinueuses qu'elles ne cédaient jamais, quelle que fût la tension exercée. Ses vêtements mouraient d'usure, râpés jusqu'à la trame. Ce qui lui valait une belle réputation.

Rafat confectionna donc une poche mince pour Tope, dans le vieux pantalon olive de son père, partant de la ceinture et descendant le long de la braguette. Avec son souci habituel de la robustesse, il choisit une solide toile kaki, de façon à ce qu'une poussée accidentelle sur le déclic ne risque pas d'ouvrir la lame. Le couteau pressait contre l'abdomen de Tope et, après un certain temps, le frottement finissait par le blesser. Mais c'était un prix négligeable à payer. Outre sa nature même, l'emplacement du couteau accroissait son sentiment de puissance. Souvent, en marchant, il le palpait du bout des doigts, solide et inflexible.

Tope s'entraîna à le dégainer très vite, à la manière d'une arme à feu de son étui. Souvent, à midi, il descendait sur la berge meuble du cours d'eau, derrière les hauts joncs effilés. Là, il se plantait les pieds écartés et, d'un seul mouvement, plongeait la main dans sa ceinture, sortait le couteau de sa poche et l'ouvrait. Il accompagnait son geste d'un Haah ! Puis il poignardait les joncs ondoyants, ou les tailladait superficiellement comme Sukha le lui avait appris. Entrouvrir la peau avec la pointe, pour causer une grande douleur mais pas une blessure grave.

Au début, il s'essaya même au lancer de couteau, s'exerçant contre les troncs squameux des palmiers dattiers enlacés. Posté à environ trois mètres, il lança le Rampuria sans relâche, encore et encore. Mais jamais il ne parvenait à le planter. Ce n'était pas qu'il visait mal. Il touchait invariablement les arbres mais la pointe ne se fichait pas dans le tronc. Tope tenta de le lancer par le manche, par la lame, par-dessous, le poignet tourné vers l'intérieur. Peine perdue. Le Rampuria vrillait lamentablement et ne suivait jamais une trajectoire rectiligne.

Après chaque séance d'entraînement, comme tout bon guerrier, Tope nettoyait son arme. Il tirait une pierre lisse de cinq kilos cachée sous les joncs et la plaçait à côté du cours d'eau. La pierre avait la forme d'un embryon ; des millénaires d'eau vive l'avaient rendue lisse comme du satin. Tope mettait l'embryon sur le dos et affûtait la lame dans le creux de son torse. Cela durait parfois près d'une heure. Accroupi au bord du ruisseau, il faisait couler de l'eau fraîche sur le métal brûlant. De temps à autre, il apportait de l'huile de moutarde dans un petit flacon pour en enduire la lame. Ensuite, il l'essuyait avec la terre tendre et un vieux chiffon.

Lorsque Tope enfonça pour la première fois sa lame dans la chair de Bhupinder et, d'un mouvement vif, traça une ingénieuse ceinture en travers de son ventre, une merveilleuse sensation de pouvoir et d'extase l'envahit. Le gros Bhupi, cette brute de Bhupi, avec son turban bleu serré, sa barbe déjà fournie, sa voix autoritaire, le gros Bhupi qui venait de le bousculer pour la seconde fois, mit un instant avant de réagir. Le sang jaillit le long du trait comme le jus d'une mangue incisée, et il poussa un cri. « Hai ! Je suis mort ! Hai ! Le maiovah m'a tué ! »

Avant que le sardar eût trouvé le courage de sortir le court kirpan de la gaine en cuivre qui pendait à son flanc gauche, Tope lui traça une croix nette sur le haut du bras. Tel Eklavya apprenant l'art du tir à l'arc devant la statue de Drona, Tope avait parfaitement retenu les leçons de Sukha. Les entailles superficielles laissaient jaillir le sang, mais ne causaient aucun dommage grave, et lui-même oscillait entre la rage et le calme. Le couteau ouvert lui semblait doux dans le creux de sa main. Il espérait que l'un des deux acolytes de Bhupi ferait un geste et lui fournirait le prétexte de prolonger sa danse sublime, de décorer une autre peau.

Mais les garçons restaient paralysés par la peur. L'ouverture du cran d'arrêt avait étouffé leurs rires bravaches. Bhupi, qui depuis des mois traitait Tope d'avorton et faisait de lui la cible de son humour potache, Bhupi qui l'avait poussé de force dans le bosquet de goyaviers et obligé à baisser son pantalon pour leur montrer, à lui et à sa bande, la petitesse de son pénis, Bhupi tenait à présent son gros estomac entaillé avec son bras gauche, et la croix de son épaule gauche avec sa main droite. Le sang imbibait sa chemise et son pantalon, gouttait sur le sol dans le paillis de feuilles mortes. Le sardar sanglotait, de grosses larmes roulaient de ses yeux effrayés. « Hai ! On m'a tué ! Hai ! Le maiovah m'a tué ! Hai ! Appelez mon père ! Hai, ma mère, je suis mort ! »

Tope remarqua que les goyaves étaient encore d'un vert sombre. Des milliers d'entre elles luisaient dans les auréoles de soleil. D'ici une semaine, elles seraient bonnes à cueillir. Dans ce bosquet, l'une des variétés avait un cœur rose – Tope en raffolait, même si elles étaient moins goûteuses qu'elles ne le paraissaient.

Presque par jeu, il fit un pas en avant, le couteau dans sa main tendue. Les trois garçons reculèrent aussitôt, trébuchant dans le tapis de feuilles. Tope n'avait jamais lu la peur dans leurs yeux. Ils étaient la bande dominante de l'école, aux ordres de Bhupi, le fils du plus grand propriétaire terrien. Ils étaient chez eux, ils faisaient ce qu'ils voulaient. Toute leur vie, ils avaient malmené les garçons comme Tope. Ils lui avaient arraché son pantalon pour la première fois quand il avait onze ans, et ils avaient continué par la suite. Il avait passivement subi la douleur, et le plaisir de leurs mains et de leurs corps. Ils ne lui avaient rien épargné. Tope avait appris très tôt que la brutalité accompagnait toujours les joies de la chair. Il venait d'en faire l'expérience, à l'instant où la pointe de son couteau avait pénétré la chair de Bhupi, exactement comme lorsque le sardar avait pénétré la sienne, des années auparavant. À présent, la seule émotion qui se lisait dans leurs yeux était la peur. C'était magnifique. L'excitation monta en lui. Dans un délire artistique, il aurait pu tous les décorer. Les festonner de rubans de chair rouges.

Ils avaient dû le deviner dans ses yeux. La ferveur commençait à faire tourner le derviche. Bhupi gémit, ratatiné sur ses genoux, pressant sa peau qui suintait. « Maiovah, l'avorton du fauji est devenu fou ! Il veut tous nous tuer ! Attendez un peu que mon père encule ces bâtards ! »

Animé par sa musique intérieure, Tope fendit l'air d'un arc de cercle et entailla l'avant-bras du garçon le plus proche, qui levait la main pour se protéger. Le trait incarnat jaillit comme le jus sucré d'une mangue. Jeeta, le garçon aux oreilles d'éléphant dont la famille labourait des hectares de champs loués à la famille de Bhupi, poussa un cri perçant : « Oh, le salaud ! Il m'a eu aussi ! » De rage, il se tourna vers Tope, prêt à lui sauter à la gorge, mais il vit l'abandon dans son regard, la lente rotation du Rampuria dans sa main droite, et il recula. Tope le suivit et fendit l'air d'un mouvement paresseux du bras. Paniqué, Jeeta tomba à la renverse et s'écroula sur Bhupi. À présent, celui-ci saignait aussi du nez, et les deux jeunes gens, emmêlés sur le sol, se cachaient derrière leurs bras.

Le troisième larron, Lucky, cousin de Bhupi, âgé de quatorze ans, qui avait tenté de soutenir le sardar recroquevillé, voulut fuir. D'un geste gracieux, Tope planta la pointe de son Rampuria dans sa tendre fesse gauche. Lucky tomba avec un bruit sourd et un cri strident qui effaroucha les perroquets perchés sur les arbres. « Hai, ma mère ! Il m'a tué ! Hai, je suis mort ! » De son côté, Bhupi recommença à gémir : « Mon père t'écorchera vif ! Il te défoncera le cul. Tu regretteras d'être venu au monde. »

Tope pivota lentement et, d'un mouvement soigneusement calibré, planta sa lame dans la fesse rebondie du tas gigotant qu'était Bhupi. Son hurlement effraya tellement les oiseaux qu'ils en perdirent des plumes. « Oh, ma mère ! Ma mère ! Ma mère ! Putain ! » Jeeta essayait de s'enfouir dans le tapis de feuilles mortes, la tête au ras du sol, les yeux baissés. Lucky gisait à plat ventre, comme un mort, les mains pressées sur sa fesse ensanglantée. Bhupi s'efforçait d'étouffer ses sanglots. Le paillis collait aux mucosités coulant de ses yeux et de son nez.

Tope n'avait que l'embarras du choix. Lequel allait-il décorer, à présent ? Le soleil filtrant à travers les branches noueuses des goyaviers formait un filigrane sur le sol. Les trois garçons gisaient en tas, dans l'ombre et la lumière, en une douce chorégraphie de gémissements et de convulsions, bras et jambes contorsionnés dans une vaine tentative d'enrayer de nouvelles incisions dans leur corps.

Tope lança à la cantonade : « Montre ! »

Il s'appliqua à employer la même intonation qu'eux, cinq ans plus tôt. Encore et encore. Juste ce mot. Ce simple mot. Montre.

Personne ne répondit. Personne ne bougea. Les corps se recroquevillèrent un peu plus.

« Montre ! »

N'obtenant pas de réaction, Tope inséra doucement la pointe du Rampuria entre les fesses de Bhupi. Avec un cri assourdissant, le sardar se retourna, le visage englué de feuilles mortes et de brindilles collées par la morve. Sa chemise était humide et maculée de boue.

« Montre ! »

Les mains de Bhupi étaient tellement glissantes et tremblantes qu'il eut du mal à défaire le gros bouton de son pantalon, lui aussi imbibé du suintement épais de sa ceinture rouge.

« Montre ! » répéta Tope.

Il se pencha, approchant le Rampuria. Aussitôt le sardar céda à la paniques et arracha les boutons en bredouillant. Lorsque le dernier bouton renforcé par le tailleur Rafat lâcha, apparut à l'air libre une chair molle dans une toison inutile.

La vraie mesure des choses. Le tyran après que les courtisans se sont retirés, le policier dépouillé de son uniforme, l'ex-ministre ou le maître d'école dans le bazar, le bourreau privé de son harnachement, le violeur sans sa tumescence. Rien qui pût faire monter la sève, rien qui pût gonfler l'esprit et la chair de pouvoir et de passion. Juste un petit tas de chair ramollie noyée dans des poils.

Tope posa son pied droit sur le bourreau rabougri et appuya doucement. Le sardar couina comme un bébé à travers sa morve et lui agrippa la cheville. Ce n'était pas aussi terrible que ça le semblait. Les Keds de Tope étaient le modèle de base porté par les soldats, des pataugas d'occasion en toile ocre. Légères, lisses, avec une semelle de caoutchouc aux rainures effacées. Les deux autres garçons l'observaient du coin de l'œil. Le filigrane de soleil ne pouvait camoufler leur terreur. Le jeune Lucky avait été dressé à tirer du plaisir de la peur. On lui avait appris à s'exercer sur les ouvriers agricoles migrants qui travaillaient leurs champs. Derrière les meules de foin, dans les puits tubulaires, au milieu des cannes à sucre, dans les joncs. À présent, c'était lui qui gisait à plat ventre, un deuxième petit trou dans son postérieur, cherchant à se terrer dans le sol.

Pour cela, un Rampuria suffisait ! Pas besoin d'être grand, d'avoir une grosse fortune ni une bande nombreuse. Peu importait la caste, la religion, la classe. Juste un couteau.

Pour la première fois depuis des années, Tope se sentit beau. Fort et beau. Comme lorsque Sukha le perchait dans son tank Margousier et lui confiait la surveillance des frontières avec son arsenal de pets.

Soudain, Bhupi se mit à gigoter pour écarter le pied qui le clouait au sol. Saisi d'une colère froide, Tope appuya de tout son poids en tournant lentement. Deux fois. Le hurlement du sardar parvint sans doute jusqu'au village, et libéra les intestins de ses deux compagnons.

Alors, comme il l'avait vu faire dans les films, Tope se pencha sur le sardar frétillant et hurlant, essuya le Rampuria sur sa chemise, à l'épaule, là où le tissu n'était pas taché de sang, puis il referma son couteau.

Le prince des embrouilles

Cela coûta cher. Et pendant très longtemps.

Mais Tope ne passa pas à la caisse.

Le temps pour lui de revenir d'un pas léger jusqu'aux palmiers enlacés, ivre de joie, la nouvelle s'était déjà répandue. Chacha lui empoigna le bras dès qu'il eut sauté du tronc d'arbre enjambant la rivière, et l'entraîna dans les champs, vers le sud, où les eucalyptus se dressaient comme une garnison de pâles fantômes levant les bras au ciel. En un rien de temps, ils s'enfoncèrent au milieu des spectres ; les seuls sons audibles étaient leur respiration haletante et le crissement des feuilles sous leurs pas. Chacha forçait Tope à courir à une allure régulière et se tournait souvent pour l'encourager. Ni l'un ni l'autre n'avait prononcé un mot. Inutile de se parler pour se comprendre : c'est le propre d'une relation forte. Le temps des explications viendrait plus tard. Pour l'instant, il était urgent de fuir.

Ils émergèrent de l'autre côté des fantômes et poursuivirent à travers champs, courant sur les étroits billons de terre ; tous deux étaient chaussés de vieux pataugas en toile de l'armée ayant appartenu à Dakota. Parfois, quand le billon de terre séparant les champs était trop étroit, ils le chevauchaient, en une disgracieuse démarche de canard, oscillant d'un côté à l'autre. Heureusement, c'était la saison des moissons et leur progression n'était pas entravée par l'eau ou la boue. Le soleil de la fin d'après-midi pesait sur leurs épaules et ils avançaient pliés en deux, instinctivement, comme sous le feu de la mitraille. De fait, après le bois d'eucalyptus, le terrain s'étirait à découvert de tous côtés sur des hectares. Le blé mûr n'était pas très haut et, avec une bonne vue, on pouvait apercevoir au loin des oiseaux de rizière prenant leur envol. Chacha courait à bonne distance des fermes et s'efforçait d'éviter les parcelles où de faméliques ouvriers agricoles migrants, hommes, femmes et enfants venus de l'Uttar Pradesh oriental et du Bihar, avançaient accroupis pour couper les tiges dorées et les nouer en bottes. Quelquefois, inévitablement, ils tombaient sur un carré tonsuré de frais, mais les petites silhouettes brûlées – vêtues de saris et de dhotis crottés, la tête emmaillotée d'un tissu, une faucille à la main – ne sursautaient même pas. Elles tournaient à peine les yeux vers le duo haletant, le visage presque inexpressif, sans une lueur de curiosité ni d'alarme dans le regard.

Ces manouvriers avaient quitté leurs huttes sombres et leurs maigres possessions, emballé leurs gamelles et leurs effets, pris tous les membres valides de leur famille, tous les enfants de moins d'un an et de plus de huit, et parcouru des centaines de kilomètres à pied, en bus, en camion, en train, pour chercher du travail. C'était un pèlerinage cyclique vers les régions où il y avait des cultures à récolter et des roupies à gagner. Moissonner le blé, planter le riz, couper la canne à sucre. Ils vivaient comme par le passé, au rythme des saisons. Le soir, assis près de leurs fourneaux, ils chantaient d'obsédants chants folkloriques. À la fin de la saison, ils retournaient dans leurs foyers, avec de l'argent, de la nourriture, des vêtements. Et l'espoir fou que quelque miracle rendrait inutile le prochain voyage.

On les voyait partout, la peau cuite, les jambes et les bras décharnés, les yeux vides. Au fond d'eux, ils portaient un puits sans fond de deuils et de carences, de tristesse et d'exploitation, de luttes et d'incertitudes, un puits si profond qu'ils pouvaient à peine entrevoir ce qui les entourait. Ni la mort, ni la maladie, ni le dénuement, ni les traumatismes ne pouvaient les affliger, car ils étaient tout cela. Un homme et un adolescent courant à travers champs, pourchassés par aucune menace visible, ne représentaient pour eux qu'une simple bizarrerie de plus dans un monde infiniment bizarre.

Ce qui inquiétait vraiment Chacha, c'étaient les fermes. N'importe quel fermier, en les apercevant, était susceptible de les interpeller, de s'étonner de les voir courir. Et quand la famille et les serviteurs de Bhupi viendraient poser des questions, leur itinéraire serait découvert. Ils traversèrent des domaines qu'ils connaissaient – Bant, Doabi, Lal Singh, Pramukh, Pali, Tau –, évitant les puits et les maisons. Par miracle, ils ne croisèrent personne. De temps à autre, ils dispersaient des bandes de passereaux et de perdrix en pique-nique ; parfois, une aigrette au plumage blanc aveuglant s'éloignait de quelques battements d'ailes insouciants pour aller se pavaner un peu plus loin.

À chaque ligne de démarcation non signalée, une meute de chiens efflanqués les rattrapait en aboyant furieusement, puis se calaient sur leurs empreintes pour les courser hors de leur territoire. Les chiens ne les inquiétaient pas plus que les oiseaux. Ils savaient que le seul chien vraiment dangereux était celui atteint de la rage. Les autres faisaient du tapage, mais ne mordaient pas, tout juste bons à effrayer des citadins en visite. Des sirènes d'alarme, pas des défenseurs. Il suffisait d'avancer vers eux pour les faire reculer, et ce jusqu'au seuil de leur porte.

Plus de dix kilomètres à vol d'oiseau séparaient les palmiers enlacés de la Grand Trunk Road. Ils avaient traversé plusieurs fermes et parcouru la moitié de cette distance, avant que Chacha ne s'autorise à ralentir l'allure, passant de la course à la marche. D'autres villages séparaient Kikarpur de la route nationale, mais ils avaient réussi à les contourner tous. Les manguiers sous lesquels ils firent halte étaient vieux et stériles ; sous la voûte de leur feuillage vert sale, il faisait frais et sombre. Ils s'assirent sur leurs talons, face à face, adossés contre les troncs rugueux, pantelants comme des bêtes pourchassées. Au-delà de l'arche obscure des manguiers, le monde étincelait du soleil réfléchi par l'or des blés.

Sa respiration enfin apaisée, Chacha demanda :

« C'est grave ? Ils vont survivre ? »

Devenu un homme, l'égal de son oncle, en l'espace d'une matinée et de six coups de couteau, Tope répondit :

« Ils s'en remettront. Je les ai juste entaillés ici et là. Mais à entendre leurs braillements, on aurait cru que je les éventrais. »

Chacha examina Tope. La pénombre l'empêchait de distinguer l'expression de son visage, mais son intonation avait changé. Ce n'était plus la voix de son avorton de neveu, le taiseux qui passait ses journées à fuir le monde.

« Tu ne te doutais pas des conséquences ?

– Je m'en fichais, répondit Tope.

– Tu sais de quoi est capable le père de Bhupi.

– Bhupi est un eunuque. D'ailleurs, il a vraiment failli en devenir un. »

Chacha découvrit à cet instant le mauvais gène dont le garçon avait hérité. Au fond, Tope n'était pas différent de son père, ni de son grand-père. Mais ceux-ci avaient mis leur violence au service de l'armée, en se servant d'un fusil. Tope, lui, semblait prêt à faire la même chose avec son Rampuria.

« Où est le couteau ? » demanda Chacha.

Tope allongea sa jambe droite, plongea la main dans sa ceinture et en sortit le cran d'arrêt. Il pressa le levier. La lame jaillit. Lentement, il la palpa sur toute la longueur. L'acier était visqueux sous ses doigts. Il lui faudrait la laver et l'affûter sur une pierre.

« Donne, dit Chacha.

– Pourquoi ? demanda Tope sans bouger.

– Il faut le cacher. L'enterrer ici. Je ne veux pas qu'on nous prenne avec.

– Non », dit Tope.

La voix de Dakota Ram. La voix de Fauladi Fauji. Inutile de discuter. Toutes ces années, Chacha avait pensé que Tope lui ressemblait, ou qu'il tenait de sa mère. En tout cas, pas de son père ni de son grand-père. Chacha l'avait cru à son image, de nature tendre, faible de corps et de caractère. Chacha, le cadet qu'on avait toujours traité comme un enfant ; Chacha, recalé aux épreuves de recrutement de l'armée à cause de sa chétivité, de ses jambes tordues, de son torse étroit et de ses os fragiles ; Chacha, qu'on avait toujours associé aux femmes de la famille, à qui les hommes ne demandaient jamais son avis ; Chacha, qui trayait les bufflonnes et aidait les femmes à faire les courses en ville ; Chacha, qui n'avait pas réussi à faire d'enfant à sa femme en huit ans de mariage ; Chacha, qui chantait des berceuses à Tope pour l'endormir, qui l'aidait à faire ses devoirs et s'inquiétait des mauvais traitements qu'on lui infligeait à l'école. Chacha, qui avait toujours considéré Tope comme son fils spirituel.

Dans ce havre obscur de manguiers, en observant son neveu palper la lame du couteau, Chacha comprit de qui le garçon était le fils.

Ils restèrent silencieux tandis que le jour aspirait les derniers rayons du soleil, ne laissant qu'une lueur orangée.

Quand la nuit tomba, apportant avec elle une lune épaisse et d'infinitésimales étoiles, les champs se parèrent de gris bleuté. On pouvait apercevoir un homme à cinquante mètres, et un homme avec une lanterne à plus de cent. Mais le paysage était spectral, saturé d'ombres mouvantes ; derrière chaque tige ondulante, chaque buisson, se cachait un homme. Le véritable guide n'était plus l'œil mais l'oreille. Le son était le démon de la nuit, doté de tous les pouvoirs, d'une force et d'une vitesse qu'il ne possédait pas dans la journée. Personne ne pourrait se faufiler jusqu'à Chacha et Tope à leur insu à moins de posséder le même pas feutré que les animaux.

Sous les manguiers, il faisait maintenant nuit noire et la végétation babillait avec animation. Chacha tirait de longues bouffées régulières sur ses beedies Lal Batti ; leur bout incandescent était le seul signe visible des deux fugitifs. Il avait fumé presque tout le paquet et la voûte de manguiers était gorgée de leur odeur âcre. Tope s'était assoupi, la fatigue succédant à la bouffée d'adrénaline.

Chacha, qui avait réagi avec promptitude et courage pour la première fois de sa vie, commençait à se demander ce que leur réservait l'avenir. Les contours en étaient terrifiants et la panique s'emparait peu à peu de lui. Alerté par une volée de sons distants, mélange de voix d'hommes et de chiens, il se précipita à l'orée du cercle de manguiers et aperçut au loin un grouillement de lanternes sautillant comme des lucioles dans la nuit.

La peur lui glaça le sang. Les jambes tremblantes, il revint en clopinant vers son neveu et le secoua pour le réveiller. Ils coururent à l'aveuglette, sans regarder où ils posaient les pieds. À travers les blés dressés, les bottes coupées et liées, les étroites rigoles d'irrigation, les parcelles fraîchement labourées, les mangeoires boueuses, les joncs aiguisés, les rubans marécageux, les peuplements d'eucalyptus ; ils dépassèrent des chiens braillards, des puits tubulaires hoquetant, des voix criardes. Cette fois, c'était Tope qui menait le train et Chacha qui suivait péniblement sur ses jambes torses. À chaque changement de terrain, il trébuchait. Tope se retournait pour s'assurer que son oncle n'était pas en difficulté.

En un jour et six coups de couteau, l'équation s'était irrévocablement inversée.

Lorsqu'ils eurent franchi le nullah de Gurari, un fossé profond à l'est du village de Shikarpur, et gravi sa pente boueuse, ils étaient hors d'haleine. Ils s'allongèrent sur le monticule herbeux, le cœur cognant comme un tambour de mariage, les vêtements mouillés et crottés, le ciel et les étoiles au-dessus de leurs têtes embrumées par l'épuisement, prêts à mourir sur place. Chacha prit le bras de Tope, la respiration sifflante, et parvint à dire :

« Je ne sais pas pour Bhupi, mais nous, tu nous as tués. »

Mais déjà il se relevait. Quand Tope suggéra de se reposer encore un peu, Chacha croisa les mains et l'implora de ne pas discuter.

« Ô grand Chakumaar, remettons-nous en route. Marchons. Cela nous évitera les crampes, ô prince des Bundpungas. »

Prince des embrouilles. Cela plut à Chaku. Filou et belliqueux. Comme Sukha. Libre, dur, irrévérencieux.

La marche s'avéra laborieuse. La course folle avait été plus facile. La brise nocturne glaçait leurs vêtements mouillés, une douleur sourde engourdissait leurs membres. Ils avançaient d'un pas raide dans leurs chaussures de toile détrempées, s'efforçant de rester sur les billons de terre, mais dérapant souvent. Les champs étaient argentés et les seuls sons qui coupaient de temps à autre le silence étaient le cri d'un oiseau de nuit. Derrière le bruit de leurs glissades et du gargouillement de leurs chaussures, les deux fuyards tendaient l'oreille, à l'affût du danger, mais aucun signe de poursuite ne leur parvenait.

Alors que la peur refluait, la faim s'insinua et fit gronder leurs ventres. Il n'y avait rien à faire. Ils n'avaient pas d'amis dans le secteur, et se risquer dans une ferme à cette heure eût été téméraire. Il était même dangereux de s'aventurer dans les bosquets de goyaviers. Les chiens risquaient d'être lâchés et de donner l'alerte.

« L'avantage avec la faim, remarqua Chacha, c'est qu'elle s'éteint d'elle-même au bout d'un moment. »

Tope se tourna vers lui, étreint par un élan d'affection et de pitié. Son oncle était un perdant-né. Condamné autant par les gènes que par son environnement. Ce qu'il avait accompli aujourd'hui était contre nature, extraordinaire. C'était le témoignage de l'amour qu'il portait à son neveu. Tope tendit sa main, celle du couteau, et étreignit son épaule étroite.

« L'avantage avec la vie, Chacha, c'est qu'elle s'éteint d'elle-même au bout d'un moment », dit-il en souriant.

Sans ralentir le pas, son oncle répondit :

« Et si tu deviens un champion de l'embrouille, alors elle s'éteint encore plus vite ! »

Leur instinct les dissuada de rejoindre la nationale en ligne droite. Les deux arrêts de bus qui flanquaient l'embranchement où la route de terre du village débouchait sur la Grand Trunk Road étaient des lieux dangereux. L'un se trouvait devant un groupe de magasins – un réparateur de pneus et des tea-shops qui vendaient aussi des biscuits, du paan et des cigarettes. L'autre se trouvait au village de Garyali, face au mur arrière de l'école couvert de graffitis. Ne les ayant pas trouvés dans la ferme aux palmiers enlacés, c'était là que les hommes du sardar les chercheraient en premier.

Ils coupèrent vers la droite, en diagonale. Et à mesure qu'enflait le grondement ininterrompu de la circulation, leur trajectoire devint de plus en plus oblique. Au point qu'ils finirent par avancer parallèlement à la grande route, derrière des rangées d'eucalyptus fantomatiques pataugeant dans leurs fossés marécageux. Le rugissement des camions et des bus fonçant comme des bolides était assourdissant, la danse de leurs phares hypnotisante. Tête baissée, l'homme et l'adolescent avançaient en file, si minuscules à côté des arbres, si lents à côté du flot de véhicules.

Au bord de la nationale, la nuit, on ne trouvait rien pour apaiser une fringale. Pas un seul goyavier, mûrier ou jujubier.

Pas un champ de tomates, de radis, de carottes ni de melons. Plus de canne à sucre et pas encore de mangues. Et le Rampuria, à force de frotter contre son pubis, creusait une plaie qui mettrait des semaines à guérir.

La stratégie de Chacha était vieille comme le monde : fuir aussi loin que possible. Il avait entendu dire que, ces temps-ci, du fait de l'interférence de la police et de la politique, on brisait les os de toutes sortes de façons innovantes. La plus populaire, pour le plus grave des délits, consistait à dévisser la barre de fer d'une pompe à eau, de l'emmailloter dans des morceaux de tissu, et d'utiliser cette matraque selon ses préférences ou au hasard. Péroné, tibia, rotule, fémur, cubitus, radius, humérus, carpes, tarses, pelvis, phalanges. Les os étaient cassés seuls, ou en combinaisons, selon l'état dans lequel on souhaitait renvoyer la victime chez elle : sur les genoux, sur les mains, ou sur un brancard. Ensuite, il ne subsistait aucune marque révélatrice, aucune pièce à conviction, uniquement la douleur hallucinante que rien ne pouvait étouffer. Juste les hurlements, les membres tordus, la peur permanente. La barre de fer était remise en place sur la pompe, une myriade de mains l'activait, et l'eau jaillissait, propre, limpide, pure.

Les infractions mineures recevaient les bons vieux châtiments. Quelques incisives et molaires délogées avec un tournevis ou arrachées avec une pince ; une cuillerée d'acide versée dans un œil, ou les deux ; deux doigts passés dans un hacheur à fourrage et mélangés avec les feuilles vertes ; le rectum carbonisé avec la flamme d'une bougie ; et, si l'on voulait un peu de théâtre, un nez ou une oreille coupés et remis à la victime dans un morceau de papier. Lorsqu'on recherchait l'humiliation et la douleur sans dégâts apparents, alors c'était le viol – de l'épouse, de la fille ou de la mère ; la poudre de piment rouge enfoncée dans l'anus avec le doigt ou un bâton ; un tapotement vigoureux des testicules avec un marteau ; des fourmis rouges sous le prépuce après avoir plongé le gland dans du sirop sucré ; ou, tout simplement, une sodomie en bande, les ouvriers agricoles ayant droit à la dernière tournée.

Chacha avait entendu toutes les histoires de règlements de comptes possibles. Les propriétaires contre les métayers, les Jats contre les Jats, les sikhs contre les musulmans, les hautes castes contre les basses castes, les basses castes contre les hors castes, les propriétaires contre d'autres propriétaires, les Jats contre les sikhs, les musulmans contre les hindous, les propriétaires contre tout le monde, tout le monde contre tout le monde. Il n'existait aucune combinaison qui n'eût été mise en œuvre pour assouvir une vengeance. Dans l'État de l'Haryana, le super poids lourd de l'arène était le propriétaire terrien jat, très influent et cruel. Son principal rival : le propriétaire terrien sikh. Les autres faisaient profil bas, exerçaient leur métier ou travaillaient discrètement leur lopin de terre.

Fauladi Fauji n'avait jamais eu d'ennuis, non pas grâce à son passé de soldat – la région en était bondée –, mais parce qu'il ne possédait que quelques hectares et se tenait tranquille. Vieil excentrique retraité de l'armée, il ne présentait de menace pour personne et avait le droit de garder sa dignité. Idem pour le fils, Dakota Ram, en raison de son statut de pilote de char. Le cadet rabougri, Tattu – un bourricot comparé à l'aîné – bénéficiait d'une affection dédaigneuse. Au fond, il y avait de l'espace et de la dignité pour tout le monde dès lors qu'on n'enfreignait pas les limites. L'ordre régnait, sauf si l'on décidait de le rompre.

Clopinant derrière son neveu, constamment aveuglé par les phares qui se ruaient à l'assaut de la route, Tattu savait que la rupture était définitive. Il allait marcher aussi loin qu'il le pouvait, à l'abri de la rangée d'arbres, et lorsque la première lueur de l'aube pointerait, il monterait sur la grande route hurlante, la traverserait, sauterait dans le premier véhicule – bus, tracteur, camion, fourgonnette –, et n'en descendrait que s'il s'arrêtait, ou à un embranchement de route, à une centaine de kilomètres entre Amritsar et Chandigarh. Aux abords anguleux de Chandigarh, là où le Pendjab chevauche les extrémités modulaires de la ville, avait poussé une agglomération nouvelle où vivait un homme susceptible de les aider. Un homme assez âgé pour reconnaître un cas d'urgence, et assez fort pour y faire face. Cet homme était le plus jeune frère de sa mère, et Chacha – Tattu –, espérait qu'il aurait la générosité de lui tendre la main.

Sardar Balbir Singh, le père de Bhupi, un homme à la forte carrure, menait en personne la petite armée qui saccagea la ferme aux palmiers enlacés.

Dans un moment de crise tel que celui-là, les ramifications du clan Singh se regroupaient. Les trois frères de Sardar Balbir Singh, qui avaient au fil des ans suivi des chemins séparés pour gérer leurs domaines – ils possédaient des centaines d'hectares à eux tous – se réunirent dans sa ferme avec huit de leurs fils et des dizaines d'ouvriers agricoles, bien avant que le soleil eût commencé à décroître. Pendant ce temps, les garçons balafrés se trouvaient dans une clinique privée de Karnal, aux bons soins du père de Balbir et de sa femme. Leur conduite déplorable les avait déshonorés. Le policier commandant le chowki sirotait une tasse de thé, confortablement installé dans le salon de Balbir, jambes allongées, casquette sur la table. Le rapport de police ne serait enregistré que lorsqu'il aurait donné le feu vert. L'idéal serait que le clan Singh se fît justice sans l'intervention de la police.

La première action de Sardar Balbir Singh, lorsqu'ils franchirent la petite rivière, fut d'abattre les deux chiens de la ferme. Des bâtards de six ans au pelage brun issus de la même portée. En les voyant accourir en grognant, le sardar, sans ralentir le pas, mit le canon de son fusil dans la gueule du premier et pressa la détente. La détonation fut un peu étouffée mais la cervelle explosa, tachant les vêtements de la troupe. Et quand le second chien fit volte-face en couinant pour détaler, Balbir pressa la deuxième détente et l'atteignit à l'oreille gauche. Cette fois, le coup de feu fut assourdissant et la tête du chien vola en éclats. Sans s'arrêter, Sardar Balbir Singh ouvrit son fusil, inséra les deux cartouches rouges qu'on lui tendait, et le referma d'un coup sec.

Le petit puits tubulaire hoquetait ; les sons de la courroie et du moteur se mêlaient. Au fond, dans l'angle gauche de la cour badigeonnée de terre et de fumier, derrière le muret de pisé, des volutes de fumée s'élevaient des fourneaux. Sous le margousier, le charpoy était vide.

Tous les ouvriers agricoles avaient fui dans les champs et au-delà. La débandade avait commencé des heures plus tôt, dès que la rumeur des événements du bosquet de goyaviers s'était propagée. Seul restait Pappu, un jeune homme de vingt-deux ans, fils du vieux serviteur de la famille mort de la malaria des années auparavant. Il se tenait près des tas de fourrage non haché, essayant de se fondre dans les ombres qui s'allongeaient. Le soleil mourait dans une éclaboussure d'orange farouche. Fauji faisait gargouiller son hookah par à-coups, une jambe décharnée repliée sous lui, l'autre devant. La mère de Tope, sa grand-mère et l'épouse de Chacha étaient recroquevillées autour de son charpoy, leurs dupattas poussiéreuses couvrant leur tête et leurs yeux, les deux plus jeunes derrière leur belle-mère.

Sardar Balbir – ventre rebondi, barbe noire cirée et emprisonnée dans un filet – s'assit au pied du charpoy de Fauladi Fauji, là où les cordes étaient tendues. Le double canon de son fusil frôlait son oreille et son grand turban bleu. Le reste de la troupe ne disposait que de deux autres armes à feu : un Mauser allemand compact et noir, et un fusil militaire à un coup. L'homme au fusil avait une cartouchière de balles rouges en travers de la poitrine. Le Mauser était porté en bandoulière par un jeune frère de Balbir Singh, dans un étui de cuir luisant au rabat boutonné. Les autres avaient des épées, non pas attachées à la taille mais tenues à la main dans leurs fourreaux, des lathis, matraques de bambou, et des gandasas, sortes de haches de paysan à long manche dont la lame avait été affûtée de frais. Tous, sauf le propriétaire, étaient debout, vaguement alignés autour de la cour, regardant dans différentes directions.

D'une voix neutre, le sardar demanda : « Où est le garçon ? »

Fauji tira une bouffée sur son hookah, ses mains osseuses toutes tremblantes.

Le sardar patienta. Fauji semblait rétréci à l'intérieur de lui-même, ses deux jambes grêles repliées, ses tendons palpitant dans son cou maigre. Il dit d'une voix lente et grave :

« Les jeunes gens commettent des erreurs.

– Où est-il ? » répéta le sardar.

Son œil gauche tressauta. Son escorte connaissait ce signe. Un frémissement parcourut les rangs. Les trois femmes, le visage recouvert, s'étaient littéralement fondues en une seule derrière le patriarche, lequel avait cessé de tirer sur la pipe à eau tant ses mains tremblaient. Il les croisa, l'embout de cuivre entre ses doigts, inclina sa tête grise aux cheveux en brosse et dit :

« Je vous jure, sardar sahib, qu'il n'est pas ici. Il n'est pas rentré et je ne sais pas où il est. »

D'un mouvement fluide, Sardar Balbir Singh abaissa les deux bouches du canon de son fusil juste sous le postérieur du vieux et pressa une détente. La balle transperça le cordage du charpoy et s'enfonça dans le sol. La détonation fut assourdissante. Le vieillard sauta en l'air en poussant un cri. Les trois-femmes-en-une hurlèrent comme si elles avaient été atteintes.

Laissant le canon reposer sur le cordage du charpoy, le sardar répéta sa question :

« Où est le garçon ? »

La pipe à eau gisait à terre comme un serpent mort, les braises gris-rouge-noir de la coupelle dispersées tout autour. Les membres du vieillard étaient agités de soubresauts, comme sous l'effet d'une crise de malaria. Jamais il n'avait entendu un coup de feu tiré aussi près, pas même quand il était jeune soldat. Ses yeux chassieux larmoyaient et sa mâchoire pendait, hors de contrôle, le dentier de travers. Les trois femmes formaient un tas soudé, tassé sur le sol, sans forces.

Alors que Fauji cherchait à recouvrer sa voix, la vieille femme leva ses mains jointes en signe de supplication et prit la parole :

« Par pitié, pardonnez-nous, sardar sahib. Ce n'est pas notre faute. Vous nous connaissez depuis des années. Nous menons tranquillement notre petite vie et notre travail. Nous n'avons jamais causé de mal à personne. Nous avons toujours respecté la gloire et le pouvoir de votre famille. Le garçon a fait une chose terrible. Nous implorons votre pardon pour sa faute. Nous expierons pour cela. Je vous en supplie, sardar sahib, moi qui ai le même âge que votre mère. Pardonnez-nous. »

L'amalgame formé par les femmes était une vision étrange. Un visage, une voix, trois paires de mains serrées et tendues en signe de servilité. Une déesse déchue à plusieurs bras.

Le vieil homme avait perdu toute cohérence. Il regardait dans le vide, la lèvre inférieure tombante et dégoulinante de salive.

C'est alors que le sardar aperçut le jeune homme tapi dans l'ombre des tas de fourrage. D'un signe de tête, il lui ordonna d'avancer. Pappu approcha, les yeux baissés. C'était un garçon robuste ; le travail aux champs avait musclé ses bras et ses épaules.

« Où est ce petit salopard ? » questionna le grand propriétaire.

Les mains de Pappu étaient déjà jointes.

« Je ne sais pas, sardar sahib. »

Sardar Balbir Singh tourna à demi la tête vers ses hommes et commanda :

« Mettez sa main dedans. »

Le jeune homme cria pour implorer grâce avant même que trois paires de poignes solides ne l'agrippent.

« Ô bauji, je ne fais que travailler ici ! Je suis un pauvre laboureur ! Je ne sais rien de rien. Tope s'est enfui. Comment pourrais-je savoir où ? Oh, ma mère, quel mal ai-je fait ? »

Il commença à se débattre, cédant à une panique totale, lorsqu'ils le traînèrent devant le hacheur. « Ô bauji, sauvez-moi ! Ô biji, dites-leur que je ne sais rien ! Je vous ai servis comme un esclave. Je n'ai jamais volé un paisa, jamais rien fait de mal. Je vous ai toujours dit que Tope finirait par faire des choses horribles avec ce couteau. Je vous ai toujours dit de le lui enlever. Sauvez-moi, mon Dieu ! Sauvez-moi ! »

L'un des hommes du sardar frappa Pappu sur la bouche avec le bout émoussé de son lathi. Un coup sec qui lui ouvrit les lèvres et fit gicler le sang. Les cris de Pappu se turent et il fondit en pleurs comme un petit enfant, à gros sanglots, les joues inondées de larmes de douleur et de peur.

L'agrégat de femmes s'était également mis à gémir et implorait grâce pour le jeune homme. Sans se désimbriquer, elles approchèrent, leurs multiples bras tendus, et se jetèrent aux pieds du grand propriétaire terrien, les mains desséchées de la vieille étreignant ses gros genoux. Leurs dupattas avaient glissé en arrière ; leur contrition et leur désespoir s'offraient à tous les regards. Sans même un coup d'œil à l'animal grouillant à ses pieds, le sardar ordonna :

« Vadh doh. »

Hachez-le. Et, levant sa main droite qui lissait sa barbe, il brandit son index boudiné.

Ils mirent l'index gauche du jeune homme dans la gueule d'acier du hacheur. La sève verte de la vie, où subsistaient quelques minuscules brins d'herbe, maculait l'entonnoir carré et sombre. Comme Pappu refusait de coopérer et gigotait frénétiquement, l'homme qui tentait d'isoler l'index demanda : « Si on les coupait tous ? » Pour appuyer ses paroles, le Sikh basané qui se tenait dans son dos fit glisser la longue lame courbe de son épée sur le socle du hacheur. Aussitôt, toute velléité de lutte déserta le jeune homme et son corps s'affaissa.

Sardar Balbir Singh se leva du charpoy, repoussa la déesse à six bras qui se tordait en gémissant à ses pieds, et, son fusil à la main, s'éloigna pour contempler le paysage. Une mince ligne orangée subsistait à l'horizon et les oiseaux se déplaçaient en bandes bruyantes. Les champs étaient tantôt chauves tantôt chevelus, selon la progression de la moisson. Sardar Balbir Singh tourna le dos à la cour et aux cris.

Les deux lames incurvées du hacheur, fixées à l'intérieur de la roue, étaient humides de sève verte, le tranchant un peu plus gris que le reste. Le bourreau ne poussa pas la roue. Il passa de l'autre côté pour saisir la poignée de bois et la tirer vers lui. Pappu miaulait à présent, le corps ramolli, immobilisé par deux paires de bras solides. La vieille femme voulut s'approcher, mais le frère du sardar la retint par l'épaule. Fauladi Fauji contemplait lui aussi le jour qui mourait sur les champs. En quinze minutes, toutes les postures d'une longue vie avaient été anéanties. Fragiles sont les constructions que les hommes font d'eux-mêmes.

Comme à l'instant de la naissance d'un enfant, surpassant les gémissements et les bruits ambiants, un cri perçant annonça que l'événement attendu était arrivé. Le Jat qui actionnait la roue était efficace. La lame avait sectionné l'index de Pappu d'un mouvement net et rapide. Le doigt – étrangement plus petit une fois détaché du corps – resta dans la gueule d'acier tandis que le jeune homme s'écroulait à terre, recroquevillé en une boule sanglotante. Quelques gouttes de sang tombèrent des mâchoires du hacheur comme des crocs d'un animal en train de ripailler.

Pendant que Sardar Balbir Singh admirait la beauté lyrique de la campagne indienne, la fraîcheur de la brise du soir, les étoiles s'éclairant une à une comme les ampoules d'un lustre, le dessin pur d'une lune laiteuse, la musique apaisante des cigales, des puits et des vanneaux, tandis qu'il songeait à son enfance et à sa vie passée parmi tant de splendeurs, tandis que son frère tenait l'épaule de la vieille femme et que le vieux Fauladi Fauji bavait, affaissé sur son charpoy troué par une balle, ses hommes ramassèrent les deux autres parties de la déesse trois-en-une, étouffèrent leurs cris avec leurs dupattas, et les traînèrent de force dans le sanctuaire des pièces en terre battue.

Maintenant que plus personne ne pouvait le voir, le sardar laissa les larmes envahir ses yeux. Avec quelle cruauté son fils avait été supplicié. Et quelle piètre éducation il lui avait donnée en lui apprenant à survivre. À l'inverse, son propre père avait fait merveille en lui enseignant tout ce qu'un homme doit savoir sur le courage et le commandement. Hauteur. Action. Arrogance. La volonté de violence. Le courage de la cruauté. Il lui avait appris qu'un chef doit susciter la crainte et non l'amour, car les hommes finissent par aimer ce qu'ils craignent. Mais lui, le grand Sardar Balbir Singh, avait fait de son fils un être faible. Son sentimentalisme avait détruit Bhupi. Il s'essuya les yeux avec la manche de sa kurta.

Les hommes sortaient l'un après l'autre de la maison, resserrant leur turban, rajustant leurs vêtements, ramassant leurs épées et leurs gandasas appuyées contre le mur extérieur. Certains allaient se laver à la pompe. Le sardar observa le manège du coin de l'œil. La file d'attente devant la porte s'était amenuisée. Par chance, toute la troupe ne participait pas. Mais certains y retournaient. Plus tôt cela se terminerait mieux ce serait. Ils devaient se mettre en route, poursuivre ce sale petit avorton et son avorton d'oncle. Leur couper les couilles. Comment avaient-ils osé ? La rage grondait en lui.

Il se retourna et dit :

« Qu'on en finisse. Faites en sorte qu'ils se souviennent de nous et de Dieu dans le même souffle jusqu'à la fin de leur vie. »

Le domaine fut incendié systématiquement. La maison avec tout son contenu, les bottes de blé dans les champs, les abris du bétail, la hutte du puits. Personne ne fut tué. Les femmes violées, le jeune homme amputé d'un doigt, le vieux couple détraqué, tous furent traînés dans la cour et jetés sur les charpoys. Les trois femmes de nouveau coagulées en une masse gémissante, et le jeune homme toujours roulé en boule et sanglotant. Le bétail fut détaché et dispersé. Au moment de partir, la troupe mit le feu au blé doré qui attendait d'être moissonné. Bientôt, la nuit s'emplit de craquements, de fumée, de suie tourbillonnante, et de la faible odeur du kérosène que l'on avait répandu partout.

Sardar Balbir Singh s'éloigna dès qu'ils commencèrent à allumer les feux et s'arrêta au bord de la rivière où gisaient les chiens sans tête. Un à un, ses hommes le rejoignirent. Autour d'eux, la nuit s'embrasait. Au moment de poser le pied sur le tronc servant de pont, le sardar se figea un instant et demanda :

« Qu'avez-vous fait du doigt ? »

Dans l'obscurité, une voix répondit :

« Je l'ai fourré dans le cul du vieux. »

Shauki Mama et Mr Healthy

Tope Singh, alias Chaku, alias le fils de Dakota, alias le prince des embrouilles, ne revint jamais à la ferme aux palmiers enlacés. Jamais il ne revit sa douce grand-mère ni son cinglé de grand-père. Pas même lorsqu'ils moururent, quelques années plus tard. Les propriétaires terriens ont la mémoire longue, et le pouvoir ne se nourrit pas du pardon. Apparemment, la virilité et la fécondité de Bhupi demeuraient un point d'interrogation.

Dakota Ram revint en coup de vent pour une permission occasionnelle, mais préféra ne pas entamer de poursuites judiciaires. Il feignit de ne pas savoir que les femmes avaient été violées, et fit valoir à Pappu qu'il lui restait neuf doigts sur dix. Avec son vieux père, il s'enferma dans la communion silencieuse faite de connaissance profonde et d'ignorance qui caractérisait leur relation depuis toujours. Ils firent comme si rien ne s'était produit. Dakota Ram serra le corps fragile de sa mère dans ses bras et fondit en larmes comme un petit garçon.

Il se rendit chez le propriétaire terrien revêtu de son uniforme vert olive de caporal – orné d'un chevron blanc sur le haut du bras gauche – et prit place sur le même siège que le policier du chowki du village, dans le petit salon réservé aux visiteurs locaux et aux fonctionnaires subalternes. Sardar Balbir Singh et lui-même s'accordèrent pour considérer que, pour l'instant, le score était ex æquo. En fait, les hommes du sardar n'avaient pas agi avec excès. Deux chiens tués seulement. Et il ne fallait pas oublier qui avait ouvert les hostilités. Le garçon n'était pas encore pardonné.

« Je respecte votre uniforme, dit le sardar, mais je vous préviens que cet avorton devra payer. Mes hommes ont très mal pris ce qu'il a fait à Bhupi. »

Son béret serré entre ses mains, les yeux baissés sur le sol rouge, le soldat bafouilla :

« Mais, ma femme et…

– Quoi ! coupa le sardar d'une voix plus menaçante encore que ses paroles. Vous pensez qu'une femme est plus importante qu'un fils ? N'oubliez pas, caporal. Il ne s'est rien passé. Rien. Rien qu'elle ne puisse oublier d'ici un jour ou deux. Ou une semaine. Mes hommes ne l'ont pas tailladée. Ils ne lui ont pas planté un couteau dans le ventre. Ils ne l'ont pas ouverte où elle ne l'était déjà. N'oubliez pas, caporal, que mon fils est en ce moment à l'hôpital, le corps lacéré. Jusqu'à la fin de sa vie, ces points de suture grotesques se verront sur sa peau, comme les raccommodages sur les vêtements de Rafat. N'oubliez jamais, caporal, que c'est moi la victime dans cette affaire. À vous, il n'est rien arrivé. Rien. »

Le policier vint à la tombée de la nuit, s'assit avec Dakota sur le charpoy sous le margousier, et but du rhum Old Monk. Fauladi Fauji, muré dans le silence et plus ratatiné que jamais, sirotait le sien près du hacheur. Le soleil s'était couché, ne laissant derrière lui qu'un mince trait rouge. Devant eux, les champs étaient calcinés ; quelques cendres duveteuses s'élevaient encore ici et là. Mais tout n'était pas mort. Le feu avait rongé le pourtour de la ferme de façon inégale, laissant quelques carrés encore verts. Dakota ne buvait pas selon l'étiquette militaire. Il buvait pour vider la bouteille.

« Tu as bien fait de laisser courir, dit le policier. C'est plus sage. Porter l'affaire devant un tribunal vous aurait coûté le peu qui vous reste ici. »

Derrière le muret de pisé noirci, les fourneaux brûlaient. On préparait le dernier repas de la journée. Dakota voyait se mouvoir les ombres fugitives de sa femme et de sa belle-sœur, leur dupatta enroulée autour de la tête et serrée sous le menton. Elles n'avaient pas dit un mot sur la soirée. Elles n'en parleraient sans doute jamais. Cela ne ferait qu'ajouter à leur honte mutuelle.

Le soldat déclara : « Je tuerai ces sales chiens. L'un après l'autre. Je les attacherai au canon de mon Vijyant et je leur tirerai un obus à travers le corps.

– Les ordures, dit le policier. Les sangsues. Un jour, Dieu leur demandera des comptes.

– Je ne veux pas m'en remettre à Dieu. Pourquoi ferait-il notre travail ? Je veux leur couper les couilles moi-même, et les jeter en pâture aux chiens du village.

– Ça me plairait bien, à moi aussi, renchérit le policier. Et je le ferais tout de suite si je n'avais pas ce putain d'uniforme kaki. Je les traînerais par les cheveux, l'un après l'autre, je trancherais leurs bites et je les ferais macérer dans du vinaigre comme des carottes dans un grand bocal en verre. Ensuite, je les servirais à table pour mes fils de pute d'officiers.

– Pas moi. Moi, je les mangerais. Toutes.

– Tu as raison. Elles sont à toi, c'est à toi de les manger. J'en ferais des conserves et tu les dégusterais. Bande de salopards !

– Ensuite, je m'occuperais des femmes, poursuivit le soldat. Une à une. Je les ferais couiner comme des gorets.

– Je ferais comme toi, dit le policier.

– Mais après moi.

– Après toi, bien sûr. »

La bouteille était presque terminée. Dakota versa ce qui restait équitablement entre le verre de son hôte et le sien, et ajouta un peu d'eau. Son père, le vieux Fauladi Fauji, s'était affalé sur son charpoy, évanoui. Le puits tubulaire était silencieux ; aucune vibration n'agitait son corps carbonisé. Les ouvriers agricoles qui avaient pris la fuite n'étaient pas revenus. C'était sans importance. Il n'y avait rien d'urgent à sauver. Le cycle de la terre, semailles et moissons, suivrait son rythme propre.

« Mais on ne tuera personne, reprit le soldat. Je veux qu'ils souffrent. Je veux que chaque fois qu'ils baisseront leur pantalon pour pisser, ils voient qu'ils ne sont plus des hommes. Chaque fois qu'ils pisseront, ils se souviendront de nous avec la peur au ventre.

– Chaque fois qu'ils se rappelleront nos noms, ils pisseront de trouille, renchérit le policier. Et ils n'auront rien à tenir pour pisser. Juste de l'air !

– Et ce Laudu Maharj, Sardar Balbir Singh, tête de nœud des nœuds, je lui raserai la barbe et les cheveux, jusqu'à ce que sa tête luise comme le crâne d'un panda sur les ghats de Bénarès.

– Je lui fourrerai mon fusil dans le cul et je le ferai tourner comme une toupie. Ensuite, je lui ferai gicler les intestins par la bouche. »

Vautrés sur le charpoy, ils vociféraient en regardant filer les étoiles. Leurs voix flottaient sur les champs roussis, pénétraient la terre, défiaient les dieux. Recroquevillées près des fourneaux, les femmes apeurées les observaient à travers la mousseline de leur dupatta.

« Mais qui pressera la détente ? reprit le soldat.

– Moi. Je suis policier. C'est à moi de le punir pour toutes les atrocités commises sur des innocents.

– Non, ô policier. C'est moi qui presserai la détente. C'est ma maison qu'il a brûlée, ce sont mes femmes qu'il a violées.

– Ne nous battons pas, mon ami. C'est un fusil à deux coups. Tu presseras une détente, et moi l'autre.

– D'accord, dit le soldat. Je tirerai le premier.

– Mais alors, bahanchod fauji, il ne me restera plus rien ! Tu veux que je tire sur des lambeaux de corps ?

– Ô phudu policier, tu crées trop de problèmes. Tu n'es content de rien. D'accord, nous tirerons ensemble, au même moment. Exactement à la même seconde. Un, deux, trois… feu !

– Oui, mon ami. Tu as raison, acquiesça le policier, dodelinant de la tête. Au même moment. Un, deux, trois… pfuittt ! »

Shauki Mama avait appris très jeune à exploiter le monde. Il n'était pas homme à gaspiller son temps en sermons, idéologies et principes. S'il voulait discuter, il choisissait de parler de choses consommables. Ce qui s'achetait, se vendait, se mangeait, se sentait, se voyait, se portait, se pénétrait. Il s'intéressait à la façon de faire les choses, aux compromis qui permettent au monde de ronronner, et non au pourquoi des choses.

Il avait toujours considéré que sa sœur aînée, par son mariage, était entrée dans une famille de cinglés. Il y avait le beau-père, majestueusement assis sur son charpoy, qui ne daignait parler à personne et tirait sur sa pipe à eau comme s'il était Akbar le Grand, l'empereur des Moghols, surveillant l'étendue de son vaste empire. Lui qui n'avait été qu'un simple cipaye dans l'armée anglaise. Le fils, son beau-frère, était pire. Dakota Ram se prenait pour Shah Jahan[1], pas moins. À ses grands airs, on n'imaginait pas qu'il pilotait un tank bringuebalant mais qu'il construisait le Taj Mahal sur la frontière. Avec quelques indications, les chauffeurs de camion de Shauki auraient pu faire ce que faisait Dakota. Shauki avait une douzaine de Dakota dans son personnel. Tout un escadron ! Pourtant le soldat prenait des postures de grand sultan et le traitait comme un roturier. Satané phudu ! Et il buvait cet horrible rhum coupé d'eau tiède. Shauki Mama, lui, ne buvait que de l'alcool anglais fabriqué en Inde, « Aristocrat » ou « Peter Scot ». Avec du soda et deux glaçons, et toujours quelque chose à grignoter : petits cubes de concombre, de tomates, de radis, avec une pincée de sel, du jus de citron et du piment, ou des œufs durs, ou des morceaux de poulet tandoori bien juteux. Du gros rhum noir, de l'eau plate, et des tonnes de prétention ! Tout ça à cause de l'uniforme vert olive. Shauki ne comprendrait jamais comment une chose aussi commune pouvait engendrer une illusion aussi durable.

Et voilà que le rejeton égaré de ces cinglés lui était confié. Shauki ne pouvait pas se défiler. Le garçon était le fils de sa sœur, et il lui avait été amené de cet asile par la seule personne qu'il aimait bien dans cette famille de dingues. Runty Tattu, un homme vrai et amical, toujours prêt à faire une partie de

1. Empereur moghol, petit-fils d'Akbar, qui fit construire le Taj Mahal. *(N.d.T.)*

sweep. L'ennui était que, pour l'instant, Tattu aussi posait un problème. D'après le récit de leur fuite, il était clair que ni l'oncle ni le neveu ne pourraient retourner à Kikarpur avant longtemps.

Il fallait donc les héberger et leur donner du travail. Le domaine d'activité de Shauki Mama était simple : ses camions transportaient des matériaux de construction – sable, gravier, briques, chevrons, poutrelles, sacs de ciment, ainsi que des bouteilles de gaz domestique et des céréales. Il avait une importante clientèle privée, mais recherchait de préférence les contrats publics. Traiter avec les particuliers était un cauchemar de marchandages, de chamailleries sans fin sur les tarifs, la qualité, les quantités, les délais. Sans compter les difficultés à se faire régler. Ils avaient l'air de vous faire une faveur en vous payant, et toujours après avoir exigé des réductions.

À l'inverse, le gouvernement était une entreprise honorable. Vous obteniez ce qui avait été conclu – parfois plus, si l'occasion s'offrait de faire une réclamation. En règle générale, il n'y avait pas de méfiance ni de mesquinerie ; on ne marchandait pas sur la qualité, les quantités ni les délais. Le gouvernement se comportait comme les hommes devraient se comporter entre eux : en admettant que des défaillances, des insuffisances, des erreurs peuvent se produire, et que les hommes sont faillibles. Et cette compassion, cette générosité de cœur, vous incitait à y répondre. À partager vos bonnes fortunes avec les fonctionnaires, à laisser couler à flots friandises et alcools. Souvent, quand il se réjouissait d'avoir conclu un nouveau contrat, Shauki Mama apportait personnellement des cadeaux : téléviseurs couleur et chaînes stéréo. Parfois, pour aider les bienveillants représentants de l'État dans l'éducation de leurs enfants, le mariage de leurs filles, les soins à leurs vieux parents, il les forçait à accepter des gages de son amitié sous forme de liasses de roupies – dont le montant pouvait s'élever à dix mille[1]. Il était rare de trouver des hommes aussi méritants.

Il mit Tattu à l'adda, le dépôt des camions. Son travail consistait à tenir la liste des départs et des arrivées, et à noter les distances parcourues à chaque sortie. Ces données étaient ensuite comparées aux litres de diesel consommés. Un écart de dix pour cent était toléré, voire encouragé. Shauki Mama avait une philosophie : « Chaque individu a besoin d'une certaine transgression pour se sentir bien, et mieux vaut le satisfaire avec de petites transgressions. » C'est dans cet esprit qu'il expliqua à Tattu : « Je préfère perdre quelques litres d'essence à chaque voyage plutôt que de les voir partir un jour avec le camion. »

Mais, on s'en doute, les transgressions les plus importantes étaient subtilement combinées. Tous les détournements de marchandises se produisaient à la source, et le butin était réparti entre les chauffeurs et les aides. Les sacs – de blé, de farine de pois chiche, de ciment, d'éclats de marbre – étaient soigneusement décousus et délestés de quelques kilos. Lorsque le camion démarrait, il laissait derrière lui un petit amas, un peu comme le tas de crotte d'un animal. La marchandise prélevée était enfournée dans de nouveaux sacs, et mise en vente séparément sur le marché.

La règle cardinale consistait à ne pas être négligent dans le comptage sous prétexte que les « chutes » étaient gratuites. Chaque kilo, chaque sac, chaque brique, chaque tas de sable et de gravier devait être compté avec sérieux. Plus on y mettait de conscience professionnelle, moins cela paraissait illicite, et

1. Environ cent cinquante euros. *(N.d.T.)*

moins les employés étaient enclins à considérer cela comme un bon filon. S'arranger pour qu'un camion lâche du crottin était un vrai travail, convertir le crottin en gâteau rentable était un travail. Et, dans les affaires, les comptes devaient s'équilibrer à la roupie près ; il ne devait pas y avoir d'écart.

De son côté, Tope Singh, alias Chakumaar, alias le nouveau prince des embrouilles, effectua un faux départ en essayant de reprendre ses études. Shauki Mama envoya son neveu dans un établissement privé à Mohali. L'école, baptisée St Green Meadows High School, occupait une bâtisse étriquée de deux cent cinquante mètres carrés sur deux étages et demi, où les salles semblaient s'empiler les unes sur les autres. Certaines étaient subdivisées par des cloisons de contreplaqué de façon à réunir arbitrairement deux classes en une si les effectifs se révélaient insuffisants. Sept enfants de septième et neuf de huitième formaient ainsi un groupe de seize en « septième et demi ». Les parents étaient en droit de s'étonner.

La majorité des enfants était dans les classes primaires, et leur nombre allait diminuant à mesure que l'on montait. Comme dans la plupart des pseudo-écoles Saint-quelque chose, l'érosion à Meadows était forte : l'école poussait un enfant vers le haut pour dix qu'elle aspirait par le fond. Seule la salle du principal avait une fenêtre, et tous les locaux empestaient l'urine, laquelle se répandait généreusement depuis les toilettes de fortune construites sur le toit. C'est sur ce toit que Tope Singh pratiqua la masturbation collective avec les garçons plus âgés et apprit à fumer des cigarettes. Jusqu'à la fin de ses jours, l'odeur d'urine déclencherait en lui l'envie d'une clope et d'une jouissance sexuelle immédiate.

Les bonnes manières font pâle figure face aux gesticulations de la violence. Il lui fallut deux mois et quelques sorties éclair de fourreau du Rampuria pour surmonter le handicap d'être un campagnard. Bientôt, tous les garçons de la ville eurent fait allégeance à la lame, et Tope Singh fut baptisé Chaku, le couteau, surnom honorifique qui figurerait un jour sur des documents officiels et dans les bons journaux.

Jamais Chaku ne s'était autant amusé. Ses nouveaux amis se battaient pour entrer dans ses bonnes grâces, et l'initiaient au plaisir des cinémas, des restaurants et des jardins de Chandigarh. Certains avaient des scooters et des mobylettes, et ils avalaient les larges avenues, le nez au vent, les bras levés, grisés par la vie. Ensuite, il apprit à boire, d'abord la bière puis le whisky, et tout devint plus grandiose encore. Chaque jour, Chaku s'émerveillait des bienfaits que lui valaient quelques balafres superficielles et la bosse constante du Rampuria dans son pantalon. Il buvait parfois trop, divaguait et pleurait sur les malheurs de sa famille. Dans ces moments-là, ses amis se promettaient de mener une expédition punitive chez le sardar et son clan qui ferait date dans les mémoires pendant dix générations. Et Chaku, rengainant son couteau, disait : « Je leur couperai la bite à tous ces maaderchods, même aux petits enfants ! J'en ferai des cornichons que j'irai vendre sur la Grand Trunk Road ! » Après quoi, en bon boucher, il énumérait ce qu'il ferait de toutes les autres parties des corps, mâles et femelles. Pour finir, il fondait en larmes comme un enfant et ses amis le prenaient dans leurs bras pour le consoler.

Sans être un moraliste, Shauki Mama ignora pendant longtemps les plaintes qui s'accumulaient à l'encontre de son neveu. Un jour, cependant, il eut une conversation avec lui. Mais ce fut un dialogue d'égal à égal. Comme la plupart des hommes prospères, l'oncle avait bâti sa fortune non pas en sermonnant les autres, mais en comprenant les vertus des individus même les plus dévoyés. Il reconnut chez le garçon un don qui avait provoqué son expulsion de son ancien monde et lui avait gagné rapidement une place dans le nouveau. En retour, Chaku rassura Shauki Mama sur le fait qu'il n'était pas un imbécile, et qu'il savait se servir de son arme d'une façon qui alliait intimidation et mesure. Il coupait la peau, jamais les artères ; il menaçait la vie, ne la prenait jamais. On croit à tort que les hommes sont soit couards, soit intrépides. En vérité, comme dans la plupart des domaines, le courage a plusieurs degrés. Chaku n'avait pas – du moins pas encore – le cran de tuer. Même pendant ses séances de balafrage les plus enflammées, il restait parfaitement conscient des dommages qu'il ne devait pas causer. Shauki Mama en fut soulagé. On était en ville, il y avait les médias, les fonctionnaires et beaucoup trop d'intérêts divergents. Ici, les choses ne s'orchestraient pas selon les caprices d'un Sardar Balbir Singh.

En un rien de temps, Chaku joua un rôle actif dans les affaires de son oncle. De mois en mois, ses heures de présence à St Green Meadows s'amenuisaient, et à l'approche de l'examen de passage en classe supérieure, en mars, il était mûr pour l'échec. Depuis sa fuite du village, il avait appris des milliers de choses, mais pas une seule à l'école. L'examen de maths fut un désastre, l'anglais pire encore. En voyant ses résultats, son oncle lui demanda :

« Tu veux recommencer ?

– Non », répondit Chaku.

Au dépôt, il n'assista pas Chacha dans ses activités centrées sur des carnets de route et des livres de comptes. Son Rampuria le distinguait. Pour commencer, son oncle Shauki le fit voyager avec les camions, dans la cabine, pour qu'il comprenne le rythme des chauffeurs et de leurs aides, le métabolisme des chargements et déchargements, des pauses-repas, des arrêts carburant, des heures de repos et, le plus important, des tas de crottin et de leur collecte. Shauki Mama lui donna pour instructions de se montrer à la fois amical et distant : sa tâche consistait à tout connaître des camionneurs et à se faire craindre d'eux. Pour l'y aider, l'oncle ne mentionna plus son neveu que sous le nom de Chaku. Lequel fut par ailleurs indirectement encouragé à taillader quelques peaux au plus tôt afin d'amplifier comme il convenait la légende. Encouragements aussitôt mis en pratique. Et avec zèle. Chaku devint très vite le bras armé de Shauki Mama, celui qui allait s'occuper des collectes faisant l'objet de litiges. La bosse du couteau, toujours bien visible dans son pantalon, suffisait souvent à régler le problème. Parfois, le Rampuria devait se dévoiler dans toute sa glorieuse nudité, et rarement, très rarement, Chaku se voyait obligé de se livrer au petit jeu des croix et des boutonnières sur le bras d'un récalcitrant.

Depuis les premières leçons de Sukha et Bhupi, il avait parfait son éducation. Chaku apprit que tout le monde ou presque vivait dans une peur colossale et permanente. Les gens avaient peur de tout : de la police, des fonctionnaires et des juges ; des bandes de voyous, des criminels et de la mafia ; peur de l'humiliation et du ridicule ; peur d'être laids et d'être chauves ; peur des cafards et des chats ; peur des océans et du ciel, des éclairs et de l'électricité ; peur des prêtres et des médecins ; peur des morts et des vivants. C'était la peur, plus que l'espoir, qui semblait déterminer la vie des individus. L'espoir se réduisait à la capacité de négocier ses peurs avec succès. Seule une infime minorité parvenait à franchir la limite de la peur – de la police, des juges, de l'échec, de la censure, des prêtres et des cafards –, et cette infime minorité façonnait le monde dans lequel vivaient les autres.

Ce monde de peureux, comprit Chaku, était facilement terrifié par la seule ombre d'un couteau.

Son instinct lui souffla une vérité plus importante encore : la peur n'était pas une ligne tracée sur le sol, mais dans la tête de chaque être humain. Et si l'on poussait les gens à bout, ils pouvaient parfois dépasser cette ligne et devenir eux-mêmes redoutables. Ce crétin de Bhupi, en bousculant Tope une fois de trop, l'avait poussé au-delà de la ligne, et l'avait payé très cher.

Tope était devenu Chaku. Il avait compris les leçons de la *Gita* qu'on lui serinait depuis toujours, sur l'absence de peur, l'action et la légitimité de la violence.

Plus tard, cette période apparut à Chaku comme la plus heureuse de sa vie. Il avait une moto Yezdi, dont il avait retourné le sigle à l'envers pour faire plus branché. La moto regorgeait d'ornements : klaxon supplémentaire, clignotants arrière, sacoches en cuir, selle en fausse fourrure, moyeux rouges, et un petit ventilateur en plastique multicolore au-dessus du phare qui tournait de façon frénétique et kaléidoscopique. Les jours d'ennui, ses amis et lui montaient à Simla, roulaient sans casque sur les routes sinueuses de montagne, blouson de jean ouvert, aspirant l'air vif à grandes goulées. Ils buvaient de la bière au goulot et jetaient les bouteilles dans les ravins. Ils faisaient la course avec d'autres motos et des voitures. Parfois, ils chantaient des chansons de films indiens à tue-tête – des chansons qui parlaient d'amitié, d'amour, des mystères mélancoliques de la vie. À Simla, ils arpentaient à pied les anciennes avenues coloniales, admiraient les jolies femmes, plaisantaient sur les couples de jeunes mariés, se payaient des crèmes glacées, et finissaient par manger du curry de poulet avec des naans et des oignons crus.

Shauki Mama encourageait ces excursions. Il ne voulait surtout pas que son artiste du couteau plonge dans l'obsession du travail. Shauki ne cherchait pas un héritier, seulement un père fouettard compétent. Il n'avait pas à s'inquiéter. La vision du monde de Chaku ne différait guère de celle de son père et de son grand-père. C'étaient de simples soldats, magnifiques dans le cadre étroit de l'obéissance aux ordres, des démonstrations de loyauté et des actes de courage.

En bon soldat, Chaku aurait continué de servir indéfiniment son oncle, si le village n'avait débarqué un beau jour sur le pas de sa porte.

C'était une après-midi d'hiver. Il somnolait sur un charpoy à l'arrière du dépôt, dans le cocon douillet où le soleil, filtrant à travers le tamarinier et l'auvent en tôle du hangar, créait une cuvette ovale de lumière chaude. Repu de son déjeuner de parathas tandoori et de lassi, il s'était recouvert d'un grand châle brun rêche pour ajouter à son confort et éloigner les mouches. Le ronronnement du tour mécanique de Bauna, le nain qui réparait les pièces de moteur, faisait un fond sonore agréable. Depuis le matin, un corbeau croassait, perché sur l'arbre. Bombardé de cailloux, il s'était envolé pour revenir aussitôt tournoyer au-dessus d'eux. Bauna, ses bras courts et musculeux luisant de cambouis, son pantalon d'enfant maculé de taches et déchiré, y avait lu un signe et prédit : « Aujourd'hui, nous aurons de la visite. » Le chauffeur Jassi, ses longs cheveux écartés après un bain sous la pompe à main, avait répondu en mastiquant paresseusement un bâton de canne à sucre : « Oui, bien sûr ! Tes futurs beaux-parents ! Ils viennent prendre tes mesures. Tu as bien fait de te mettre sur ton trente et un pour les recevoir ! »

Chaku pataugeait dans un rêve familier. Il se cachait dans les champs incendiés du domaine aux palmiers enlacés. Le blé qu'il foulait n'avait pas encore pris feu, mais il sentait la chaleur croître à mesure que la ligne orange progressait vers lui. Le rougeoiement qui montait des terres s'étendait jusqu'aux bâtiments de ferme obscurs, où il voyait se mouvoir des silhouettes armées. Il entendait les hurlements de sa mère venant de la maison, il voyait son père et son grand-père recevoir des coups de fouet près du margousier qui avait autrefois été son tank. Tandis que Dakota Ram enrageait, criait et tirait sur ses cordes, Fauladi Fauji, imperturbable, faisait des bulles avec le hookah dont le tuyau était resté dans sa bouche. Des hommes émergeaient de la maison et lavaient leur gros pénis sous le jet fougueux de la pompe à main. D'un mouvement régulier, Pappu actionnait le bras de la pompe qui produisait un grincement aigu. Il n'avait pas de doigts et manœuvrait la poignée avec ses paumes. Au premier plan, Sardar Balbir Singh patrouillait devant la maison avec son fusil à deux coups. Son regard luisait de fureur, il semblait encore plus grand qu'avant. En fait, il donnait l'impression de grandir de minute en minute. Soudain, deux hommes s'approchaient de lui en rengainant leur sexe, et lui chuchotaient quelque chose d'un ton pressant. Chaku aurait voulu que sa mère cessât de hurler pour pouvoir entendre ce qu'ils disaient. Puis l'un d'eux avançait d'un pas et pointait le doigt dans la direction où il se cachait. Le sardar, devenu plus grand que le margousier, le mettait en joue et beuglait : « Tope Singh ! »

Chaku ne sauta pas du charpoy et ne répondit pas à l'appel de son nom. Le soleil était torride et le châle rêche presque inconfortable. Les voix provenaient de la cour du dépôt, juste derrière le grand portail en fer, près de la petite pièce de briques nues au toit de tôle dans laquelle on enregistrait les mouvements des camions sur les carnets de route.

Les voix ne lui étaient pas familières, pourtant il y avait dans leur ton une sorte d'avertissement. En soulevant un coin du châle, Chaku parvint à entrevoir une partie de la scène entre les camions et les bâtiments, entre le soleil et les ombres. De sa place, il pouvait voir plusieurs jambes et torses, et la courbe d'épées dans leurs fourreaux tenues à la main, deux gourdins de bambou, et l'acier noir d'un fusil à deux coups pointé vers le sol.

Ce fut son nom qui le sauva. Ni Jassi ni Bauna n'avaient jamais entendu parler de Tope Singh. Ni d'un village appelé Kikarpur, de Dakota Ram, ou de Fauladi Fauji. Une voix – manifestement celle de l'homme qui les avait conduits au dépôt – dit :

« Ils mentent. Bien sûr que le garçon travaille ici. Je l'ai vu entrer et sortir. Il est petit, mince, et il a une mobylette Yezdi enjolivée, avec un ventilateur sur le phare. »

Alors, de sa voix fluette, Bauna s'écria :

« Mais c'est Chaku ! »

Et une voix autoritaire tonna :

« Chaku ! Maiovah Chaku ! C'est lui ! Ce salopard de Chaku ! Où est-il ? »

En cinq bonds, Chaku rejeta le châle, posa un pied sur le bidon d'eau, sauta sur le toit de tôle de l'auvent adossé au mur du fond de la cour qui servait de toilettes. Derrière le battement du sang dans ses tempes et le fracas de la tôle ondulée sous ses pas, il entendit des cris : « Il est là-bas, l'avorton ! Attrapez ce sale chien ! Abattez le maaderchod ! » Chaku sauta par-dessus le mur et atterrit en roulant sur la terre dure, manquant de justesse les buissons, mais pas les ordures que les hommes jetaient par-dessus le mur – feuilles de thé usagées, peaux de bananes et d'oranges, nourriture rance, paquets et boîtes vides, chiffons maculés de cambouis. La chute souilla ses vêtements et lui coupa le souffle, mais il se releva et se mit à courir sans s'arrêter. D'instinct, au moment de se redresser, il tâta le Rampuria dans sa poche et se sentit rassuré.

C'était une banlieue toute neuve et la plupart des lotissements étaient encore vides. Des champs fertiles – sillonnés et irrigués par des rigoles – étaient repoussés sur un côté, dur rappel de l'amibe urbaine de l'Inde moderne qui asphyxiait lentement les vocations et les modes de vie anciens. Des paysans avec les poches subitement remplies de billets mais plus de terre sous leurs semelles, étaient contraints d'affronter de nouvelles réalités et une vie moins digne. En moins d'une génération, un ancien mode d'existence aurait disparu, le rythme des saisons serait mort, les logiques du ciel, de l'eau et des semences perdues, et les paysans deviendraient des pions minables s'échinant sur les machines implacables des cités, nourrissant les fantasmes d'hommes qui avaient réussi à annexer le monde en écrasant des êtres humains, non en faisant pousser des choses, en modelant la terre ni en exposant des idées.

Chaku courait au milieu des rangées de choux pareils à des boutons rubiconds sur une chemise brûlée, en direction du carré de canne à sucre dense où les chauffeurs opéraient souvent des razzias. Alors que moineaux et mainates s'envolaient devant lui, il entendit la détonation sèche d'un fusil et des cris. Il jeta un coup d'œil en arrière sans ralentir sa course et aperçut plusieurs têtes au-dessus du mur du dépôt. Le canon d'un fusil le visait. Il se mit à courir en zigzags affolés, plié en deux. Il y eut une seconde détonation, suivie d'une exclamation sonore : « Maiovah, tu cherches à tuer le sol ou le bonhomme ? » Des volées de moineaux effrayés tournoyaient dans le ciel.

Au moment où Chaku atteignait le champ de canne à sucre, lui parvint un bruit sourd, suivi d'un nouveau juron : « Ô behndiphudimari ! » L'un des hommes avait sauté du mur et mal atterri. Il se relevait péniblement. Le sardar au fusil pestait contre lui et gesticulait. Un deuxième homme sauta.

Chaku s'enfonça en courant au milieu des cannes à sucre. Les feuilles rasoirs lui tailladèrent la peau. De l'autre côté, il y avait un petit nullah rempli d'eau stagnante, puis la route. Il tenta de sauter par-dessus le fossé, manqua son coup, et retomba à genoux dans l'eau sale. Il se releva aussitôt, bondit sur le bitume, et fit une peur bleue à un jeune homme sur un vieux scooter Bajaj. Quand ses poursuivants émergèrent à leur tour du champ de canne à sucre, le scooter pétaradant avait changé de propriétaire et déjà parcouru plusieurs centaines de mètres.

Cette fois, ce fut Tattu, son Chacha, l'oncle tendre et docile, son gardien, son protecteur, ami et tuteur, qui paya le prix fort. Sardar Balbir Singh et ses hommes de main lui brisèrent un radius, un cubitus, deux métatarses, deux métacarpes, une côte et un fémur ; ils arrachèrent quelques poils de son torse et de son pubis, testèrent l'élasticité de son sphincter avec le bout d'une matraque de bambou, écrasèrent à tour de rôle ses testicules jusqu'à ce que ses cris de grâce deviennent des notes aiguës de pur charabia. Pour ses interventions, Bauna eut droit à deux dents arrachées avec ses propres tenailles. Et à ce commentaire du sardar : « Comme il est joli, maintenant ! Vous pensez qu'on pourrait aussi lui allonger les jambes ? » On demanda au maigrichon du Bihar, Ram Bharose – chargé d'ouvrir et de fermer le portail, et de nettoyer la cour – s'il voulait lui aussi avoir un soin dentaire. Comme il bredouillait, le sardar lui décocha un coup de pied entre les fesses qui l'expédia par terre, gémissant et immobile, tandis que continuait la sonate testiculaire de Chacha.

Le chauffeur Jassi joua la sécurité et s'accroupit en silence près du haillon arrière de son camion, en évitant de poser les yeux sur ce qui se passait. Lorsqu'il s'entendit demander s'il souhaitait goûter à son tour l'hospitalité villageoise, il serra ses mains sans répondre et fixa le sol. Plus tard, il déclarerait : « Y a-t-il de la bravoure dans le suicide ? Guru Gobind Singh[1] a dû fuir devant l'armée beaucoup plus nombreuse d'Aurangzeb[2]

1. Dixième et dernier Guru du sikhisme (1666-1708). *(N.d.T.)*
2. Empereur moghol. *(N.d.T.)*

avant de reprendre des forces ! Préfère-t-on vivre avec ses testicules dans son pantalon ou dans un bocal ? »

Shauki piqua une colère d'une rare violence. Mais il ne porta pas plainte. Il s'agissait d'une transaction entre clans, où les uniformes et le Code pénal n'avaient aucun rôle à jouer. Un acte avait été commis dans le passé, la punition était inévitable. Chacha fut transporté à l'hôpital et mis dans du plâtre. Mais il tira au moins un avantage de l'aventure. Sa dette était réglée. Désormais, il pouvait regagner son village et la ferme aux palmiers enlacés.

Chaku, lui, était toujours dans la ligne de mire. Le dépôt n'était plus un endroit sûr pour lui, pas plus que la banlieue de Chandigarh. Par son militantisme persuasif dans tout le secteur, le sardar trouverait toujours quelqu'un pour faire le travail. Peut-être même les flics. L'État croulait sous le nombre de groupes d'autodéfense, de terroristes, de criminels, de flics corrompus, de barbouzes de différents services. Les camions de Shauki Mama étaient en permanence réquisitionnés par les uns ou les autres, et il devrait patiner sur la glace avec beaucoup d'adresse et de vigilance pour l'empêcher de craquer sous son poids. Au Pendjab, il y avait plus d'argent au noir et d'armes en circulation que depuis les guerres anglo-afghane et anglo-sikh. N'importe qui était susceptible de briser les deux jambes de Chaku pour mille roupies, et de lui coller une balle dans la peau, voire plusieurs, pour moins de dix mille. Mais Chaku était son neveu et il avait toujours son utilité.

Moins d'une semaine après l'attaque, Shauki Mama mit le garçon, sa moto enjolivée et sa valise dans l'un des camions en partance pour Delhi.

Cinq années de terrorisme incessant – assassinats, massacres dans des bus, meurtres, attentats à la bombe, viols cycliques – avaient rendu la région très précaire pour les affaires. Shauki avait donc commencé à couvrir ses arrières, à transférer une partie de son capital à Delhi pour essayer d'y installer une plate-forme. Son fils voyageait dans les bus de l'Haryana Roadways, avec des sacs en plastique minables contenant des liasses de billets tachés enfouies parmi des vêtements. Pour l'instant, cet argent était investi dans de petites propriétés : un appartement dans le quartier chic de Punjabi Bagh et une boutique dans un futur complexe commercial à Rohini, autre banlieue en friche qui commençait à pousser à l'extérieur de Delhi.

À Punjabi Bagh, l'immeuble était bâti sur un terrain de deux cents mètres carrés, et le deux-pièces situé au deuxième étage était sombre et abandonné. Toute la lumière du jour était occultée par les bâtisses environnantes. Il y avait une salle de bains, avec un robinet en cuivre qui fuyait, et une cabine à merde à l'indienne, équipée d'une citerne en fer antédiluvienne fixée au mur et d'une chaîne qui actionnait le système avec un fracas terrifiant. Tous les sols et parements étaient en mosaïque grise. Même avec les lumières allumées, on se serait cru dans un donjon. Les rebords et les grilles des fenêtres étaient barbouillés de fientes d'oiseaux – des pigeons pour la plupart –, et des nids poussaient sur les lattes des stores comme des touffes de poils dans les oreilles d'un vieillard.

L'ameublement était bon marché et rudimentaire. Des chaises de bois bancales, une ou deux tables, des lits-banquettes que l'on pouvait ouvrir et fermer après y avoir fourré les billets de banque froissés. Pour toute décoration, il n'y avait qu'un poster de magazine de charme indien, légèrement boursouflé par la moisissure, représentant une pin-up aux gros seins, collé au-dessus de la mosaïque dans la salle de bains, et, dans le salon, un poster encadré – sans verre – d'une célèbre actrice de cinéma dans le rôle de la déesse Santoshi Mata. Le cadre était entouré d'une guirlande de soucis fanés depuis des semaines, leurs pétales réduits à l'état de chips noircies.

La plus grande pièce était généralement fermée à clé, et réservée à Shauki et à son fils. Chaku devrait s'installer dans l'autre. Or il y avait déjà un occupant. Il s'appelait Mr Healthy et venait d'Amritsar.

Mr Healthy avait des bras et des jambes si maigres qu'on pouvait les encercler entre le pouce et l'index. Son visage était émacié et son nez d'une longueur disproportionnée. Son torse plus étroit qu'une main. Tout cela était compensé par la taille de son pénis. Même flasque, celui-ci pendait jusqu'à mi-cuisse, épais comme un poing ; en érection, il faisait paraître le corps comme un appendice, et non l'inverse. Assis de son côté du lit, adossé au mur, d'une maigreur épouvantable, nu à l'exception d'un slip lâche, Mr Healthy était occupé à lire les journaux, son formidable concombre pointant à l'air libre. C'était dur pour les nerfs.

Pourtant, ce ne fut pas la taille de cet organe qui mit Chaku sous la dépendance de Mr Healthy, mais l'acuité de son esprit. L'homme calculait à une vitesse phénoménale, il comprenait l'argent, la politique, savait établir toutes les relations entre l'un et l'autre, et il connaissait des mots merveilleux avec lesquels exprimer des idées complexes. Mr Healthy parlait des racines troubles du terrorisme au Pendjab, du désastre imminent du parti du Congrès, des convulsions de la guerre froide, du fonctionnement de l'économie parallèle, de la victoire des moustiques dans leur lutte contre la quinine. Il connaissait les noms des ministres, les différentes compagnies aux mains des industriels, le montant des salaires des joueurs de cricket, et quelle star de cinéma couchait avec qui. Chaku était sidéré. Comment cet homme quelconque, vivant avec lui dans cet appartement miteux, dormant dans le même lit, et travaillant comme lui pour Shauki Mama, pouvait-il être aussi savant ?

Ce qui rendait Mr Healthy plus intimidant encore était que jamais il ne plaisantait ni ne souriait. Avec lui, pas de franche rigolade ni de bavardage futile. Lorsqu'ils s'asseyaient dans un restaurant ou une gargote et qu'on chahutait autour d'eux, il jetait des regards glaçants aux clients rieurs. Quand ils sortaient d'un cinéma et que tout le monde autour d'eux souriait et devisait, ou se plaignait, ou se disputait, Mr Healthy disséquait le film avec gravité. Et Chaku, qui n'avait connu que des relations frivoles, mesura soudain l'absolue étroitesse de sa vie. Il ne savait que conduire une moto et jouer du couteau. Dans un petit geste de génuflexion, il déposa avec joie ces maigres talents aux pieds de Mr Healthy.

Chaku béait d'admiration. Il était prêt à devenir l'esclave de Mr Healthy – faire la cuisine, le ménage, obéir à ses ordres –, et même à prendre soin de sa monstruosité.

En retour, l'érudit lui offrit un parapluie protecteur de confiance et de réconfort que Chaku n'avait jamais eu. Il l'initia à la lecture des quotidiens du matin, lui apprit à réfléchir sur sa propre vie, sur ses objectifs, sur les raisons qui le poussaient à agir, sur ce qu'il était. Il le convainquit de snober les quartiers de commerce tels que Connaught Place, Khan Market et South Extension, avec leurs magasins de luxe où des femmes et des hommes élégamment vêtus venaient en voiture faire leurs emplettes. Il le fit circuler à travers le quartier Lutyens de Delhi pour lui montrer les résidences du Raj portant des noms célèbres, avec leurs grands arbres vénérables, leurs vigiles armés et leurs voitures blanches officielles.

L'argent et le pouvoir, expliqua-t-il, étaient les deux seules choses qui menaient le monde. Et eux ne possédaient ni l'un ni l'autre. Mais il allait changer tout cela. Chaku ne devait pas s'inquiéter. Il devait seulement avoir le sens du destin, et de lui-même. Au fond, tout cela était l'œuvre des hommes. Des hommes pas différents d'eux, ni meilleurs.

Mr Healthy appuyait ses explications sur des citations de la *Bhagavad-Gita*. Le seul livre, selon lui, renfermant toutes les réponses demandées par la vie. C'était son père, instituteur de village, qui le premier lui avait enseigné les grandes sagesses du texte divin. Que toujours les hommes doivent agir : à la fois vivre leur karma et accomplir leur karma, et cela sans se préoccuper de récompense ou de punition. « Ô fils de Partha ! Il n'est nulle œuvre que je doive faire dans aucun des trois mondes. Il n'est rien que je n'aie gagné et que j'aie encore à gagner, et en vérité, je demeure dans les voies de l'action. Car si je ne demeurais sans sommeil dans les voies de l'action, les hommes suivant de toutes manières mon chemin, les peuples sombreraient dans la destruction si je ne travaillais, et je serais créateur de confusion et destructeur de créatures. »

Mr Healthy – Sukesh Kumar de son vrai nom, ainsi surnommé par un cruel instituteur anglais quand il avait onze ans –, Mr Healthy ne croyait pas aux idoles, aux temples ni aux rites.

Il pourfendait de sa voix dure et glaciale tout ce qui était religieux, à l'exception de la *Gita*. Il expliqua à Chaku que tout l'hindouisme moderne était un fatras de foutaises, de rites, de fêtes et lieux de culte imbéciles, mené par des prêtres ignorants et corrompus. Par contraste, au milieu de ce bazar inepte, reposait le cœur de toute vérité profonde : la *Gita*. Et de toutes les grandes leçons de la *Gita*, laquelle surpassait les autres ? L'idée d'action neutre.

« Regarde-moi. Regarde-moi, mon garçon. M'as-tu jamais vu énervé, en colère, émotif ? Lorsque tu te sers de ton couteau pour entailler des peaux, fais-le comme si tu dessinais des oiseaux dans le vent. Lorsque tu éviscères un adversaire, fais-le comme si tu creusais le sol d'un parterre de fleurs. Et lorsque quelqu'un plonge une lame dure dans ton corps, considère-la comme une averse froide et soudaine contre laquelle tu ne peux rien. Quand tu éprouves du plaisir, considère cela comme une brise passagère. Quand tu éprouves une souffrance, considère-la comme une brise passagère. La vie elle-même n'est que brise passagère. Action neutre. »

L'homme maigre d'Amritsar, doté d'un concombre en guise de pénis, avait été envoyé à Delhi par Shauki pour gérer les liasses de billets défraîchis et acquérir des biens immobiliers. Cela impliquait une analyse experte du marché, des négociations âpres, des calculs complexes, des vérifications de documents, la manipulation d'espèces illicites, l'obtention d'autorisations, la prise de possession. L'artiste du couteau était là pour le protéger, et aussi pour le surveiller. Shauki Mama avait parié sur la loyauté de son neveu, sur le lien familial. Il n'avait pas vu que le garçon était du mastic en attente de moulage, non pas un produit fini mais juste le résultat tragique de sa condition. N'importe qui était susceptible de prendre de l'ascendant sur lui et de le plier à sa volonté. Shauki ne tarderait pas à mesurer toute la vérité du dicton : ne fais jamais confiance à un homme maigre qui réfléchit trop.

En moins de quatre ans, sans un sourire, sans rien laisser soupçonner au fils de Shauki qui occupait la chambre voisine, et se faisant régulièrement peler et astiquer le concombre par Chaku, l'homme maigre, ardent partisan de l'action neutre, détourna suffisamment de billets de banque froissés pour s'installer à son compte. Avec une fourberie plus grande encore, il déroba plusieurs documents importants des biens immobiliers acquis pour le compte de son maître. En conséquence, au lieu de monter une action de représailles contre lui, Shauki fut contraint d'implorer la paix et l'entente. Sans les documents dérobés, ses biens étaient sans valeur, et lui vulnérable. Un homme aussi rusé que Mr Healthy pouvait lancer les autorités à ses trousses, et il n'avait aucun moyen de revendre ses biens sans l'intégralité des actes de propriété.

Le jour où son oncle vint à Delhi rencontrer son mentor, Chaku resta dans la pièce voisine, la porte entrebâillée, jouant nerveusement avec son cran d'arrêt. Le duo de renégats vivait à présent dans un petit appartement à Saket, un quartier de South Delhi. Selon Mr Healthy, le prochain boom immobilier aurait lieu dans le secteur. Déjà, le logement était plus confortable que le précédent. Il y avait un vrai sofa en Skaï rouge avec quatre fauteuils assortis, une cuisinière à gaz, une citerne en céramique blanche placée derrière la cuvette des toilettes qui fonctionnait en douceur, des lits-banquettes dans les deux chambres avec des matelas en coco, des abat-jour en plastique pour cacher les ampoules, des voilages en mousseline semi-transparente devant les fenêtres.

De l'endroit où il se tenait, lumières éteintes, Chaku voyait distinctement le salon bien éclairé. L'homme maigre était assis sur le fauteuil, ses bras effilés comme des crayons écartés, les clavicules tendues comme des ailes, sa grosse pomme d'Adam immobile. Shauki Mama était assis sur le bord du sofa. Il portait un costume safari brun, tout auréolé de sueur aux aisselles.

Pendant une heure, le garçon assista à la déconstruction du transporteur par l'homme maigre. Toutes les tentatives de son oncle : camaraderie, partenariat, flatterie, menaces, police, et mafia se heurtèrent à un accueil froid et lapidaire. Chaque fois que l'homme maigre parlait, il donnait l'impression de fendre la glace avec un ciseau.

L'entrepreneur était libre d'agir à sa guise.

Il n'y avait aucune raison de se mettre en colère. Comme lui, ils n'agissaient que par intérêt personnel.

L'entrepreneur ferait mieux de surveiller son langage. Contrairement à eux, il avait beaucoup à perdre.

Ils pouvaient tous être gagnants. Le monde était vaste et il y avait assez pour chacun.

L'entrepreneur voulait-il aller en prison ? Dans ce cas, il fournirait à la police une bonne dizaine de motifs pour l'y conduire.

Il existait un moyen civilisé de régler les choses. Il pouvait garder les documents de l'entrepreneur sous sa responsabilité, et les lui transmettre périodiquement, si l'entrepreneur respectait sa part du contrat.

Et Chaku ? Eh bien Chaku se portait bien. Très bien. Il devrait exister une loi contre l'exploitation des jeunes neveux. L'avait-on envoyé à son oncle pour compléter son éducation et le préparer à la vie, ou pour en faire un égorgeur à la petite semaine ? Pourquoi ne pas donner un couteau à son propre fils et lui demander de s'en servir contre le premier venu ?

Non, il ne pouvait pas voir Chaku. Il n'était pas à la maison. Et même s'il avait été là, il n'aurait peut-être pas voulu.

Quand l'homme maigre eut raccompagné Shauki Mama et fermé la porte derrière lui, Chaku était ivre d'adulation et de fierté. Il se jeta à ses genoux et enlaça ses jambes décharnées. Aucune expression ne traversa le visage de l'homme maigre lorsque son concombre fut délicatement pelé et consommé.

Plus tard, il énonça d'un ton grave : « Tous les entrepreneurs devraient se faire voler la clé de leur coffre-fort une fois dans leur vie. Ça les rendrait meilleurs. »

Chaku ne quitta jamais l'homme maigre – et jamais son amour pour lui ne faiblit –, jusqu'au jour, bien des années plus tard, où il fut jeté en prison pour avoir prémédité un meurtre.

LIVRE 3

Les empereurs du vent

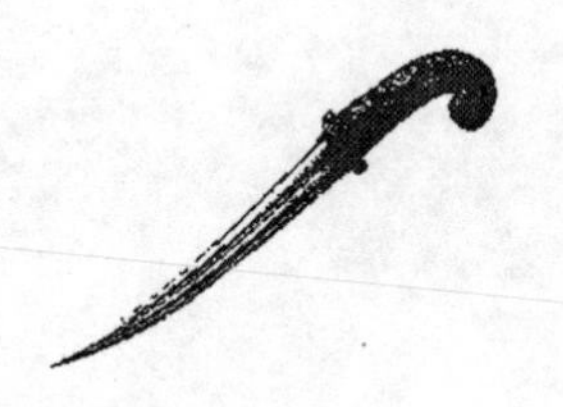

Désormais, le moineau de la défense était omniprésent dans la vie de Sara. Leurs contacts étaient devenus quotidiens. S'ils ne se voyaient pas, ils se téléphonaient ; sinon, elle étudiait avec soin ses dossiers marron ficelés, ou me racontait leurs dernières découvertes. Puny Bhandariji s'était bien sûr entiché d'elle et chancelait sous son charme. Fidèle à elle-même, Sara l'avait amené à se concentrer exclusivement sur ce qui la préoccupait, et il commençait à délaisser ses autres affaires. Je pus le constater le jour où elle m'emmena chez lui, à Kalkaji.

L'avocat de la défense avait installé ses bureaux dans un ancien garage reconverti, divisé en trois cubes par des cloisons en contreplaqué. La pièce exiguë où il nous reçut était encombrée de volumes reliés et de tas branlants de dossiers gagnés par la moisissure. Nous y passâmes une heure, au cours de laquelle on nous abreuva de thé tiède et de biscuits au glucose. À plusieurs reprises, les assistants de Bhandariji vinrent réclamer son attention sur différents dossiers en cours, d'un ton où perçait l'exaspération. Ils avaient l'air de considérer Sara comme la jeune maîtresse coupable de briser la famille.

Je savais que, de son côté, Sara négligeait sa propre organisation. Souvent elle recevait un appel de sa virulente équipe du groupe de défense des femmes, et s'excusait de ne pouvoir partir en province, dans le Rajasthan, l'Himachal ou le Kumaon – pour quelque durée que ce fût. Pieux mensonges, il est vrai, mais lâchés sans l'ombre d'un doute dans le ton, sans un tremblement dans la voix. Elle était souffrante, elle avait un rapport clé à envoyer à Washington, sa famille était en ville, elle devait rencontrer un nouveau mécène pour l'organisation, et, oui, elle était plongée jusqu'au cou dans une affaire pénale. Une ou deux fois, elle ne put échapper à ses devoirs, mais je savais que même dans un trou perdu comme Jaisalmer, elle téléphonait à son moineau.

Lequel moineau, cédant à la pression irrésistible de Sara, avait accepté de l'emmener voir mes assassins à la prison. C'est ainsi qu'elle reconstitua lentement leurs histoires. Je me disais qu'elle avait complètement perdu la tête, mais je m'en moquais.

Après les deux premières audiences, le procès était entré dans un flou caractéristique. D'ailleurs, on m'avait informé que mon rôle était terminé. Puisque je ne savais rien sur mes présumés assassins ni sur la conspiration visant à m'éliminer, ma présence aux débats n'était d'aucune utilité. Sethiji, le roi pingouin, m'avait conseillé avec un sourire radieux : « Rentrez chez vous et dormez en paix. Vous êtes comme le personnage du mort dans un film policier. Le scénario tourne autour de vous, mais vous ne faites qu'une brève figuration. Votre rôle s'achève ici. Vos assassins sont devenus les pupilles de l'État qui les prendra en charge. »

Nous étions assis face à face dans son box étouffant au tribunal, devant sa petite table de bois, sirotant du thé brûlant, ses pingouins juniors entassés devant la porte.

« Regardez-les, soupira Sethiji en avalant bruyamment une gorgée. Vous trouvez qu'ils ont l'air d'avocats ? Ils ressemblent plutôt à des figurants que le héros du film va bientôt cogner ! »

Ils se fendirent tous les trois d'un grand sourire en roulant des épaules, leurs cheveux luisant de brillantine.

«Des figurants qui continuent de sourire pendant qu'ils se font tabasser ! » reprit Sethiji.

L'aîné des trois, les mâchoires ornées de favoris à la mode, lui demanda :

« Tu as raconté au Bhaiya ce que nous avons appris, la semaine dernière ?

– Pourquoi ne lui dis-tu pas toi-même ? Ma voix est-elle plus douce que la tienne ? Est-ce mon travail de plaider devant la cour et, en plus, d'amuser la galerie avec des commérages ? »

L'histoire compliquée que rapporta le jeune homme concernait une forte somme d'argent versée par une entreprise à Jai, mon associé, en échange d'un article dénonçant certains bureaucrates et hommes d'affaires. J'objectai que ce n'était pas Jai le propriétaire du magazine mais un groupe d'investisseurs. Le jeune homme admit qu'il avait probablement mal entendu et que c'était à eux que l'argent avait dû être versé. Je lui fis observer que ces gens étaient absurdement riches et possédaient des sirènes nues crachant de l'eau. Le jeune homme répliqua qu'on n'avait jamais trop d'argent. Je lui expliquai que les investisseurs n'étaient même pas au courant de cet article et n'en prendraient connaissance qu'une fois imprimé. Le jeune homme conclut qu'il devait donc bien s'agir de Jai. Je lui dis que l'article était mon idée et que Jai n'avait rien à y voir. Alors le jeune homme lissa ses favoris évasés et se tourna vers le gros patriarche, qui ricana.

« Continue, James Bond ! Maintenant, explique à notre client qu'il est le seul à avoir pu encaisser l'argent ! Cette foutue musculation t'a ramolli la cervelle ! Si le Mahatma Gandhi en personne apparaissait devant toi, tu l'écarterais du pied comme un mendiant ! Allez, fichez le camp d'ici avant que votre bêtise me donne envie de pleurer ! Et faites-nous porter du thé et des samosas ! »

Les jeunes gens s'éclipsèrent en souriant et claquèrent la porte en fer derrière eux. Même allégé de leur présence, le petit box paraissait toujours aussi encombré. C'est à peine s'il suffisait pour le gros avocat.

Celui-ci s'étira – spectacle assez peu ragoûtant –, testa l'élasticité de ses bretelles avec ses deux pouces, et déclara :

« Mon père disait toujours : "Ne fais jamais le mal, mais ne fais jamais le bien non plus. Si tu fais le mal, les gens te craindront et te respecteront. Si tu fais le bien, ils se méfieront et t'attaqueront. Car, au fond de leur cœur, se love le serpent de la tromperie, et ils ne peuvent supporter un être dont le cœur est limpide. Dis-moi, qui a tué Gandhiji ? Un Blanc ? Non. L'Inde n'est pas une nation d'hommes, mon fils, mais une nation de phudus ! Les phudus ne comprennent que le fer et le bâton." J'ai constaté, tout au long de ma vie, sirji, que mon père avait raison. Si j'avais le pouvoir, j'imposerais l'ordre militaire dans ce pays et je fourrerais un bâton dans le cul de chaque individu. Je vous garantis qu'ils adoreraient ça et qu'ils se pâmeraient d'affection les uns pour les autres ! »

Ce n'était pas la première fois qu'une rumeur de bazar de ce genre nous parvenait. Depuis quelques mois, Jai et moi en avions recueilli de multiples sources. La plupart des ragots avaient des relents prévisibles de motifs douteux et de pots-de-vin, mais certains, plus saugrenus, faisaient allusion à des personnages et à des complots qui nous laissaient pantois. On y trouvait pêle-mêle les magouilles politiques, la pègre et les grandes entreprises – les scénarios s'inspirant du style outrancier et déjanté du cinéma indien. Le seul fait de les concevoir, même pour rire, supposait une crédulité abyssale.

Au début, ces rumeurs nous amusèrent. Jai et moi déambulions à grands pas dans le bureau en nous gargarisant des extravagances qu'on nous attribuait.

Jai : « Maaderchod, j'ai cent millions dans une banque en Suisse ! Je vais pouvoir m'offrir un yacht et embaucher Chutiya-Nandan-Pandey comme majordomes ! »

Moi : « Ce journaliste, Arora, qui nous a dupés et menacés… j'ai passé un coup de fil au frère à Dubai. Demain soir, il sera au crématorium. »

Ou encore, en échangeant un regard grave : « Qu'est-ce qu'on fait, aujourd'hui ? On fait chuter la bourse ou bien on déclenche une escarmouche sur la frontière avec le Pakistan ? »

Ces délires duraient toute la journée. Il n'y avait pas grand-chose d'autre à faire. Nous passions le temps à boire du thé, à embellir notre mythe, et la pièce résonnait de nos rires hystériques. Mais si un membre du personnel – parmi le peu qui restait – entrait dans le bureau, Jai laissait aussitôt tomber toute frivolité pour rendosser l'habit de Mr Lincoln et prononcer un discours sur l'état de la nation. Le plus extraordinaire est que j'étais encore captivé, même après l'avoir entendu cent fois. D'ailleurs, s'il restait une vingtaine d'employés, c'était uniquement grâce aux émouvantes oraisons de Mr Lincoln.

Hormis cela, les locaux étaient morts. Un crématorium, pour rependre l'expression de Jai.

Chutiya-Nandan-Pandey continuaient de se défiler.

Jai avait enfin réussi à leur arracher un rendez-vous, au cours duquel ils avaient déclaré qu'ils étaient dépassés, que ce n'était pas le genre de business dans lequel ils pouvaient se permettre d'investir, par crainte d'un effet néfaste sur leurs autres activités.

Lorsque Mr Lincoln tenta de parler de démocratie, d'indépendance et de liberté, Kuchha Singh, le Sardar de la culotte, leva les bras en s'écriant : « Tout le monde sait maintenant que nous sommes des chutiyas ! Mais sommes-nous vraiment les grands patrons de la Fédération mondiale des chutiyas ? »

Jai s'entendit déclarer que nous ne devions plus espérer aucune autre aide de leur part. Dans un geste de bonne volonté, ils nous avaient signé un dernier chèque de cent mille roupies, lequel devait nous permettre de gagner du temps pour trouver de nouveaux financiers. Quant à eux, ils voulaient se défaire de leurs parts pour un cinquième de leur valeur initiale.

Calvin Klein allait devoir vendre beaucoup de sous-vêtements à sa clientèle occidentale pour compenser le coût de la démocratie en Inde.

Demander à un investisseur de miser sur nous équivalait à demander à un promoteur de construire un immeuble sur des sables mouvants. Sans même parler d'engagement, convaincre simplement quelqu'un de visiter les lieux était presque impossible. Jai avait exploré tout l'éventail des possibilités et éliminé depuis longtemps la catégorie de ce qu'il appelait les GCN – en clair, les Gens Comme Nous, le gratin, les intellectuels, les anglophones, les nantis de naissance en passe de s'enrichir davantage.

Cette catégorie le traitait désormais comme s'il avait contracté une maladie africaine. Deux ou trois fois, je l'avais surpris au téléphone en train d'implorer servilement un de ses amis de se montrer moins timoré, de comprendre que nous étions cernés par le mensonge et la propagande, et qu'en réalité nous représentions encore un excellent investissement. Dès qu'il reposait le téléphone, mon associé recouvrait sa bravoure coutumière. Lui aussi était un chutiya, cela ne faisait aucun doute, néanmoins il y avait quelque chose d'admirable dans l'illusion acharnée qu'il entretenait.

Il s'était lancé dans l'exploration de territoires totalement inconnus de lui – de nous, pour être exact. Commerçants de la vieille ville, exportateurs de riz et de minerai de fer, spéculateurs des bourses de Delhi et de Bombay, cambistes, propriétaires de mines et ferrailleurs, fournisseurs du gouvernement, petits hommes d'affaires de Ludhiana et Indore cherchant à se tailler une place dans la capitale, opérateurs servant d'intermédiaires entre les désirs des entrepreneurs et les largesses du gouvernement. La plupart d'entre eux, Jai les avait rencontrés dans des endroits de leur choix. Halls d'hôtels, cafétérias, bureaux, parfois même chez eux, au milieu de l'agitation des enfants et des domestiques. Rares étaient ceux qui venaient au journal. Ils déambulaient dans les locaux déserts, le regard méfiant, avant de poser des questions laconiques.

Tous avaient un point commun indéfinissable. Ce n'était pas leur circonférence – bien qu'ils fussent tous obèses –, ni leur tenue vestimentaire, ni le fait qu'ils fumaient ou chiquaient, ni l'absence de courtoisie, ni le langage, mais un autre trait qui les rapprochait. Je n'en suis pas encore tout à fait sûr, mais je pense que cela avait un rapport avec un don de clairvoyance, la faculté de se déplacer dans un lieu et d'en connaître intuitivement la configuration. Une vigilance contenue et une capacité d'évaluation – concentrées dans leur seul regard –, qui leur permettaient de tout assimiler en laissant très peu transparaître d'eux-mêmes. Une sorte de métabolisme commercial, qui favorisait les entrées aux dépens des sorties.

Chacun possédait son propre mode de laconisme. *Bilkul, sahi bola, kyon nahin.* Absolument, très juste, pourquoi pas, etc. Aucun ne donnait de précisions sur ses propres activités. Aucun ne semblait avoir la moindre idée de ce qu'était notre métier.

Avec eux, jamais Jai ne montrait son visage lincolnien. En fait, Jai n'était pas Jai. Même pour un coriace comme moi, le voir négocier avec eux était déprimant. Ces hommes vivaient en dehors. Le vocabulaire grandiloquent, les notions d'État, de gouvernement, de citoyenneté, de privilèges et de responsabilité leur étaient étrangers. C'étaient des hommes du monde, insensibles au concept de collectivité et de bien général. Seuls les guidaient l'intérêt personnel, le besoin primaire de protéger et d'étendre leur territoire et celui de leur famille. C'était une vision basique, réduite à des horizons étroits et insulaires, pourtant je voyais qu'il ne fallait pas dédaigner ces hommes. Ils façonnaient le monde par leur simple persévérance. Ils étaient les fourmis qui amassent le grain, qui construisent de grands silos, tandis que les cigales jouent et méditent sur les saisons. Aucun d'eux, pensais-je, ne serait jamais paralysé dans l'inaction par la taille de l'univers et ses mystères insondables.

Jai s'échinait à trouver le langage qui lui permettrait d'établir le contact. Oubliant son éloquence habituelle, il chercha à les flatter en adoptant leur façon de parler. Il s'adressait à eux dans un mélange inégal d'anglais et de hindi, faisait des blagues, des commentaires légers sur la politique et les affaires, tentait d'exsuder l'aura d'un homme habile à manœuvrer les autres, capable – comme eux – de rapidité d'action, de dextérité, d'initiatives. Il lâchait des noms, souvent par grappes, de personnes qu'il avait rencontrées – souvent une seule fois, ou par hasard. Politiciens, hommes d'affaires, bureaucrates, stars de cinéma, et même stylistes de mode et gens de télévision mineurs. Des célébrités avec qui il n'entretenait aucune relation mais dont le rayonnement, imaginait-il, allait aveugler ses interlocuteurs.

Il allait jusqu'à se tasser dans son fauteuil pour paraître aussi petit qu'il les voyait. Je le surprenais à glousser sottement de leurs quolibets idiots, à les toucher, à supporter leurs histoires de pouvoir et de lucre.

Mr Lincoln perdit peu à peu ses ardeurs majestueuses, même dans le cercle enchanté du bureau. Il cessa de s'insurger contre les lettres de démission qui voletaient sur sa table chaque matin. Même ceux de ses collaborateurs qui n'avaient pas d'autres réelles alternatives que cet emploi au salaire désormais intermittent, et qui entraient dans son bureau en espérant être dissuadés de partir, étaient choqués d'être accueillis par un philosophe résigné et une poignée de main d'adieu.

En dix jours, nos effectifs tombèrent à dix. Pour la première fois, j'éprouvai un pincement d'alarme. Sans l'admettre, j'avais moi aussi compté sur Jai pour trouver un financier avant qu'il ne fût trop tard. Or nous étions au bord du précipice. C'était indéniable. Les deux derniers numéros n'avaient que vingt-quatre pages, avec un tirage d'un millier d'exemplaires au lieu de quarante-cinq mille. Jai pensait, à juste titre, qu'il nous restait une chance tant que nous arriverions à sortir un numéro. Si nous manquions une seule parution, nous étions morts, sans espoir de relance. Encore sept jours, et il n'y aurait plus de magazine dans les kiosques.

J'appelai Guruji. Il m'avait accordé ce privilège des consultations téléphoniques longue distance, à n'utiliser qu'en cas de crise.

Son rire chanta sur la ligne :

« Ce que l'on provoque arrive, fils. C'est la loi de l'univers. »

Je lui expliquai que Jai avait exploité toutes les ouvertures possibles.

Toujours riant, il répondit :

« Si l'on croit que c'est terminé, alors ça l'est. Sinon, ça ne l'est pas.

– Donc, nous devons persévérer ?

– Vous avez un autre choix ? » Il gloussa et ajouta : « Il faut voir le bon côté des choses. Tout cela va remettre d'aplomb la tête de ton associé. Peut-être devrais-tu lui suggérer de se mettre à prier. »

J'imaginais Jai au temple de Hanuman, faisant un discours sur la démocratie et le contrat social.

Nous étions assis dans son bureau, séparé du mien par une petite coursive. Les branches difformes de mon laburnum s'égaillaient aussi sur son balcon. Derrière les doigts osseux et bruns de l'arbre, le ciel était gris. L'hiver agonisait et la fête de Holi, qui célèbre le printemps, aurait lieu dans quelques jours. Déjà, des agités jetaient des ballons d'eau sur les voitures garées dans les rues. Dans son bureau, Jai aimait s'entourer d'objets personnels. Sur les murs, il y avait des photographies de son petit garçon de deux ans, de ses parents dans un studio de photographe – le père en costume trois-pièces, sa mère en sari affublée d'un gros chignon. Sa femme était sur la table de travail dans un diptyque : un gros plan la montrait lumineuse et souriante, le second sombre et pensive. « Comme ça, je ne suis jamais déçu », ironisait Jai. Il y avait un cendrier en métal moulé figurant Arion sur son dauphin, un coupe-papier en bois de santal avec des animaux gravés, une étagère de livres personnels (pas de *Festin nu* qu'un inspecteur de police aurait pu caresser), un mince grattoir à dos en forme de femme nue ondulante, une pendulette sertie dans le flanc d'un cheval cabré, et une pile de CD de musique classique occidentale. À côté du canapé, sur la table basse, une lampe en papier froissé. L'objet semblait peu pratique, mais je savais que c'était la création d'un designer. Il y avait aussi une grande lithographie au mur, dans un lourd cadre en bois, qui représentait ce qui me paraissait être un aéroplane d'Orville et Wilbur Wright. C'était l'œuvre d'un certain Laloo Shaw. Jai m'avait confié que si tout s'écroulait, cette litho le nourrirait, lui et sa famille, pendant au moins six mois.

Je décidai de répéter à Jai la suggestion de Guruji. Pour une fois, il ne se lança pas dans une harangue railleuse. La perspective du précipice peut déclencher une foi inattendue. Il s'approcha de la grande fenêtre et plaqua ses mains sur la vitre.

« Au fond, pourquoi ne pas prier, en effet. Il n'y a rien d'autre à faire. Je veux bien pendant un moment ôter ce verre qui me sépare de Dieu et voir si ça change quelque chose. Dans le cas contraire, je le remettrai en place ! »

La semaine suivante, poursuivant son idée, Jai se transforma en dévot laïc. Son zèle était admirable, imprégné de la même intensité que ses discours. Un plan dans une main, il visita tous les hauts lieux de culte possibles : mandir, gurdwaras, mosquées, églises. Il suivit méticuleusement les rites de chacun : il acheta des bundis et des guirlandes de soucis, brisa des noix de coco, coiffa un calot blanc, s'agenouilla en inclinant le torse, alluma des cierges et chanta des hymnes, donna à manger à des gosses des rues et à des mendiants infirmes, se mit une tache vermillon sur le front et un fil sacré[1] autour du poignet, marcha pieds nus dans la poussière et se fit bousculer par les croyants. S'il existait un quota de génuflexions spirituelles, il avait regagné tout le terrain perdu.

Guruji, à qui je racontai cela, s'esclaffa : « On ne devient pas un mahatma parce qu'on porte un pagne. Sinon, tout le monde en serait un dans sa salle de bains. »

Pourtant, en dépit du cynisme rigolard de Guruji, il se produisit un événement pendant que Jai visitait les showrooms de

1. Cordon de coton de trois fibres tressées, remplacé régulièrement et porté toute la vie, reçu au cours de l'Upanayana, qui marque l'entrée de l'enfant mâle dans la vie d'étudiant et son admission dans la communauté religieuse. *(N.d.T.)*

Dieu, une chose très éloignée de nous, qui modifia le cours égaré de notre fortune. Quelques jours après que Jai eut entamé sa quête, juste après Holi, alors que les fêtards arboraient encore des couleurs criardes, par une belle après-midi paresseuse, tandis que, vautré dans mon fauteuil, je regardais l'Inde subir la loi du rouleau compresseur de l'équipe de cricket australienne au stade d'Even Gardens à Calcutta, mon téléphone portable se mit à vibrer frénétiquement. Le numéro affiché m'était étranger, et il y avait bien longtemps qu'une personne inconnue n'avait cherché à me joindre. Plusieurs mois s'étaient écoulés depuis que le tohu-bohu de la tentative d'assassinat était retombé.

La voix appartenait à un reporter de télévision essoufflé, qui voulait connaître mes réactions sur la nouvelle fracassante. Je lui répondis que je ne voyais pas de quoi il parlait et il me pressa de bondir sur ma télévision. Si le reportage que nous avions publié faisait figure de modèle du genre, celui-ci en était la matrice. L'enfer se déchaînait, le gouvernement allait tomber, le ciel allait s'ouvrir, l'Himalaya allait s'effondrer, le pays allait changer. Je zappai les joueurs de cricket indiens – écrasés par un score vertigineux – et tombai sur la bombe nucléaire éditoriale diffusée par les chaînes d'informations.

Un groupe d'individus qui animaient un site web avait brisé les règles du jeu journalistique. Avec des caméras cachées, ils avaient tourné un reportage où l'on voyait des riches et des puissants recevoir des liasses de roupies de journalistes se faisant passer pour des trafiquants d'armes. Les faux trafiquants avaient tendu aux rusés corrompus un piège gros comme un éléphant ; aveuglés par la perspective d'un afflux d'argent facile, ces derniers n'avaient rien vu. Et voilà que ces politiciens, généraux, hommes d'affaires, hauts fonctionnaires, et autres présidents de grands partis politiques, apparaissaient en Technicolor sur des millions de téléviseurs à travers tout le pays, le pantalon autour des chevilles et des croûtes aux fesses.

Personne ne savait quoi faire. Des essaims de reporters bourdonnaient comme des frelons, prêts à fondre sur tout ce qu'ils pouvaient trouver. Des politiciens couraient affolés dans tous les sens comme des poulets sans tête. Le Parlement était paralysé par ses membres qui poussaient des cris d'orfraie et sautillaient sur place comme s'ils avaient des cafards dans le slip. Tout le monde était en quête d'un écran de télévision. Tout le monde cherchait une explication. Qui était derrière tout ça ? Quelles étaient les motivations ? Le gouvernement allait-il démissionner ? Rien de tel ne s'était encore jamais produit.

Jai se précipita dans mon bureau – badigeonné aux couleurs de Holi : du violet dans le cou et une tache de vermillon sur le front. Il se jeta sur l'unique grand fauteuil placé devant le téléviseur, balança ses jambes sur les accoudoirs et lâcha : « Ils sont cuits. » Nous savions ce qu'il voulait dire. Nous avions été mis au ban pour une chose qui, en comparaison de cette bombe, faisait l'effet d'un plop de ballon crevé.

En attendant de passer à la casserole, les trois reporters passaient à la télévision et prenaient des airs importants. Face à des phalanges de caméras et à des hordes de journalistes, ils avaient fière allure. L'un d'eux, en particulier, avait de la superbe, un peu à la manière de Mr Lincoln. En fait, il ressemblait de façon saisissante à Jai. Il en avait la barbe, un peu plus grisonnante, et l'emphase. Il discourait sur la corruption, la morale, la politique et l'idée de l'Inde. Il parlait de financement électoral illicite, de sécurité nationale, de subversion du rêve démocratique.

Je me tournai vers Jai :

« Vous êtes des jumeaux qu'on a séparés à la naissance ?

– Non, patron. Je ne joue pas dans le même championnat. »

Ce salaud, sur l'écran, suintait la vertu comme le Christ sur la Croix. Et il était assez intelligent pour prendre un air d'humilité hautaine. Pas de lissage de plumes. Pas de cafardage de noms. Juste des principes, des valeurs, de la morale, et beaucoup de vent ! Assez de vent pour gonfler des ballons de la taille d'un immeuble, mais seulement du vent. Bien sûr, ils finiraient par l'avoir, mais ça leur demanderait des efforts.

Le deuxième était plutôt de mon genre. Un type trapu à l'air direct, qui n'avait pas l'air véreux. Chez lui, pas de grands desseins, pas de grandes envolées. Le monde était plein de merde et il allait tout faire péter avec une grosse Bertha. Et s'il y avait des éclaboussures, ce n'était pas de sa faute. Lui, il se contentait de tirer le canon.

Outre le venteux et le canonnier, un troisième larron rôdait dans l'ombre. Celui-ci ressemblait au tueur à gages empoté d'un film noir, ou au comique d'un film bollywoodien. Il n'avait pas du tout l'allure du reporter tel qu'on se le représente. Comparés à lui, Woodward et Bernstein étaient des patrons de la Citibank. Rondouillard, vêtu d'une chemise safari large, il avait des manières brouillonnes, et rien de ce qu'il disait n'avait de sens. On voyait aisément à quel point il pouvait tromper son monde. Les hommes ne devaient pas hésiter à lui confier leur carnet de chèques, ou leur femme.

Je supposai que c'était le canonnier qui avait tendu l'appât gros comme un éléphant à ces abrutis de politiciens. Le tollé général fut tel que je me rendis seulement compte le lendemain, comme beaucoup d'autres, que l'Inde avait repris l'avantage dans son match test de cricket contre l'Australie et s'apprêtait à remporter une victoire historique.

Comme nous, le gouvernement vacilla au bord du gouffre pendant une dizaine de jours, mais ne tomba pas. La merde continua de voler. Il y eut des démissions, des renvois, des suspensions, des commissions d'enquête. La cacophonie augmentait mais la citadelle tenait bon. En quarante-huit heures, la contre-attaque fut lancée et une centaine de versions différentes coururent sur les ondes. Bientôt, plus personne ne sut la vérité sur rien. De folles théories mettant en jeu la pègre, les rivalités professionnelles, les manipulations boursières, la subversion pakistanaise, les magouilles politiques et les pots-de-vin de banques suisses, commencèrent à agiter les médias, nous donnant une étrange sensation de déjà-vu. La seule différence réelle était l'ampleur du mouvement. Si nous avions barboté dans une flaque, ces dingues avaient mis le bazar dans tout l'océan.

Ce chaos fut pour nous un doux moment de repos. Si l'élan de religiosité éclectique de Jai y était pour quelque chose, j'étais heureux de lui en accorder le crédit. Et si c'était le fait du venteux et du canonnier, ils avaient toute ma gratitude.

Quelques jours plus tard, nous étions dans le bureau de Jai en train de regarder voler la merde à la télévision, lorsque son téléphone sonna. Je n'y prêtai pas attention, mais quand il eut raccroché et me demanda « Tu te souviens de Kapoor ? », je fus aussitôt en alerte.

Kapoor nous avait rendu visite dans sa Pajero rouge, embaumant l'eau de Cologne et coiffé d'un chapeau à large bord. Delhi regorgeait de types bizarres qui avaient du mal à contenir leur machisme. Ainsi, Chutiya-Nandan-Pandey avaient un jour évoqué un de leurs amis qui possédait un crocodile dans sa ferme – illégalement bien sûr. Souvent, au cours de fêtes, cet homme muselait l'animal antédiluvien et le faisait descendre dans une piscine devant les invités qui poussaient des cris de terreur ravie. Quant à Kapoor, il se remémorait des vacances dans le sud de la France en ces termes : « Plages infectes, femmes osseuses, eau bleue. Emmenez vos femmes, délaissez les plages, faites du bateau. La nourriture et le vin, délicieux. »

« Il veut nous voir, dit Jai. Il veut reprendre la discussion sur le financement du magazine. »

Nous échangeâmes un long regard, la mine grave.

Moi : « Mais nous, le voulons-nous ? »

Jai : « Non, certainement pas. Ce n'est pas un type pour nous. »

À présent, nous étions debout et faisions les cent pas dans le bureau.

Moi : « Dis-lui que nous réfléchirons à condition qu'il change la couleur de sa Pajero et cesse de porter ce chapeau. »

Jai, levant le bras droit et les sourcils : « Dhan dhana dhan dhan. »

Moi, levant le bras droit : « Mahmud di maa di lund ! »

Après quoi nous entamâmes une valse lente, un bras levé, en fredonnant en chœur : « Dhan dhana dhan dhan, Mahmud di maa di lund ! Dhan dhana dhan dhan, Mahmud di maa di lund ! Dhan dhana dhan dhan, Mahmud di maa di lund ! »

J'appelai Sara pour lui faire part de cette nouvelle lueur d'espoir – je n'avais personne d'autre à qui en parler : mes parents et Dolly-doll ne comprenaient rien à tout cela, et je ne pouvais téléphoner à Guruji que le soir. Sara se trouvait dans la salle d'attente de la prison de Tihar. Elle ne me laissa même pas le temps de placer un mot.

« Tu n'as pas idée de la vie de ces jeunes gens. Pas la moindre putain d'idée. Les salauds qui dirigent ce putain de pays doivent une explication à au moins huit cents millions d'Indiens ! Une explication personnelle et des excuses personnelles à chacun ! »

À quoi je répondis d'une voix douce et lente : « Dhan dhana dhan dhan, Mahmud di maa di lund. »

LIVRE 4

Kabir M

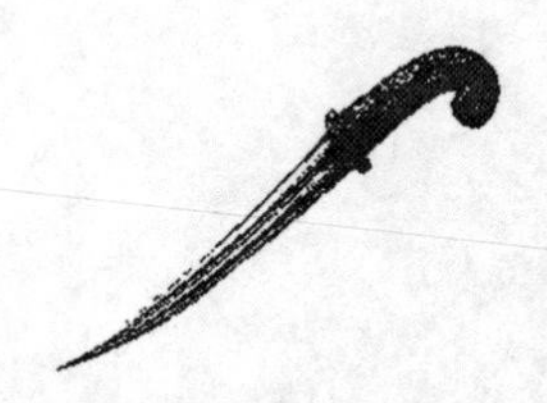

L'art de l'anonymat

Son père le prénomma Kabir pour confondre tous les tueurs, mutilateurs et autres pyromanes d'un avenir lourd de menaces. Mais il y avait un autre détail révélateur périlleux dont Ghulam Masood devait tenir compte. Pour y remédier, il procura un certificat médical à son fils lorsque celui-ci eut douze ans. L'attestation était rédigée sur un papier à en-tête : *Dr Babban Khan, Docteur en Médecine et Docteur en Chirurgie, Spécialiste de la diarrhée, de la fièvre, des furoncles et des problèmes féminins.* Il y était stipulé, non pas dans un gribouillis illisible de médecin mais tapé nettement à la machine, qu'un phimosis aigu avait nécessité l'ablation de la petite peau du plaisir et de la douleur du jeune Kabir. Lequel était donc circoncis pour des raisons médicales et non…

Pliant avec soin l'épais papier pour le glisser dans une robuste pochette de plastique vert – découpée dans un élégant sac de shopping de l'empire du sari local, avec les bords scellés à la flamme d'une allumette –, son père protégea si bien le précieux document que même une averse torrentielle ne pourrait l'endommager. Avant même d'avoir treize ans, Kabir apprit à garder sur lui l'attestation sous plastique vert chaque fois qu'il quittait la maison, et, en cas de nécessité, de la présenter comme pièce d'identité.

Ghulam Masood ne s'en tint pas là. Homme réfléchi et prévoyant, contrairement à ceux de sa tribu, il étudia le passé, anticipa le futur, et érigea d'autres protections pour préserver son fils dans ce monde toujours instable.

Au prêtre de l'école de la mission locale qui insistait pour qu'il donne son patronyme à son fils, Ghulam répondit, les mains jointes et la tête inclinée, que son fils porterait son sang et son esprit, mais pas son nom. Il l'avait prénommé Kabir pour le mettre à l'abri des fractures communautaires et des déchirures religieuses qui ravageaient la région. À ses yeux, c'était l'acte le plus avisé de toute sa vie.

Le frère Conrad trouva cela très inhabituel, mais pas si déconcertant. Le solide prêtre du Kerala, noir comme du chocolat amer et chauve comme un œuf, avait passé sa vie à se frotter à la misère et aux difformités qu'elle engendre. Le premier cas auquel il avait eu à faire dans son diocèse à l'époque où il était un jeune moine, était celui d'un homme d'âge mûr, employé au ministère des Transports, qui se soûlait et rossait ses parents chaque week-end, et se comportait en fils modèle et attentionné pendant la semaine. Ses vieux parents l'aimaient et le craignaient ; il les adorait et les haïssait. Il les battait avec une canne de bambou séché le samedi soir ou le dimanche, parfois les deux. Le lundi matin, il les conduisait au dispensaire de la mission ou à la clinique publique, et appliquait lui-même des cataplasmes et du mercurochrome sur leurs plaies. Au cours de la semaine, plusieurs fois par jour, il priait devant l'autel du crucifié et demandait pardon pour la bête qui se déchaînait en lui. Et, chaque soir, il faisait chauffer une brique, l'enveloppait dans une vieille serviette, et la pressait pendant des heures sur les os endoloris de ses parents. Quand arrivait le samedi, la bouteille était débouchée, la brique remisée sous le lit, et la canne de bambou remise à l'honneur.

Le jeune frère Conrad, qui s'était laissé pousser le bouc pour avoir l'air plus sérieux – par la suite, il arborerait une longue barbe flottante –, avait tenté de parler avec tous les membres de la famille. L'épouse de l'employé, Maria, s'était écriée : « Je préfère qu'il s'en prenne à eux plutôt qu'à moi ! Tous les hommes sont des brutes. Il n'y a rien à y faire. » Les vieux parents avaient affirmé : « C'est un bon fils. Nous pardonnons ses débordements. Le diable a des moyens d'attaquer les hommes qui nous échappent. » L'employé avait expliqué : « Je suis un pécheur. Je ne mérite aucune pitié. Il n'y a aucun espoir pour moi. Maudissez-moi, mon père, maudissez-moi. »

Le jeune moine avait passé des heures, semaine après semaine, à discuter avec eux, usant tantôt de bienveillance tantôt de menace, invoquant la loi des hommes et la loi de Dieu, jusqu'au jour où, finalement, il prit conscience de la vérité profonde de sa vocation. Sa tâche n'était pas de parler mais d'écouter. Son travail consistait à offrir aux hommes la consolation de l'oreille divine. Les hommes étaient ce qu'ils étaient ; très peu parvenaient à dissiper leurs ténèbres intérieures. Chaque homme traversait ses ténèbres seul, selon ses moyens, à tâtons. Ni sermon condescendant, remontrance vexante, précepteur, prêtre, policier ni pandit, ne pouvait éclairer son chemin. Toute âme trébuchante n'aspirait qu'à une chose : savoir qu'il y avait quelqu'un, dehors, capable de l'entendre, d'écouter l'histoire de ses ténèbres, de le punir ou de l'absoudre.

Aussi frère Conrad commença-t-il à écouter, non à prêcher. Il devint le représentant d'un dieu non pas autoritaire mais compatissant. Et sa popularité ne cessa de croître. Il se transforma en une oreille gigantesque – pareille à ces pavillons de vieux gramophones, à cette différence que le sien absorbait le son au lieu de l'émettre. Une oreille gigantesque à l'intérieur de laquelle se déversait toute la misère du monde. Son talent retint vite l'attention des anciens de son ordre, qui le choisirent pour travailler dans les meilleures écoles dirigées par les Capucins à travers tout le pays.

Il se révéla bon professeur et administrateur avisé. À mesure qu'il quittait une école pour une autre, il laissait derrière lui des centaines de garçons malléables, pleins de souvenirs impérissables de grâce et de sainteté. Ajoutés parfois à des souvenirs moins lumineux. Car le frère avait lui aussi découvert sa part d'ombre. Au milieu des jeunes garçons au teint frais et à la peau tendre, il éprouvait des tourments qui ravageaient ses sens. Le seigneur savait qu'il luttait constamment contre ses penchants, et chaque fois qu'il succombait, il se jetait devant l'autel en signe de pénitence. Le frère Conrad avait fini par apprendre que chaque individu échouait à l'examen de ses propres ténèbres. C'est ainsi que Dieu maintenait les hommes dans l'humilité.

Ainsi donc Ghulam Masood eut-il la chance, à cet instant critique de la vie de son fils, de se trouver face au frère Conrad. Celui-ci – désormais pourvu d'une belle barbe poivre et sel –, décela la zone obscure de l'employé fragile et tremblant. Non seulement il admit son fils à l'école de la mission, mais, fait extrêmement rare, il enregistra l'enfant sous le nom de Kabir M. En cas de crise, Ghulam savait que ce M pourrait devenir Mishra, Mehra, Malhotra, Mehta, Mahapatra, Modi ou Mitra. Et le frère Conrad, fervent lecteur de littérature moderne, expliqua à ses coreligionnaires que c'était une fantaisie stylistique sanctifiée par le grand Kafka en personne. L'écrivain n'avait-il pas nommé son héros Joseph K ? De son côté, Ghulam convainquit sa famille qu'il avait abrégé Masood à la seule lettre M afin qu'elle pût se fondre sans heurt avec le nom du prophète Mohammed, le seul et unique.

Il fut beaucoup plus difficile pour le garçon de justifier cette originalité devant ses camarades. La lettre solitaire de son nom le mit très tôt sous pression. En classe de quatrième, on le baptisa « Muthal » – référence aux délices inhérentes à la branlette que ses condisciples commençaient à découvrir. Le nom devait lui rester pendant toute sa scolarité et au-delà, au point que certains ne connurent jamais son véritable nom. Cela donna aussi à sa pâleur, à sa silhouette émaciée, une résonance différente : l'origine de l'initiale M se perdit, et la croyance se répandit que le corps du garçon n'était pas délicat, mais décharné à cause d'un excès de masturbation.

Il est possible que Ghulam n'apprît jamais la perte du nom de son fils, mais s'il l'avait su, il aurait probablement tiré un certain soulagement du fait que « Muthal » n'était pas moins laïque que celui du saint anonyme qu'il avait choisi.

De toute façon, pour Ghulam Masood, mieux valait avoir un fils surnommé « masturbateur » que de le voir un jour avec le pénis coupé en rondelles et les organes éviscérés au cours d'une émeute. Curieusement, la crainte de Ghulam ne venait pas de ce qu'il avait lui-même subi des brutalités lors d'un quelconque affrontement religieux, mais justement de ce qu'il n'en avait pas subi. C'était la peur qui le rongeait, une appréhension inscrite dans ses os depuis son plus jeune âge.

Ghulam n'avait pas encore atteint l'adolescence lorsque les rumeurs commencèrent à se propager dans leur basti comme un incendie de forêt au mois de mai : le nouveau pays que Gandhi s'apprêtait à fonder serait réservé aux hindous. Pour eux, musulmans, il y aurait une autre terre. L'homme blanc allait partir définitivement, mais laisserait derrière lui deux nations. Dans le quartier du père de Ghulam, courut un bruit redoutable : cette terre où ils vivaient, travaillaient, priaient, forniquaient, mouraient, où ils étaient enterrés depuis des temps immémoriaux, cette terre ne serait plus la leur. Or, pour ces gens habitués à se voir distribuer des cartes au hasard par l'univers, c'était une idée inconcevable. Elle priva de sommeil et de paix tous ceux qui logeaient dans les huttes du basti.

Chaque nuit de ce brûlant été 1947, tandis que Ghulam et ses amis jouaient aux gendarmes et aux voleurs jusqu'à une heure tardive, leurs pères en proie au désarroi se réunissaient sous le tamarin, leur maillot de corps taché d'auréoles de sueur, s'éventant avec des planchettes de bois, fumant chiloms et beedies, pour discuter à voix basse dans les flaques d'ombres jetées par les lampes à pétrole.

À l'intérieur des huttes, accroupies comme une assemblée de vautours, les femmes se tenaient la tête dans les mains. De temps à autre, une vieille lâchait une lamentation à faire dresser les cheveux sur la tête, et maudissait tous les hommes qui tenaient la barre du navire géant de l'Inde. Cela déclenchait invariablement un chœur de malédictions – l'arsenal des gens simples –, jusqu'à ce que, sous le tamarin, un homme excédé lâche son chilom pour gueuler au troupeau bêlant de la fermer. Le jeune Ghulam aimait ces instants d'outrances féminines et de sanctions masculines.

Il y avait dans le basti un transistor déglingué appartenant à Hashim Mian. Les hommes venaient à tour de rôle y coller leur oreille, et si l'un d'eux captait une nouvelle à peu près intelligible, il la relayait aussitôt, la jetant en pâture à toutes les interprétations.

Dans ce basti d'artisans, de cordonniers et de tailleurs, un seul homme restait ferme sur ses positions. Il n'avait pas d'instruction et ne connaissait rien au Livre, mais il avait des opinions bien arrêtées. Il s'appelait Ali Hussain. Les enfants le surnommaient Ali Baba en raison de sa longue barbe blanche et des histoires merveilleuses qu'il racontait. Ce n'étaient pas des contes inédits ni glanés dans les textes anciens. Il en puisait le matériau sur son lieu de travail. Drame, sentiments, intrigue, fantaisie, histoire. Les récits s'intitulaient *Toofan Mail, Sikandar, Kismet, Hunterwali.* Ali Baba les absorbait jour après jour et les redéployait ensuite devant son jeune auditoire.

Car Ali Baba était homme de ménage, portier et gardien au Minerva, la seule salle de cinéma parlant de la ville voisine. Il déchargeait les grandes galettes métalliques renfermant les bandes magiques à leur arrivée de Bombay, et il était toujours le premier à goûter leur saveur. Quand Govind, le projectionniste, dévidait la bobine pour la contrôler, et que le faisceau enchanté crevait l'obscurité, Ali était toujours là, juste en dessous, accroupi au milieu de l'allée centrale – jamais sur les chaises en fer ni sur les bancs de bois, même s'ils étaient tous vides.

Ali Baba avait vu suffisamment de films pour savoir que la vie lançait des défis mais que, à la fin, le bien l'emportait sur le mal, le bon sur le méchant, la justice sur l'injustice. Il lui suffisait de se regarder pour savoir que c'était un fait incontestable : un homme aussi simple que lui, sans instruction, sans culture, sans talent, sans lignée, menait une vie agréable. Il mangeait à sa faim, avait un toit sur la tête, des voisins amicaux, et un travail qui n'était pas un travail mais un don rare, une fête sans fin de délices toujours renouvelées. Chaque fois qu'il s'accroupissait dans ce ventre chaud rempli d'histoires, il s'émerveillait de l'ordre de l'univers, et des récompenses considérables que lui valaient sa simplicité et sa modestie.

Voilà pourquoi Ali Baba refusait de céder à la panique ou au cynisme. Sous le tamarin, il défendait fermement ses idées. Il ne partirait nulle part et ne voyait aucune raison pour que quiconque s'en aille. Il était né ici et c'était ici qu'il mourrait : son droit sur ce bout de terre était inaliénable. Les chefs de la Ligue musulmane et du parti du Congrès, sir et lady Mountbatten et n'importe qui d'autre pouvaient se partager ce que bon leur semblait, cela n'influait en rien sur les droits d'Ali Hussain. Si son bout de terre s'appelait Pakistan, parfait ; s'ils l'appelaient Inde, ça ferait aussi l'affaire, merci bien. Ali s'exclamait : « Si quelqu'un vous ordonnait de donner vos femmes, vous le feriez ? Et est-ce qu'une personne saine d'esprit pourrait s'attendre à vous voir obéir ? Les gros bonnets jouent entre eux à des jeux politiques. Ça n'a aucun rapport avec nous ! »

Certains des hommes acquiesçaient, d'autres se moquaient : Ali Baba avait vu trop de films et perdu tout sens des réalités ! Et puis, illettrés comme ils l'étaient tous, ils ne pouvaient pas vraiment comprendre ce qui se passait. Hashim Mian, lui, revenait de Lucknow où il avait assisté au mariage de son cousin, et, dans cette famille de riches avocats érudits, il avait entendu de longues discussions sur le nouveau pays qui serait bientôt créé pour les musulmans. Dans ce pays, il n'y aurait plus de domination hindoue, les musulmans feraient la loi, vivraient en sécurité, dans le respect des règles de leur religion, et ils prospéreraient comme jamais auparavant.

Sous le tamarin, les hommes qui fumaient le chilom ou les beedies questionnèrent Hashim Mian : « Dis-nous, est-ce que Lucknow sera au Pakistan ? Et Rampur ? Et Badayun ? Et Shahjahanpur ? Et Delhi ? Et Hyderabad ? Et Moradabad ? Et Lahore ? » À quoi Hashim Mian rétorqua en ricanant : « Que resterait-il à l'Inde ? »

De fait, personne dans la grande ville ne semblait vraiment au courant. Pour sa part, Hashim n'y voyait que les conjectures fantaisistes de gens riches et instruits. S'il fallait appeler chaque musulman Pakistan et chaque hindou Inde, qu'il en soit ainsi. Changer les noms ne changerait rien. Ainsi, on aurait beau appeler Hashim Mian « Ali Baba », il resterait Hashim Mian. Et concrètement, sur le terrain, comment les riches et les puissants pourraient-ils vraiment changer ? Le kichdi, expliqua-t-il, était un mélange de lentilles et de riz. Mais, une fois les ingrédients mixés, qui pouvait les séparer ? « Lequel d'entre nous, même avec des épingles, peut les départager ? Et s'il le fait, que restera-t-il ? Pas du riz, pas des lentilles, pas du kichdi. Seulement une bouillie dont même un chien ne voudrait pas ! »

Le jeune Ghulam, alors âgé de dix ans, entendait les hommes discutailler, les femmes gémir, et ne savait quoi en penser. Il voyait seulement que l'atmosphère était tendue et que cela présentait quelques avantages : il n'allait plus en classe. Finis l'école, les écritures saintes, l'apprentissage dans l'atelier familial de zari zardori. L'atelier était ce qu'il détestait le plus. Il attribuait d'ailleurs le tempérament sombre de son père, son dos voûté, ses yeux plissés, à l'interminable et pénible travail de broderie avec les fils d'or et d'argent sur les ghagras clinquantes destinées au mariage des riches clientes.

Les hommes de sa famille étaient des faux bourdons brodeurs – du côté maternel comme du côté paternel, tous les mâles se mariaient au sein du clan. Et tous passaient leur vie à orner des étoffes à coups de poignets agiles, courbés sur l'ouvrage, les yeux plissés. La seule phase du travail qu'il jugeait intéressante était celle du vieil Abbajaan, qui dessinait sur le papier-calque des fleurs magnifiques, avec leurs feuilles incurvées et leurs tiges souples. L'artiste créait jusqu'à dix univers floraux différents par jour. Après quoi les bourdons se mettaient à l'ouvrage.

Le dessin sur calque était perforé, une teinte bleu sombre passée au travers sur le tissu, et l'étoffe tendue sur un cadre en bois appelé adda. Le père de Ghulam et ses assistants brodeurs, dont le nombre allait parfois jusqu'à cinq, les yeux grossis par des lunettes, s'asseyaient autour de l'adda comme s'ils s'installaient pour un long repas servi sur une table basse. Mais là, pas de masticage ni de bavardages futiles. Avec une dextérité inouïe, chacun prenait sa fleur et commençait à la broder de fils d'or, à coups d'aiguilles étincelantes et de ciseaux incisifs. Et ils continuaient ainsi heure après heure, attachés au petit cadre de bois comme des chiens en laisse.

Parfois, les brodeurs les plus jeunes travaillant sur des addas voisins essayaient de plaisanter et d'entamer une conversation légère, mais ils étaient aussitôt réprimandés par leurs aînés.

Le petit Ghulam tenta de dire à son abba qu'il ne voulait pas devenir un de ces animaux en laisse. Que les habits étincelants pesant plusieurs kilos, les fils brillants, les paillettes et les cauris, les perles et les pierres, les salmas et les sitaras, n'exerçaient sur lui aucune fascination. Que la perspective de passer le restant de sa vie penché sur le cadre de bois semait la terreur dans son jeune cœur. Mais ses arguments furent si timides que son père – l'artiste sans imagination – ne les entendit même pas.

Au contraire, son père souligna l'inéluctabilité de sa vie. Ghulam devait se féliciter d'être né dans une famille d'artisans, d'avoir une vocation sûre et honorable. Jamais il n'aurait à effectuer des tâches indignes dans des arrière-cuisines ou dans la rue. Jamais il ne serait homme de ménage, manœuvre, gardien ou barbier, cuisinier ou jardinier, boucher ou cordonnier. Pas plus qu'il ne serait contraint d'exercer un métier médiocre comme la plupart de ses camarades à Moradabad et Rampur, qui martelaient des outils de fer, façonnaient des récipients en cuivre ou tressaient des nattes de bambou.

Il était un artiste, descendant d'une illustre lignée d'artistes qui brodaient les riches habits des propriétaires terriens et seigneurs de guerre, des nobles et des rois, depuis l'époque des grands Moghols. Des atours plus lourds que les hommes, plus onéreux que des maisons. Telle la glorieuse robe de cérémonie brodée d'or portée par Akbar sur son gigantesque éléphant, au milieu de la procession royale formée de milliers de musiciens et de centaines de guépards en laisse. Telle la cape de velours noir brodée de fleurs qu'arborait Shah Jahan lorsqu'il attendait fébrilement l'arrivée de son épouse favorite, bientôt immortalisée sous le nom de Mumtaz Mahal.

Le jeune Ghulam était insensible à tout cela. À ses yeux, le brodeur n'était qu'un animal enchaîné. Aussi se réjouit-il de voir que la fureur grandissante dans les deux camps, et l'anxiété qui gagnait chacun à l'approche du choix, avaient détourné les yeux du maître artisan de l'apprentissage de son fils. Il se réjouit aussi de voir que son instinct concernant l'homme du cinéma, le conteur des histoires animées, ne l'avait pas trompé.

Lentement, la plupart des hommes du basti s'étaient ralliés à la détermination d'Ali Baba. C'était leur terre, leur air, leur pays. Ils n'en connaissaient pas d'autre. N'en souhaitaient pas d'autre. Nehru et Jinnah pouvaient bien tailler et découper les Indes comme bon leur semblait, eux ne bougeraient pas et adopteraient le pays à qui serait dévolue la terre qu'ils foulaient. Si ce pays s'appelait Pakistan, cela resterait leur basti. Si le pays s'appelait Inde, cela ne changerait rien, pas même le loquet de leur porte.

Inévitablement, l'opposition à cette philosophie de l'immobilité naquit dans les rangs de la jeunesse. Des garçons aux cheveux épais et luisants, dont les muscles roulaient sous la peau, dont le cœur pompait du sang chaud, dont la vie était en attente, pétrie d'espoir. Ces jeunes gens avaient le regard fixé sur la lointaine Xanadu, cette cité des merveilles où Kubilaï Khan avait fait ériger un majestueux dôme du plaisir, et ils grognaient contre l'inertie de leurs aînés.

Chez ces garçons à peine sortis de l'adolescence, l'excitation et l'impatience ne cessaient de croître. Ils n'écoutaient pas les rumeurs de massacres et de meurtres, de danse de mort, la sanglante tandava qui avait éclaté entre les hindous, les musulmans et les sikhs à travers le pays, particulièrement au Pendjab. Ils préféraient parler de leurs rêves : la terre promise, débordante de possibilités nouvelles, où ils n'auraient pas à s'échiner sur l'adda à longueur de journée, où ils pourraient faire des choses différentes de façon différente, se lancer dans leur propre entreprise, ouvrir leurs propres boutiques, acquérir sans efforts de vastes terrains et des maisons immenses. Un pays était né, qui n'attendait que d'être colonisé par eux. Adieu l'étouffant basti de banlieue, adieu l'interminable crissement du fil d'or dans les fleurs dessinées.

Bientôt, de bruyants conflits éclatèrent à l'intérieur du basti entre les pères et les fils qui se livraient à une bataille de mâles, au milieu des lamentations stridentes des mères. Les informations qui leur parvenaient du monde via le transistor grésillant, les journaux ourdous à un demi-anna, et le bouche à oreille surchauffé, n'aidaient pas. Des hommes opiniâtres avaient départagé la terre sans se soucier des artères de l'amour, de la famille, de la communauté, de l'Histoire, des animaux ni des arbres qu'ils mutilaient. Et l'on apprenait que le sang commençait à couler partout des veines sectionnées.

Enfin la nouvelle arriva que, désormais, ils étaient libres. Il y avait bien deux pays, et deux drapeaux flottaient sur l'Hindoustan. Dans le basti, rien ne changea. Ils ne se sentaient pas plus libres qu'avant. Seul Ali Baba, qui passait ses journées en ville, et écoutait les conversations des gens instruits et informés, affirmait que oui, en effet, des choses avaient changé en profondeur et pour longtemps, mais il en parlait sans jubilation, parce que le sang qui coulait colorait tout. Certains récits étaient si sanglants qu'ils défiaient l'imagination. Récits de massacres en masse, par dizaines, par centaines de morts, dans les trains, les bus, les rues et les routes, les champs et les villes. La police ne faisait rien, l'homme blanc ne faisait rien. Nehru ne faisait rien. Pas plus que Jinnah. Chaque soir, pendant des heures, sous le tamarin, les hommes ressassaient leurs angoisses, puis les chassaient parce que tout cela leur paraissait inconcevable, outrancier.

Par un matin chaud et humide de la deuxième semaine de septembre 1947, un matin dramatique, le basti apprit en s'éveillant que quatre de leurs jeunes avaient fait leur balluchon au milieu de la nuit pour se rendre au Pakistan. Faisal, Wasim, Parvez et Imroze. Ces noms, Ghulam devait les garder en mémoire jusqu'à la fin de ses jours.

La seule lettre laissée par Parvez circula de main en main et déclencha des cris d'épouvante. Une fois l'hystérie apaisée, l'enquête révéla que la grande évasion des quatre jeunes gens avait été tramée, discutée, rejetée, acceptée pendant des jours et des jours. Sept garçons devaient y participer, mais à l'heure terrible qui sépare la nuit de l'aube, quand les ombres commencent à s'évanouir, trois d'entre eux perdirent courage. Ces trois-là – Safdar, Rahim et Salman – étaient à présent cajolés et rossés tour à tour. Les parents ne parviennent jamais à définir la ligne miroitante qui sépare l'amour de la domination.

On interrogea tous les enfants, y compris Ghulam. Ils reconnurent avoir entendu parler du projet, puis, quand les pères se mirent à les battre, prétendirent qu'ils n'en étaient pas certains. Les anciens du basti se rendirent au kotwali, le poste de police, pour déposer une plainte. Le policier en charge se montra compatissant mais s'avoua impuissant. Tournant les pointes de sa moustache, il déclara : « Ce sont de grands garçons. Ils se débrouilleront. Des millions de gens traversent le Pendjab dans un sens ou dans l'autre. Si le sahib Mountbatten en personne voulait retrouver sa mère dans cette cohue, il en serait incapable. Faites la seule chose que peuvent faire les hommes dans un tel moment. Priez Allah, et tout ira bien ! Vous savez ce que Sant Kabir a dit. Jaako raakhe saiyan maar suke na koye ! »

Nul ne peut jeter le désarroi sur celui que le seigneur protège.

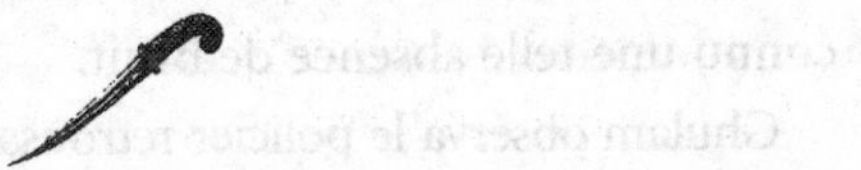

Vers la fin d'octobre, alors que la brise sous le tamarin commençait à pincer la peau, en fin d'après-midi, Imroze réapparut. La nouvelle électrisa le basti. En quelques minutes, tout le monde accourut pour accueillir le fils prodigue. Ghulam se fraya un passage entre les jambes des adultes pour entrevoir le jeune homme de petite taille au teint clair. Étant enfant, Imroze avait gagné des jarres et des jarres de billes de verre, qu'il offrait généreusement aux plus petits. C'était lui qui avait appris à Ghulam à jouer aux billes : œil gauche fermé, genoux fléchis, torse rigide, poignet ferme, un baiser pour la chance sur la bille de lancer, puis, le bras gauche en balancier, un mouvement sec de l'avant-bras droit pour percuter la cible.

Comme tout le monde se bousculait et que la lampe à pétrole ne cessait d'être déplacée, il fallut du temps à Ghulam pour apercevoir enfin son ancien mentor. Ce qu'il découvrit enfonça une lame de glace dans son cœur, si brutalement que ses jambes faillirent se dérober. Le bel Imroze, le charmant Imroze, avait maintenant une épaisse cicatrice qui courait du haut du front jusqu'à l'œil à travers la joue droite, pareille à un remblai entre deux champs. L'œil droit était fermé, et la cicatrice disparaissait dans les poils bruns d'une barbe naissante. L'autre œil, le gauche, celui qui était ouvert et valide, n'était pas celui d'Imroze. Il ressemblait plutôt à l'une de ses chères billes : inexpressif, vague, moiré.

Un policier en uniforme accompagnait Imroze, une main sur son épaule. Il attendait visiblement que la bousculade eût cessé. De façon surréaliste, le son de la scène parut coupé. Sous le tamarin, dans le basti, à cette heure, personne n'avait jamais connu une telle absence de bruit.

Ghulam observa le policier retrousser la manche de la chemise d'Imroze. Un cri muet tétanisa l'assistance. Le bras gauche du jeune homme s'arrêtait maintenant au coude, lequel était bandé de chiffons. Le maître tireur ne toucherait plus une bille à deux mètres cinquante. Le policier leva le bras tronqué comme un signal de chemin de fer, en haut, en bas, en haut. Puis, à la manière d'un médecin légiste exhibant un cadavre devant un groupe d'internes, il souleva le devant de la chemise d'Imroze pour exposer la torsade qui lui cisaillait l'estomac. Le voyage en ellipse du couteau avait été stoppé par les côtes.

Dans la lumière tremblotante de la lanterne, le policier remonta encore la chemise pour découvrir la pièce à conviction 2 : un torse étroit et imberbe parcouru de spires. Le policier se lissa la moustache et fit pivoter Imroze pour soulever l'arrière de sa chemise. Pièce à conviction 3 : le dos clair du jeune homme était parcouru d'une corde virevoltante en relief.

Au moment où le policier passait aux pièces à conviction 4 et 5 sur les fesses et les jambes juvéniles, les parents apparurent sur la scène. Ils arrivaient du tombeau blanchi à la chaux du pir Abbasi, auprès de qui ils étaient allés demander la bonne garde de leur fils fugueur. Le cri de la mère figea le sang de tous les gamins pétrifiés et libéra les gorges nouées de tous les adultes. Une vague déferlante de questions s'éleva et se fracassa contre le policer et son mannequin mutilé.

Que s'était-il passé ?

Où étaient-ils partis ?

Qui avait fait cela ?

Où était Faisal ? Et Wasim ? Et Parvez ?

Pourquoi ne disait-il rien ?

Allah miséricordieux, son bras ! Son bras ! Son bras !

Le basti ne se remit jamais vraiment du retour d'Imroze. Son histoire se grava dans chaque cœur et chaque esprit. Chez certains, comme Ghulam, elle devint une lame de peur glacée qui ne fondrait jamais.

Jusqu'à Delhi, le voyage des quatre amis s'était déroulé dans le rire et l'excitation. Parvez, l'auteur de la lettre et instigateur de la fugue, s'était amusé à mimer la réaction de chacune des mères découvrant la disparition de son fils. Même les autres passagers avaient souri en le voyant se marteler les seins de ses deux poings pour imiter la mère de Wasim. Les quatre amis s'étaient juré de rester soudés – rien ne viendrait jamais se mettre entre eux, ni le travail ni la richesse, et certainement jamais les femmes. Ils s'étaient promis de ne rentrer que lorsqu'ils auraient un plein wagon de cadeaux pour chaque homme, chaque femme, chaque enfant du basti. Ils avaient même imaginé ce qu'ils achèteraient pour tel ou tel, et les réactions que cela susciterait. L'étendue de leur générosité les grisait par avance de fierté et de plaisir.

Leur premier pressentiment se manifesta à leur arrivée à New Delhi. La gare était bondée, mais il régnait une atmosphère de cimetière. Les visages étaient tirés, en alerte. On voyait de grandes familles regroupées, souvent trois ou quatre générations tassées autour de leurs balluchons, sacs, malles et fourre-tout ; des cercles à n'en plus finir de gens repliés vers le centre et tournant le dos aux autres cercles. Une puanteur d'excréments gorgeait l'air. Des foules d'hommes, de femmes et d'enfants, le visage couvert, chiaient dans le ravin obscur des voies, au milieu des pierres acérées du ballast et des rails, sans cesse dérangés par de gros rats.

Les tentatives de Parvez pour engager la conversation avec quelques voyageurs se heurtèrent à des regards vides et des réponses laconiques. Ceux qui discutaient entre eux le faisaient à voix basse, comme à des funérailles. Apparemment, des troubles s'étaient produits dans la vieille ville ; sur chaque seuil, le sang avait coulé. Quand les quatre jeunes gens traversèrent les voies souillées d'immondices pour gagner le bâtiment principal, retenant leur respiration en évitant les culs baissés, et sortirent sur l'esplanade pour trouver quelque chose à manger, ils découvrirent la première image nette du maelström où ils avaient débarqué. Des uniformes omniprésents : policiers et militaires, tenues kaki et vert olive, lathis et fusils. Instinctivement, chacun se replia sur lui-même, sourire figé, démarche raide, la peur au ventre.

Ils marchèrent serrés l'un contre l'autre, évitant les regards des uniformes en patrouille. À la sortie, ils tournèrent à droite et s'arrêtèrent à la première gargote, sous un auvent. Ils choisirent la table la plus éloignée de la rue. Le banc était déjà occupé par une douzaine de personnes, qui mangeaient dans un silence concentré. La plupart étaient des musulmans. Ils mastiquaient tête baissée, coudes écartés. À la table voisine était assis un beau jeune homme, guère plus âgé qu'eux, avec une barbe luxuriante et un regard farouche ; il reniflait bruyamment, les narines dilatées par la colère, comme un soufflet de forge. De temps à autre, il se mettait à trembler de façon incontrôlable et esquissait le geste de se lever. Aussitôt, les deux hommes qui l'encadraient le retenaient et lui murmuraient des paroles apaisantes. À un moment, il poussa un gémissement perçant : « Ammmmiii[1] ! », et retomba, tiré par des mains tachées de curry. L'homme assis

1. Ammi : mère en ourdou. *(N.d. T.)*

près de lui, coiffé d'un topi à la Gandhi et non d'une calotte, le serra très fort dans ses bras.

À Parvez qui l'interrogeait sur ce qui se passait en ville, le patron ventru du restaurant répondit d'un ton aigre : « Tu me prends pour lord Mountbatten ? D'ailleurs, lui-même ne le sait probablement pas. »

L'homme qui étreignait le jeune homme en pleurs s'exclama : « Mountbatten ki maa ka bhosda ! L'Anglais peut faire prendre les ânes pour des chevaux, l'odeur de merde pour de la rose, et les frères pour des ennemis. Croyez-moi, il n'y aura pas de liberté ni d'indépendance. C'est juste un nouveau jeu pour nous rouler comme des chutiyas que nous sommes. L'Inde et le Pakistan ! Quelle blague. L'Anglais attend que nous nous entre-tuions, pour revenir ensuite diriger le pays comme il le fait depuis des centaines d'années. Mon grand-père disait : "Si tu es pris entre un Blanc et un serpent, cours vers le serpent. Tu as au moins une chance de tuer le serpent et de survivre à son venin. Avec le Blanc, tu n'as aucune chance." »

Dans le train, Imroze s'endormit sur le sol tressautant du wagon, la tête dans le creux de son bras, pelotonné contre le dos tendre de Wasim. Ce n'était pas ainsi que les quatre amis avaient imaginé leur voyage vers la terre promise, mais après la course à l'espace effrénée qui avait eu lieu au moment du départ, ce n'était pas si mal. En dormant, Imroze glissa sous la couchette avec leurs balluchons. Il avait un bras autour de Wasim. Devant eux, Parvez et Faisal se tenaient pareillement emboîtés. Imroze tourna le médaillon protecteur du pir Idrisi pour empêcher le métal de lui rentrer dans la joue. Sa mère le lui avait donné quand il avait douze ans pour repousser les fièvres. Le médaillon s'était révélé très efficace ; Imroze n'avait plus jamais été malade.

Hommes, femmes et enfants dormaient dans tous les coins. Quatre par couchette, dans les allées, les toilettes. Assis, debout, adossés. Les corps rompus par la fatigue et le sommeil se fondaient les uns dans les autres. L'odeur de transpiration, de poussière, de fumée de charbon, de cornichons, de parathas, de subzi, d'alcool, de peur, d'urine et de vomi flottait partout. Entassés dans ce chaos, à l'intérieur de l'espace qu'ils avaient annexé, les quatre amis avaient échangé des railleries avant de s'endormir, s'accusant mutuellement de nourrir des intentions douteuses. S'en était suivi un chahut enjoué de poussées et de replis, qui cachaient peut-être un brin de sérieux. Au moment de s'assoupir, ils étaient convenus qu'Imroze occuperait la première position, couché en cuiller contre le dos féminin de Wasim. Lequel avait averti : « Arrange-toi pour que rien ne s'échappe de ton pajama ! Tu sais ce qu'on dit, au basti. Si tu vois un serpent, coupe-lui la tête ! » Coincé entre Wasim et Faisal, Parvez lança : « C'est l'avantage, quand on est musulman. La tête est déjà coupée. Tu n'as rien à craindre, Imroze ! Laisse ton serpent sans tête aller où il veut ! »

Imroze s'éveilla d'un rêve où il brodait un zari étincelant avec une frénésie telle qu'il bondissait par-dessus le cadre de l'adda et plongeait dans les peaux spongieuses des autres artisans assis autour. Des fontaines de sang jaillissaient sous ses coups d'aiguille et les hommes criaient en se débattant désespérément. Puis l'un d'eux sortait une longue dague recourbée et la plongeait dans son bras. Imroze poussa un cri de douleur, ouvrit les yeux, et comprit qu'il était tombé en enfer.

Il y avait très peu de lumière, un immense chaos de gesticulations, et un vacarme de bruits indescriptibles. Près de lui, Wasim était réduit à un amas de chair d'où sortaient des grognements semblables à ceux des gorets qu'ils bombardaient de cailloux étant enfants. Quelqu'un lui perforait le corps de la pointe de sa lance. Dominant les grognements, gémissements, hurlements et plaintes, s'élevait le son barbare des insultes en hindi et en pendjabi. « Maiovah, bahenovah, saaley kanjar, phudihonya, saaley suaar… » Taillez-les en pièces ! Taillez-les en pièces !

Curieusement, ce n'étaient pas les cris qui dominaient mais les soupirs. C'était ainsi, semblait-il, que les uns et les autres succombaient dans leur sommeil ou demi-sommeil. Avec des soupirs surpris, saisis, reconnaissants. La délivrance suivait de peu l'assaut : le premier répondait à une douleur brutale et soudaine, le deuxième, le troisième et le quatrième étaient l'expression du soulagement, terminal et durable, qui naît de la fin de la douleur. Les passagers pour la terre promise avaient été attaqués comme les troupeaux de bétail de son enfance. Dans la lueur mouvante des torches, Imroze voyait les gardiens de troupeaux qui avaient afflué par dizaines, brandissant épées, lances, haches et faucilles. Ils faisaient plus de bruit que les animaux suppliciés. Le bétail recevait les coups en poussant des soupirs.

Insulte, coup, hurlement, soupir. Insulte, coup, hurlement, soupir. Près d'Imroze, Wasim cessa de gémir. Parvez soupirait toujours, doucement, de plus en plus doucement, à mesure que la lance entrait et sortait de son corps. Ses mains tenaient la hampe de bambou, et il avait l'air de se faire hara-kiri, de s'éventrer lui-même. Faisal, fidèle à son caractère, agonisait avec un total manque de dignité. Il avait toujours été le plus grossier d'eux tous – adepte du curage de nez, des injures, des pets et de la masturbation en public. À présent, il gémissait, protestait, tentait de se relever malgré l'acier planté dans son estomac. Il parvint à se redresser à moitié. Aussitôt suivirent le grondement rageur d'un gardien de troupeau, l'arc de cercle d'une lame dans la pénombre, un coup sourd, et le gargouillement d'un robinet ouvert. Le gardien de troupeau retira sa hache du cou de Faisal en prenant appui sur son torse avec le pied. Le sang de Parvez et celui de Faisal se mélangèrent.

Peu à peu, le son des soupirs satisfaits et des plaintes sporadiques régressa. De la couchette supérieure, du sang chaud gouttait sur Imroze. Les gardiens faisaient leur ronde pour vérifier si aucun animal n'avait besoin de soins supplémentaires. Ils communiquaient entre eux par des grommellements brefs, signalaient les membres qui bougeaient encore et appelaient un coup de lame définitif. Imroze s'était replié sur lui-même, à moitié sous le siège. Il cessa de respirer un temps infini. À travers ses cils baissés, il entrevoyait seulement les lanternes qui oscillaient et les armes consacrées.

Imroze songeait à sa collection de billes. Encore une poignée de blanches et le bocal serait plein. Un filet tiède ruissela sur le coin de sa bouche. Il serra les lèvres.

Soudain, il prit conscience que, pendant tout ce temps, le train n'avait pas bougé. Des cris lointains, à l'extérieur, lui parvenaient par la fenêtre, portés par le discret clair de lune. Il entendit des piétinements le long des voies, mêlés à des échanges verbaux. Il crut aussi distinguer un ébrouement de chevaux, des cliquetis de rênes et d'étriers. Puis une voix rauque cria : « Vous avez terminé ? » À quoi une autre voix, derrière une lanterne vacillante à l'intérieur du wagon, répondit : « Je crois. » Et une troisième : « Vérifie, laudu ! Ces cafards ne meurent pas facilement ! »

À travers le rideau de ses cils, dans la lumière dansante, Imroze aperçut le gardien de troupeau sans visage sonder avec le bout de son pied les amoncellements de chair. À côté de lui, un autre faisait de même avec la lame ensanglantée de son épée. L'homme à la hache poursuivait sans doute ses décapitations. Dès qu'il entendait un gémissement provoqué par la pointe de la lance, il le faisait aussitôt taire d'un mouvement vif de sa hache. La première voix reprit : « Sales cafards ! Ils ne crèvent pas même quand vous les tuez ! » La seconde : « Regardez cette bande d'agneaux ! Ils n'ont même pas essayé de se défendre ! »

Les intestins d'Imroze s'étaient complètement vidés. Il reposait sur le flanc, essayant de s'enfouir sous Wasim sans faire de mouvement. La pointe hargneuse de la lance fouissait, sssak, sssak, sssak, dans les corps spongieux, tandis que les bouviers contrôlaient les carcasses. D'autres criaient à l'extérieur du train pour demander à ceux de l'intérieur de presser le mouvement. Il ne faisait aucun doute que Allah le miséricordieux se mettrait entre l'acier de l'infidèle et la vie du croyant. Imroze ferma très fort les yeux pour se concentrer sur la gloire du Tout-Puissant, celui qui voit tout et qui protège. À cet instant précis, un feu fit rage dans son ventre. La lance se faufila entre Wasim et lui, et marqua sa peau au fer rouge. Le jeune homme du basti Rohilla poussa un cri, son torse sursauta sous la douleur, et son bras gauche se leva instinctivement vers l'assaillant pour le tenir à distance. Alors, dans un éclair, en parfait synchronisme avec l'insulte gutturale des gardiens de troupeau, la lame dansante fendit l'air et le bras. Le second coup atteignit le visage du garçon qui retombait en gémissant, lui ouvrant la peau comme une mandarine juteuse. Le troisième coup, le quatrième et le cinquième lui éraflèrent les côtes à la manière d'un râteau. Et quand la lance sondeuse lui ausculta le corps, Imroze était trop perforé et déjà trop loin pour tressaillir.

Jusqu'à la fin de sa vie, Imroze vécut retiré dans les limites étroites du basti, toujours à portée de regard de sa famille, assis contre le mur de terre quand son père et ses frères travaillaient sur l'adda, ou sur le seuil de bouse lissée de leur hutte quand sa mère s'affairait, le cœur lourd. Imroze ne se séparait jamais de son bocal de billes en verre laiteux ; il les prenait dans la paume de sa main droite, les faisait rouler sur le sol et les tirait inlassablement en sifflant entre ses dents : « Vaddho ! Vaddho ! Vaddho ! » Coupe, coupe, coupe.

Secouant tristement la tête, Ali Baba disait : « Dans sa grande sagesse, Allah l'a mis dans un train qui n'atteindra jamais sa destination. »

Des années après l'indépendance de son pays, Ghulam dormait encore près de sa mère. Jamais il ne trouva le courage d'approcher Imroze pour parler avec lui. Les nouvelles en provenance du Pendjab ne faisaient qu'intensifier la terreur. Il se produisait des rapines et des atrocités telles qu'aucun homme ne pouvait les décrire ni aucun dieu les ordonner. Les paysages des nuits de Ghulam étaient peuplés de lanternes dansantes, de lances tâtonnantes, de lames étincelantes et de haches fulgurantes. Presque chaque nuit, il se réveillait en sursaut à l'instant où l'acier allait pénétrer dans sa chair.

Le fait de n'avoir jamais rencontré le monstre ne fit qu'accroître la peur qu'il en avait. Chaque année, la menace s'alourdissait et sa peur grandissait. Lorsqu'il entrait dans le bazar, en ville, c'était toujours en jetant un coup d'œil par-dessus son épaule. Il évitait les bus bondés, ne montait jamais dans un train, se tenait toujours à l'écart pendant les festivités et les processions de mariage.

Il refusait d'entrer dans les galis étouffants de Kutubkhana ou le bazar de Meena, où ses amis passaient leurs journées à acheter et vendre des babioles, des bibelots, des parures d'argent, de la surma, des chunnis, des zari zardosi, des bracelets de verre, des beedies, des kurtas de couleur, ce qui leur permettait de flirter avec les clientes, de tenir, l'espace d'un instant à couper le souffle, une main menue, de caresser un centimètre de peau douce. Ghulam savait que, dans la bruyante promiscuité de ces allées, un simple mouvement d'épée pouvait tuer six personnes.

En prenant de l'âge, il commença même à craindre de vivre parmi les siens. Le basti lui apparut comme une véritable proie offerte au monstre. Quand son appétit se réveillerait, quand il commencerait à saliver, quand il aurait soif de sang, où le monstre irait-il se rassasier sinon dans leur quartier ? N'était-il pas naturel pour le tigre de sauter sur la chèvre attachée à une longe ?

Contrairement aux autres, Ghulam ne voyait aucune sécurité dans le fait de rester en groupe. Il voulait se dépouiller de son identité, devenir anonyme. Il ne se querellait jamais avec quiconque, il ne voulait pas perdre un bras, ou plus, pour une absurde question de religion. Et cela le terrifiait de voir que ses voisins du basti, loin de partager ses craintes, proclamaient sans cesse leur foi et la volonté d'Allah. Chaque soir, près du tamarin, l'un ou l'autre des hommes, électrisé par la ganja, enfourchait le cheval du militantisme et soulevait des délires de bravoure. Chaque soir, ils massacraient en paroles des trains entiers d'infidèles, tronçonnaient des bras et des jambes comme des carottes, coupaient les têtes comme des tomates.

Chaque soir, Ghulam se déchaînait contre sa mère. « Nous allons bientôt tous devenir manchots ! Ils seront contents ! »

Sa mère, vieillie avant l'âge, une hanche malade lui imposant un dandinement de canard, répondait : « Les hommes ! Ne fais pas attention à eux. Quand ils parlent de tuer un éléphant, ils parlent d'une souris. Crois-tu que ceux qui ont tué Faisal, Wasim et Parvez tuaient des éléphants ? Non, ils tuaient des souris prises au piège ! Ton père et tous ces hommes qui palabrent sous l'arbre, les crois-tu capables de tuer autre chose que des souris prises au piège ? Souviens-toi, mon fils, les hommes sont soit braves et fous, soit fous et braves. Je n'en ai jamais vu un seul qui fût brave et sage, ou sage et brave. N'oublie jamais que nous sommes de petites gens et qu'il vaut mieux baisser la tête pour passer sous les rafales des vents en maraude et des épées meurtrières. Nous ne sommes pas des hindous ou des musulmans, nous sommes des hommes ou des femmes. Des gens humbles qui ne peuvent rester en vie qu'en se rendant invisibles. »

Les paroles de sa mère trouvèrent un écho en Ghulam, le timide et craintif Ghulam qui avait, plantée dans le cœur, une écharde glacée de peur. L'objectif de sa vie devint l'anonymat et l'évanescence. Et plus tard, pour son fils, l'effacement de toute identité.

Une langue étrangère

Peu avant l'âge de vingt ans, Ghulam convainquit Ali Baba de le prendre comme doublure. Ali Baba avait vu trop de films indiens pour n'avoir pas perdu de son fanatisme, et le besoin de ce garçon timide d'échapper aux limites étroites de son basti lui plut d'emblée. Firdaus, le propriétaire du cinéma, n'avait rien contre embaucher un nouvel employé. L'activité augmentait de jour en jour car Bombay produisait maintenant à la chaîne des films de plus en plus nombreux, plus longs, plus éblouissants, plus irrésistibles. Ghulam fut donc autorisé à travailler, avec la promesse de recevoir, plus tard, un jour, un salaire.

Le père de Ghulam entra dans une rage folle en apprenant sa décision d'abandonner le noble métier de la famille pour un emploi subalterne. De colère, pendant plusieurs jours, il fit voler nourriture, assiettes et autres ustensiles de cuisine. Ayant bien retenu la leçon de sa mère et devenu expert dans l'art de l'esquive, Ghulam ne fit rien pour contredire son père. Les emportements de ce dernier finirent par se réduire à une bouderie morose et les plats cessèrent de voler.

La journée de travail de Ghulam débutait à sept heures du matin. Il commençait par nettoyer l'orchestre des détritus de la séance du soir – sachets en papier, mégots de beedies, terre apportée par des centaines de pieds, poils tombés au sol après grattage de crâne et de pubis –, avant de devenir placeur pour les séances du matin, de midi, et de l'après-midi. Il avait aussi pour tâche d'apporter des verres de thé à Govind dans la salle de projection deux fois par séance, et de monter dans la cabine les bobines du nouveau film livrées le jeudi. Vers dix-huit heures trente, après la séance de l'après-midi et le nettoyage de la salle, il pouvait partir. Ali Baba, qui arrivait maintenant vers midi, prenait le relais pour les deux dernières séances.

Sa journée de travail terminée, Ghulam n'avait jamais envie de rentrer au basti, de retrouver les bavards vantards sous le tamarin et le silence des huttes. Il restait donc au cinéma jusqu'à ce que le dernier traînard fût parti, la cabine de projection fermée à clé, les lumières de la salle et les appliques du foyer éteintes. Il fermait le gros verrou de la porte d'entrée, remettait la clé au veilleur de nuit, sortait la vieille bicyclette d'Ali Baba, et rentrait lentement avec lui. Pendant tout le trajet jusqu'au basti, à quarante minutes de là, le vieil homme assis sur le porte-bagages et le jeune homme frêle s'échinant sur les pédales, débattaient des films projetés au Minerva. On entendait la voix sage et lente du vieil homme, que le vent emportait souvent, l'obligeant à se répéter, le couinement cadencé de la bicyclette, et, entre les deux, la voix fluette de Ghulam, pantelante et hachée par l'effort.

Pendant longtemps, le plus grand désaccord entre les deux hommes porta sur Madhubala et Nargis, puis, par extension, sur Dilip Kumar et Raj Kapoor. Chaque geste de ces magnifiques divas, chaque profil, le jeu de leurs regards, le dessin de leurs lèvres, l'écartement de leurs dents, le rythme de leur voix, leurs minauderies et leurs postures, leur port de tête, leur façon de regarder par-dessus l'épaule, la tension du tissu sur leurs rondeurs, chaque détail était argumenté et contesté. En guise de conclusion, Ghulam disait que, s'il en avait le choix, il épouserait Nargis et prendrait Madhubala comme maîtresse. Le vieil homme affirmait exactement l'inverse.

Un soir où ils rentraient à bicyclette après la première projection de *Shree 420*, Ali Baba dégonfla brutalement l'allégresse de Ghulam – lequel, entre deux halètements, chantait à tue-tête *Pyaar Hua Ikraar Hua* dans la nuit veloutée – en traitant Nargis de jument. Ses paroles exactes, lancées dans le dos tendu par l'effort du jeune homme, furent : « Arrête de chanter ces âneries. Dans cette scène, ils ont l'air d'un clown et d'une jument sous un parapluie. C'est du cirque, pas de l'amour. »

Sa remarque blessa Ghulam si profondément qu'il fit aussitôt basculer sa jambe droite par-dessus le guidon et sauta de la bicyclette. Ali Baba, assis sur le porte-bagages, dut s'éjecter pour ne pas tomber. Abandonnant la bicyclette couchée sur la route, sa pédale tordue pointée vers le ciel, Ghulam, indigné, s'éloigna à grands pas. Le vieil homme posa le pied sur la roue qui continuait de tourner dans le vide, redressa la bicyclette, et suivit Ghulam. Ils marchaient chacun d'un côté de la route, dans la nuit bleue, sous la demi-lune qui jetait une douce clarté sur les maisons et les champs.

Ghulam prenait le cinéma plus au sérieux que n'importe quoi d'autre. Chaque jour, il assistait à deux ou trois projections du même film, et à toutes les séances, parfois pendant plusieurs semaines, des films où jouait Nargis. C'était seulement dans le noir d'encre de la salle, avec le faisceau de la lumière divine lui rasant la tête, qu'il se sentait en sécurité et heureux. Contrairement à Ali Baba, il ne restait pas accroupi dans l'allée centrale. Il cherchait un siège dans la salle et se délectait de voir le même film sous des angles différents. Parfois au premier rang, parfois au dernier, parfois sur le côté, parfois en plein centre. Observer Nargis sous tant de perspectives différentes décuplait l'amour qu'elle lui inspirait. Ses yeux rieurs, la promesse de ses lèvres, ses jambes droites et fermes. Il choisissait souvent un siège au premier rang pour se laisser submerger par l'immensité de sa beauté.

Le cinéma Minerva, la salle obscure, la zone nébuleuse entre la dure réalité et le désir sublime, devinrent toute sa vie. Au bout de quatre mois, quand Firdaus lui remit son premier salaire de cinq roupies, ce fut comme un bonus inattendu. Et cette sensation perdura pendant les quarante années où il exerça son travail. L'accès illimité aux films demeurait sa principale récompense. Il n'y avait que dans la tiédeur du cinéma qu'il éprouvait un sentiment de sécurité – sentiment qui avait déserté sa vie à l'automne 1947, avec la fuite de quatre garçons et le retour de l'un d'entre eux mutilé.

Même quand il prit la direction du Minerva vingt-cinq ans plus tard – après la mort d'Ali Baba et le départ en retraite de Govind –, Ghulam continua de se glisser dans la salle obscure chaque fois qu'il pouvait échapper à ses tâches comptables, administratives et commerciales. Avec le ronronnement des ventilateurs à longues pales, le bourdonnement saccadé du projecteur, les stars surdimensionnées qui déclamaient, chantaient, dansaient, aimaient, combattaient, la salle était le seul endroit où il était à l'abri et heureux.

Ghulam avait quitté la maison de ses parents et le basti dès son premier salaire. Trop faible pour affronter la dispute, il avait tranquillement évité les projectiles lancés par son père, mis sa mère dans la confidence, et loué une chambre minuscule près du Minerva. Celle-ci se trouvait au second étage d'une petite maison de cent mètres carrés. Il y avait des toilettes à la turque, un enclos de briques sur la terrasse avec un panneau métallique en guise de porte, et pas de toit. Ni de cuisine – le fourneau était posé sur une table, à l'intérieur de la petite pièce. Pour se laver, il fallait utiliser la terrasse.

La maison appartenait à un certain Bhatiaji, un réfugié hindou de Rawalpindi qui recollait les morceaux de sa vie en vendant des rouleaux de tissu sur sa bicyclette. Firdaus avait dû intervenir personnellement auprès de lui et se porter garant pour Ghulam.

Le jour de l'emménagement du jeune musulman, Bhatiaji – un type râblé, pas rasé, avec une moustache à la Hitler – le fit venir dans son salon et, sans l'inviter à s'asseoir, décrocha du mur un fourreau en cuir, dégaina une épée légèrement rouillée, et la brandit dans sa main grassouillette en déclarant :

« Si tu fais un pas de travers, je taille en pièces tous les morceaux de toi qui ne le sont pas déjà. N'oublie pas. Ici, c'est l'Hindoustan, pas cette saloperie de Pakistan ! »

Ghulam eut l'impression de se vider de son sang et dut s'adosser contre le montant de la porte pour ne pas s'écrouler. Pendant les quatre longues années où il vécut au deuxième étage, il monta les marches à pas de loup et s'appliqua à ne jamais rencontrer le propriétaire. Le soir, c'était facile : il rentrait tard et toute la maisonnée dormait. Mais, le matin, il s'élançait dehors au pas de course.

Par contraste, la famille du réfugié hindou se montrait dans l'ensemble aimable à son égard. Les jours de fête, ils laissaient toujours du mithai et des sucreries devant sa porte. Pappu, le jeune fils âgé d'une douzaine d'années, montait parfois l'étroit escalier pour venir bavarder. C'est par lui que Ghulam apprit des détails sur leur famille et leur exode – la mort des cousins, le viol des cousines, les mutilations à coups de hache, la perte de tous leurs biens, la névrose de l'épée rouillée. « Mon père te hait, lui confia Pappu. Il dit "J'attends que ce katua fasse une connerie pour pouvoir le couper en morceaux." » Bien entendu, tout contact avec Ghulam était interdit à l'épouse et à ses deux filles. Néanmoins, elles lui adressaient toujours un sourire amical, faussement timide, quand il les croisait dans la rue ou chez l'épicier. En retour, Ghulam donnait des entrées de cinéma gratuites à Pappu. La plupart du temps, seul le père venait avec son fils – la seule vue de Bhatiaji suffisait à transformer en gelée les jambes de Ghulam –, mais, à quelques occasions, il eut le plaisir de les voir accompagnés de la mère et des deux filles – très élégantes avec leurs duppatas, elles marchaient jambes serrées.

Pendant quelque temps, Ghulam se crut amoureux de Kamla, la fille aînée. Elle avait le teint clair, de grands yeux liquides et le nez fort. Lorsqu'il fredonnait des airs de *Aan* et *Awara, Baazi* et *Aar Paar*, il imaginait les yeux de Kamla posés sur lui. Il déambulait de long en large sur la terrasse en répétant des déclarations enflammées glanées dans les films, des odes sur la nature inexorable de l'amour véritable, celui qui dépasse les pitoyables limites de frontière, de caste, de classe et de religion. Il imaginait Bhatiaji, avec sa moustache hitlérienne, accablé par le remords et implorant son pardon. Il le voyait le prenant dans ses bras, tandis que l'adorable jeune femme – fille de l'un et bien-aimée de l'autre – versait des larmes qui faisaient briller ses joues comme la rosée du matin. Mais

Ghulam redoutait aussi que le père, décelant idylle sous roche, n'affûtât son épée, et il prit l'habitude de fermer solidement les loquets des portes donnant accès à sa chambre – celle de l'escalier et celle qui ouvrait sur la terrasse.

La romance sans paroles prit fin lorsque la fille épousa un solide prétendant de Delhi, lequel arriva sur une jument minable accompagné de musiciens excités, d'une troupe de jeunes derviches et de patriarches coiffés de gros turbans roses tarabiscotés qui tiraient des balles en l'air avec leurs fusils à deux coups juste devant la maison pour réclamer la fiancée. Ghulam ne fut même pas invité à la noce. Il l'observa de la terrasse. Pappu monta un peu de nourriture et de friandises à l'amoureux au cœur brisé, et lui rapporta les propos de son père : « J'espère qu'une de ces balles va toucher le katua planqué là-haut ! »

Ghulam ne toucha pas aux mets apportés par Pappu. Il passa la nuit assis sur la terrasse, sous les étoiles animées, écoutant le pandit scander les chants matrimoniaux. Lorsque la température fraîchit, après minuit, il sortit sa couverture et se noua un gamcha autour de la tête. Des centaines de scènes de films dramatiques et de chansons tristes défilèrent dans sa tête. Il comprit que le chagrin de cette nuit pèserait à jamais sur sa vie.

Quand Kamla quitta la maison aux petites heures du matin, enveloppée de bijoux et de couches d'étoffes rouges alourdies de paillettes, au milieu des gémissements de sa famille, il étira le cou pour voir si elle lèverait les yeux vers lui, au moins une fois, témoignant ainsi de l'authenticité de leur amour. Les films lui avaient appris que même un amour non autorisé, un amour inavoué, était tout à fait légitime.

Dans cette heure qui précède l'aube, le jour était vacillant et l'agitation de l'escorte empêchait de distinguer nettement la scène, mais il aurait fallu être victime d'illusions plus graves que celles de l'amour pour imaginer que Kamla ébaucha ne fût-ce qu'un mouvement du cou dans sa direction.

Le lendemain et toute la semaine suivante, Ghulam pleura dans l'intimité de la salle de cinéma. Le Minerva passait *Mother India*, mais son cœur était plein des scènes de *Pyaasa.* Il se voyait en Guru Dutt, trahi dans son amour, plongé dans un deuil lyrique, écrivant des poèmes, errant dans les rues, sauvant des prostituées abandonnées. La boule qui lui serrait la gorge l'empêchait de déglutir chaque fois que Nargis – ses bœufs morts, son beau visage aimé ruisselant de larmes – commençait à labourer avec ses mains. Et toutes les images de Nargis, de Mala Sinha, de Waheed Rahman, de Guru Dutt, de tous les habitants du basti et de la ravissante jeune mariée Kamla, se fondaient dans une tragique guimauve sentimentale.

Quelques jours plus tard, Ghulam croisa la fille cadette de Bhatiaji dans la rue. Les cheveux noirs et luisants de Parvati coulaient dans son dos en une natte épaisse, pareille à un splendide cobra. Elle lui jeta un regard en coin et Ghulam en eut la respiration coupée. Il se rendit compte alors subitement que c'était elle la femme de sa vie. La sœur aînée n'avait été qu'un leurre, une épreuve. À présent, il avait la preuve de l'incroyable sournoiserie des dieux de l'amour. Mettre en avant Kamla alors que c'était Parvati !

Après des mois de vertige amoureux, d'échanges de regards brûlants, bouleversé par l'impression qu'il avait de voir le cinéma s'illuminer comme pendant la fête de Diwali chaque fois qu'elle y venait, Ghulam trouva enfin le courage de s'aventurer dans le bazar Meena pour acheter une douzaine de bracelets de verre marron et rouge, avec des paillettes argentées.

Deux soirs plus tard, il attira Pappu dans son aire pour une petite conversation. Lorsque le garçon l'interrogea sur les bracelets posés sur le lit, Ghulam répondit que c'était un cousin qui les fabriquait et les lui avait envoyés. D'ailleurs, comme il n'en avait pas l'usage, pourquoi Pappu ne les emporterait-il pas à sa sœur ?

Cette nuit-là, Ghulam ne put fermer l'œil. Dès le lendemain matin, il guetta un signe. Pendant toute la journée, au travail, grandit en lui la conviction que Parvati allait venir au Minerva, arborant audacieusement les bracelets et ses sentiments. Entre deux séances, il traîna dans le foyer de peur de rater le moment où elle passerait la porte. La séance du soir commença et Parvati ne s'était toujours pas montrée. Il demanda à Ali Baba la permission de partir et rentra chez lui, la tête pleine de chansons. Il était Guru Dutt, magistralement éclairé dans la pénombre, rongé par le doute.

Ghulam était assis sur son charpoy, les yeux humides, quand Bhatiaji ouvrit la porte d'un coup de pied, sa moustache hitlérienne frémissante, brandissant l'épée rouillée. Derrière lui se tenaient Hukumat Singh, le réfugié sikh de la maison voisine, et ses deux fils adolescents coiffés d'un patka noir serré, qui faisaient tournoyer des bâtons de bambou. Dans sa main gauche, Hitlerji tenait le jeu de bracelets de verre. Il les serrait si fort que les anneaux se déployaient comme les plumes d'un paon.

Les intestins de Ghulam se liquéfièrent. La première image qui lui vint à l'esprit fut celle du bras tronqué d'Imroze, montant et descendant comme un signal de chemin de fer. Ghulam se leva, tétanisé par le regard étincelant de Hitlerji. À cet instant, Hukumat Singh fit un pas en avant. La gifle du sardar explosa dans son crâne comme une comète. Quand l'image redevint nette, il était étendu sur le sol, et Hitlerji retenait Hukumat, tout en serrant et desserrant son poing cerclé d'anneaux. Par politesse, Ghulam tenta de se remettre debout. Hitlerji lui décocha un coup de pied dans l'estomac. Il se recroquevilla sur le sol comme un bretzel. Pour faire bonne mesure, les deux garçons du sardar lui lancèrent chacun un coup de pied. Le bretzel émit des gargouillis en se tortillant.

Hitlerji l'immobilisa avec la pointe de son épée rouillée. Le seul son émergeant maintenant du petit tas de douleur et de peur était un vagissement grave qui évoquait la plainte d'un chien écrasé. Appuyé sur son épée, le réfugié hindou dit : « Behanchod katuae, donne-moi ta main ! »

À travers ses larmes, Ghulam revit le moignon-signal d'Imroze. Haut, bas, haut, bas. L'aîné des garçons sikhs lui décocha un coup de pied dans le derrière. Ghulam implora grâce en bredouillant.

Le sardar – sa barbe emprisonnée dans un filet brillant – lui maintint le bras gauche et serra son poignet délicat pour le forcer à allonger les doigts. Hitlerji plaça alors le paon de verre coloré au sommet des doigts et glissa les douze bracelets jusqu'à l'avant-bras de Ghulam.

« À partir de maintenant, behanchod katuae, tu porteras ces bracelets chaque jour de ta vie ! Si je te vois sans eux, ne serait-ce qu'une seule fois, je te coupe tout le bras ! Ah, maaderchod veut jouer au Roméo ! »

Ils reculèrent vers la porte et le propriétaire ajouta :

« Ne songe même pas à t'enfuir. Je te poursuivrai jusqu'au bout du monde. Je te couperai les couilles et je les fourrerai dans ton sale cul de traître ! »

Le bretzel remua lentement et marmonna une réponse.

Ghulam était bien trop effrayé pour raconter l'agression à quiconque, et trop mal en point pour se rendre au Minerva le lendemain. Pourtant, la douleur de son corps meurtri ne l'empêcha pas d'imaginer Parvati pleurant silencieusement à l'étage inférieur et implorant son père de lui rendre le cadeau de son amoureux. Le surlendemain, Ghulam déchira son gamcha en deux, en prit une moitié, et descendit l'escalier. Arrivé au coin de la rue, se servant de sa main droite et de ses dents, il noua le tissu sur les bracelets qui enserraient son avant-bras. Aux questions d'Ali Baba et de ses collègues, il répondit qu'il s'agissait d'un porte-bonheur offert par le mendiant qui entretenait la tombe du pir, sur la route de Nainital.

L'année suivante, Ghulam développa une nervosité pathologique permanente. Il était toujours prêt à arracher le tissu de son bras dès qu'il apercevait la moustache de Hitlerji. Chaque soir, au moment de s'engager dans la rue menant chez lui, il dénouait le gamcha pour dévoiler les bracelets. Quand il montait les marches, il les faisait tinter afin de bien montrer qu'il respectait son engagement. Parfois, il n'avait pas besoin d'user de ce stratagème car le réfugié hindou se tenait sur le porche étroit, occupé à affûter son épée sur une brique, un gobelet d'eau à côté de lui. Et à sa façon d'observer Ghulam, il donnait l'impression d'évaluer en combien de morceaux il pourrait débiter le jeune musulman. Toujours – sans exception – l'intestin de Ghulam se liquéfiait, et il devait ouvrir précipitamment sa porte pour se ruer sur les latrines à ciel ouvert de la terrasse.

Malgré la peur qui le tenaillait sans cesse, juste avant de s'endormir, Ghulam s'abandonnait parfois à de trompeuses illusions. Il imaginait le cœur du propriétaire ému par son injuste cruauté et par la grâce avec laquelle le jeune homme l'endurait. Dans ce bref instant d'honneur recouvré, il se représentait le massif père de Parvati le serrant contre sa poitrine, ôtant les bracelets infamants, lui demandant pardon, et mettant la main de sa fille dans la sienne.

Pourtant, même dans le secret de sa chambre, au creux de son lit, Ghulam n'osait pas retirer les bracelets de verre. Il savait Hitlerji capable d'enfoncer la porte au milieu de la nuit, ou de jeter un coup d'œil par-dessus la cloison des latrines. La peur l'avait envahi si profondément qu'il les gardait même quand il allait au basti. Il expliqua à sa famille qu'il souffrait d'une infection purulente, traitée par un médecin de la ville, trop sensible pour supporter le moindre contact et trop horrible pour être montrée.

Cela ne diminua néanmoins pas la foi qu'il avait dans son amour. Comment aurait-il pu en douter quand il voyait le sourire que lui adressait Parvati chaque fois qu'ils se rencontraient ? Il savait qu'elle avait été profondément touchée par son cadeau et par le châtiment que cela lui avait valu. Mais, d'un autre côté, Pappu ne montait plus le voir, et son regard luisait d'un éclat dur quand ils se croisaient. Un jour où Ghulam lui donnait deux tickets pour *Naya Daur*, le jeune garçon les lui jeta à la figure en s'écriant :

« Nous n'acceptons rien des traîtres.

– Mais je suis ton ami ! protesta Ghulam.

– Mon père dit que vous autres, musulmans, vous êtes amis au grand jour mais que, la nuit, vous nous plantez un couteau dans le dos. »

Ghulam aurait aimé traîner le garçon au Minerva pour lui montrer Dilip Kumar chantant l'hymne d'une Inde nouvelle et noble. Mais Ghulam était trop timoré et Pappu trop jeune. Son père avait tôt fait de distiller dans ses veines un poison que rien ne pourrait en extraire.

Un soir, Pappu se présenta au Minerva avec une convocation de son père pour Ghulam. Celui-ci sentit aussitôt son ventre se tordre et il dut s'appuyer contre le mur pour se ressaisir. Une demi-heure plus tard, quand il tourna le coin de la rue dans le soir tombant, il remarqua une animation inhabituelle. Une demi-douzaine d'hommes se tenaient devant le portail. D'autres personnes étaient assises dans la petite véranda, sur ce qui semblait être des chaises de location. Tout ce petit monde buvait du thé et mangeait des samosas dans une joyeuse ambiance. Les bras derrière le dos – sa main droite sur les bracelets du poignet gauche – Ghulam se posta près du caniveau, devant la maison, mal à l'aise et anxieux.

De longues minutes s'écoulèrent et Ghulam, phénomène typique chez lui, plongea dans le puits de sa vie intérieure, aveugle à tout ce qui se passait en dehors. Soudain, la voix brutale du propriétaire l'apostropha.

« Ohé, haramzade ! Viens par ici, bâtard ! Je t'attendais pour montrer à mes amis le spécimen qui vit sur mon toit ! »

Les dix minutes suivantes creusèrent en Ghulam des plaies qui jamais ne cicatriseraient. Il ne se rappellerait pas comment il était entré dans la pièce, comment tout s'était organisé autour de lui. Le seul souvenir qui subsisterait serait l'impression de nudité totale, de honte immense, quand le réfugié de Rawalpindi exhiba son bras gauche et fit tinter les bracelets en s'esclaffant :

« Regardez ! Là-bas, ils nous arrachent les boyaux du ventre et les nouent autour de notre cou. Ici, ils portent des bracelets de verre ! »

Au milieu d'un grand tapage et de grandes effusions, l'assemblée se dispersa tard dans la nuit. Un mois plus tard, les invités réapparurent avec tout le harnachement – jument, tambours, pétards, tirs de fusils – pour emmener Parvati. Cette fois, Ghulam verrouilla sa porte et s'accroupit derrière le parapet pendant vingt-quatre heures, attentif aux battements sourds de son cœur.

À la fin de la semaine, il se rendit au basti. Il posa la tête sur les genoux de sa mère et pleura comme un bébé. Dégoûté, son père se racla la gorge, cracha, et rejoignit ses amis sous le tamarin.

« Son travail a fait de lui un eunuque ! Marie-le avant qu'il devienne une danseuse ! »

La fille choisie pour Ghulam était originaire de Moradabad, d'une famille d'artisans travaillant le cuivre. Fatima avait les cheveux frisés et un corps aussi maigre que celui de Ghulam, tous en os et arêtes. Rien à voir avec la pulpeuse Kamla ou la délicieuse Parvati. Pourtant, la première fois qu'il s'enfonça en elle, Ghulam tomba amoureux. La poésie cinématographique l'avait si bien préparé à l'idée de romance que s'il avait trouvé une statue dans sa chambre, il aurait nourri à son égard une passion intense. Fatima n'était jamais allée à l'école et ne savait rien, sinon faire la cuisine, le ménage, la couture et le raccommodage. Elle aurait eu du mal à nommer le siècle dans lequel elle vivait, ou le Premier ministre du pays.

Pendant quelque temps, Fatima vécut avec sa belle-mère au basti. Ghulam lui rendait visite chaque week-end et se livrait à des tâtonnements fébriles et maladroits. Chaque fois qu'il le pouvait, il l'emmenait au cinéma, où ils n'étaient plus que mains et gémissements. Mais il ne tarda pas à éprouver le besoin maladif et quotidien du confort et de la sécurité que le corps osseux de sa jeune épouse lui procurait. Un jour, il persuada Ali Baba de parler pour lui à son propriétaire, et attendit dehors le résultat de l'entrevue. Bizarrement, Bhatiaji ne monta pas sur ses grands chevaux, ne dégaina pas son épée rouillée. Au contraire, il répondit d'un ton indifférent et vague : « Oui, bien sûr, il peut l'amener. S'il n'a pas sa propre femme, laquelle prendra-t-il ? Celle du voisin ? » Puis, au moment où Ali Baba allait partir, il ajouta : « Mais s'il fait un autre musulman sous mon toit, je lui coupe la bite ! »

Il était donc inévitable que l'enfant qui naquit, prénommé Kabir, vînt au monde sous le signe de la peur. De la timidité, de l'inquiétude, de la prudence. Les premiers mots qu'il entendit dans la bouche de son père furent : « Prends garde. » Et pendant toutes les années où il vécut sous le toit familial, l'avertissement lui fut répété plusieurs fois par jour. Quand il préparait du thé, déplaçait un meuble, se rasait (« Ce n'est pas trop aiguisé, j'espère ? – Non, père, c'est aussi tendre que mes fesses. ») Quand il montait à bicyclette, mangeait du poisson, et parfois, l'hiver, quand il prenait un bain chaud. « Teste la chaleur de l'eau avant de t'y plonger », criait Ghulam derrière la porte, guettant le bruit des ablutions pour s'assurer que tout allait bien.

Dès qu'il franchissait le seuil de la maison, les mises en garde étaient plus fiévreuses encore. Roule prudemment. Ne parle pas aux étrangers. Évite les disputes. Ne dis jamais à quiconque où tu habites. Tu n'as pas de religion. Pas de caste. Pas d'opinions politiques. Tu es juste un Indien. Ne te mêle pas aux pauvres. Ne te mêle pas aux riches. Ne fréquente pas les garçons plus âgés. Ne fréquente pas les garçons plus jeunes. Ne te lie à aucune fille. En fait, n'adresse jamais la parole aux filles. Sois prudent avec les sardars, avec les vendeurs, avec les policiers, avec les prêtres. Ne souris à personne. Ne jette de regards mauvais à personne. Ne fais rien avec personne.

Jusque vers l'âge de douze ans, ces recommandations firent de Kabir un lapin timide et solitaire. Il en avait même les longues oreilles et les grands yeux effrayés. Mais son corps était celui d'un grillon, sec et noueux, avec des jambes et des bras pareils à des brindilles calcinées – héritage de sa mère. Il se faufilait en silence dans l'école de la mission et s'asseyait au premier rang de la classe, les yeux exorbités – surtout par incompréhension. Les pressions de l'école alourdissaient les angoisses du père.

Kabir se débrouillait en arithmétique et en algèbre, et il était bon élève en hindi. Mais l'anglais, et toutes les matières enseignées dans cette langue, le mettaient au supplice. Il n'était d'ailleurs pas seul dans ce cas. L'école comptait de nombreux élèves dont le cerveau explosait sous l'effet de Shakespeare, Dickens, Wordsworth et Tennyson, des vers en vieil anglais et autres chants du Vieux Marin.

Kabir M lança une première contre-attaque à l'égard de l'anglais le jour où, à l'instar de ses camarades d'infortune, il s'amusa à déformer les mots. Howdudo ? Justlikeaduddoo ! Cela institua, pour la plupart d'entre eux, une sorte de modèle de référence tout au long de leur existence. L'anglais devint un sujet d'attaque impitoyable chaque fois que l'occasion s'en présentait. Ses soldats devaient être mutilés, tirés à vue, amputés. Ses émissaires, capturés et torturés. L'anglais ennemi surgissait de toutes parts, sous le déguisement de questionnaires à remplir, d'examens à passer, d'entretiens à subir, de propositions de mariage à évaluer. L'anglais ennemi possédait une arme écrasante : en une seconde, il faisait d'eux des lilliputiens. Chaque fois qu'il pointait à l'horizon, ils se sentaient subitement rétrécir. Le hindi était une fronde rudimentaire en comparaison du canon ennemi. Certains se persuadèrent que, s'ils parvenaient à stopper cet effet rétrécissant, ils pourraient riposter, repousser l'adversaire, et peut-être même le remettre à sa vraie place. Dans la pratique, cela ne marchait jamais. L'arme ennemie était bien trop puissante ; face à elle, toute leur bravoure, leur détermination, se dissolvaient en un clin d'œil, les réduisant à des nains chétifs. La seule réplique possible était l'embuscade. Mais là aussi, la plupart d'entre eux constatèrent au cours de leur vie que plus ils abattaient de soldats ennemis, plus ceux-ci paraissaient se multiplier. Certains étaient si totalement ravagés par l'anglais, si rabougris par ses attaques brutales, que jamais ils ne parvenaient à recouvrer leur véritable taille, même en l'absence de l'adversaire, même quand ils se trouvaient chez eux, au milieu des leurs. Beaucoup essayèrent de négocier une trêve, mais il ne peut y avoir de paix sans égalité. Leurs tentatives de cohabiter avec l'adversaire – de maîtriser autant de rudiments que possible – ne faisaient que les enfoncer dans le ridicule.

Bien sûr, il y avait certains garçons – notamment au cantonnement militaire – qui parlaient l'anglais avec la même aisance que pour pisser derrière le mur de l'école. Dans un flot désinvolte, jaillissant, exubérant. En classe, ces garçons gazouillaient comme des perruches et répondaient aux questions par des oraisons faciles qui laissaient pantois Kabir et ses camarades. Turwant, le fils du marchand de pièces détachées d'automobiles, les traitait de chutiyas beauparleurs.

Les beauparleurs monopolisaient le club de théâtre, le club de quiz, le club d'éloquence où l'on apprenait à s'exprimer en public ; ils étaient chefs de classe, et adulés par les filles. Les beauparleurs semblaient posséder de puissants moteurs de confiance en soi qui ronronnaient ; ils riaient et souriaient en toutes circonstances, donnaient l'impression d'échanger des plaisanteries sur ceux qui n'appartenaient pas à leur cercle. Même lorsqu'un professeur perdait son sang-froid avec eux, ils souriaient sans se démonter. Un enseignant au moins, Mr Pandey – le seul à ne parler que le hindi – les détestait autant qu'il les craignait. Et ils l'humiliaient en s'adressant à lui en anglais, l'obligeant à faire des efforts insurmontables pour les comprendre. Quand il les accusait de trahison pour avoir adopté la langue des conquérants, ils lui faisaient remarquer qu'il portait des pantalons à l'anglaise, utilisait une brosse à dents, enseignait dans une école anglaise, et recevait ses ordres de prêtres catholiques de langue anglaise.

En présence des beauparleurs, Kabir se transformait en nain attardé et poltron. Comme Mr Pandey, il les haïssait autant qu'il les redoutait.

Alors que, à l'instar de la plupart de ses camarades, il venait en classe sur la vieille bicyclette grinçante de son père, les beauparleurs paradaient impudemment dans un pick-up vert étincelant de l'armée. Ils portaient souvent des bottes noires militaires et marchaient en bombant le torse. Non seulement, ils écrasaient les autres avec l'arme impitoyable de l'anglais, mais ils les laminaient sur le plan sportif. Assis au fond de la classe, ils parlaient de sports inconnus de Kabir : squash, billard, water-polo.

Ils poussaient le vice jusqu'à se masturber en anglais, et s'échangeaient des revues froissées. Parfois, l'un d'eux apportait un magazine en couleurs tellement provocant qu'un seul coup d'œil sur ses images suffisait à vous expédier aux toilettes. À côté, les Mastram Mastana aux pages jaunies, effilochées et agrafées dont se nourrissaient Kabir & Co, c'était du pipi de chat. Les beauparleurs s'amusaient à les lire à voix haute pour les railler. Et leurs sarcasmes vidaient les pages de Mastram de leur puissance érotique pendant plusieurs heures.

La plupart du temps, Kabir détestait aller à l'école, et il détestait son père de l'y avoir inscrit. Entre les mises en garde craintives de Ghulam et les humiliations scolaires, le garçon trouvait consolation dans un seul endroit, le même qui avait rempli une fonction identique pour son père : le ventre chaud du cinéma Minerva, avec la rassurante solidité de ses scénarios, ses dialogues en hindi triomphant, ses chansons hindies et les superstars de l'écran se délectant dans l'exubérance hindie.

Bien entendu, avec cette façon perverse qu'ont souvent les parents d'interdire à leurs enfants ce qui les a façonnés et sauvés, Ghulam défendit à son fils de voir plus d'un film par mois. Et, naturellement, la première infraction de Kabir à l'autorité paternelle fut de conspirer avec le personnel du cinéma pour ne manquer aucun programme. Les collègues de Ghulam ne comprirent jamais pourquoi celui-ci refusait à son fils ce qui le passionnait lui-même. Pour sa défense, Ghulam répondait : « Faut-il que mon fils soit un chutiya sous prétexte que nous sommes des chutiyas ? Qu'avons-nous appris en regardant des films à longueur de temps ? À danser comme Shammi Kapoor ? »

Ghulam voulait que Kabir devînt un enfant de l'Inde nouvelle. Moderne, rationnel, formé selon des méthodes laïques, portant pantalon et parlant anglais, préservé du tumulte et de la populace du cinéma et des bazars tortueux de Bareilly. Lui-même avait pris ses distances avec le basti. Il voulait que son fils s'en éloignât davantage encore, afin qu'aucune ombre de sa religion, de ses rites, de ses métiers, de son héritage ou de son étroitesse dogmatique ne vînt assombrir son existence. Il prévoyait pour Kabir une vie d'hygiène, d'élégance, d'éloquence policée et d'emploi éminent.

Par une retenue miraculeuse et un usage généreux de Nirodhs gratuits – les préservatifs fournis par l'État, assez épais pour arrêter un serpent –, le timide Ghulam s'était assuré de ne pas engendrer d'autre enfant. Il avait besoin de tous ses moyens pour faire de son fils unique une réussite moderne. À sa geignarde épouse Fatima, qui aspirait à remplir son ventre béant de rejetons braillards comme sa mère avant elle, il expliqua, en guise de consolation : « La chienne produit des portées. La tigresse ne met bas qu'une fois ou deux. »

Mais un enfant n'est pas de la cire fondue que l'on verse dans un moule. Chacun est entortillé de façon inaliénable dans ses propres gènes. Le sien fut commotionné par l'absurde étrangeté de l'anglais et perdit très vite tout talent pour l'étude. Dès la classe de cinquième, Ghulam dut se jeter à genoux dans le bureau obscur du padre à la fin de chaque année scolaire – sous le regard triste du Christ en terre cuite – et débiter la litanie de la pauvreté et des privations pour justifier les échecs de son fils. Rompus à la compassion, les frères capucins accordèrent au jeune Kabir les marques de faveur que méritent les humbles. Jusqu'au jour où le garçon aux oreilles de lapin et aux membres frêles atteignit la huitième et se fit le premier véritable ami de sa vie.

Celui-ci venait à l'école en pick-up de l'armée. Il s'appelait Charlie mais, sur le registre de présence, il était inscrit sous le nom de Barun Chakravarty. Malgré sa maîtrise de l'anglais, Charlie n'était pas un de ces chutiyas beauparleurs. Il ne traînait pas avec eux, ne faisait pas de sport avec eux, et il refusait de se plier au régime censé forger le caractère par l'art dramatique et l'éloquence. Il ne portait pas non plus les grosses bottes de l'armée et ne plastronnait pas. Pourtant il émanait de lui une assurance qui en imposait bien plus que chez les beauparleurs. Son aplomb s'exprimait par un sourire moqueur et un langage de cogneur. Un langage qui ne tailladait pas ses victimes pour les saigner lentement, mais qui leur écrasait la face. Charlie traitait ses congénères du cantonnement de connards d'angliches. « Déculottez-les et regardez bien ! lançait-il d'une voix forte. Je parie qu'ils se l'ont peinte en rose et blanc ! »

Kabir n'expliqua jamais pourquoi Charlie le choisit comme ami, sinon par le fait que lui aussi était petit et chétif, avec des oreilles de lapin. Leur première rencontre eut lieu dans l'auditorium de l'école, où l'un des fils de militaires déclamait *Highwayman*, le Bandit de Grand Chemin, du poète Alfred Noye, à l'occasion d'un concours intercollèges.

Dans la salle, il y avait une estrade, mais pas de chaises. Les garçons s'entassaient en désordre dans le fond, tandis que les filles se tenaient bien alignées sur le devant. Soudain, sous les déclamations monocordes diffusées par la sono, on entendit une petite voix scander :

« Bal Krishan Bhatt,
dekho pad gaya putt ;
boley lauda tana jhat,
boley bhonsdi ke hutt ;
tera lauda hain yan lutth ! »

Un ricanement parcourut l'assistance et des têtes commencèrent à pivoter pour localiser la source des vers obscènes. Près de Kabir, un Bengali chétif regardait droit devant lui. Kabir le dévisagea et le garçon tourna lentement la tête en souriant. Pendant ce temps, le bandit de grand chemin continuait d'approcher de la porte de la vieille taverne. Pour le contrer, la même voix, sur un ton grave, lent et profond, répéta les vers de mirliton sur le phallus géant de Bal Krishan Bhatt.

Presque aussitôt, une centaine de gorges adolescentes explosèrent de rire. Le bandit de grand chemin fit halte, indécis. Le professeur d'anglais, père Michael, bondit en rugissant comme un lion provoqué, et fit tournoyer la cordelette de sa soutane dont il se servait pour fouetter les élèves. Dans le silence de mort qui suivit, tout le monde chercha le fautif du coin de l'œil. Et les regards convergèrent lentement pour se fixer sur Kabir. Le père Michael l'empoigna par la peau du cou comme un lapin et le propulsa si violemment qu'il alla s'étaler sur le sol au milieu des autres garçons.

Au fil des années, Kabir avait souvent assisté à cette danse de pénitence, mais c'était la première fois qu'il y jouait le premier rôle. D'une voix qu'il ne reconnut pas, il hurla : « Non, mon père ! » De sa position au ras du sol, il apercevait le bas du pantalon noir retroussé sous la robe blanche flottante, et les pieds calleux dans les sandales de cuir brun. « Goonda ! Vaurien ! » cria le père Michael. Et il fouetta le dos et les fesses de Kabir avec sa cordelette. « Non, mon père ! » beugla Kabir en se relevant pour fuir. Mais le père Michael lui saisit le poignet gauche de sa main gauche, et les deux danseurs se mirent à tourner en cercles sans fin. Kabir faisait des bonds et sautillait, tandis que le père Michael pivotait sur ses talons tout en le fouettant de sa main droite.

Non, mon père !

Vaurien !

Non, mon père !

Vaurien !

Non, mon père !

Vaurien !

La rotation augmentait de vitesse, la cordelette sifflait, l'assistance ricanait.

Soudain, le poignet du garçon glapissant échappa à la poigne du père Michael, et Kabir alla s'écraser sur le sol. Le père Michael, étourdi par la ronde, fonça sur lui, et le garçon, emporté par son élan, terrorisé, dans une tentative désespérée pour fuir les coups, rampa entre les jambes du padre et disparut sous sa soutane. Dans l'abri obscur, il s'agrippa à une jambe solide et refusa de lâcher prise.

« Où es-tu passé, vaurien ? » beugla le père Michael.

Une petite voix étouffée lui répondit : « Non, mon père ! »

Fou de rage, le père bondissait, ruait, secouait sa jambe, tournait, cherchant à déloger l'horripilant garçon accroché à sa cuisse. Dans un accès de fureur, il se mit à brailler et à fouetter sa soutane entre ses jambes.

« Vaurien ! Goonda ! Où es-tu ? Où es-tu ? Sors de là ! Sors ! »

Invisible, le garçon continuait de gémir « Non, mon père ! Non, mon père ! »

Sors, je te dis ! Non, mon père ! Sors ! Non, mon père !

L'assistance ravie rugissait de rire.

Le père Michael tapait furieusement des pieds. Terrifié, ballotté entre les genoux et les cuisses, Kabir crut sa dernière heure arrivée. Soudain, le père Michael se servit de son talon gauche pour délivrer une ruade entre les fesses osseuses du garçon. Avec un cri de douleur, celui-ci se redressa et percuta de la tête les valseuses valsantes du capucin à la vitesse d'un train fou. Le padre poussa un long hurlement aigu, « Seigneur-jésus !!! » et, empoignant la tête écrasée contre son entrejambe, s'écroula en avant comme un arbre scié en entraînant le garçon dans sa chute.

Lorsque Kabir émergea en rampant d'entre les plis de la soutane, tel un cafard de sous une pile de tranches de pain, l'assistance poussa des vivats, siffla, hurla de rire. Sans un regard pour le capucin terrassé, Kabir détala plus vite qu'aucun cafard, et tandis qu'il fonçait vers le parc à vélos et enfourchait son vieux vélo Atlas, Kabir se dit que jamais il n'oublierait les visages approbateurs et hilares de tous les élèves.

Pour la première fois de sa vie, il se sentit digne d'estime.

Ce sentiment étrange, nouveau, merveilleux, ne l'abandonna pas de toute la semaine suivante. Une semaine de pathétiques obséquiosités dans le bureau du principal. Ghulam, son père, affronta une tempête d'invectives, menaces et autres abjections, tandis que le garçon clamait son innocence. À la maison, le craintif Ghulam implora son fils d'endosser la responsabilité de la faute pour sortir de l'impasse. Mais Kabir, jouissant de cette conscience de soi toute neuve – une sensation de puissance qui affermissait son visage de gnome, durcissait ses mâchoires et donnait un éclat d'acier à son regard –, se délectant de lui-même pour la première fois de sa vie, Kabir refusa.

Abasourdi, imaginant le pire – expulsion, plainte à la police, persécution –, Ghulam alla se jeter aux pieds du Christ en croix, puis à ceux du principal.

« Mon père, frappez-moi à sa place ! Si le petit est mauvais, c'est ma faute ! Je lui ai donné la vie. Frappez-moi ! Frappez-moi ! »

Et, saisissant la canne mince du principal, il commença à se flageller en tournant autour de la pièce avec la même sauvagerie que celle des pénitents durant les rites de Muharram. Le principal, alarmé, dut l'empoigner par les cheveux pour le maîtriser. Ghulam fondit alors en larmes comme un bébé, accroupi sur le sol.

« Rien de tout cela ne serait arrivé si j'étais parti au Pakistan ! Personne n'aurait expulsé mon fils de l'école si j'étais allé au Pakistan ! »

Le principal conclut que toute la famille avait l'esprit dérangé, et que le père Michael avait de la chance que le fils ne lui eût pas arraché les testicules d'un coup de dents.

Kabir trouva la sottise de Ghulam pitoyable. De dégoût, il ne lui adressa plus la parole pendant des années.

Lorsqu'il revint en classe, une semaine plus tard, il n'était plus seulement un numéro sur une liste, l'abruti et anonyme Muthal le masturbateur. Il était le héros qui avait stoppé le Bandit de Grand Chemin et fait tomber un padre. Désormais, même les garçons des classes supérieures le saluaient.

Charlie, bien sûr, l'accueillit avec un large sourire en fredonnant la chanson paillarde qui avait tout déclenché et lui donna l'accolade. Ce jour-là, Kabir changea de place pour venir s'asseoir à côté de son ami. L'irrévérencieux jeune Bengali s'appliqua à lui ouvrir littéralement la tête comme une canette de jus de fruits et remua tout à l'intérieur. Kabir ne s'était jamais véritablement interrogé sur sa vie. À présent, il mettait tout en question.

Pourquoi étudier dans cette école de missionnaires dont la langue l'humiliait chaque jour et où il ne connaîtrait que l'échec ? Pourquoi ne savait-il rien de sa propre communauté ni de sa religion ? Voulait-il devenir un idiot sans attaches, un chutiya beauparleur déraciné ? Qu'est-ce qui n'allait pas chez son père ? Pourquoi Ghulam avait-il peur de tout ? Pourquoi menaçait-il Kabir comme un enfant de trois ans ? Pourquoi lui refusait-il de voir autant de films qu'il en avait envie ? Et à quoi rimait cette règle absurde de rentrer à la maison chaque soir avant la nuit ?

Charlie, le Bengali anarchiste, lui racontait la vie au cantonnement. Les clubs d'athlétisme, le mess des officiers, le cérémonial, les uniformes, les saluts à n'en plus finir, les manières engoncées, le whisky soda, les épaulettes et aiguillettes, les films en anglais – *Mary Poppins, Règlement de comptes à OK Corral* – les pièces de théâtre amateur : des farces vulgaires dans un langage pincé. Il lui décrivait les grosses dames excitées au décolleté moite de sueur, les bals de la « reine de mai » avec des orchestres anglo-indiens jouant des airs sirupeux de Cliff Richard et de Neil Diamond. Il lui parlait des jeunes lieutenants fringants, friands de tous les orifices possibles et des précieux pique-niques durant lesquels les soldats utilisaient des bâtons de dynamite pour faire sortir les poissons de l'eau. Charlie disait détester tout cela : les postures, l'affectation, le manque d'intelligence. Il disait que lorsqu'il voyait son père, brillant médecin, faire des courbettes devant ces crétins dont le seul talent était de défiler et de tirer en l'air, ça le rendait malade. Il disait qu'un soir, saisi de colère, au beau milieu d'un dîner chez le commandant de brigade, il était allé pisser sur son précieux massif de roses. Et que jamais il n'avait pris autant de plaisir à pisser.

Charlie disait que, chaque fois que son père saluait un de ces abrutis de supérieurs devant lui, il lançait d'une voix traînante : « Bataillon d'enculés… en avant, marche ! » et se mettait à marcher au pas en balançant les bras. Il disait que son père était aussi idiot que Kabir de supporter pareilles conneries.

Kabir était fasciné par Charlie. Une telle absence de peur, un tel culot devant les professeurs, les parents, les beauparleurs, l'estomaquaient. En sa présence, il se sentait à son tour envahi d'une folle assurance. Pour gagner son approbation, Kabir adopta un comportement qu'il n'aurait jamais cru possible. Il ne savait toujours pas s'exprimer avec finesse – sans doute par manque d'intelligence –, mais il était capable d'actions d'éclat. Comme celle qui lui avait valu sa réputation sous la soutane du frère déchu.

Un jour, pendant la finale de cricket, Kabir réquisitionna un âne parmi la file de bourricots qui transportaient péniblement des sacs de sable en bordure de l'école, et déboula sur le terrain de jeu à califourchon sur l'animal en lui aiguillonnant les flancs avec une épingle. L'âne affolé poursuivit Tora Tora Vohra, un des beauparleurs, le lanceur rapide du cantonnement. Celui-ci courait pour effectuer un lancer, le bras tournoyant comme un moulin à vent, quand l'animal exaspéré surgit soudain derrière lui. Avec un cri de terreur, Tora Tora

Vohra continua sa course, balle à la main, jusqu'au bout du terrain. Face à lui, le batteur – surnommé Mungfali, cacahuète, à cause de la taille de son équipement, ses camarades affirmant qu'il n'avait pas besoin de coque de protection car il n'avait rien à protéger –, Mungfali, donc, se retourna d'un bloc et se mit lui aussi à courir, batte à la main, ses jambières claquant au vent. Devant lui, détalait déjà Sukha le gardien de guichet – un sardar de Kichcha qui n'était pas un as du gant, mais doté d'un corps d'airain qu'il projetait imprudemment devant la balle. Avec la présence d'esprit d'un joueur aguerri, Tora Tora Vohra fit tomber le guichet au passage en s'exclamant : « Qu'est-ce que vous dites de ça ? » Aussitôt, Peter Massey, le professeur d'histoire – un Anglo-indien attaché aux perfections du passé, au règlement et à la discipline, dont les pantalons amidonnés ne pliaient pas même quand il marchait –, qui officiait comme arbitre avec son chapeau blanc à bord mou, leva son index droit. Des cris de protestation explosèrent sur les bancs de touche de Green House, et les contestataires pénétrèrent sur le terrain. Manjit Singh, capitaine de l'équipe de Green House et athlète de l'école, réputé pour sa brutalité, propulsa son mètre quatre-vingts de muscles en avant et flanqua son poing dans le visage de Mungfali.

« Maaderchod, tu joues au cricket ou au khokho ? »

Mungfali s'affala sur le dos et admira le beau ciel bleu où flottaient des cerfs-volants. Juste à cet instant, Sukha arriva en courant, gêné par ses grandes jambières de protection et ses gants de gardien de guichet, et le puissant Manjit lui balança un coup de ses chaussures à bout renforcé en plein dans les fesses. Sukha effectua un vol plané en poussant un Maaaaadiiiphudeeeee strident, avant d'atterrir gracieusement à plat ventre. Terrorisé, Tora Tora Vohra tenta de changer de trajectoire, mais le furieux Manjit lui empoigna le bras et le fit tournoyer autour de lui comme s'il lançait le disque. Et Tora de couiner : « Obehhannaanchoodddddhhh ! » Apparut alors Kabir Muthal à cheval sur l'âne. Manjit flanqua un coup de pied dans le ventre de l'animal, qui se mit à braire follement et vira vers les équipes qui envahissaient le terrain. Une mêlée générale éclata. Manjit cognait sur tout ce qui se présentait, y compris l'âne. Pour finir, Peter Massey ôta son chapeau mou et déclara le match terminé.

La réputation de Kabir grandit. Charlie l'entourait d'affection et d'attention, et, pour la première fois depuis son entrée à l'école, l'effet débilitant de l'anglais marqua le pas.

La renommée de Kabir eut toutefois un grave inconvénient. Il était désormais dans le collimateur des pères et la victime désignée des châtiments chrétiens. La première fois, il écopa d'un renvoi de trois jours pour avoir lancé un ballon gonflable avec une carotte suggestive suspendue dessous pendant une réunion de parents d'élèves. La panique le saisit. Mais Charlie, dans un bel élan d'amitié véritable, le réconforta en séchant les cours pour lui tenir compagnie.

Ce jour-là, ils roulèrent à vélo au milieu du marché grouillant, s'empiffrèrent de samosas chauds et de Fanta glacés à la confiserie d'Aggarwal, et allèrent voir un film à Paras. Au moment où Helen commençait son numéro de cabaret vêtue de son fourreau scintillant, Charlie glissa sa main dans son short et se masturba. Helen et Charlie terminèrent en même temps.

Kabir découvrit alors un autre palier dans l'échelle de la permissivité.

Bannissant le Minerva, les deux amis exploraient désormais tous les autres cinémas de la ville. Certains jours, quand la perspective d'aller en classe devenait trop déprimante, ils faisaient l'école buissonnière et se promenaient dans les pâtisseries d'Aggarwal, buvaient du thé à n'en plus finir, mangeaient des samosas, et allaient voir un film en matinée. C'était du cinéma de consolation, pour les plus humbles des humbles, fait par les plus minables des minables. Les têtes éparpillées se tassaient dans les sièges, vibrant un instant à l'unisson. Les spectateurs entraient généralement dans la salle quand les lumières étaient éteintes, et en sortaient sans échanger un regard.

Il y avait toujours un second film, le morceau de choix après la boustifaille. Des grands spectacles avec des vedettes, de la musique palpitante, des héroïnes dont la beauté enflammait l'imagination. Parfois, Kabir et Charlie restaient dans la même salle, parfois ils traversaient la ville pour aller dans une autre, se hâtant pour ne pas manquer le générique. L'atmosphère du deuxième programme était très différente. Dans le hall du cinéma, les gens bavardaient gaiement, consommaient des sodas glacés et des samosas ; il y avait des femmes de tous âges, les yeux brillant d'excitation. Posté près du comptoir de friandises, l'œil exercé de Charlie étudiait les femmes à la manière d'un détective chevronné, et il élaborait des hypothèses sur chacune. Le gros collier rouge : une aguicheuse, mais qu'il fallait pincer pour la faire bouger. Le nez effilé avec la narine droite percée et la bouche serrée : une braillarde à emmener dans un bois discret, à moins de lui mettre un oreiller sur le visage. Le sari violet avec les jhumkas en or : une grosse dont le non signifiait oui. Le salwar kamiz vert – vise un peu ses sandales à hauts talons –, une pouliche qu'il fallait chevaucher pour qu'elle hennisse.

Le petit Bengali était intarissable. Tout à la fois sociologue, psychologue et sexologue, un enquêteur consciencieux collectant des données. Bientôt, tout en poursuivant ses recherches, il encouragea son protégé à tester de nouvelles frontières. Dans le foyer du cinéma, Charlie identifiait la femme supposée avoir une folle envie d'eux. Dès que les portes s'ouvraient, Kabir se plaçait juste à côté d'elle, ou derrière, le bras pendant mollement, paume ouverte – tel un compas tactile – pour prendre des mesures, calibrer la réponse, vérifier les thèses de son maître.

Quand la foule était trop compacte, les sujets trop nombreux, Kabir devait faire des heures supplémentaires, utiliser ses deux mains comme compas, mesurer à tour de bras, dans tous les sens, travailler sur une large variété de matériaux et de vêtements. Les plus coopératifs étaient les saris de mousseline, les plus récalcitrants les burquas. Entre les deux venaient les salwars plissés pendjabis. Les rares pantalons étaient un régal, à l'exception des jeans. Avec une application de scientifique, Kabir rapportait parfois des découvertes très précises. D'autres fois, les résultats étaient approximatifs. Charlie, avec l'impérieuse distance du théoricien, ne participait jamais à la collecte des données, mais travaillait dur pour compiler les moindres détails relevés par son enquêteur de terrain.

Leur amitié s'articula sur ce mode : Kabir se démenait pour gagner l'approbation de son mentor à la langue bien pendue, et Charlie vivait par procuration ce qu'il n'osait pas faire.

C'est ainsi que Kabir, sans s'en apercevoir, franchit un autre palier.

Chose étrange, si pour Ghulam le cinéma signifiait amour et lyrisme, pour Kabir Muthal, il n'était que luxure et désir. Le père y avait trouvé une réponse à sa quête d'un monde plus humain et raffiné, à l'abri des poisons qui transformaient les bras d'un homme en signal de voie ferrée. Le fils y voyait un moyen de fuir la rigueur morale du père et des pères, et de s'ouvrir à un monde vigoureux, vulgaire, sans limites.

À l'époque où il passa le brevet, à la fin de la neuvième, Kabir volait déjà de l'argent chez lui. Il n'y avait pas d'autre moyen pour financer le cinéma, les samosas, les sodas, les recherches élargies. Son père conservait des billets de cinq et dix roupies pliés entre des photos en noir et blanc de vieux films qu'il avait collectionnées au fil des années. Pendant quelque temps, Ghulam ne remarqua rien. Il était plus attentif à une scène manquante dans un film qu'à la disparition de quelques roupies. Mais les besoins de Kabir augmentèrent et des trous inexplicables creusèrent le budget domestique de Ghulam.

Celui-ci commençait tout juste à incriminer son fils lorsque l'année scolaire s'acheva et que vint le moment de faire des génuflexions dans le bureau du principal. Kabir M avait échoué dans toutes les matières, sauf en hindi et en maths. À cause de l'incident de l'âne, même le professeur d'éducation physique lui avait infligé un blâme. Quand Ghulam entama sa litanie aux pieds du principal, le père barbu ramassa le bulletin scolaire et le jeta à la face de Kabir, debout dans un coin.

« Oubliez les notes, Mr Masood ! Votre fils est un vaurien ! Il a une mauvaise influence sur ses camarades ! Il finira en prison, un de ces jours ! »

Puis, dans un accès de colère, le padre lança sa canne, le chiffon, deux stylos et l'*Oxford English Dictionary* à l'élève, qui plongea pour esquiver les projectiles.

Kabir redoubla la neuvième, et Ghulam prit l'habitude de mettre son argent à la banque ou dans ses poches. Quand les roupies commencèrent à disparaître du pantalon qu'il accrochait dans sa chambre pendant son sommeil, il les glissa sous son oreiller. Son fils n'avait que de très faibles connaissances en anglais, histoire, géographie ou physique, mais il avait le pas de velours d'un animal et des doigts qui coulaient comme de l'eau. Régulièrement, un ou deux billets s'échappaient de l'oreiller sur lequel reposait la tête endormie de Ghulam.

Bien que désormais dans des classes différentes, Charlie et Kabir restèrent amis. Ils continuaient de sortir ensemble, de sécher l'école, d'aller au cinéma, d'écumer le bazar, de tourmenter les autres élèves et les professeurs avec leurs farces. En redoublant la neuvième à cause de ce foutu anglais et de Jules César, Kabir sentit indéniablement quelque chose durcir en lui. Un léger duvet ombrait sa lèvre supérieure, et les plus jeunes qui auparavant le considéraient avec admiration, le côtoyaient maintenant en classe.

Entre-temps, le père de Charlie avait été muté au Cachemire, et Charlie, grâce à ses brillants résultats scolaires, partit accomplir ses deux dernières années de secondaire à la Modern School de Delhi. Après le départ de l'impertinent Bengali, Kabir – assis au fond de la classe, sa moustache se dessinant chaque jour davantage –, perdit lentement son air triomphant de héros intrépide et insolent. Il devint maussade, renfrogné, et se replia sur lui-même. Il refusait d'adresser la parole à ses nouveaux camarades de classe et cherchait à traîner encore avec les anciens, passés en classe supérieure. Il était de plus en plus exaspéré par Cassius, Brutus, Antoine et consorts, et par leur langue absurde. Chaque fois que le père Michael commençait à déclamer les vers de Shakespeare, il lui venait des envies de meurtre.

Bientôt, Kabir prit un tic qui ne le quitta plus jusqu'à la fin de sa vie. Il marmonnait entre ses dents et, de temps à autre –

en classe, sur le terrain de sport, à la maison –, il se mettait à baragouiner une tirade inintelligible d'une voix de stentor. « Haaau haaa, vous… tuuu… taaaa… romains, compatriotes, amis, entande moa don ma causus… haaa. »

Quand l'école décida de le retenir dans la même classe une troisième année consécutive, ce fut le principal qui joignit les mains devant Ghulam et le supplia de transférer son fils ailleurs, dans un établissement dispensant un enseignement en hindi, tel que l'Islamia Inter College.

La paix des hauts murs

De bien des manières, Kabir exploita les promesses de son nom laïc sanctifié. Il traversa au fil des années des paysages balafrés de bigoterie religieuse et d'animosité de castes, mais il y resta insensible. À son insu, Ghulam, son père – hanté par la vision du bras sémaphore – l'avait pourvu d'un esprit sans préjugés. Mais, parallèlement, il l'avait amoindri en y instillant le démon de la peur et l'épouvantail de l'anglais. Entre liberté et infirmité, le garçon trouva sa vocation dans le chaarsobeesi : le larcin et l'arnaque.

Tournant le dos aux grandes envolées des pères de la mission autant qu'aux aspirations geignardes de son géniteur, Kabir intégra l'Islamia Inter College en classe de dixième, et il éprouva presque instantanément le soulagement de l'animal qui retourne à sa forêt. Ici, tout le monde parlait hindi, tout le monde se traitait de chutiya.

Les professeurs chiquaient du bétel en permanence, crachant de longs jets rouges par les fenêtres ou, parfois, dans les coins des salles de classe pauvrement blanchies à la chaux. La plupart d'entre eux portaient des sandales et des chemises élimées. L'équipement de cricket comptait seulement deux protège-tibias ; pendant les matchs, les batteurs en avaient un chacun, toujours sur la jambe gauche. Les terrains de football et de cricket se chevauchaient, et les jeux qui se déroulaient en parallèle se terminaient souvent en batailles rangées, avec crânes fendus et vêtements déchirés. Sans l'armure d'une soutane de prêtre, les professeurs préféraient rester neutres. Des interventions de leur part, dans le passé, leur avaient valu quelques coups de poing et de pied, et des embuscades quand ils rentraient chez eux à vélo. D'ailleurs, ils trouvaient un certain avantage aux escarmouches entre élèves : les os brisés et les coups de couteau éclaircissaient les rangs des éléments les plus violents.

Kabir adopta la crudité de langage, mais pas la violence. De façon très inattendue et plaisante, son passé prestigieux avec les pères de la mission et les beauparleurs lui ouvrit une niche de privilèges. Il apportait avec lui des histoires de cet autre monde, et son anglais défectueux paraissait magistral au regard du niveau rudimentaire de l'instruction publique. Kabir n'était pas d'une intelligence supérieure mais, auprès de Charlie, il avait appris l'art du cabotinage et de la posture. Il ne tarda pas à recevoir le parrainage de jeunes gens munis de tamanchas – ces pistolets indigènes à un coup, façonnés dans des tuyaux soudés, capables de vous déchiqueter la main autant que de transpercer l'adversaire. Ces garçons, laconiques, colériques, au regard sombre et à l'injure facile, se déplaçaient en petites bandes. Ils portaient un mouchoir noué autour des poignets, et ceux qui n'avaient pas besoin de camoufler un tamancha dans leur pantalon nouaient le devant de leur chemise. Aux yeux de Kabir, c'étaient des hommes, des vrais. Pas des silhouettes en carton-pâte comme son père, les missionnaires, ou les beauparleurs. Auprès d'eux, il se sentait plus fort encore qu'avec Charlie.

Le chef de la bande principale était un certain Babloo, un garçon sec et nerveux, dont on racontait qu'il avait ses entrées auprès du chef mafieux Sulaiman, de Lucknow, lui-même considéré comme le lieutenant du grand Mastaan de Bombay. De temps à autre, un appel téléphonique arrivait à son intention chez le marchand de vêtements Tewariji, et un gamin courait le prévenir : « Sulaimanbhai ! Sulaimanbhai ! » Babloo prenait alors un air affairé et partait au galop, Azam et Batti sur les talons. Azam, un orphelin, marchait de travers à cause du tamancha qu'il portait coincé dans son entrejambe depuis l'âge de treize ans. Et le surnom de Batti faisait référence à la spécialité singulière du garçon : enfoncer des objets hétéroclites dans le rectum de ses ennemis. Crayons, stylos, pièces de monnaie, doigts, billes, tiges de canne à sucre, bouteilles de Fanta, gardes de couteau, canons de tamanchas. Son ambition déclarée était, un jour, de fourrer une grenouille dans le derrière d'une victime. « Rien de méchant ni de venimeux comme un serpent ou un cafard, se défendait-il. Juste une petite grenouille. Juste pour voir si, avec une grenouille dans le ventre, un homme fait des bonds. »

Babloo lui-même avait cultivé l'allure d'un révolutionnaire des années trente. Une moustache effilée qu'il huilait et retroussait aux extrémités, un béret brun de parachutiste et une chemise militaire vert olive avec des épaulettes et des poches à rabat, achetée au magasin du cantonnement. En dessous de la taille, toutefois, il évoquait plutôt un révolutionnaire des années soixante, un Hell's Angel. Jean bleu de fabrication locale, bottes en cuir brun à fermeture à glissière. Les bottes aux semelles cloutées cliquetaient dans les couloirs du collège. La ceinture était une chaîne à vélo, avec une attache en toile, qu'il faisait parfois traîner sur le sol quand il marchait. Sa moto Yezdi noire avait un guidon surélevé et un numéro d'immatriculation personnalisé : UP 007. Dessous, sur une petite plaque, figurait sa devise : Vivre et Laisser Mourir. Il avait ôté le silencieux du pot d'échappement et les allées et venues du gang ne passaient jamais inaperçues.

Babloo se prit très vite de sympathie pour Kabir. Il appréciait le grand empressement à obéir que lui témoignait le nouveau, malgré son passé scolaire prestigieux. La présence dans ses rangs d'un transfuge de l'école de la mission redorait le blason de son gang. L'une des premières tâches de Kabir fut de leur apprendre quelques bonnes insultes en anglais. Très vite, pourtant, après les fuck-cock-bastard-homo d'usage, Kabir se rendit compte que les jurons anglais manquaient de créativité. En comparaison, les injures hindies enseignées par ses nouveaux amis pouvaient se dévider comme des chapelets mélodieux.

Kabir gagna le respect de son entourage non seulement grâce à l'anglais, mais aussi grâce à sa connaissance du cinéma indien. Il pouvait à l'envi se référer à des films ou à des héros pour telle ou telle situation, et Babloo, qui avait de sa vie une image cinématographique, était aux anges.

Bientôt, Kabir et lui instaurèrent un petit jeu.

Chaque matin, Babloo lui demandait : « Jai ou Veeru ? »

Et ils tiraient à pile ou face. Si Kabir gagnait, Babloo endossait pendant toute la journée le rôle comique de Veeru, celui qui raconte des âneries et fait des blagues. Si Babloo gagnait, il jouait Jai : le personnage sardonique, sombre, qui s'exprime par monosyllabes.

Calife du collège, Babloo s'était suffisamment démené pendant de longues années pour acquérir une réputation qui s'était élargie à l'université. Lors des élections annuelles du corps étudiant, l'une ou l'autre des parties adverses réquisitionnait ses services pour mobiliser les votants, comploter, contrôler les bureaux de vote, entretenir l'équilibre de la terreur. Il s'agissait surtout d'interventions musclées, mais avec son penchant pour les actions d'éclat et son désir de plaire à son mentor, Kabir apporta très vite au gang un élément de beauté artistique, de fripouillerie.

Le vol à l'étalage, qu'il avait pratiqué de façon occasionnelle dans le passé, lui devint une pratique quotidienne. Chaque jour, il écumait quelques boutiques et rapportait ses offrandes à la cour de Babloo. L'éventail était large. Papeterie, chaussettes, mouchoirs, pots de confiture, bouteilles de sauce, gnôle, cigarettes, amandes, noix de cajou, cuillers, fourchettes, couteaux, vaisselle. Un jour, il revint avec un mixeur, que le gang brancha dans la classe pour préparer des verres de banana-shake. Une autre fois, il arriva en poussant un chariot entier de ice-golas – il avait expédié le vendeur au poste de police sous le prétexte d'une fausse convocation – et il servit des sorbets de sirop coloré jusqu'à ce que les membres du gang ne puissent plus parler tant ils avaient la langue gelée.

Babloo aimait l'audace et la surprise. Et ces petits cadeaux étaient plus que bienvenus. La bande comptait une douzaine de membres, dont il prenait le bien-être à cœur. Or Kabir avait mis au point un système de bonus quotidien, et toutes les gratifications augmentaient leur dette à l'égard du chef, lequel pouvait la leur rappeler à l'occasion. En perpétuelle quête d'applaudissements, Kabir élargit ses vols aux scooters et aux motos. Il arrivait chaque jour avec un nouvel engin, dont la bande profitait jusqu'à épuisement du réservoir. Parfois, il en dérobait deux ou trois par jour. Ses larcins n'avaient aucune conséquence policière car les propriétaires étaient bien trop contents de récupérer leur véhicule.

Peu à peu, Kabir acquit une telle dextérité qu'il pouvait s'emparer d'un scooter pendant que son propriétaire entrait faire une course dans une boutique, et même, une fois, pendant que celui-ci s'éloignait pour uriner. Ces opérations intrépides amusaient énormément les membres de la bande. Souvent, ils montaient à trois sur une moto et fonçaient à toute allure dans les bazars, poussant des vivats et claquant quelques fesses au passage. Une fois, ils entrèrent sur une Lambretta bleue antédiluvienne dans la salle des urgences de l'hôpital public, et la confièrent au médecin de garde en lui demandant de soigner ses poumons encrassés par un cancer. À la sortie, ils piquèrent son scooter Chetak vert vif.

Cette année-là, pour les élections universitaires, Kabir fut promu général de manœuvre, et il s'activa avec le gang pour la candidature de Raghuraj Singh, du Front des étudiants indépendants. Au lieu de rapiner dans sa ville, Kabir, par un coup de génie tactique, mena des expéditions dans Shahjahanpur, Rampur, Haldwani, Moradabad. Il en revint avec une flotte de huit scooters et trois motos, dûment repeintes et dotées d'une nouvelle plaque, qu'il mit à la disposition de la campagne électorale. Babloo était enchanté. En récompense, Raghuraj Singh fit de lui le nouvel homme fort de l'Islamia Inter College.

Le Front des étudiants indépendants remporta les quatre sièges et le défilé triomphal de Raghuraj serpenta à travers la ville sur les deux-roues volés. Raghuraj offrit à Babloo un magnifique revolver 32 Webley & Scott à douze coups. À son tour, Babloo offrit à Kabir son tamancha, avec une poignée de cartouches. Le cadeau n'enthousiasma guère Kabir. Le fils de Ghulam ne s'était pas encore totalement délesté d'une enfance imprégnée de peur.

Au sein du gang, il s'était toujours tenu à l'écart des armes, préférant se limiter au chaarsobeesi. Pas une fois – jusqu'à ce que Babloo lui eût remis son tamancha – il n'avait demandé ni pris en main les fusils et les dagues que ses compagnons cachaient dans leurs vêtements. Ils transportaient pourtant une armurerie fort intéressante. Sanju avait un khukri népalais ; Raja, un cran d'arrêt Rampuri ; Amresh, un coup-de-poing américain (trois pointes d'acier fichées dans une lanière de cuir dont il s'enveloppait le poing) ; Datun avait une lame dans la pointe de ses bottes qu'il pouvait ouvrir en un quart de seconde (un coup de pied pivotant et il entaillait joliment son adversaire) ; Aziz transportait une hache à manche court d'une quarantaine de centimètres, sanglée à l'intérieur du blouson de cuir qu'il ne quittait jamais, même en pleine chaleur estivale ; Santokh, conformément à sa loi religieuse, portait ouvertement, sur une ceinture de toile, un long kirpan sikh à manche gravé.

Toutefois, c'était Pandit qui possédait la pièce la plus fascinante : un superbe Luger à crosse oblique, avec un canon étroit et lisse. Le chargeur contenait normalement neuf balles de 9 mm, mais Pandit n'en avait que deux. L'arme était un héritage familial, rapportée par son grand-père qui avait combattu les nazis en Afrique du Nord pendant la Seconde Guerre mondiale. Le Luger avait servi pour la dernière fois en 1955 – trois coups tirés en l'air lors du mariage de son père – et Pandit conservait précieusement les deux dernières balles dans un sachet de plastique. De temps à autre, il pressait la détente du Luger en imitant les détonations avec sa bouche : tantôt un fatk ! décisif, tantôt une improbable rafale de mitraillette : ta-ta-ta-ta-ta !

Le fait est qu'il y avait peu de rixes et que les armes servaient rarement. On se contentait de les brandir en prenant des poses, et cela suffisait à calmer les esprits échauffés. Les quelques fois où la violence avait explosé – avec gesticulations frénétiques, injures, coups de poing et jeux de couteau –, Kabir s'était aussitôt mis en retrait. Il manquait de courage face à la souffrance physique, et la seule vue du sang, de membres cassés et de chairs entaillées, lui répugnait. Chaque fois qu'éclatait une bagarre, ses jambes se dérobaient sous lui. Souvent, il lui fallait plusieurs heures pour recouvrer son calme et l'usage de la parole. Il ne comprenait pas Sanju, Aziz ou Datun, qui se jetaient dans la bataille avec des cris terrifiants et, après le combat, tout en examinant leurs plaies, s'esclaffaient en se racontant comment tel ou tel adversaire avait couiné quand Datun lui avait planté son orteil d'acier dans les testicules.

Ils se moquaient gentiment de l'émotivité de Kabir. « Nous comprenons, père Kabir. On ne peut pas boxer ni jouer du couteau en anglais. Seulement en hindi. L'anglais est réservé aux activités raffinées comme le vol. » À une ou deux occasions, Kabir aborda le sujet de la violence avec Babloo, mais celui-ci rejeta sèchement ses arguments. « Padre, n'oublie pas que Gandhi s'est fait descendre ! Et avec un tamancha comme celui-ci ! Il est aussi normal pour les hommes de se battre que pour les vaches de manger de l'herbe. Soit tu broutes, soit tu es brouté. Dis-moi, qu'est-ce que tu préfères ? »

Kabir prit donc maladroitement le tamancha et, après l'avoir enveloppé dans un journal, le rangea dans une valise en carton bourrée de vieilles affiches de cinéma sur le haut de son armoire. Quant aux balles, il les fourra dans une vieille paire de chaussettes kaki, elle-même enfouie sous une pile de chaussettes en laine moisies dans le fond du placard. Il y avait peu de risques que ses parents les découvrent, tant il leur défendait agressivement de fouiller dans ses affaires.

Six mois plus tard, ce fut la police qui les dénicha. Kabir fut menotté au milieu des lamentations et des gémissements de son père et de sa mère, et conduit au commissariat.

Les choses se passèrent comme souvent en pareil cas. Un fil récalcitrant défit toute la tapisserie. Dans sa cour à une jeune fille pendjabie au teint clair et aux hanches de jument, la grassouillette Rekha – cour muette évidemment, et à distance – Aziz brisa la mâchoire d'un bel étudiant en lettres (anglaises) de première année, qu'il avait vu escortant sa belle trois jours d'affilée. Pour ce faire, Aziz utilisa la partie plate de sa hache à manche court. Il l'ignorait, mais le nom du jeune homme était Jaiwant, et son père Aakrosh Singh, le nouveau commissaire de police, originaire de l'aride Terai.

Aziz fut arrêté avant la tombée de la nuit, conduit dans l'arrière-salle du poste de police de Civil Lines, quartier résidentiel du nord de Delhi, jeté au sol face contre terre, son blouson de cuir retroussé sur sa tête avec ses bras emprisonnés dans les manches, puis soigneusement battu des chevilles jusqu'à la nuque avec le plat de sa hache. Aucun os ne fut brisé, seuls les tendons et les ligaments déchirés. Tandis que les chirurgiens réparaient le beau visage fracturé de Jaiwant à l'hôpital du gouvernement, et que sa mère se lamentait dans la salle d'attente réservée aux VIP, les policiers sondaient le sphincter d'Aziz avec le manche de la hache, et roulaient un pilon sur ses muscles rompus afin de mesurer et de noter les différents niveaux de sa souffrance.

Avant qu'Aziz lui fracture la mâchoire, le jeune Jaiwant aux longs cils lui avait lancé un avertissement : « Fais attention, fils de pute, tu ne sais pas qui est mon père ! » À quoi Aziz avait rétorqué : « Eh bien moi, fils de pute, mon nom est Aziz ! Aziz Kulhadiwala ! Et le nom de mon chef est Babloo Luger Noir ! Et sa bite est plus grosse que ta cuisse ! Et il t'enculera jusqu'à ce que ton trou soit assez large pour y laisser entrer un scooter, le conducteur et le casque avec ! Dans cette ville, si tu t'en prends à nous, c'est le diable et le père du diable que tu attaques ! »

Un gros policier, tout en faisant pivoter le manche de hache dans l'anus d'Aziz, demanda : « Plus long que ça, ô grand Kulhadiwala ? Tu préférerais peut-être celui du grand Babloo Luger Noir ? » Aziz n'était plus en état de réagir. Il avait besoin de ses dernières parcelles d'énergie pour supporter son agonie. Plus de dix centimètres de manche de hache étaient maintenant enfoncés entre ses fesses, comme un drapeau planté au sommet d'une montagne, un peu en biais, la lame captant la lumière jaunâtre de l'ampoule nue.

Le gros policier houspilla ses subordonnés. « Approchez, bande de traînards ! Saluez le drapeau de Babloo Luger Noir ! » Après quoi, il donna un tour de vis cérémonieux, qui modifia à peine le registre de la plainte grave et continue d'Aziz.

Peu de temps après, on amena le Babloo en question. Le drapeau hache était encore bien dressé dans le postérieur d'Aziz. En découvrant son ami affalé sur le sol, le chef de gang rétif et insolent vacilla. Être pris dans une bataille, même inégale, contre un gang rival, ne l'avait jamais paralysé. Mais affronter des policiers dans un commissariat vous sciait les jambes ; personne ne risquait de venir frapper à la porte pour vous secourir.

L'anus de Babloo fut d'abord testé avec le canon court de son Webley & Scott. Puis, après l'arrestation de Pandit, avec le canon lisse du Luger de la Seconde Guerre mondiale. Entre-temps, on lui avait roulé une grosse bûche sur le dos et les jambes comme un chapatti. Pas d'os brisés, mais tous les muscles en bouillie. À tour de rôle, les policiers pressèrent à vide la détente du Luger. L'un d'entre eux s'exclama :

« Arrêtez, ne tirez plus ! Les balles se perdraient dans toute cette merde ! Salopard de Babloo Luger Noir ! Un tas de bouse plus gros que mon buffle ! »

Et un autre de proposer :

« Si on essayait le canon de 303 ? On expédierait ce connard jusqu'à Kaboul ! »

Cette nuit-là, la police arrêta presque toute la bande. Le fils d'Aakrosh Singh flottait encore sous anesthésie. De nombreux anus seraient sondés avant son réveil. Kabir arriva en dernier. Il implora grâce dès qu'il aperçut ses amis sur le sol, chacun avec un drapeau différent planté entre les fesses. Jamais, gémit-il, il n'avait levé le petit doigt sur quiconque. Jamais. Le gros policier, qui s'était chargé de toute la plomberie, fit rouler le tamancha entre ses mains et dit :

« Et ça, ça te servait à quoi ? À tirer sur les fourmis ? »

Lorsqu'ils le déculottèrent, Kabir pleura comme un bébé. Le gros policier lui souleva le pénis avec le canon du tamancha, et les quatre autres flics – tête nue, ceinture débouclée, chemise déboutonnée, chaussures délacées – échangèrent un regard.

L'un d'eux secoua la tête d'un air triste et soupira :

« Pas de casque… pas de casque… très dangereux… »

Le gros policier questionna d'une voix douce :

« Quel est ton vrai nom, petit ? »

Le fils de Ghulam bredouilla son patronyme.

« Kabir Musalman, répéta le gros policier en se tournant vers ses collègues comme si cela expliquait tout. Kabir Musalman. »

Le sous-inspecteur adjoint noiraud, assis sur l'unique chaise en bois brut, lança d'une voix sonore : « Kabira baitha paed pe apna lund latkaye, jisko jitna chahiye kaat le jaye… »

Le gros policier ôta ses chaussures et glissa ses mains dedans, comme des gants. Le sous-inspecteur adjoint répéta son commentaire obscène, où il était question de Kabir, assis sur un arbre, son sexe pendouillant, invitant ses disciples à couper et à prendre ce qu'ils voulaient. Là-dessus, le gros policier prit le pénis de Kabir entre ses gants de cuir et commença à le masser. Au début, il le fit doucement, mais le frottement des semelles lacéra immédiatement la peau. Kabir sanglotait, reniflait, demandait pardon. La morve qui lui encombrait la bouche et le nez l'empêchait de respirer. Le sous-inspecteur adjoint, assis sur sa chaise, avait déboutonné son pantalon et retroussé sa chemise pour masser son estomac velu.

« Et maintenant, dit-il, répète après moi, petit. Kabira baitha… »

Comme Kabir ne parvenait pas à articuler, étranglé par la souffrance et les larmes, le gros policier durcit le massage avec les semelles de cuir. Kabir hurla de douleur et bredouilla la blague obscène qu'il connaissait depuis l'âge de dix ans. Kabira baitha…

À la fin de la nuit, il était étalé sur le sol et arborait, en guise de drapeau rectal, le tamancha noir que lui avait offert Babloo et dont il ne s'était jamais servi. Sous lui reposait son petit morceau de chair écrasée, pour lequel son père, soucieux de protéger sa nudité révélatrice, lui avait autrefois procuré un faux certificat médical. Jusqu'à la fin de sa vie, Kabir ne s'en servirait plus que pour uriner.

Le lendemain soir, les protecteurs de Babloo réussirent à actionner assez de leviers à Lucknow pour mettre un terme au lever des drapeaux. Mais il était trop tard pour les rectums étirés et les muscles brutalisés. Le jeu de la police avait une règle : traiter sur-le-champ ce qui se passe sur le terrain, comme ça se présente. On pouvait essayer de reprendre l'avantage à la partie suivante. Celle-ci était terminée. Vouloir la rouvrir présentait un risque : à la prochaine arrestation, la police ne vous laisserait pas en état de protester.

Lorsque les garçons furent déférés devant le juge d'instance, les faits portés au dossier d'instruction s'étaient métamorphosés. À deux exceptions, seules des charges de hooliganisme étaient retenues. Ils reçurent des avertissements, durent payer des amendes et furent libérés. La salle de tribunal délabrée, avec ses murs ravagés par les racines de l'immense pipal qui poussait à travers, ses hauts ventilateurs surchargés de nids d'oiseaux, était bondée d'étudiants de l'université, dont Raghuraj, qui prenait des airs de patriarche préoccupé. Lorsque le juge gringalet à la pomme d'Adam tressautante grommela les disculpations, Raghuraj et son armée serrèrent les poings dans un geste de triomphe. Pomme d'Adam leur jeta un regard implorant.

Seuls deux des inculpés tombaient sous l'Arms Act, la loi sur le port d'armes, et furent condamnés à une peine de détention.

Le premier était Aziz Kulhadiwala, vêtu de son blouson de cuir, le visage luisant et lisse, chaque muscle de son corps laminé et l'anus gros comme un pot d'échappement. Le second était Kabir M – Musalman –, dont toutes les appréhensions de souffrance physique (les siennes et celles de son père) s'étaient pleinement réalisées. Au cours de la nuit de cris, de larmes et de gémissements, il avait invoqué Allah – par droit de naissance –, mais aussi Jésus-Christ – par droit d'école –, et Krishna – par droit du sol. Le panthéon laïc des juges, toutefois, n'avait aucun égard pour les garçons qui refusaient de déclarer vers qui allait leur loyauté spirituelle. Cette irresponsabilité religieuse fut ratifiée le lendemain dans la salle de tribunal, où comparurent seulement deux des garçons : celui qui avait brisé la mâchoire et celui qui voulait fuir son dieu.

Ghulam, le père de Kabir, l'homme qui avait mis cette tragédie en route, qui imaginait que Dieu aurait une vision plus large de l'égalité des divinités suprêmes, Ghulam, plus timide que jamais, demeura tapi derrière son avocat, un homme d'âge mûr à la respiration sifflante qui plaidait d'une voix lente en crachotant des postillons de bétel. La loi sur le port des armes à feu ! Pistolets ! Munitions ! C'était à peine si Ghulam saisissait le sens de ces mots. Il avait élevé son fils dans la crainte de l'eau chaude et des mauvais coups. Il l'avait envoyé étudier sous la houlette majestueuse des pères, dans un anglais châtié, avec le Christ sur la croix et des cours de morale, pour le préparer aux raffinements du monde moderne. Afin de réaliser son vœu, Ghulam avait confiné son pénis dans un caoutchouc épais comme un manteau de pluie, et laissé le ventre de sa femme aussi aride que les déserts du Rajasthan. Ce juge – qui n'écoutait même pas les arguments complexes de Rizvi Sahib, préférant bavarder avec un clerc quelconque qui venait de passer la porte du fond –, ce juge savait-il tout cela ? Connaissait-il les pères Conrad, Michael et Andrews ? Savait-il que Ghulam n'avait jamais, en trente ans de travail au cinéma Minerva, dérobé la moindre roupie, contrairement aux autres employés ?

Alors que Rizvi Sahib continuait de postillonner, le juge décida d'expédier les deux inculpés en prison. Debout contre le mur du fond, Kabir ne croisa même pas le regard de Ghulam. Il voyait encore son père quémander une petite place minable dans le monde, quêter une approbation que personne ne lui donnerait jamais.

Kabir prit goût à l'emprisonnement comme un cerf fuyant les angoisses de la forêt prend goût à une réserve. Après l'arrière-salle du poste de police, la friction des semelles de cuir et les cérémonies du drapeau, la prison lui apparaissait comme une oasis de paix et d'insouciance. La cour de la prison était vaste, sans un brin d'herbe. Son âme se concentrait dans un immense kapokier, dont les bras s'étiraient dans toutes les directions. Avec un rabot de menuisier, les détenus avaient gratté la chair épineuse de l'arbre pour pouvoir s'adosser contre son tronc. À cette époque de l'année, il flamboyait de fleurs écarlates, et Kabir s'étonnait de n'avoir jamais remarqué un si bel arbre. À côté du kapokier, mesurant la moitié de sa taille, un margousier moussait de feuilles vertes.

C'était sous ces deux arbres que les prisonniers se tenaient – accroupis, somnolents, dessinant dans la terre, jouant au lakad. À ce jeu, le meilleur allié était Ektara, le vieil homme qui avait un pilon de bois lisse sous le genou gauche.

Il n'était pas inhabituel, au cours d'une partie, de voir une douzaine d'hommes accrochés à son moignon.

Près du mur haut de dix mètres, se trouvaient les bains communs : trois pompes à main alignées comme une garde d'honneur. Tout le monde se lavait et se baignait à cet endroit, sans aucune intimité. Si vous étiez sous la pompe, il y avait toujours quelqu'un pour faire gicler l'eau sur vous. Et si vous trouviez quelqu'un sous la pompe, vous vous atteliez aussitôt à la tâche. Kabir aimait les bains froids à ciel ouvert, la camaraderie autour des arbres et l'absence totale de perspective.

Contrairement à tout ce qu'il avait imaginé, personne ne semblait particulièrement frustré, furieux ou déprimé d'être enfermé entre les hauts murs. La plupart des détenus, en fait, paraissaient spirituellement évolués, philosophiquement calmes. Certains, comme Mootie Baba (qui buvait son urine), dispensaient de beaux discours religieux entrecoupés de chants sonores que même les geôliers et les gardiens venaient écouter. Aziz et Kabir arrivèrent dans l'enclos tout bouillonnants, mais très vite leur sang échauffé s'apaisa. Ici régnait la sagesse. Il n'y avait que le jour, jour après jour, et l'on y demeurait.

Ils étaient réveillés avant l'aube par le cliquetis d'un plateau métallique. Après les ablutions, vers six heures, ils allaient dans la cour faire quelques exercices physiques rudimentaires. Le petit déjeuner se composait de thé brûlant dans un grand gobelet en fer-blanc et de deux épais parathas salés par personne. Pour le déjeuner et le dîner : un dâl liquide accompagné de chapattis poussiéreux et, à l'occasion, de légumes. Thé le soir et, de temps à autre, un mathi dur ou un laddu congelé. Dans la soirée, quelques méticuleux s'activaient à la pompe et chantaient leur propreté à tue-tête : chants pieux ou mélodies de films.

Dans la journée, les prisonniers se répartissaient dans les différents hangars, à l'extrémité ouest de la cour, pour gagner leur pitance. Ils avaient le choix entre la confection de vêtements, le tissage de tapis, la ferronnerie, la menuiserie, la fabrication d'édredons, le travail du bambou. S'il y avait eu autrefois des instructeurs, désormais c'étaient les prisonniers les plus âgés qui transmettaient leur savoir.

Kabir s'essaya au découpage et au tressage du bambou, mais il ne supportait pas de s'entailler la peau ou de s'enfoncer des échardes sous les ongles, aussi bifurqua-t-il rapidement vers la menuiserie. On y fabriquait du mobilier sommaire : chaises, tables, lits, étagères. Au début, Kabir trouva du plaisir à simplement travailler les planches, à voir les copeaux propres et crissants voleter, puis émerger la peau brillante du bois débarrassé de sa vieille crasse. Mais il ne tarda pas à se découvrir un don pour sculpter et ciseler le bois tendre de manguier en animaux miniatures – le sang de ses ancêtres artisans, maîtres du zari zardosi, coulait dans ses veines. Cela devint rapidement une drogue et, jusqu'à la fin de sa vie, il prit habitude de garder un couteau solide et un morceau de bois tendre dans ses poches, taillant et ciselant des petites figurines qu'il offrait à qui en avait envie. Sa pièce fétiche allait devenir le poussin, qu'il sculptait en moins de vingt minutes : une courbe pour le ventre et la tête, un bec doux, et deux entailles circulaires avec la pointe du couteau pour les yeux.

Comparés aux brutes du poste de police, les matons étaient des saints. Leur attitude s'inspirait probablement du gardien chef, Tiwarisahib, un homme d'une cinquantaine d'années à la démarche lente, doté d'une moustache tombante et d'épaisses lunettes derrière lesquelles nageaient ses yeux. Il portait toujours un gamcha marron et blanc autour du cou, dont il se servait pour s'essuyer la bouche après chaque phrase. Tiwarisahib aimait dire : « Dans le monde, il n'y a que deux sortes de personnes qui connaissent la vérité : les geôliers et les médecins. Ils sont les seuls à savoir que les hommes sont punis pour des fautes qu'ils n'ont pas commises. »

À l'arrivée des deux jeunes gens, Tiwarisahib examina les papiers de Kabir et remarqua :

« Tu es allé dans une drôle d'école, mon garçon ! Tes pères missionnaires sont de braves gens, mais aujourd'hui tu entres dans la plus grande université du monde. Fais bien attention, et tu sortiras d'ici avec un diplôme de sagesse qu'aucune autre institution ne te donnera jamais. »

L'appartenance des deux nouveaux venus au gang de Babloo – et de ses protecteurs de Lucknow et Bombay – favorisa leur incorporation en douceur dans les quartiers des prisonniers. Les quarante-deux occupants du bloc 4 leur ménagèrent un large espace, et le roi du domaine, Bhediya Boss – il avait arraché d'un coup de dents un morceau de la mâchoire d'un officier d'état civil – émit un signal positif en les faisant asseoir près de lui au dîner et en partageant avec eux sa cigarette sans filtre.

Un soir, une semaine plus tard, le bloc 4 reçut de la gnôle locale – en récompense du travail de plonge effectué par les prisonniers pour le mariage de la fille du directeur. Kabir descendit l'alcool cul sec et se transforma en padre. « Haauu haaa, tuuuu toaaa… gaaand César… compatriotes, amis, romains. »

À partir de ce jour, dans la prison-ville, les détenus désireux de savourer un moment de grandeur anglicisée se mirent à déambuler à grandes enjambées en déclamant « Haauu haaa, tuuuu toaaa… gaaand César… compatriotes, amis, romains… »

Lorsque arriva le jour de sa libération sous caution, Kabir avait fini par comprendre le rôle que l'initiale M et le bout de chair manquante avaient joué dans son incarcération. De même, l'appétit d'Aziz pour la grasse Rekha était apparu comme un acte d'agression religieuse. Mais, contrairement à Aziz qui ne cessait d'enrager et de jurer vengeance – tout en maudissant Babloo et ses camarades pour leur trahison –, Kabir traversait les journées paisiblement, en ciselant sa ménagerie de bois. Il avait même commencé à enseigner des bases d'anglais à quelques détenus.

Il trouvait étrangement satisfaisant cet instant où l'un d'eux comprenait enfin un mot et l'articulait lentement. Travail : *kaam* ; colère : *krodh* ; paix : *shanti* ; connaissance : *gyan* ; équilibre : *santula* ; fou : *paagal* ; espoir : *aasha* ; loi : *kanoon* ; force : *shakti* ; dur : *kathin* ; amour : *pyaar* ; triste : *dukhi* ; voleur : *chor* ; viol : *balaatkar* ; justice : *nyaya* ; destin : *kismet* ; karma : *karma*. Ses élèves, pour la plupart illettrés, laissés-pour-compte des écoles de villages ou du gouvernement – condamnés pour vols de poules, agressions et autres coups et blessures – vouaient à Kabir une profonde admiration. Et chaque matin, il s'éveillait avec l'envie de lire cette admiration dans un regard.

Son calme venait aussi de la mutilation du désir en lui. Les mois passant, les plaies de l'étrillage s'étaient lentement cicatricées, mais les nerfs avaient subi des dommages irréversibles. Kabir savait qu'il n'avait plus qu'un bout de chair morte et que sa promesse d'éternité était à jamais compromise.

Ceux qui avaient eu l'habitude de dormir en plein air cessaient de rêver de toits. Celui qui ne pourrait plus connaître l'éternité trouva la consolation, puis l'addiction, dans les sermons sonores de Baba Mootie. Deux fois par semaine, le barbu buveur d'urine – il utilisait pour boire son gobelet en fer – lisait des extraits du chant divin. Il s'installait à la nuit tombante sous le haut kapokier, assis en tailleur sur une planche basse, entouré des prisonniers et des gardiens.

Devant les plus grandes armées du monde face à face, dix mille arcs tendus à vibrer, cent mille épées dégainées, des masses puissantes réfléchissant le soleil et une forêt de lances pointées vers le ciel, un million d'hommes et de bêtes prêts à déchaîner le chaos, Kabir entendait le dieu bleu et désarmé dire à l'incomparable Arjuna, dont l'arc robuste pendait mollement dans sa main : « Celui par qui les autres ne sont pas dérangés, que les autres ne dérangent pas et qui est libéré du plaisir, de l'insatisfaction, de la peur et de l'inquiétude, est cher à mon cœur. Sans désir, pur, entreprenant, neutre, sans douleur et ayant renoncé à tout avantage, cet adepte-là m'est cher. Celui qui n'éprouve ni ravissement ni haine. Ni peine ni désir. Celui qui a renoncé au bien et au mal, cet adepte-là m'est cher. Celui qui se place en équilibre entre ami et ennemi, respect et insulte, froid et chaleur, bonheur et malheur, qui est délivré de toute attache… Pareillement, celui qui demeure entre critique et louange, qui est sobre en paroles, satisfait de tout ce qu'il obtient, sans maison ni maître de son esprit, celui-là m'est cher. »

Kabir M porta un regard sur lui-même : enfermé à l'intérieur des hauts murs, délivré du plaisir, de l'insatisfaction, de la peur et de l'inquiétude, et il s'aperçut qu'il était celui-là. Au fond de lui, il avait la sensation de devenir peu à peu, comme Baba Mootie, un être accompli.

Il plongea bientôt dans une indécision totale quant à ce qu'il ferait dans le vaste monde extérieur. Chaque fois que son père lui rendait visite et lui assurait que l'avocat obtiendrait sa libération d'un jour à l'autre, Kabir l'insultait et lui demandait de le laisser tranquille. Et, chaque fois, prenant sa réaction pour du dépit, Ghulam se mettait à pleurer, promettant de redoubler d'efforts.

Lorsque Ghulam paya les cinq mille roupies qui transformèrent le tamancha en pistolet à eau, plus d'une année s'était écoulée. Aucun des membres du gang n'était présent au tribunal le jour où le juge signa l'ordonnance de sa libération. Kabir sortit comme un prisonnier libéré et non comme un héros injustement traité.

De retour chez lui, Kabir ne dit pas un mot à sa mère ; il ne quitta pas la maison pendant deux mois, passant le plus clair de son temps au lit, les yeux rivés au plafond. Souvent, il se surprenait à pleurer et à gémir – chose qui ne lui arrivait jamais en prison –, et tandis que ses larmes ruisselaient sur son visage et mouillaient l'oreiller, il savait qu'il ne pleurait pas sur lui-même mais sur les chagrins sans nom de l'univers.

De désespoir, le timide Ghulam – l'inventeur de l'initiale M qui aspirait à un avenir moderne et non déterminé pour son fils – s'en alla chercher de l'aide auprès des missionnaires. Il avait besoin de leur soutien psychologique et des déclarations des condisciples de Kabir qui pourraient lui être utiles. Mais il n'y avait rien à glaner dans les couloirs imprégnés de cantiques où, dix-huit ans plus tôt, Ghulam avait fait des courbettes pour changer la vie de son fils unique. Les pères étaient déjà surchargés d'âmes à sauver, et les anciens camarades de Kabir étaient partis s'installer dans de grandes villes : Lucknow, Allahabad, Delhi et Pune, afin de poursuivre leurs études universitaires, ou d'être injectés dans les affaires familiales : usines, magasins, hôtels, pompes à essence. Bien sûr, tous se souvenaient de Muthal, le garçon qui avait disparu sous la soutane du père. Quel dommage qu'il ait connu une si mauvaise passe. Bien sûr, ils essaieraient de l'aider. Et les choses en restèrent là. Chaque génération apprend que les égalités de l'école sont illusoires. On passe au travers du plus grand mixeur scolaire et, à la sortie, les seuls éléments qui restent intacts sont la classe sociale, la caste, la religion et la richesse.

Kabir, qui ne possédait ni l'anglais ni l'argent, ni religion ni clan, restait allongé torse nu, les yeux au plafond écaillé, sous le ventilateur Usha qui tournoyait en grinçant. Parfois, avec son canif, il taillait un poussin. Les copeaux de bois se collaient sur son torse et parsemaient le lit. Ses parents lui apportaient du thé et de la nourriture, et emportaient les poussins, qu'ils alignaient sur l'étagère de la salle à manger.

Un jour, ses parents mirent ses affaires dans un sac et le conduisirent en bus à Moradabad. Au cours des dernières décennies, ses oncles maternels avaient monté une affaire prospère dans le commerce des articles de cuivre, et, comme dans toutes les familles, ils étaient disposés à prendre en charge le neveu égaré. Étant donné sa formation à l'école de la mission, ils lui confièrent un poste en première ligne : recevoir les grossistes qui venaient de Delhi, Bombay, et parfois de l'étranger, pour passer des commandes de cruches, cendriers, vases, candélabres, paons, éléphants, chameaux, natarajas dansants, bouddhas à longues oreilles, masques tribaux, visages soleils, et même des buffles gras en or étincelant. « Noorjehan – Fabricants d'articles de cuivre de première qualité – Fournisseurs nationaux et internationaux. »

Le neveu se révéla très vite décevant. Il ânonnait l'anglais, connaissait mal les produits, rechignait à faire des heures supplémentaires pour conclure un marché. La première fois qu'un Occidental franchit la porte, il transpira d'angoisse comme cela lui arrivait à l'école lorsque sonnait la cloche annonçant le cours d'anglais.

Au bout d'un mois, Syedmamu le muta en seconde ligne, pour préparer les catalogues et les argumentaires de vente, et aider à la maintenance de l'inventaire. Kabir n'avait de talent pour rien, et son indifférence lui valut bientôt le mépris des vieux employés qui exerçaient ce dur métier depuis de longues années. « Il aurait dû être menuisier ou éleveur de poules », ironisa le vieux comptable en montrant un poussin, dont tout un régiment encombrait la table où travaillait Kabir. « C'est la faute de son père, répondit Syedmamu. C'est une brebis égarée. Il ne connaît pas Dieu et il a été trahi par les hommes. Il a besoin de notre compassion. »

L'oncle avait vite remarqué l'ignorance totale de Kabir pour la grande religion au sein de laquelle il était né. Le garçon ne savait vers où se tourner quand l'azan résonnait au-dessus des toits, et au lieu d'imiter ses collègues qui se jetaient à terre pour répondre à l'appel à la prière, il restait assis sur sa chaise, le regard vide. Chose étonnante, il ne connaissait pas un seul verset du livre saint et n'avait pas jeûné un seul jour pendant le ramadan.

Ému par les ténèbres d'ignorance dans lesquelles son neveu avait été abandonné, Syedmamu engagea les services du vieux maulvi, l'expert en loi coranique qui avait autrefois instruit ses fils. Les dents du maulvi étaient noircies par le tabac et ses gencives rougies par le bétel. Il prenait place dans la pièce allouée à Kabir sur le toit – avec des toilettes extérieures, comme son père trente ans auparavant –, et parlait d'une voix douce, les yeux fermés, accroupi, en se balançant lentement. Informé par le maître-artisan, il exhortait son élève à comprendre le dessein divin et à accomplir son destin. Le spectre de ces nouvelles attentes réveilla la peur de Kabir.

Quelques semaines plus tard, à proximité du magasin d'exposition d'articles de cuivre, Kabir vola une voiture Maruti rouge, dotée d'un volant en fausse fourrure, et roula jusqu'à Nainital. En filant sur les routes de montagne sinueuses, il chanta de vieilles chansons de films, et, peu à peu, un sentiment de liberté et de joie l'envahit. Il abandonna la voiture près de la station de bus, se promena sur l'avenue commerçante très animée, et prit un bateau pour faire un tour sur le lac. Il n'était entouré que de jeunes couples épanouis en voyage de noces. À cause de l'étrillage avec les semelles de cuir, l'amour était pour lui un domaine aussi étranger que l'avait été l'anglais à l'école. Deux jours plus tard, il subtilisa une Ambassador blanche à Nainital et monta jusqu'à Ranikhet. Les pins immenses, les forêts de chênes et de cèdres, la brise fraîche, les petits toits en tôle rouge des maisons et des hameaux, tout était merveilleux. Mais l'Ambassador appartenait au juge d'instance du district, et Kabir fut arrêté dans le bazar alors qu'il dégustait un samosa.

Quelques jours plus tard, quand le juge d'instance le condamna à une peine de prison, un immense soulagement l'envahit et il refusa de citer le nom d'une seule personne susceptible de payer la caution.

Kabir passa la décennie suivante à entrer et sortir de prison. Il n'y eut bientôt plus une seule ville dans la région qui n'eût reçu la visite du voleur aux doigts de vif-argent, ni une prison qui n'eût aperçu son ombre se profiler sur ses murs. Bareilly, Shahajanpur, Rampur, Moradabad, Haldwani, Almora, Dehradun, Mussoorie, Agra, Meerut, Pilibhit, Firozabad, Farrukhabad, Lucknow, Kânpur, Bénarès, Allahabad, Amethi, Ayodhya, Gorakhpur, Barabanki… Ses errances n'avaient pas de but. Découvrir un monument, une ville, retrouver une connaissance dans une dhaba, voir un film, ou simplement rouler sur une route goudronnée rectiligne et ne menant nulle part. Il n'éprouvait ni besoin ni désir.

Au cours de ses pérégrinations, il répétait le péché véniel de chaarsobeesi : larcins et petites arnaques. L'Inde changeait rapidement et, chaque jour, de nouvelles voitures de luxe apparaissaient sur les routes. Japonaises, coréennes, américaines, européennes. Elles avaient la direction assistée, le verrouillage des portes électronique, la stéréo, des vitres à ouverture automatique, des feux de recul. Leurs robes luisaient, leurs klaxons chantaient, leurs cœurs ronronnaient. Elles démarraient au quart de tour, filaient comme des lièvres, et se carambolaient allègrement. Dans les ateliers de carrosserie et de peinture de chaque ville, on vous fabriquait des copies de clés dans la journée. Les poches du blouson de Kabir en étaient pleines.

Seules deux choses motivaient ses activités : occuper son temps, et trouver de quoi manger et se loger. Il nouait des amitiés qui duraient quelques jours ou quelques semaines ; à la fin, il y avait toujours une voiture qui l'attendait, une route sinueuse, et une joyeuse incarcération. Toutes les prisons n'étaient pas aussi agréables que la première, mais en chacune il découvrait un noyau de sagesse profonde ; chacune possédait un arbre qui irradiait la sérénité ; chacune disposait d'un coin tranquille où l'on pouvait sculpter un poussin ; chacune avait un Baba Mootie en contact avec les vérités éternelles. Les prisonniers étaient libérés de choses qui entravaient les hommes libres. Les hommes qui souffraient, connaissaient des choses qui échappaient au commun des mortels.

Kabir acquit une réputation d'être inoffensif, tant dans la police que chez les geôliers. Le petit escroc aux grandes oreilles, maigre comme un épouvantail, qui ne faisait jamais d'histoires quand on l'appréhendait, offrait aux policiers qui l'arrêtaient de ravissants petits poussins en bois pour leurs enfants. La rumeur courait qu'un événement s'était produit dans un poste de police, par le passé, qui l'avait totalement transformé.

Au cours de toutes ces années, Kabir ne rentra chez lui qu'une fois. Il trouva son père dans un état pitoyable. La modernité n'avait pas répondu aux attentes de Ghulam, et la religion qu'il avait rejetée n'avait pu lui offrir son réconfort. La magie de la salle obscure qui avait toute sa vie absorbé ses peurs et donné chair à ses rêves s'était également évanouie. La glorieuse époque du cinéma Minerva – les sorties de nouveaux films et les nouvelles stars de l'écran – était depuis longtemps révolue. Firdaus était mort depuis neuf ans, et ses fils avaient déménagé à Delhi ou Bombay pour explorer de nouveaux filons dans la publicité et le commerce. Le foyer du cinéma croulait, les sièges étaient cassés, les ventilateurs hors service, les appareils de projection démodés, l'écran déchiré par endroits et recouvert de crasse. Il n'y avait pas l'air conditionné et plus aucun film nouveau n'y était projeté. Désormais, c'était le havre des petits films vite faits et des vieux films à prix réduit. La salle empestait l'odeur des ouvriers des chantiers de construction voisins, qui s'accroupissaient sur les sièges pour éviter les rats qui sautaient çà et là. Le Minerva était à vendre : un promoteur de Lucknow projetait d'ériger à la place un centre commercial ultramoderne, avec vigiles en uniforme, appareils pour cartes de crédit, et murs de verre. L'emploi des terres était en voie de remaniement.

Ghulam se demandait ce qu'il ferait lorsque le Minerva aurait disparu. Le vieux basti avait cessé d'exister : sa communauté s'était dispersée, ses rythmes étaient morts. À la place se dressait un lotissement commandité par l'État, avec des avenues rectilignes et des arbres droits comme des pylônes. Le cimetière dans lequel ses parents reposaient – ainsi que Ali Baba et toutes les têtes grises de son enfance – était temporairement condamné par un haut mur de briques. Mais des négociations étaient engagées pour exhumer les morts et les déplacer dans une zone plus spacieuse, aux tarifs immobiliers moins élevés.

Le kapokier – où ils avaient pour la première fois senti le sol trembler sous leurs pieds, où Imroze était revenu seul, avec son moignon sémaphore –, était toujours là, vieillard vénérable aux cheveux rares, à la peau tannée, au crâne pelé par l'âge. Certains jours, terrifié par la solitude retentissante de sa vie, Ghulam allait s'asseoir sous ses branches, fermait les yeux, et pleurait tout seul.

Le garçon maigre comme un épouvantail, aux larges oreilles et aux doigts de vif-argent, et le vieil homme craintif, édenté, aux yeux enfoncés, restèrent assis en silence sans parvenir à prononcer une seule parole rédemptrice. Ils s'étaient mutuellement déçus et manqués. Religion et langage ; ambition et peur. Quand le moment vint de partir – la Ford gris métallisé attendait dehors – Kabir M (moderne, muthal, minus, musalman) mentit à son père. Il lui dit qu'il travaillait à la State Bank of India, dans le lointain État du Cachemire, où il occupait un poste de cadre et remplissait des registres en anglais. Et il lui donna une adresse où aucune lettre ne pourrait jamais arriver.

À sa mère en pleurs, il fit la promesse de leur envoyer régulièrement une part de son gros salaire de cadre afin qu'ils ne s'inquiètent plus de l'agonie du Minerva. Il tint parole chaque fois qu'une nouvelle voiture transitait dans sa vie, et sa promesse devint une attache dans une existence qui n'avait presque aucun sens.

« Celui qui est détaché du plaisir, de l'insatisfaction, de la peur et de l'inquiétude… sans désir, pur, entreprenant, neutre, sans souffrance… celui qui n'éprouve ni ravissement ni haine… ni peine ni désir… qui atteint l'équilibre entre ami et ennemi, respect et insulte, froid et chaleur, bonheur et malheur, qui est délivré de toute attache… entre critique et louange, sobre en paroles, satisfait de tout ce qu'il obtient, sans maison et maître de son esprit, celui-là m'est cher. »

Cet homme, alors, indifférent au passage du temps, un jour de la nouvelle année du nouveau siècle, rencontra dans une prison près de Dasna un autre homme qui, connaissant ses qualités – de cœur, d'esprit et de main –, lui proposa une tâche qui l'emporterait longtemps sur des routes magnifiques. Au bout du voyage, il recevrait assez d'argent pour se remplir et les poches et les mains.

Ce long périple en voiture devait conduire Kabir M – défroqueur de prêtre, chevaucheur d'âne, haïsseur de langue anglaise, adepte de la non-violence, sculpteur de poussins, fils de Ghulam, disciple de Baba Mootie, pénis mort et mains de vif-argent, natif des pénitenciers, prince de la route – jusqu'au meurtre d'un innocent. Chose à laquelle ses gènes pétris de peur ne l'avaient pas préparé et qu'il n'avait jamais souhaitée.

Livre 5

Vers à fric
et nageurs en eaux troubles

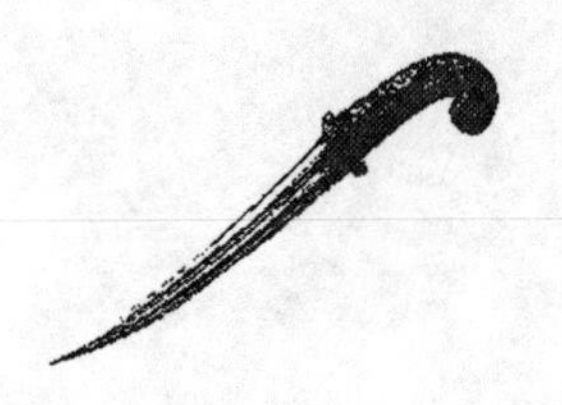

Je venais de décrocher Sara du mur et dérivais dans l'espace de bonheur que je n'avais jamais connu avec Dolly-doll, lorsqu'elle me dit :

« Tu sais, leurs vies sont nettement plus louables que la tienne. »

Je détestais cela. J'avais payé mon dû d'éloquence avant de la clouer au mur. Nous avions causé pendant près de deux heures, avec une grande sincérité, comme si chacun de nous était réellement intéressé par ce que disait l'autre, et cette remarque, lâchée au moment où je dérivais dans cette sphère sans pareil me parut abusive. D'autant que, ce jour-là, je m'étais surpassé ; je l'avais fait jouir furieusement.

Après sa longue tirade sentimentalo-lacrymale à propos d'un type taré, affublé d'une initiale pour patronyme et d'une bite écrabouillée, qui prenait la prison pour le Ritz, je l'avais mise au courant des horreurs glacées de Kapoor. Son rachat pour presque rien des parts de Chutiya-Nandan-Pandey, l'accord draconien qu'il nous avait fait signer et par lequel nous lui cédions tout – notre vie, notre liberté, nos couilles. Notre avocat nous avait avertis qu'il ne fallait pas signer un tel arrangement, même avec un revolver contre la tempe. Mais nous pensions que nous étions déjà morts, que rien ne pourrait nous détruire davantage. Ce en quoi nous avions tort, d'après l'avocat. Nous avions regardé les vingt-quatre pages auxquelles était maintenant réduit le magazine, les huit collaborateurs rescapés, nous avions évalué les dettes déjà contractées et calculé qu'elles continuaient d'augmenter tandis que nous tergiversions, et nous avions signé.

Vie, liberté et couilles.

Nous avions perdu toute velléité de résistance après avoir assisté à la décimation du trio de la fripe. Malgré leur fortune et leur sens des affaires, leurs salles à manger équestres et leurs sirènes nues, ils avaient fait figure de recrues inexpérimentées, confrontées à leur évaluation inaugurale par le sergent-major du camp d'entraînement.

Une toise sévère.

Pour commencer, Kapoor énonça tous les vices de la publication dont ils étaient propriétaires, en s'appuyant sur des chiffres implacables : la comptabilité passée, présente et future. Les trois compères avaient endossé des responsabilités financières et légales qui pouvaient les poursuivre pendant des années, et dont certaines relevaient du pénal. Rembourser leur investissement ? Ils auraient déjà de la chance de trouver un repreneur qui les soulagerait de ce fardeau pour rien. Et ce ne serait pas lui ! Kapoor affirma qu'il ignorait à quel point la situation était mauvaise quand il avait décidé d'étudier le dossier. Et s'il n'avait pas déjà renoncé, c'était parce que l'oncle de Jai – Bhargavaji, haut fonctionnaire au ministère du Commerce – était un vieil ami. Mais l'amitié avait ses limites. Elle n'incluait pas le suicide. L'oncle de Jai comprendrait. C'était un homme raisonnable.

Tandis que je lui narrais mon conte immoral, la rage et l'excitation de Sara avaient grandi. Assise au milieu du lit, face à moi qui étais adossé contre la tête, son sarong s'était ouvert, dévoilant sa radieuse impatience. Le rose lui était déjà monté aux joues, elle se mordillait la lèvre. Les abus de pouvoir et d'argent étaient autant de pelletées de charbon qui alimentaient sa chaudière. Guruji avait tout compris. Il méritait le titre de haut conseiller ès sexologies indiennes.

J'avais fait monter la pression d'un cran en racontant à Sara nos démarches pour mettre au jour les activités de Kapoor sahib. Officiellement, il faisait des affaires dans le domaine de l'ameublement et du tapis. Il possédait de grands magasins à Delhi et Bombay, et exportait dans divers pays d'Europe de l'Est. Ses établissements étaient d'un luxe raffiné – vitrines étincelantes, murs lambrissés de bois, air conditionné –, et tenus par des jeunes femmes élégantes en sari de soie. On était loin des boutiques à l'indienne. C'étaient des showrooms internationaux, où l'on pouvait consulter de beaux livres sur l'art et la culture, dans une ambiance sonore de musique classique indienne, en dégustant des tisanes.

Une visite dans le grand magasin de South Delhi nous avait, Jai et moi, laissés sans voix. L'endroit était si classieux que le personnel n'y faisait pas le moindre boniment commercial. Tandis que nous admirions les tapis, les objets décoratifs, le mobilier somptueux, un garçon cérémonieux en livrée grise nous proposa diverses options de boissons et revint avec de l'eau chaude parfumée et pâlotte dans des tasses en céramique sans anse. Idéal pour se gargariser. Une superbe jeune femme en sari de soie, avec une chevelure noire lui tombant sous la taille et un bindi noir sur le front en forme de serpent, vint nous demander si elle pouvait faire quelque chose pour nous.

Jai posa quelques questions en admirant les tapis avec un hochement de tête de connaisseur. Certains coûtaient plus cher qu'un appartement dans le quartier résidentiel de Vasant Kunj. Pendant la demi-heure que dura notre visite, aucun autre client ne poussa l'imposante porte, et pas un instant la belle jeune femme ne cessa de sourire.

Il nous avait fallu deux jours pour découvrir les véritables sources de revenus de Kapoor sahib. Les tapis, le mobilier, les showrooms, n'étaient que des écrans de fumée. Si Kapoor n'en tirait pas une roupie – ce qui était sans doute le cas, au vu des frais généraux exorbitants –, il s'en fichait comme d'une guigne. Son véritable business était la vente d'armes. Il était l'agent de plusieurs sociétés européennes qui, chaque fois qu'il concluait un marché, approvisionnaient ses comptes bancaires suisses de plusieurs dizaines de millions de dollars.

Munitions, canons, sous-marins, gilets pare-balles, Kapoor sahib vendait tout ce dont une armée avait besoin. En soi, cela n'avait rien de grave. Il faut bien que quelqu'un fasse le sale boulot. Certains tuent et meurent, d'autres leur en procurent les moyens. L'ennui est que c'était illégal. Dans un moment de convulsion politique, pendant les années quatre-vingt, le gouvernement avait, pompeusement, mis hors la loi les intermédiaires des marchés d'armes. En d'autres termes, aucune commission ne devait être versée ni perçue, aucune transaction ne devait se faire par l'entremise d'un négociateur. Or, les Indiens le savent bien, rien dans le monde n'arrive sans l'action lubrifiante des intermédiaires. Emploi, mariage, accès à Dieu, rien. S'il fallait respecter la loi, l'armée indienne serait bientôt réduite à lancer des cailloux.

La loi est une chose. La réalité une autre.

Ainsi donc, Kapoor sahib effectuait l'inestimable et lourde tâche d'équiper convenablement l'armée indienne. C'était une vocation de fantôme, puisque ni lui ni son activité n'existaient. Delhi regorgeait de ses semblables, qui travaillaient dans cet espace irréel, entre jour et nuit, légalité et illégalité, public et privé, national et international. Pour récompenser son dur labeur, des compagnies européennes lâchaient des dizaines de millions de dollars sur les comptes suisses à numéro de Kapoor sahib, lequel reversait généreusement des sommes rondelettes sur les comptes suisses à numéro de divers politiciens et bureaucrates. Des médisants affirment qu'il y a plus d'argent indien dans les banques suisses que dans le Trésor indien.

Un ami de mon père, Bahugunaji, escroc excentrique, autrefois chef de service au ministère du Commerce, se plaisait à répéter : « Tout le monde a un compte en Suisse ! Tout le monde, Premiers ministres compris, depuis des décennies ! Si vous alignez tous les noms, vous aurez un poème plus long que le *Mahabharata* ! »

Les bureaux de Kapoor sahib étaient judicieusement tenus par des armées d'experts-comptables – les vers à fric – qui, à longueur de journée, décodaient les réglementations et construisaient de subtils réseaux permettant de rapatrier une partie de la fortune de Kapoor sahib en Inde. Les transactions hawala, nous expliqua-t-on, étaient innombrables, et des monticules de dollars invisibles franchissaient les frontières pour devenir des montagnes de roupies. Ces banquiers en costume traditionnel – churidar et chappals – dirigeaient un système plus infaillible encore que celui des costumes trois-pièces suisses.

Une large proportion des montagnes de roupies, quand elles faisaient subitement surface en Inde, était investie dans l'immobilier. Le sol même sur lequel nous marchions pouvait appartenir à Kapoor sahib ou à quelque autre marchand d'armes.

À côté des vers à fric penchés sur leurs bureaux, des agents de liaison parcouraient le territoire. Ces nageurs en eaux troubles, qui s'infiltraient partout, pouvaient satisfaire les moindres désirs des hommes chargés de faire respecter la majesté de l'État. L'éventail était large : Johnnie Walker Carte Noire, tableaux de maîtres, vacances en Grèce, frais d'admission d'un enfant dans une coûteuse université américaine. Puisque l'État ne s'occupait pas de ses serviteurs, quelqu'un devait le faire.

Le personnel de Kapoor sahib se composait donc de vers à fric et de nageurs en eaux troubles. Des fantômes, opérant dans un secteur d'activités non reconnu qui produisait de l'armement militaire tout ce qu'il y avait de réel et générait de très grosses montagnes d'argent liquide.

Par le sarong entrouvert, la toison épaisse de Sara luisait de colère et d'anticipation. De temps à autre, un muscle intérieur de sa cuisse se tendait involontairement, m'incitant à un récit plus éloquent. La force absolue du pouvoir et de l'argent mal acquis ! On comprend aisément pourquoi les grandes histoires universelles parlent toujours du mal. Guruji était vraiment l'égal des célèbres sexologues américains Masters et Johnson.

Sara me posa la question en suspens : « Pourquoi vous ? Pourquoi votre magazine ? »

C'était compliqué. Nous ne connaissions pas la réponse. Il était possible, répondis-je, que l'oncle de Jai, puisqu'il avait facilité certaines des activités illégales grâce à son poste au ministère du Commerce, eût exercé quelque influence sur Kapoor, mais il ne l'aurait pas utilisée pour sauver un canard à l'agonie. Les discours lincolniens de Jai ne pouvaient pas avoir impressionné Bhargavaji, l'extraordinaire serviteur de l'État, qui vivait dans le ventre de la bête et n'avait aucune illusion sur sa nature.

« Alors ? » demanda Sara, dont les pupilles commençaient à se dilater.

J'avais du mal à me concentrer sur mon histoire. Je regardais le mur, près de la porte, où j'allais la crucifier. Sa façon de riposter, de se tuer et de me tuer à grands coups de hanches, était insupportable. Parfois, les dents serrées, elle tournait lentement et me réduisait à l'état d'animal ânonnant.

J'avais l'impression que Jai, moi et le magazine étions comme les luxueux showrooms de Kapoor, comme les tapis de soie, les meubles en teck et la belle jeune femme au bindi en forme de serpent. Un écran de fumée. Nous devenions utiles à cause de l'énorme pagaille déclenchée au sein du système par les trois dingues – Venteux, Canonnier et Tueur à gages – quelques semaines auparavant.

Le gouvernement n'était pas tombé, c'est vrai, mais le chaos s'était intensifié : le Parlement flottait encore dans un état comateux, les théories de complot, dont chacune aurait mérité un livre, rebondissaient en écho, et tout le monde braillait si fort à la télévision que des gosiers béants crevaient l'écran chaque fois qu'on allumait le poste.

Venteux, le double de Jai, était au cœur de tout ; il délivrait des sermons sur l'état de la nation qui faisaient passer Jai pour un collégien ergoteur. Dans une sorte de répétition inquiétante, tous les trois avaient été – comme moi, mais en démultiplié – placés sous la protection des ombres. Impossible de ne pas remarquer les uniformes, les carabines, les hommes en chemise saharienne avec un flingue dans l'entrejambe. Leur protection, toutefois, paraissait plus légitime. Si quelqu'un voulait ma peau, alors ces trois-là étaient mûrs pour se faire descendre, pendre, empoisonner et couper en quartiers tout à la fois.

J'avais le sentiment, et Jai aussi, que Kapoor sahib était venu nous voir en grande partie à cause de ces trois fous furieux. Ils avaient fourré un bâton dans le nid de frelons des ventes d'armes, et l'avaient remué comme un verre de lassi. Évidemment, tout le monde allait se faire piquer, mais personne ne redoutait cela plus que les spectres, les vers à fric et les nageurs en eaux troubles. Kapoor et les autres fantômes couraient le risque de perdre des montagnes d'argent, le sol même sur lequel tout le monde marchait. Il leur fallait dresser de plus en plus d'écrans de fumée afin que le labyrinthe des procédures légales et des enquêtes mette une éternité, et plus, avant de les atteindre.

Avec sa ruse de brahmane, Jai remarqua :

« Quand ils viendront le chercher et essaieront de l'épingler, tu sais ce que fera Kapoor ? Il hurlera sur tous les toits qu'on l'a pris pour cible parce qu'il a voulu investir dans le magazine. Ce même magazine qui, dans le passé, a agacé des politiciens puissants et des bureaucrates, ce magazine qui s'en est pris aux privilèges. Et ton triste sort, tes assassins, seront montrés en exemple. Kapoor sahib sera la victime, l'homme persécuté pour avoir défendu une noble cause. L'homme qui a protégé l'intérêt général. Nous survivrons, mon ami, grâce à la sagesse du véreux ! »

Contrairement à nos calculs, malgré l'abjecte défection du trio Chutiya-Nandan-Pandey, malgré nos génuflexions désespérées, Kapoor sahib ne conclut pas l'affaire de manière définitive. Dans le monde d'où il venait – où les spectres construisaient des armes en acier trempé et accumulaient des montagnes d'argent – les hommes connaissaient la vraie nature du pouvoir. Ils savaient que le pouvoir ne naît pas de la distribution gracieuse de paroles rassurantes, mais du terreau de l'incertitude. Le principe consistait à ne jamais laisser quiconque, même ses alliés, même les vers à fric et les nageurs en eaux troubles, se sentir en sécurité. Toujours garder une main sur la poignée qui ouvre la trappe.

Ces hommes du monde savaient que les subtilités morales, les rituels de l'honorabilité, étaient bons pour les faibles. Les êtres doux étaient des êtres craintifs. Ils avaient peur d'être rejetés, de ne pas être aimés, ils avaient peur de la loi, de la désapprobation, de l'isolement, de leur reflet dans le miroir. Ils étaient gentils parce qu'ils avaient peur de n'être pas gentils ; ils étaient gentils dans l'espoir vain que les autres le seraient à leur égard. Kapoor sahib était d'une autre trempe. Il ne craignait pas de n'être pas gentil. Il savait que le principe central de toute chose n'est pas la décence, ni l'éthique, ni l'argent, ni l'amour, ni la religion. C'est le pouvoir. L'acquérir et l'exercer. Il savait qu'il est préférable de maintenir les hommes dans un état de peur permanente pour en faire des êtres inoffensifs. Craintifs. Le chemin menant au pouvoir est plus facile quand il traverse une forêt d'hommes effrayés.

Kapoor et ses semblables travaillaient à l'extension des forêts d'hommes effrayés. Dans d'autres pays : en Afrique, en Asie, en Amérique du Sud, on faisait régner la peur par la violence physique et la mort. Ici, à la grande déception de certains, nous vivions dans un pays libre, plein de belles idées et de lois rétrogrades qui ne permettaient pas de vendre honnêtement quelques armes. Des fusils inflexibles pour garder la nation. Ici, on faisait régner la peur en pesant sur les esprits, en causant des lésions dans les lobes spongieux que les hommes ont entre les oreilles. À gauche, à droite, devant, derrière. On leur faisait croire qu'ils ne vivaient pas dans un pays libre, on les abreuvait d'histoires de violences et d'agressions. Tant et si bien que, une fois seuls, dans le noir argenté, ils avaient l'impression de vivre en Afrique ou en Amérique du Sud ; ils voyaient des ombres rôder autour de leurs maisons, tester les fenêtres, les portes.

Quand on est soi-même une ombre maîtresse, il faut pousser les faibles à redouter toutes les ombres. Ne pas leur envoyer la police, mais les obliger à ne pas quitter des yeux la porte par laquelle la police risque de surgir. Ne pas les poursuivre en justice, mais leur faire sentir l'emprise des tentacules de la loi. Ne pas leur désigner un voyou portant une arme, mais leur faire voir la bosse révélatrice dans le pantalon des passants mal rasés. Mutiler leur esprit. Rétrécir leur cœur. Les priver de certitudes. Sur la liberté ou sur la servitude. La vie, ou la mort. Ne jamais s'engager à investir, ne jamais s'engager à ne pas investir.

C'est ainsi que Kapoor sahib nous tenait en haleine. Il ne concluait pas d'accord avec Chutiya-Nandan-Pandey. Il les asticotait sans cesse en insistant sur l'absurdité de l'offre, les obligeait à ramper pour céder ce qu'ils avaient commencé par vouloir vendre. Dans le même temps, il nous tendit une étroite planche de salut en nous prêtant deux millions cinq cent mille roupies[1], sur quarante-cinq jours, en cinq versements. De quoi nous permettre de clopiner encore quelque temps.

« Je sais que c'est de l'argent perdu, mais je dois bien ça à Bhargavaji ! »

Lors de sa première visite à nos bureaux en Pajero rouge et chapeau à large bord, nous avions discuté avec lui d'égal à égal – l'homme d'affaires rencontre l'homme de mots. Depuis, en l'espace de quelques courtes semaines, nous étions passés au stade où nous attendions devant la porte de son bureau, parfois pendant des heures, qu'il nous accorde une brève entrevue.

Jai était plus désespéré que moi. Il avait fait trop de déclarations outrancières, je crois, pour s'éclipser en silence. Quelque part en chemin, il avait fini par croire à certaines de ses envolées ronflantes ; il pensait que nous devions survivre, que toutes sortes de foutaises qui avaient pour noms démocratie et liberté dépendaient de notre pitoyable histoire.

Parfois, je l'observais, debout devant la fenêtre, la mâchoire serrée et le regard dur, et je me disais : cet imbécile imagine qu'il est dans un film et que tout se terminera bien avant le tomber de rideau. Ensuite, je l'observais dans le vaste bureau de Kapoor sahib, au milieu des meubles en acajou verni, des sofas en cuir souple et des gadgets de golf, souriant d'un air

1. Environ quarante mille euros. *(N.d.T.)*

mielleux et susurrant des mièvreries, s'efforçant de parler clubs et terrains de golf, et je savais qu'il savait qu'il n'était qu'un esclave et que nous finirions par nous comporter comme tels s'il continuait dans ce registre.

En général, je me taisais. Soyons francs, je commençais à me ficher de ce qui allait se passer. Qui allait reprendre le magazine, et même si celui-ci allait survivre ou disparaître. Une chose était claire : il ne ferait pas de nous des hommes riches, et la célébrité qu'il nous avait apportée était assez douteuse, éphémère, et inexplicablement accompagnée d'une loufoque conspiration d'assassinat. La taille des ombres, les 9 mm, les carabines, les talkies-walkies, la voiture d'escorte, tout avait diminué au fil des mois. Même la mère de Dolly-doll ne se ruait plus à la fenêtre quand nous lui rendions visite, et les voisins ne venaient plus frapper à la porte pour discuter des affaires du pays. Ma parentèle avait réintégré les trous d'où elle avait jailli, et les appels téléphoniques des médias en quête de déclarations exclusives s'étaient tus. Les feux de la gloire se braquaient désormais sur les trois dingues qui avaient planté un javelot dans le cul serré du ministre de la Défense. Toutes les ombres, toute la quincaillerie sécuritaire, toutes les mesures de protection étaient focalisées sur eux, et les médias les suivaient comme un nuage de moustiques.

Je n'avais pas de temps à perdre avec les élucubrations de Jai sur le sauvetage de la démocratie. J'avais écrit l'article parce que le sujet m'avait été fourni clef en main, et que j'adorais cet élan vivifiant qui vous saisit lorsque vous déterrez une boue bien riche et que vous l'étalez sur les murs. Quelle puanteur se dégage quand la crasse enfouie des puissants prend l'air ! Du coup, les ordures des hommes ordinaires semblent sentir la rose.

Voici comment la chose se produisit. Mon cousin du ministère de l'Agriculture avait fait passer quelques informations, puis des documents, puis d'autres. Mon cousin était un con mécontent, geignard et querelleur dont la carrière était restée en plan, ce qui n'avait rien de surprenant. Il était dans la situation idéale pour collecter les ordures. L'histoire reposait sur une énorme escroquerie portant sur des subventions et des céréales. Factures fictives, transports fictifs, subventions fictives, pauvres fictifs. Des rivières de céréales avaient coulé sur le papier, sans qu'une seule poignée n'eût changé de mains. Des ministres et des bureaucrates, associés à de gros négociants, avaient extorqué des milliards de roupies au Trésor public.

Cela n'avait rien d'inhabituel et nous le savions. C'était ainsi que le gouvernement et le service public représentaient les pauvres. La mare était remplie de crocodiles, mais seul nous intéressait celui que nous tenions par la queue, et nous voulions le sortir de l'eau pour l'attacher. Nous étions assez stupides pour ignorer que nous avions jeté notre dévolu sur le plus gros, le plus mauvais, le plus vorace de ces salopards : le ministre de l'Agriculture, et qu'il ferait tomber l'ensemble du gouvernement avec lui si les choses tournaient mal.

Dès la parution de l'article, nous fûmes submergés de démentis et de menaces de poursuites en diffamation. C'était la première semaine. Croyant jouer finement, nous avions décidé de sortir l'article en deux temps. Les preuves tangibles, chargées de pulvériser les dénégations, viendraient en deuxième semaine et montreraient sous leur vrai jour les accusés, pitoyables, le derrière merdeux. Avec le recul, notre stratégie n'était guère judicieuse. Il est idiot de laisser un adversaire puissant – dans ce cas, ils étaient plusieurs – sans autre échappatoire que de répondre aveuglément aux coups. Quand le crocodile casse la corde, il n'a d'autre solution que de foncer droit sur vous. Après la parution du second article, les démentis se transformèrent en contre-attaques féroces. Nous agissions sur l'ordre d'autres partis politiques. Nous étions des agents de l'ennemi – le Pakistan. Nous cherchions à déstabiliser le gouvernement, l'Inde, la planète entière.

Les médias répercutaient toutes les accusations lancées contre nous. Ils étaient comme un homme doté d'un tube en guise d'estomac. Tout ce qui entrait dans sa bouche ressortait tel quel par le trou du cul : non transformé, non digéré, non trié, non filtré.

Contrairement aux internautes fous qui s'agrippaient furieusement à leur proie – le ministre de la Défense – à travers des débats épiques, notre vorace crocodile échappa à notre emprise d'un claquement de queue et se retourna contre nous, la gueule grande ouverte. Qui étions-nous, au fond ? Personne n'avait entendu parler de notre magazine. Ni de moi. Pourquoi avais-je écrit cet article ? Sûrement pour de sombres motivations que l'on ne tarderait pas à découvrir. Les menaces de procès se muèrent en menaces sur ma vie. Quelque part, des tueurs à gages commençaient à préparer leur prochain contrat.

Jai s'efforçait de nous maintenir à flot avec ses belles déclarations, mais les paroles ne sont pas des roupies, et nous en étions réduits à nous prosterner devant Kapoor, avec un torchon de vingt-quatre pages, huit collaborateurs, et un trio d'investisseurs floués, rongés par le désir de nous égorger. Peu m'importaient la démocratie, la liberté et les splendeurs de la

Constitution. Je m'inquiétais des dettes que nous avions laissées s'accumuler. Certains des avertissements de Kapoor quant à nos responsabilités légales étaient fondés. Non seulement Jai et moi étions ruinés et endettés, mais nous encourrions des poursuites judiciaires. Partager une cour de prison avec les rois de la petite culotte n'était pas une consolation – même si l'idée de les voir en caleçon Calvin Klein sous le jet de la pompe à main était réjouissante. Frock Raja avait sûrement un slip orné de chiots dalmatiens.

Bref, nous allions chaque jour nous jeter à genoux devant Kapoor sahib. Quand il daignait nous recevoir, il nous faisait un sermon sur la charogne journalistique que nous ramenions en permanence devant sa porte, Jai parlait golf et évoquait les opportunités insoupçonnées des médias, et moi, je restais silencieusement assis dans un coin, imaginant le marchand d'armes dans une posture obscène et grotesque qui m'aidait à me sentir moins abject.

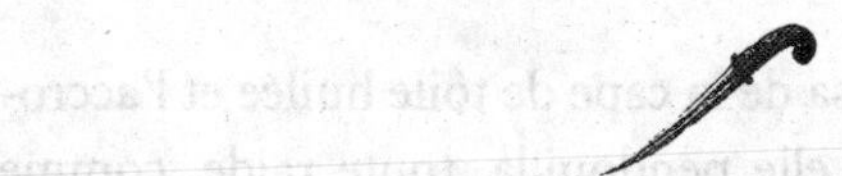

Un soir d'orage, alors que le vent déchirait les branches du pipal, cassait les lignes électriques, et que la pluie se déversait en vagues de plus en plus violentes, la sonnette de la maison tinta. J'étais dans mon bureau – loin de Dolly-doll qui dévorait goulûment un drame familial à la télévision –, et je lisais le passage du *Mahabharata* où Krishna piège les Kauravas avec une illusion de crépuscule, permettant ainsi à son protégé, Arjuna, d'accomplir son terrible vœu et de tuer Jayadratha. Felicia ouvrit la porte, son visage de suie luisant de pluie, et m'annonça : « Huthyam. »

Il me fallut un instant pour comprendre ce qu'elle disait.

Le sous-inspecteur Hathi Ram se tenait sur le seuil de l'entrée, enveloppé dans une cape imperméable de l'armée dégoulinante de pluie. Derrière lui, par la bouche du portail ouvert, j'aperçus une voiture de police Gypsy, ses feux de stationnement clignotant dans l'obscurité délavée, et, à l'intérieur, quatre silhouettes à peine visibles. Mes ombres se tenaient au garde-à-vous à côté du sous-inspecteur. Ils avaient hâtivement enfilé leurs chaussures sans les lacer, et finissaient tant bien que mal de prendre leurs armes et de se reboutonner.

La bouche souriante et le regard sévère, Hathi Ram me dit :

« Dans les films, le méchant flic vient toujours voir le héros un soir comme celui-ci. Le vent mugit, la pluie tombe à verse, il n'y a pas de lumière, tous les djinns et les esprits sont sortis de leurs cachettes, et la sonnette retentit. Ding dong. Le cœur du public cesse de battre. Il sait immédiatement qu'un événement dramatique va se produire. Soit le méchant va connaître le sort qu'il mérite, soit il va tendre au héros un piège tordu qui détruira sa vie. »

Hathi Ram se débarrassa de la cape de toile huilée et l'accrocha derrière la porte, où elle pendouilla, toute raide, comme un cadavre dégoulinant. Ses chaussures de cuir détrempées couinaient. Il suivit mon regard et demanda : « Ça ne vous dérange pas ? »

Ça ne me dérangeait pas. Je le conduisis dans mon bureau, où il s'assit confortablement en face de ma table de travail. Il prit *Le Festin nu,* le caressa tendrement du bout des doigts, et me livra sa première appréciation critique.

« *Le Festin nu*. Nanga khana. Arre, quelle drôle d'idée ! Vous l'avez lu ? »

Je répondis d'un hochement de tête.

Un léger sourire aux lèvres, il ajouta :

« On y parle un peu de la police ?

– De façon détournée seulement.

– Vous croyez que je peux le lire ?

– N'importe qui peut lire n'importe quoi.

– Ça, sahib, ce n'est pas vrai. La plupart d'entre nous sommes condamnés à agir sans réflexion. Comme des insectes. Nous ne savons pas réfléchir, nous ne savons pas lire, nous ne comprenons rien à rien. Nous sommes juste des insectes. Les plus minuscules des insectes. Nous remuons nos membres, nous nous remplissons l'estomac. Jour après jour. Et, un jour, nous mourons. Juste comme ça. Écrasés accidentellement, éjectés d'une pichenette, noyés dans un pot de miel où notre voracité nous a fait tomber, ou bien dévorés par un insecte plus gros. Personne ne nous pleure, personne ne se souvient de nous. Les insectes crèvent en un quart de seconde.

– Ne vous faites d'illusion, Hathi Ram. C'est le cas de tout un chacun. Dans ce monde, nous sommes tous des oiseaux de passage méconnus. »

Il brandit le livre et répondit :

« Allons, sirji. Vous et moi sommes de grandes personnes. Évitons de faire assaut d'amabilité. La vérité est que ceux qui veulent vous tuer sont des insectes, tout comme nous qui sommes chargés de vous protéger. Vous, vous êtes un tueur d'insectes. Vous tuez ceux qui tuent les insectes. Vous faites partie des hommes qui défient le monde, qui le façonnent, qui changent les choses. Si vous êtes un insecte, alors vous en êtes un très grand, très important. »

Je songeai à Dolly-doll qui mouillait devant un feuilleton télé. Aux huit personnes qui travaillaient encore au magazine, et à Sippy qui titubait dans les salles désertées. À Sara et moi, et à nos étreintes ponctuées d'injures en hindi. À Jai et moi nous prosternant devant Kapoor sahib. Aux cinq hommes dans la salle de tribunal, entourés d'une flopée de pingouins.

« Et maintenant, que se passe-t-il dans votre film ? Est-ce que le héros est victime d'un coup tordu qui détruit sa vie ? »

Le sous-inspecteur, riant du bout des lèvres, répondit :

« Ce n'est pas un film, monsieur. C'est la vraie vie. Dans la vraie vie, le héros et le policier sont tous les deux anéantis. C'est pour cela que je suis venu, sous couvert de la pluie et de l'orage. Je ne suis pas ici en tant que Hathi Ram, sous-inspecteur de police, mais en tant qu'ami. Vous savez que nous sommes de simples pions. Nous ne pouvons avancer que pas à pas, et tout droit. Quelqu'un nous pousse en avant, en avant, jusqu'à ce que nous mourions. Au-dessus de nous, il y a les fous et les cavaliers. Eux peuvent se mouvoir de droite à gauche, de haut en bas, sauter par-dessus les autres. On ne sait jamais ce qu'ils vont faire. Je suis venu vous demander de ne faire confiance à personne. Personne. Je sais que vous êtes un homme puissant et que vous avez des amis haut placés, mais écoutez le conseil d'un simple flic. Ne vous fiez à personne. Les apparences sont toujours trompeuses. »

Ne faire confiance à personne ! Mais je ne connaissais personne ! L'homme le moins puissant de mon entourage était Sippy, et le plus puissant Kapoor sahib. Entre les deux, il y avait Jai. Et, bien sûr, Sara, une force de la nature, qui échappait à toute catégorisation.

Le vent hurlait dans une plainte quasi continue et lavait ma fenêtre à grandes eaux ; les stores de bambou se débattaient. Dehors, dans l'alcôve proche de l'entrée, se tenaient les ombres, chargées de me protéger contre nul ne savait quoi.

« Qui sont ces cinq hommes, inspecteur ? Avez-vous découvert quelque chose sur eux ? »

Juste à ce moment, les lumières s'éteignirent.

« Votre question nous a plongés dans le noir. »

Je ne me rappelais pas avoir connu une obscurité aussi totale. La nuit, une lueur filtrait toujours des fenêtres. L'orage avait escamoté le ciel, et la coupure de courant avait avalé les réverbères. Soudain, il y eut un grattement et le visage du policier apparut dans le halo d'une allumette. Dans cette lumière faiblarde, qui laissait dans les ténèbres tout le reste de son corps, il avait vraiment l'air d'un vieil homme. Ses yeux étaient cernés, ses joues commençaient à s'affaisser sous les mâchoires, la peau de son cou était détendue. Ses yeux, plutôt que durs et fixes, semblaient las et immobiles.

« Felicia ! » Presque aussitôt, répondant à mon appel, la porte s'ouvrit et Felicia entra avec une grosse bougie rouge, épaisse comme une bouteille de Coca. La flamme faisait luire sa peau de suie moite. Derrière elle, se profilait Madame, la claire et ravissante Dolly-doll, blanc fantôme inepte, naufragée de la télévision. Comme je ne disais rien, elle s'éloigna, flottant sans bruit comme flottent les fantômes, après un namasté de pure forme. À présent, elle allait se rabattre sur le téléphone pour papoter pendant des heures avec sa mère. Je n'ai jamais compris de quoi elles pouvaient bien parler.

« Très jolie, commenta le sous-inspecteur.

– Alors, ces hommes ? Ils vous ont appris quelque chose ? »

Il sortit un paquet de cigarettes de sa poche de pantalon.

« Vous permettez ? »

Je lui trouvai un cendrier en pierre verte.

« Je fume moins d'une cigarette par mois. J'ai acheté ce paquet l'année dernière. Regardez dans quel état il est. Je fume seulement quand le stress est trop fort. Ce temps… ce temps me rend nerveux. »

Il tira sur sa cigarette d'un geste théâtral, et toussa de façon exagérée. Il n'avait pas l'air nerveux, seulement vieux. Combien de types comme moi avait-il rencontrés au cours de sa longue carrière ? Il avait l'air de me prendre pour un chiot sorti du chenil qui vient de déterrer par hasard un os énorme.

« Je ne devrais pas vous dire ça, monsieur, mais j'ai cru bon de le faire. Mardi, quand je me suis réveillé pour aller au mandir, j'ai eu une vision. J'ai vu Hanuman. Il portait sa massue sur l'épaule, et il était si grand que je ne lui arrivais même pas aux chevilles. Ses muscles étaient énormes, comme des montagnes, sa queue transperçait le ciel. Mais il souriait, et ses yeux brillaient de compassion et d'amour. D'une voix tonnante comme un million de mégaphones, bien que parlant avec douceur, il m'a dit : "Hathi Ram, mon fils, tu fais peut-être partie d'une police infâme et corrompue, mais cette semaine tu vas jurer de faire le bien et de dire la vérité, surtout si tu rencontres un de mes dévots." Bouleversé, je me suis accroché à ses chevilles, et soudain il est devenu aussi petit que moi. Et avant même que je m'en rende compte, il m'avait béni avec sa main droite et disparu. Ce jour-là, j'ai acheté un sari à ma femme, et j'ai envoyé deux mandats de mille roupies chacun à ma mère malade et à ma fille. J'ai acheté des bundis que j'ai distribués à mes voisins. Au temple, j'ai donné dix roupies à chaque infirme. Et puis, aujourd'hui, au bureau, quand sont arrivés les ordres de réexamen de votre sécurité, j'ai tout de suite compris pourquoi Hanuman m'était apparu. Dites-moi, sirji, êtes-vous un dévot de Hanuman ? »

J'acquiesçai. Il y avait probablement une douzaine de notes dans le registre de mes ombres rapportant mes excursions nocturnes du mardi.

Le visage du sous-inspecteur était perdu dans l'obscurité. La bougie ne diffusait qu'une petite flaque de lumière sur la table. De sa voix neutre, il poursuivit :

« Je le savais. Il y avait forcément une raison. Rien dans ce monde n'arrive sans raison. Le problème est que la plupart d'entre nous ne parviennent jamais à trouver les raisons. Ou alors trop tard.

– Qu'est-ce que Hanuman vous a chargé de me dire ?

– De ne vous fier à personne. Que les choses ne sont jamais ce qu'elles paraissent être.

– Que vous ont appris les cinq hommes ?

– Je ne sais pas. Personne ne le sait. Ils disent une chose aux enquêteurs, une autre aux journalistes, et encore une autre aux juges. Il se peut que rien ne soit vrai.

– Qu'en dit la police ? »

Derrière la petite flaque de lumière tremblotante, il répondit :

« C'est encore moins fiable. La police dit ce qu'on souhaite l'entendre dire. Les flics ne livrent jamais une pensée personnelle. »

À cet instant, l'apparition soudaine et silencieuse de Felicia, surgie des ténèbres, nous fit sursauter.

« Vous devriez lui mettre des phares », remarqua Hathi Ram.

Elle nous tendit des tasses de thé et posa une assiette de biscuits fourrés sur la table. Le policier remit *Le Festin nu* à sa place, écrasa sa cigarette, et prit un biscuit qu'il ouvrit en deux.

« Vous êtes certain qu'ils voulaient vraiment me tuer ? insistai-je.

– Je l'espère, répondit le sous-inspecteur en humant la crème du biscuit. Pardon, ce n'est pas ce que je voulais dire. Je voulais dire : j'espère qu'ils ne sont pas innocents.

– De qui dois-je me défier, selon vous ?

– De tout le monde. Ne croyez rien de ce qu'on vous raconte. N'allez nulle part sans protection. Évitez les lieux publics. Changez vos itinéraires. Ne prenez jamais la même route tous les jours. »

Je songeai à Sara. Les salauds regardaient probablement par le trou de la serrure.

« C'est tout ce que vous êtes venu me dire, Hathi Ramji ?

– J'ai suivi la recommandation de Hanuman. Mais je voulais aussi vous prévenir que votre sécurité va être réduite. Ils retirent la voiture d'escorte et les sentinelles.

– Tant mieux.

– C'est à voir. »

Tout à coup, des profondeurs de la maison, nous parvint la voix de Dolly-doll chantant une chanson débile d'un film récent. Elle tentait désespérément d'élargir le registre de sa voix atonale. C'était exécrable. Pourquoi n'était-elle pas au téléphone avec son idiote de mère ?

« Votre épouse ? dit Hathi Ram. Jolie voix.

– Felicia ! »

Dans la seconde, la bonne jaillit de nouveau de l'obscurité.

Je la regardai en ouvrant et fermant les doigts de ma main droite dans un signe éloquent, puis je pointai le pouce en direction de la chambre à coucher. Elle disparut en un clin d'œil.

Une porte claqua rageusement. Le chant se tut.

« S'il y a moins de risques, pourquoi devrais-je me montrer plus prudent, inspecteur ?

– Je n'ai pas dit qu'il y avait moins de risques. J'ai dit qu'ils avaient ordonné une baisse du niveau de sécurité. Il faut donc redoubler de prudence.

– Que savez-vous sur ces hommes que vous ne me dites pas ?

– Je ne sais même pas s'ils sont ce qu'ils sont. Votre amie le sait peut-être. Celle qui passe son temps chez les avocats et à la prison. Une jolie fille. Intelligente. Très intelligente. Elle aussi, elle devrait être prudente. C'est une sale ville. Si j'avais le choix, je ne vivrais pas ici. En surface, tout est doré, mais le cœur est noir. Ici, chaque agneau est un loup, chaque fleur une bombe. À votre place, je n'emprunterais jamais la route forestière de Vasant Kunj de nuit. Il y a trop de virages, et on ne sait jamais qui arrive en face. »

J'avais la gorge serrée et de la glace dans la poitrine.

Hathi Ram claqua les deux moitiés de biscuit et ajouta :

« L'un des accusés ressemble à un maître de kung-fu. Il est également capable de faire sortir un serpent du trou le plus profond. »

Le lendemain soir, en me rendant au club de sport de Saket pour faire mon jogging, je me surpris à emprunter la longue route qui passe par le pont autoroutier. Au feu rouge, j'observai attentivement les véhicules en stationnement. Il y avait une grosse femme et un enfant à l'arrière d'une Honda City. Je leur lançai un regard si dur que la femme détourna la tête de l'enfant. Mon ombre assise sur la banquette arrière somnolait, et celle assise près de moi essayait de comprendre le fonctionnement de son nouveau téléphone portable. L'appareil était bleu fluo, avec un clavier étincelant. Si on me tuait, il pourrait appeler la morgue en un rien de temps, avant de réveiller son collègue.

Le soir tombait quand je commençai à courir. Les joueurs de cricket remballaient leur équipement dans deux gros sacs. Seule une poignée de très jeunes gens jouaient encore avec acharnement. Un sikh au visage lisse et au sautillement de danseur paraissait bien décidé à expédier deux balles vrillées dans le jour déclinant. Chaque fois, il percuta la balle avec le centre nerveux de sa batte, et le son voluptueux interrompit les croassements et les piaillements des oiseaux perchés pour la nuit sur les arbres en bordure de la piste de jogging. Dans un autre pays, ce garçon aurait été remarqué et voué à la gloire. Mais l'Inde regorgeait de joueurs de cricket passionnés et talentueux. Pour dépasser le stade de l'université et du club, il fallait de la chance, de l'argent, des parrains, et un jeu de jambes habile qui n'avait rien à voir avec le cricket. Comme le soulignait Hathi Ram, en Inde, les choses ne sont jamais ce qu'elles paraissent. Pendant que je courais, et que la lumière du jour faiblissait, les jeunes gens commencèrent à leur tour à ranger leurs affaires, et une peur subite, inexplicable, me saisit.

Dans le manège équestre, le palefrenier emmenait les derniers chevaux qui renâclaient de soulagement. Les glapissements des enfants de riches, conduits ici par leurs mères au teint clair lourdement maquillées ou par des domestiques fatigués à la peau sombre pour jouer à dada, s'étaient enfin tus. À mon quatrième tour, seul planait encore l'odeur aigre des animaux, et il ne restait plus sur le terrain que l'irréelle nasse béante du filet de cricket. La lune était assez grosse pour jeter sur les arbres une lumière argentée, qui rendait mouvants les troncs et le feuillage. En courant, je regardais autour de moi, me tordant la tête pour voir si quelqu'un me suivait. Le mur qui bordait le fossé était facile à escalader. Il suffisait de se laisser tomber d'une branche, de presser la détente une fois, deux fois, vingt fois, puis de saisir la branche, sauter de nouveau le mur, courir furtivement le long du fossé dans les broussailles et les joncs, puis remonter sur la route, rejoindre rapidement le multiplex animé, entrer dans une salle avec un Coca et un gobelet de pop-corn géant.

Les ombres étaient assises près du terrain de basket éclairé par des projecteurs. Je leur demandais toujours de m'attendre à cet endroit. Les parties de basket trépidantes qui se déroulaient sur les demi-terrains se terminaient régulièrement par des disputes. Les jeunes ne manquaient sans doute aucun des matchs de NBA sur la télévision câblée ; ils portaient des chaussures Nike, des shorts larges et des maillots longs et brillants. Ils effectuaient des passes rapides, jouaient agressivement des coudes, s'insultaient. Certains étaient accompagnés de filles mûres et malicieuses, assises au bord du terrain. Plus tard, ils se regroupaient dans un coin et partageaient des cigarettes. Certains me connaissaient et m'appelaient « oncle ». Je brûlais d'envie de claquer leurs visages suffisants. Pour ces adolescents, l'Inde était un immense parc de loisirs, bâti par des types sérieux qui avaient viré quelques hommes blancs. Ils auraient eu besoin d'un cours intensif sur le Vedanta et d'un passage dans l'armée. Trois mois au Siachen, trois mois à Imphal. Ça leur aurait donné une autre perspective sur le cavalier solitaire qui s'éloigne dans le crépuscule.

Je regrettais de n'avoir pas demandé aux ombres de m'accompagner au centre du terrain où, accolés dos à dos, leur artillerie en main, ils auraient pu me suivre des yeux le long de la piste.

Je courais de plus en plus vite. Pour finir dans un galop affolé.

Hanuman s'était adressé à Hathi Ram.

Et il y avait un maître de kung-fu qui, par sa musique, faisait jaillir des serpents de trous profonds.

Le moment était venu de passer un coup de téléphone à Guruji. Et d'écouter les révélations de Sara.

Livre 6

Kaliya & Chini

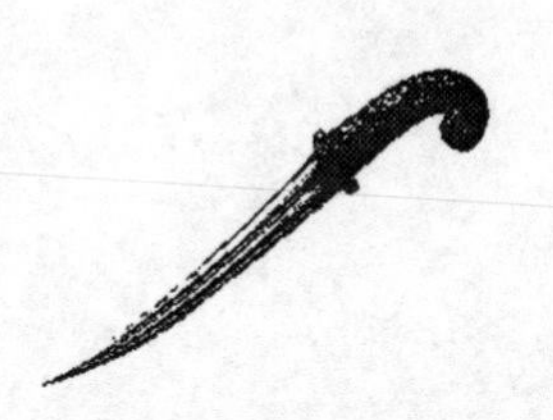

La solution du bonheur

Quand les délicieuses vapeurs emplissaient leur être, chacun entendait des choses différentes.

Kaliya entendait le gémissement fascinant du pungi appelant tous les serpents alentour à apparaître et danser sur sa mélodie.

Chotu entendait la berceuse chantée par sa mère lorsqu'elle lui appliquait doucement la pommade de curcuma sur les balafres laissées par le ceinturon de son père policier.

Makhi Khan entendait l'appel à la prière rassurant du mollah de la mosquée voisine, avant le début des émeutes.

Tarjan entendait les chants bhojpuri entêtants que son père fredonnait en battant un rythme lent sur une boîte vide de beurre clarifié devant leur hutte.

Gudiya entendait le tintement des cloches accrochées au cou flasque de leur vache au regard triste.

Chini entendait la musique douce de la pluie sur un toit de chaume, au milieu d'arbres verts délavés, au bout d'un monde qu'il ne retrouverait jamais.

Et Dacca, Dacca le macho, poigne d'acier et bottes militaires à bout renforcé, entendait les paroles moqueuses de Gabbar Singh : Avoir peur, c'est être mort.

C'était le cadeau divin de la solution. Offrir ce qui vous manquait le plus. Les garçons savaient que le monde qui grouillait dehors – un monde de pantalons et de chemises propres, de maisons et de voitures, de magasins étincelants remplis de femmes parfumées, de cinémas climatisés avec des écrans plus grands que les murs, de restaurants où des serveurs en uniforme vous apportaient des plats chauds et enivrants, un monde où les policiers étaient plus petits que les politiciens, où les enfants étaient obligés de boire de grands verres de lait immaculé et gazouillaient gaiement toute la journée dans des écoles –, ils savaient que ce monde-là n'avait pas encore découvert les véritables vertus de la solution.

Là-bas, disait-on, la solution s'appelait correcteur ou Tipp-Ex et servait à d'autres usages. Des usages prosaïques : effacer, corriger, supprimer ce qui a été écrit sur un papier, blanchir ses fautes, tuer l'erreur. Les garçons, eux, n'avaient pas de papier, rien à écrire, rien avec quoi écrire. Même s'ils avaient réuni ces trois conditions, leurs doigts ne savaient pas former la profonde certitude du mot écrit.

Cependant, ils connaissaient le secret, la vérité de la solution. Elle était faite pour blanchir et effacer. Pour nettoyer les taches sombres dans l'esprit. Pour recouvrir la souffrance de la mémoire, corriger la douleur lancinante de l'émotion. Elle ne servait pas seulement à effacer le papier, mais le monde entier. Tout. Le bruit, la puanteur, le fer, l'urine, la merde, les policiers, la nourriture rance, les haillons, les croûtes, les déchets, les déchets, les déchets. Tout. Tout sauf le bruit de la pluie sur un toit de chaume. Sauf les pentes vertes et tendres des montagnes. Sauf les héroïnes aux yeux brillant de gentillesse, à la bouche pleine de promesses, à la peau irradiant une lumière divine.

Salushan Baba, le vieil homme qui venait chaque soir dans le no man's land derrière le quai six et apportait la potion magique, ne prononçait jamais un mot. Pas de boniment, pas d'intimidation, pas de bavardage. Vendre de l'eau dans le désert ne nécessite pas de réclame. Ses cheveux épars, qui laissaient entrevoir le crâne, étaient tirés en arrière en un nœud serré, mais sa barbe coulait comme une fontaine sur sa poitrine en trois nuances de gris : foncé comme les rails, plus clair comme le gravier, blanc sale comme le papier journal. Sa barbe faisait visiblement sa fierté ; elle était lavée, huilée, luisante. Le baba la caressait lentement de sa main gauche, un beedie dans la droite, tandis que sa jeune clientèle attroupée autour de lui tendait des pièces de monnaie et des billets salis en échange de deux flacons. Deux chacun.

Les garçons piochaient la marchandise dans son sac de toile grand ouvert et déposaient l'argent à ses pieds. D'un coup d'œil, il vérifiait la somme remise, et quand elle était insuffisante, il captait le regard du fautif et enregistrait sa dette. Personne ne truandait le baba. C'était une transaction sur la vie. On ne marchande pas à la porte des soins intensifs. Si l'on espérait revenir chaque jour devant celui qui dispensait la vie, il fallait être réglo et payer son dû.

La première fois que Chini, abasourdi, effrayé, avait été conduit au bout du quai six devant le vieil homme accroupi, celui-ci l'avait examiné tout en lissant sa barbe grise, puis il avait levé les yeux sur Dacca. Le garçon sec et nerveux, noir de peau, aux biceps ronds comme des balles de cricket, avait placé ses index sur l'extérieur de ses paupières pour les étirer, formant deux fentes. Chini. Un Chinois. « Il est arrivé par l'express de Guwahati, il y a quelques jours. »

Le baba avait posé sa main rugueuse sur la joue lisse de l'enfant, puis il avait tracé les yeux bridés, le nez épaté et la bouche fine du bout des doigts. Son regard était ferme mais bienveillant. La panique du petit Chini avait reflué. De sa voix rauque, le baba dit :

« La Chine. C'est très loin. Il y pleut tout le temps ? »

Dacca hocha la tête.

« Est-ce que là-bas le cobra royal est plus long qu'un train ?

– Oui, répondit Dacca, les mains sur les hanches. Et il peut tuer un homme en dix minutes.

– Il existe là-bas un énorme animal appelé rhinocéros. Peut-il stopper un train lancé à grande vitesse ?

– Oui. Et si on tire sur lui, les balles rebondissent et vous tuent.

– Est-ce que, là-bas, les hommes mangent les hommes ?

– Et ils collectionnent leurs têtes comme des jouets. »

Le baba avait plongé la main dans son sac ouvert pour en sortir deux fioles qu'il mit dans les paumes du petit garçon.

« Quand ta maison te manquera trop cruellement, respire ceci. Ça te ramènera chez toi. Demande à Dacca. Dis-nous, Dacca, combien de fois retournes-tu dans ton Bangladesh ? »

Dacca, toujours debout, jambes écartées dans son jean étroit maculé de crasse, avait répondu :

« Chaque jour. Parfois, plus d'une fois par jour. »

Le baba avait pris la petite main de Chini et l'avait posée sur sa longue barbe.

« Vas-y, caresse-la. C'est doux, non ? »

Ça l'était. La barbe était lisse et soyeuse. Et tandis que le petit garçon plongeait ses doigts dans les poils rassurants, le baba ajouta :

« Si tu n'as pas envie de rentrer chez toi, tu peux rendre visite aux dieux. Aller voir lord Krishna sur le mont Kailash et lui demander ce que tu veux. Mais n'oublie pas de lui dire que le baba est son plus fervent dévot ! »

Ce jour-là, outre la potion magique, le baba donna à Chini un billet de dix roupies plié avec soin.

« À la première visite, c'est gratuit. Mais ensuite, quand tu reviendras chercher les bienfaits de baba, tu devras lui apporter tes offrandes. Après tout, le baba est vieux et vous êtes tous très jeunes. »

La rencontre avec baba fut l'un des souvenirs les plus nets que Chini garda de ses premières semaines à Delhi. Le reste se fondit en un brouillard de larmes et d'angoisses. Dans le train, il n'avait pas pleuré car ses compagnons de voyage l'avaient gentiment nourri de puris et de thé, et il avait joué avec leurs enfants. Puis, d'un coup, les familles avaient ramassé leurs malles et leurs balluchons, et dans un spasme brutal, le grand train qui pendant trois jours avait été un foyer chaleureux et vivant s'était totalement vidé. Alors Chini avait éclaté en sanglots. Tout autour de lui gisaient des débris silencieux. Sachets de thé éventrés, assiettes faites de feuilles cousues et serviettes râpeuses, emballages de biscuits et d'amuse-gueule, pages de journaux écrits en différentes langues, bouteilles en plastique, reliefs de nourriture – chapattis, pain, riz, légumes, peaux de bananes, trognons de pommes, fragments de canne à sucre mâchée. Par contraste, derrière la fenêtre obstruée de barreaux de fer, régnait un chaos limpide. Une multitude de voyageurs s'écoulait en braillant. Le petit garçon voyait d'un coup plus de gens qu'il n'en avait vu de toute sa vie ; plus qu'il n'en imaginait vivant sur terre.

Il aperçut le militaire qui, le premier, l'avait pris sous son aile en lui offrant un coin de sa couchette et de sa couverture, et une petite banane jaune. Son geste avait incité les autres à se montrer généreux. Rasé de près, avec une fine moustache, il portait un grand sac sur son épaule droite et une malle en fer noir. Le petit garçon cria : « Oncle ! Oncle ! », mais sa voix était fluette, le vacarme assourdissant, et le militaire s'éloigna, avalé par la foule immense en quelques secondes. Il chercha désespérément d'autres visages familiers. La grosse dame en sari qui l'avait gavé de puris, le vieil homme qui l'avait questionné sur sa famille, la jeune fille qui lui avait pincé les joues. Mais dans la masse grouillante, il n'en reconnut aucun.

La terreur l'envahit quand, pour la seconde fois en une quinzaine de minutes, la multitude de voyageurs disparut, comme absorbée par une gigantesque canalisation. Alors qu'il regardait à travers les barreaux de la fenêtre, la foule hurlante, avec enfants et bagages, fut littéralement balayée de sa vue. D'un bout à l'autre du vaste espace cimenté, ne restèrent plus que quelques silhouettes immobiles, figées derrière des carrioles et des kiosques de boissons et de nourriture. Mais, un peu plus loin, il aperçut une voie ferrée et un autre quai bondé, puis, plus loin encore, un autre train. Et lorsque celui-ci s'ébranla soudain, il vit d'autres rails et un autre quai, lui aussi envahi de voyageurs. La gare semblait saturée de quais, de trains, de foules innombrables en mouvement perpétuel.

Serrant ses genoux contre lui, l'enfant ferma les yeux et pleura. À travers ses sanglots, il appelait son oncle qui, trois jours plus tôt, l'avait assis dans le compartiment et laissé seul le temps de descendre chercher à manger. Il était persuadé que, s'il pleurait assez longtemps, son oncle cesserait ce vilain jeu et reviendrait, désolé d'avoir causé tant de tourments à son neveu. Bientôt, comme il s'y attendait, il entendit des pas. Il garda les yeux fermés jusqu'au dernier moment pour bien montrer son chagrin et obliger son oncle à se sentir coupable. Mais quand il rouvrit ses yeux baignés de larmes, le visage qui lui apparut était si noir, si effrayant, et si proche du sien, qu'il poussa un cri et recula d'un bond.

Kaliya et ses amis étaient habitués à ce genre de réaction. Un de leurs passe-temps favoris consistait à terrifier les enfants de riches au teint clair dans les compartiments de première classe, et à les regarder hurler. Leurs grimaces, dents découvertes et yeux exorbités, les rendaient plus horribles qu'ils ne l'étaient déjà. À une époque, Kaliya eut pendant plusieurs semaines un serpent domukhi, un boa des sables inoffensif, qu'il cachait à l'intérieur de sa chemise déchirée, semant la panique dans les compartiments et sur le quai. Parfois, les passagers terrifiés s'enfuyaient, abandonnant derrière eux nourriture et boissons, que les garçons s'empressaient de ramasser. Jamais ils ne s'étaient autant amusés ; ils riaient tellement qu'ils en avaient des points de côté. Une fois, Kaliya laissa le reptile somnolent sortir de son short alors qu'il mendiait quelques roupies, accroupi sur le sol. La dame en salwar kamiz et boucles d'oreilles en or qui, un instant plus tôt, l'avait toisé d'un regard dédaigneux, entra dans une fureur telle qu'une foule s'attroupa et les garçons durent déguerpir en vitesse. Le soir même, Makhi Khan – si clair de peau, si joli, sans la moindre ombre de duvet sur la lèvre à onze ans passés – fit une imitation de la femme, mouvements de pelvis à l'appui, qui déchaîna l'hilarité de ses camarades.

Ce fut donc Kaliya – noir comme la nuit, la peau luisante comme du verre, un clou étincelant dans l'oreille gauche – qui ramena l'enfant en larmes à leur chef. Kaliya, Chotu, Makhi Khan, Gudiya, Tarjan, tous entourèrent Dacca tandis que, accroupi à l'entrée de leur domaine, tirant sur une cigarette sans filtre, il examinait et évaluait le nouveau venu d'un lent regard scrutateur.

Autour du cou maigre de Dacca pendait tout un assortiment de perles et de breloques – un morceau d'ivoire en forme de griffe, un rudraksha mala, une chaîne en argent, deux colliers de graines colorées. Tous étaient de longueurs différentes et remplissaient le large V ouvert de sa chemise à grand col. Aux poignets, il portait des manchettes semblables à celles des joueurs de tennis et de basket, dont il ne cessait d'arracher et recoller le Velcro machinalement. En haut du bras gauche, sous sa chemisette, on apercevait un tabeez en aluminium sur un cordon noir serré. Un léger duvet recouvrait sa peau, plus sombre encore que celle de Kaliya, et il était difficile de lui donner un âge, entre seize et vingt-six ans. Le corps était mince mais musclé, le regard lourd d'expérience. Il portait un jean étroit sur ses jambes maigres ; quand il s'accroupissait, le bas se retroussait sur ses chevilles et révélait des bottes en cuir noir à bout ferré. Le jean bleu était crasseux, comme la chemise, mais les bottes militaires éclatantes. Laver ses vêtements était compliqué, se faire cirer les bottes tous les jours par des gamins était facile.

L'enfant pleurnichard descendu du train n'avait plus de larmes, mais sa peur s'intensifia quand il vit l'homme-enfant accroupi qui l'examinait d'un œil menaçant. Il remarqua qu'aucun des garçons qui l'avaient conduit jusqu'à lui ne disait un mot. Où donc avait disparu son oncle ? Son oncle qui l'aimait tant ? Son oncle qui lui avait promis de toujours veiller sur lui. Peut-être ce jeune homme était-il au courant ?

L'homme-enfant brûla sa cigarette et, levant la pointe de son pied droit, plaça le mégot dessous et l'écrasa avec soin. Puis, d'une voix moqueuse, il demanda : « Qui l'a trouvé ? » Kaliya leva la main. « Qui vas-tu nous ramener, la prochaine fois, chutiya ? Un hushbi d'Afrique ? »

Tous ricanèrent, y compris Kaliya.

Dévisageant le jeune garçon, le chef reprit :

« Tu connais ton nom, petit ? »

Les yeux bridés de l'enfant s'embuèrent de larmes. Alors Kaliya se pencha vers lui et, s'accompagnant de gestes, demanda : « Naam ? Nom ? Moi, Kaliya. Kaliya le serpent. Et toi ? »

D'une voix à peine audible, l'enfant marmonna : « Lhungdim. »

« Aladin ! » se moqua le chef. Puis, se tournant vers Kaliya, il cracha : « Je suppose que les quarante voleurs ne vont pas tarder ! »

Tous pouffèrent de rire.

L'enfant répéta d'une voix douce : « Lhungdim. »

Le chef se leva, étira ses membres, claqua les talons. Puis, tendant les deux mains, il suivit du bout des doigts les yeux bridés du jeune garçon, son nez épaté et sa bouche mince.

« Écoute, Aladin. À partir d'aujourd'hui, tu t'appelleras Chini. Compris ? Chini. Parce que c'est que tu es. Un Chinois. Kaliya va te conduire à la salle d'attente et te montrer dans un miroir à quoi tu ressembles. Tu verras qui tu es, Chini. Un Chinois. Comme Kaliya est un kallu. Un Noir. T'appeler Aladin ne fait pas de toi un cheik arabe. Le monde est plein de chutiyas qui se donnent de grands noms en imaginant que ça les grandira. Ils n'ont pas compris que nous sommes seulement ce que sont notre peau et notre gueule ! »

Le petit garçon avait la gorge serrée par une énorme boule. Rejetant sa tête en arrière, le chef regarda Kaliya, à sa gauche, et lança :

« Arre, Kaliya ! Comment je m'appelle ?

– Dacca, chef.

– Dacca ! Tu as entendu, Chini ? Je m'appelle Dacca parce que mon maaderchod de père a engrossé ma mère à Dacca. Ensuite, il nous a jetés, elle et moi, dans ce pays ! Je vis en Inde depuis douze ans, pourtant je suis resté Dacca ! Pas Paharganj, pas Delhi, pas India, mais Dacca ! C'est notre peau, notre visage, qui font ce que nous sommes. Rien ne peut les changer. Ni le nom ni l'adresse. Alors oublie Aladin et sa lampe magique. Tu es Chini ! Tu es né chinois et tu resteras chinois. Réfléchis un peu. Moi, je viens du trou du cul de ce chutiya de pays. Toi, au moins, tu viens de plus haut. »

Le petit garçon le regarda de ses yeux terrifiés, sans rien comprendre.

« Quoi ? reprit le chef. Tu ne comprends pas un mot de hindi ? Bien sûr que non ! Tu es un behanchod de chinetoque ! Mais ne t'inquiète pas, tu apprendras vite notre langue. Nous t'enseignerons des tas de choses que personne en Chine ne connaît. Tout ira bien, petit, arrête de pleurer. Et remercie tes dieux de venir de Chine et pas de Londres, sinon, on t'aurait appelé Lund, et là, tu aurais compris ton malheur ! »

Tous éclatèrent de rire, et Kaliya, empoignant son entrejambe, se mit à fredonner : « Naam nahin to kaam nahin. Lund nahim to thund nahin. »

Le je est le jeu. La bite, le pique-nique.

Pendant plusieurs mois, Dacca ne posa pas un doigt sur le petit garçon. Ses troupes avaient pour instruction de le dresser, tout en assouvissant ses désirs, et de lui apprendre suffisamment de hindi pour lui permettre de travailler dans les trains. D'expérience, Dacca savait que les nouveaux arrivants avaient besoin de temps pour s'extraire de l'abîme dans lequel leur esprit et leurs souvenirs étaient plongés. Aveugles à l'intérieur du trou noir de leur chagrin, ils n'étaient pas en mesure de comprendre même leur intérêt propre. Une fois qu'ils parvenaient à en émerger, à voir de nouveau la lumière du jour, à sentir l'air, à goûter le plaisir et le rire, alors ils devenaient des animaux aptes au dressage, capables de calculer les équations du profit et de la perte, de la récompense et de la punition, de devenir membres à part entière de la tribu et de faire ce qu'il fallait faire, à qui il fallait le faire, de la manière qu'il convenait de le faire.

Dacca pensait que le jeune Chini, malgré son ignorance de la langue et sa peau claire, ne mettrait pas longtemps à atteindre le point de l'équilibre existentiel où il n'y a plus ni avenir ni passé, juste l'instant et le jour, l'effort immédiat et la récompense immédiate. Au cours des premières semaines, la seule intervention de Dacca fut d'emmener le jeune garçon dans le no man's land derrière le quai six pour lui présenter le baba dont la solution, chaque soir, écrasait l'avenir et le passé en un présent magique. Pour Dacca, la jeunesse de Chini, qui ne paraissait pas avoir plus de six ou sept ans, était un élément crucial. Car moins la mémoire emmagasinait, plus vite le jeune animal apprenait à célébrer les vertus de l'immédiateté.

Sa seule crainte était qu'on le leur enlève. Un objet rare et délicat avait été déposé sur le pas de sa porte, et Dacca ne tenait pas à livrer une guerre pour le conserver. Les ordres étaient clairs. Ne jamais laisser Chini seul. Jamais. Ni pendant qu'il mangeait, ni pendant qu'il chiait, ni pendant qu'il dormait. Ne pas le mettre au travail tout de suite. Sécher ses larmes le plus tôt possible et lui faire retrouver son sourire. Le tenir hors de vue du gang des Bihari, qui tenait les voies de garage. Quant à la dame de l'hospice, qui cherchait à rassembler les enfants égarés, pas un mot ne devait arriver à ses oreilles sur la jolie fleur qui venait d'éclore sur le tas d'ordures. Le surveillant de Chini serait Kaliya, qui l'avait découvert et qui saurait s'occuper de lui. Kaliya devrait le protéger, le dorloter, lui donner les meilleurs morceaux, la bouteille de Coca-Cola et à l'occasion, le meilleur lit.

Kaliya était un combinard et un bagarreur, tout désigné pour la tâche. À l'image des serpents que ses ancêtres avaient dressés pendant des générations, il savait se défiler et il savait attaquer. Son premier souvenir conscient, qui remontait à ses trois ans, était le contact d'un serpent à rats glissant entre ses doigts. C'était une coutume chez les siens que de laisser les reptiles inoffensifs circuler dans les huttes et les tentes, au milieu des vêtements et des lits, des casseroles et des assiettes, des filles et des fils. En hiver, certains dormaient avec leurs serpents sous les édredons. Le corps ferme de l'animal était aussi rassurant que la main d'une mère. Les plus dangereux étaient tenus à l'écart, dans des paniers d'osier dont le couvercle était légèrement maintenu en place.

Avant même d'apprendre à marcher, Kaliya sut que dans ces paniers dormait la plus grande divinité régnant sur leurs vies : le serpent noir au col évasé, dont l'oscillation hypnotique nourrissait son peuple et ses errances. Le monde était plein de serpents, mais seul l'un d'entre eux était un dieu, un seul possédait à la fois la beauté, la grâce, le rythme et le venin. Aucun tour d'arnaqueur itinérant, aucune illusion de prestidigitateur, aucune contorsion d'acrobate ne pouvait rivaliser avec la magie du serpent favori du dieu Shiva quand il se dresse pour prendre sa pose d'attaque et commence à osciller lentement, avec sa tête qui s'évase et sa langue fourchue qui darde. Rien dans la nature, paysage, orage, tonnerre, déluge, tempête, grêle, inondation, ouragan, ne pouvait jeter à ce point la stupeur dans le cœur ni enflammer l'imagination comme la danse du tueur divin. Aimé des dieux, redouté des hommes, pendant plus de mille ans le danseur noir avait permis à son peuple nomade de vivre, accompagnant ses voyages dans ses paniers d'osier, recueillant pour lui sa pitance, lui prêtant son aura redoutable et céleste. Chaque hutte du clan possédait son incarnation de la divinité, chaque famille la traitait avec précaution et révérence. Car le dieu donnait, mais il pouvait aussi prendre.

Naag. Cobra. Son nom seul figeait le cœur et embrasait l'esprit.

Kaliya savait que son propre nom était une évocation du pouvoir et de la magie du serpent noir. En hiver, le panier de celui-ci reposait sous l'édredon en patchwork de ses parents, et il voyageait avec son père et ses oncles. Il y avait d'autres tueurs lovés dans des paniers, notamment le jalebia, un vrai diable à ressort, qui frappait d'un mouvement fulgurant, ses glandes à venin chargées de mort, mais aucun n'avait la majesté ni le mythe du cobra. Sur la route, les autres reptiles servaient de préambule avant que le pungi entame sa mélopée et que débute le spectacle du seigneur noir.

Dans un coin éloigné, souvent au soleil, reposait le pesant python assoupi. Celui-ci était une mauvaise affaire : le porter vous brisait les reins, il ne savait pas faire le moindre tour, son appétit pour les poulets vous mettait sur la paille, son poids et son volume vous empêchaient de le cacher ou de détaler en vitesse quand surgissait un soldat ou un policier. Sa grande taille exerçait un premier effet de surprise sur les spectateurs, mais très vite, sa mollesse et son apathie lui ôtaient tout intérêt. De nombreuses huttes n'avaient plus de python.

Les temps avaient changé et les fidèles de l'intemporel Baba Gorakhnath s'étaient mis à dos la démocratie et la modernité. De nouveaux chefs, de nouvelles lois, de nouveaux engouements avaient décrété que les animaux comptaient davantage que les hommes, et que les érudits des universités, qui portaient un pantalon, une chemise et des chaussures, en savaient plus long sur eux que les hommes dont la vie et les gènes étaient intimement liés à ces animaux. L'un des hommes qui promulguaient les décrets avait-il jamais dormi avec un serpent dans son lit ? Avait-il jamais découpé un morceau de viande pour le glisser tendrement dans le gosier d'un reptile ?

Avait-il jamais changé les linges souillés du panier, acheté des poulets et des œufs avec son maigre argent ? Avait-il jamais parcouru le monde avec un serpent pour tout compagnon – sans femme, sans enfant, sans parents ?

Alors qu'ils traversaient les plaines brûlantes du Gujarat et du Rajasthan, les prés verts ondoyants du Pendjab et de l'Haryana, les terres arides de l'Uttar Pradesh et du Bihar, à la recherche d'une nouvelle ville et d'une nouvelle clientèle, en quête d'un bout de terrain vacant et d'un arbre vénérable sous lequel dresser leurs tentes-tortues, faites de piquets de bambou et de bâche goudronnée, le petit Kaliya prit conscience de l'existence maudite qu'était la leur. Dans ce monde si vaste, il n'y avait pas de place pour eux ; partout où ils allaient – Kaliya sur l'âne, la vache, ses oncles et cousins –, ils étaient mal accueillis. Partout il y avait un propriétaire terrien ou un policier pour les chasser, partout il voyait son père et ses oncles quémander un endroit où établir le campement.

En ce temps-là, ils n'étaient plus les fiers charmeurs du redoutable serpent noir, vêtus de leurs resplendissantes tehmat kurtas safran, coiffés de leurs turbans royaux, soufflant dans leurs pungis dont la musique voluptueuse faisait d'eux des êtres uniques dans tout l'univers. En ce temps-là, ils étaient des créatures méprisables, vêtues de hardes crasseuses, des mendiants itinérants accroupis au bord des chemins, les mains croisées en signe de supplication, implorant un lopin de terre provisoire que personne ne voulait plus leur prêter.

Le soir, tandis que les femmes, les enfants et les whippets traînaillaient autour des feux de camp et des tentes-tortues, les hommes fumaient la ganja, buvaient toutes sortes d'alcool qui leur tombaient sous la main, et se racontaient les histoires émouvantes du passé.

L'histoire qui ne s'usait jamais, qui restait gravée dans les mémoires, était celle du cobra royal de neuf mètres que, trente-cinq ans auparavant, dans la jungle touffue de l'Assam, dix d'entre eux avaient traqué pendant quarante jours, marchant et travaillant en tandem, à la poursuite d'une bête qui avait terrifié des villages entiers et même fait fuir des éléphants avec le jet de son venin. On racontait que la seule vue du monstre pétrifiait les hommes adultes et vidait de peur leurs intestins. Ce roi des serpents – la largeur de son capuchon mesurait quatre mains, sa langue fourchue fendait l'air à une vitesse foudroyante – tuait en se cabrant à près de deux mètres et en frappant entre les yeux. La plupart de ses victimes, disait-on, mouraient avant même de toucher le sol. Ceux qui échappaient à la morsure mortelle sombraient dans le délire pendant des semaines, secoués de convulsions de terreur. Toutes les tentatives pour le capturer avaient échoué : escouades de villageois, contingent de la police locale, rangers venus de la lointaine réserve des rhinos, et même un peloton dépêché par l'armée. Bien que gigantesque, l'animal se mouvait comme le vent. On aurait dit un éclair noir. À plusieurs occasions, une volée de balles avait convaincu les poursuivants qu'ils avaient atteint leur gibier. Mais sa peau étincelante semblait une armure : les balles rebondissaient dessus. Quelques jours plus tard, on l'apercevait à nouveau sur un sentier forestier, laissant un nouveau corps sans vie. On racontait que, le temps de les ramener au village, les cadavres devenaient bleus comme l'eau profonde. Enfin, on envoya un message aux grands charmeurs de serpents du Nord, et dix d'entre eux se mirent en route, voyageant par train, bus, jeep et charrette pendant des semaines. Âgé de seize ans à peine, le père de Kaliya était le plus jeune. Il avait pour tâche de suivre la piste. Le plus vieux avait plus de soixante ans. Il s'appelait Guru Bijli Nath. On le surnommait Bijli, la foudre, depuis l'âge de dix ans. C'était le plus grand charmeur de serpents de son époque. Petit, nerveux, il était vif comme la foudre et aussi aveuglant. Aucun serpent ne pouvait lui échapper. Son regard hypnotique les immobilisait. Il arpentait la forêt après la pluie et en revenait avec un sac rempli de serpents qu'il vidait au milieu du campement, laissant chacun choisir à sa guise. À trente ans, Bijli avait déjà parcouru la Birmanie, Bornéo, l'Afghanistan, l'Iran, Ceylan, l'Indonésie, le Japon, et reçu le titre de Guru. Si quelqu'un pouvait stopper le démon noir, le roi des serpents, c'était bien Guru Bijli Nath.

Pourtant, ce jour-là, sur les pentes des profondes forêts de l'Assam, dans la petite clairière ombragée par une canopée qui laissait à peine filtrer la lumière, les neuf hommes qui assistèrent à cette scène inoubliable crurent pendant un long moment que Guru Bijli Nath avait rencontré plus fort que lui. Dans la lumière déclinante du soir, à la lueur des lampes-tempête qui animaient les ombres, où chaque volute de plante grimpante ressemblait à un serpent traquant une proie, le roi noir se cabra à sa hauteur d'attaque, à près de deux mètres du sol, pour toiser le charmeur magique. L'incomparable Guru Bijli Nath était aussi figé qu'une pierre, son regard fixait sans ciller la grande tête évasée qui oscillait. Jamais au cours de sa longue vie, il n'avait vu un animal aussi redoutable – tigre, sanglier, rhino ou éléphant sauvage. Il avait exhorté son équipe à s'abstenir du moindre mouvement une fois les positions établies. Recommandation inutile, car les neuf autres charmeurs s'étaient littéralement désincarnés. Le jeune père de Kaliya n'avait plus de cœur, plus de poumons, au point qu'il aurait accueilli la mort avec joie. Il ne doutait pas une seconde que le grand roi noir les tuerait tous après en avoir terminé avec le Guru. Pendant un long moment, chacun resta pétrifié ; la seule chose animée était la langue du serpent géant qui dardait. Il n'y avait même pas un bruit d'insecte ou d'oiseau pour rompre le sortilège. Soudain, dans un éclair – à une vitesse telle que personne ne put suivre la totalité du mouvement – la tête effrayante de l'animal lança son attaque. Mais Guru Bijli n'était plus là. Il était sur le dos du serpent, ses deux mains autour de son cou. Alors le grand serpent noir se mit à siffler plus fort qu'une machine à vapeur et, en une seconde, il jeta au sol le plus grand charmeur de serpents du monde, l'enlaça, le fit rouler entre ses anneaux. Guru Bijli savait que c'était peut-être son ultime combat ; il savait que s'il desserrait son emprise du cou du démon, il était mort. Mort avant même que les crochets se fussent retirés de sa chair. Ce serpent était une véritable usine à venin contre laquelle il n'existait aucune herbe, aucune potion. Pour la première et la dernière fois de sa vie de chasseur de serpents, Guru Bijli appela au secours. « Aidez-moi, bande de paresseux ! Attrapez sa queue ! Ce n'est pas un serpent, pauvres crétins, c'est le messager du dieu de la mort ! » La panique dans sa voix – tout à fait exceptionnelle – galvanisa ses compagnons pétrifiés. En un clin d'œil, tous les neuf se jetèrent à califourchon sur le long muscle noir qui battait et fouettait l'air. Guidés par les ordres du Guru – qui n'avait pas lâché la tête du serpent –, deux des charmeurs se hissèrent souplement sur l'arbre le plus proche et, lentement, peinant sous l'effort, les autres commencèrent à leur passer la queue de l'animal. Bientôt, quatre hommes furent alignés sur les hautes branches, clouant le corps agité du serpent en s'asseyant dessus. Le roi noir se trouva dans une posture tout à fait inhabituelle, la queue en l'air, le corps maintenu en plusieurs endroits. Le jeune père de Kaliya, qui, dans l'arbre, luttait avec ses cuisses et ses mains pour empêcher le muscle épais de bouger sous lui, et observait en bas la scène apocalyptique. Il comprit que, même s'il vivait deux cents ans, jamais il n'oublierait un spectacle aussi terrible. Dans la trouée de forêt éclairée par la lumière vacillante des lanternes, le grand serpent et le petit maître se livraient un duel primitif, liés l'un à l'autre, tête à tête, crocs dénudés. L'homme et la bête, le talent et la fureur, la vie et la mort, sans fusil ni épée, sans magie ni ruse. Les charmeurs racontèrent qu'ils avaient eu l'impression de voir Krishna enfant affronter Kaliya, le serpent de mer à plusieurs têtes. Comme les villageois sur le rivage, ils savaient que l'enfant dieu devait s'imposer, mais l'ampleur du combat les emplissait d'effroi. À présent, seule l'immense tête du démon était encore au sol, tandis que son corps noir montait en droite ligne dans l'arbre. Porté par les cris d'encouragement du Guru, l'un des charmeurs noua une ficelle autour du cou du serpent, ne laissant qu'un doigt de jeu. Alors, se servant de ses deux pouces, millimètre par millimètre, le Guru fit glisser le nœud coulant par-dessus le front et les yeux du serpent pour emprisonner le capuchon et serrer les crochets. Lorsque le maître s'écarta d'un bond – plus exténué qu'il ne l'avait jamais été au cours de sa vie entière –, le cobra se cabra d'un mouvement si menaçant que les charmeurs perchés dans l'arbre faillirent en tomber de frayeur, et ceux qui étaient à terre fuir dans la forêt. Les cris du Guru leur firent recouvrer leur bon sens. Deux d'entre eux maîtrisèrent le cou puissant du serpent avec leurs bâtons fourchus, pendant que trois autres ouvraient le grand sac de toile qu'ils avaient emprunté à l'armée. Stimulés par les encouragements et les insultes du Guru, ils poussèrent la tête de l'animal à l'intérieur du sac et l'y maintinrent avec leurs fourches. En quelques minutes, anneau après anneau, le corps entier du roi noir fut enfoncé dans les replis de toile.

Le père de Kaliya raconta plus tard que personne ne prononça un mot pendant une heure. Ils demeurèrent assis dans la clairière, au milieu des ombres dansantes, le corps vidé de ses forces et l'esprit tourmenté. Dix hommes avaient réussi à vaincre l'un des grands miracles du monde. Au fond d'eux-mêmes, ils savaient que la magnifique créature, bien-aimée du dieu Shiva, ne survivrait pas à son emprisonnement chez les humains. Le plus grand charmeur de serpents de son temps, allongé sur le dos, les yeux fermés, déclara : « C'est fini. Dans cette vie, je n'ai plus d'autre serpent à attraper. » Le pressentiment des charmeurs s'avéra fondé. Cinq jours après sa capture et son exposition devant les villageois ravis et curieux, au plus profond de la nuit, pendant que les charmeurs dormaient, des hommes ivres d'alcool et de vengeance armés de lourds daos en fer découpèrent le roi noir en cent morceaux. La grande tête fut embrochée sur une pique de bambou plantée dans le sol, et, avant le lever du soleil, les cent morceaux du serpent furent chapardés en guise de souvenirs par les villageois. Pétri de haine, le Guru déclara : « C'est moi qui aurais dû mourir, et non le roi des serpents. Ces gens méritaient la terreur qu'il semait. » Le père de Kaliya raconta que, fidèle à sa parole, bien qu'il vécût encore quinze années, le Guru ne captura jamais d'autre serpent. Mais il parlait souvent du seigneur noir. Il disait : « Dans ses yeux farouches, j'ai vu tout. Puissance et poison, divinité et mort, magie et menace. Nous avons commis une grave erreur. C'était le plus grand serpent du monde et nous l'avons capturé et tué. Dix hommes rusés contre un animal superbe. Nous aurions dû tourner les talons et partir. Laisser le roi seul régner sur la forêt. »

Kaliya se souvenait d'autres histoires, des histoires plus anciennes, des histoires de seconde main. Cent vingt ans plus tôt, près d'Agra, vivait un charmeur de serpents, Siva Jogi, dont la connaissance des herbes antidotes était si parfaite qu'il pouvait ramener à la vie un mort empoisonné. La seule condition était que la victime devait lui être amenée moins de vingt-quatre heures après la morsure mortelle. Il appliquait sa bouche sur la blessure pour en sucer le sang dans une longue aspiration ininterrompue. Aucun disciple n'était capable de maîtriser à la fois la science des contrepoisons et la technique de succion du venin (sans en mourir lui-même). L'art de ramener à la vie les morts empoisonnés disparut avec Siva Jogi. Sous le ciel sans lune, la tête allégée par la ganja et l'alcool, les charmeurs enjolivaient les histoires des grands mécènes d'antan, zamindars bienveillants et rois parés de bijoux, qui leur offraient, à eux et à leurs serpents, un lieu de séjour adéquat, de la nourriture, et la dignité qui sied à un artiste. À l'époque, les charmeurs étaient nombreux et acclamés partout où ils apparaissaient.

D'une voix douce et lasse, la mère de Kaliya expliquait à ses six enfants, dont il était le benjamin, que toutes ces histoires n'étaient que balivernes. Il n'existait pas de zamindars bienveillants, ni de passé merveilleux. Le cobra royal était un mythe et Siva Jogi une légende. Les charmeurs avaient toujours mené une vie dure, ballottés de place en place, avec jamais plus d'une semaine de provisions de farine dans leur sac. Il en avait été ainsi pour ses parents, et les parents de ses parents. Elle admettait cependant que la vie autrefois n'était pas aussi cruelle. Désormais, les hommes étaient allés sur la Lune, et il y avait un cinéma dans chaque maison. Les serpents n'éveillaient plus la crainte ni la curiosité. Les quelques roupies, les quelques poignées de farine qu'on leur donnait encore, portaient le sceau d'une pitié passagère.

Elle savait que son homme et ses cousins devaient parfois jouer du pungi pendant plus de quinze minutes avant qu'un passant de plus de huit ans ne s'attarde en chemin pour les écouter. Elle savait que son homme et ses compagnons se retiraient plusieurs fois par jour sous un arbre pour se remplir la tête de ganja et surmonter l'humiliation d'être des artistes sans public. Non seulement ils étaient des artistes méprisés, mais on les considérait désormais comme des malfaiteurs. Leur métier était hors la loi, et ils ne devaient pas craindre seulement la police. Le véritable fléau était une nouvelle race de fannekhans, des fiers-à-bras venus de Delhi et de Bombay, qui prétendaient savoir ce qui était le mieux pour leurs serpents et exigeaient que les forces de l'ordre fassent respecter la loi : menacer de prison les charmeurs et prendre leurs beautés. Certains de ces fannekhans – souvent des jeunes hommes et femmes parlant mal le hindi – se montraient pleins de sollicitude et promettaient un nouveau mode d'existence aux charmeurs de serpents, leur faisant miroiter une reconversion professionnelle. La mère de Kaliya sifflait comme ses serpents : « Un autre métier ! Ha ! On va mettre mon illettré de mari dans un costume, l'asseoir à un bureau et lui faire signer des papiers ? »

Les charmeurs pouvaient se faire un peu d'argent comme guérisseurs. Ceux qui avaient du bagout vendaient des herbes médicinales et des potions dans les petites villes ; des remèdes censés soigner la douleur, les furoncles, les ulcères, l'impuissance, la virilité, la stérilité. L'escroquerie s'étalait sur six à huit semaines, dont trois ou quatre pour établir une apparence de permanence et de fiabilité. L'emplacement idéal était l'ombrage d'un vieil arbre, à la croisée de plusieurs routes ; il fallait une tenue couleur safran, un turban, un éventail de jarres poussiéreuses disposées sur une natte, un petit pilon en fer pour personnaliser le traitement, et quelques photos de dieux divers pour rassurer toutes les sortes de croyants. Certains des colporteurs les plus désespérés allaient même jusqu'à exposer un varan macéré dans l'huile. Vendu dans de petites fioles ou des flacons de plastique, l'onguent jaunâtre, une fois appliqué sur la calotte du pénis, produisait un phallus d'acier. Comme toutes les cures, cela prenait du temps ; et, comme toutes les cures, cela se passait surtout dans la tête. Les guérisseurs ne restaient pas assez longtemps pour vérifier les résultats, car le monde était plein de souffrances et d'autres malheureux les attendaient ailleurs. Trois ou quatre semaines pour instaurer une relation de confiance, trois ou quatre semaines pour escroquer les clients naïfs. Ensuite, ils disparaissaient.

De temps à autre, il y avait quelques billets à gagner auprès des résidents paniqués qui avaient reçu la visite d'un serpent inoffensif. Comme les charlatans, les charmeurs reconvertis devaient se livrer à une mascarade pour accentuer la peur, la crainte et le soulagement. Le père et les oncles de Kaliya avaient le talent d'acteur d'un tronc d'arbre. Ils pouvaient tirer de leur pungi des sonorités à arracher les larmes, charmer le seigneur noir pour qu'il se dresse hors de son panier et oscille au rythme de leur musique, capturer n'importe quel serpent dans la forêt avec une patience infinie et des mains expertes, couper les crochets venimeux et suturer les glandes à venin, ils pouvaient marcher, marcher, marcher jusqu'au bout de la terre et au-delà, mais ils n'avaient pas le talent de se transformer en escrocs. Ils ne savaient pas faire prendre un serpent à rats pour une vipère mortelle, ou un boa des sables pour un python en gestation.

Il existait un autre moyen de gagner de l'argent, mais de façon sporadique. Les rustiques Gujjars aimaient le son entêtant du pungi et invitaient les charmeurs à jouer à leurs fêtes de mariage. Les charmeurs musiciens devaient rester accroupis des heures en tenue d'apparat, et souffler, souffler dans leur pungi jusqu'à ce que leurs poumons soient vides et leurs joues endolories enflées comme des pommes. Mais, ensuite, il y avait toujours des choses succulentes à manger et assez d'alcool pour s'étourdir. Certains Gujjars ne voyaient aucun inconvénient à ce que les charmeurs amènent leurs rejetons, d'autres se montraient injurieux à leur égard.

Kaliya avait participé aux tournées dès l'âge de six ans. Il souffrait de diverses plaies et carences. Il avait parcouru les rues de petites villes poussiéreuses dont il était trop jeune pour mémoriser les noms, et vu son père et ses oncles peiner et trimer, souffler dans leur pungi, accroupis au bord des routes comme des mendiants, pour amasser quelques piécettes et billets froissés. Leur unique consolation semblait être le haschich, leur seule distraction : battre Kaliya et les autres petits garçons.

Kaliya n'avait jamais vu son père autrement que méprisable ou enragé. Il n'y avait jamais assez à manger et, quand l'un ou l'autre des enfants tombait malade, le père regardait ailleurs, attendant qu'il meure ou guérisse. À six ans, Kaliya avait déjà perdu un frère plus jeune et une sœur plus âgée, à cause de fièvres qu'aucun remède ne pouvait guérir. Il avait vu son père, le visage inexpressif, abandonner ses enfants morts au courant de la rivière, puis revenir à la maison et se soûler.

Sa mère n'était d'aucun réconfort. Son épuisement la vidait de toute émotion. Outre le travail qui l'occupait dans les tentes-tortues, elle s'échinait pendant des heures dans des champs étrangers afin de ramasser de l'herbe pour leur mule et leur vache – c'étaient leurs deux seuls biens de valeur et on ne pouvait les laisser brouter en liberté. Parfois, elle parvenait à chaparder quelques carottes, navets, pommes de terre ou courges dans un pré voisin. Et parfois aussi un de ces fruits bizarres : goyaves vertes ou mangues, dans un verger. Le père de Kaliya injuriait et frappait la voleuse, mais il s'empressait de manger ce qu'elle avait rapporté. Ensuite, la mère battait Kaliya et sa sœur – les aînés étaient trop grands –, avant de s'endormir d'épuisement sur le sol, entre les sifflements des paniers d'osier et les reniflements de ses enfants.

Quand ils se déplaçaient, toutes les six à huit semaines, c'était à elle, la mère, aidée de ses plus jeunes fils, de démonter la maison – les piquets de bambou, les lambeaux de bâche et de plastique, les pierres à cuire, les nattes et les couvertures, les nombreux paniers d'osier garnis de serpents lovés –, puis, quelques jours plus tard, aux abords d'une autre ville, à proximité d'un arbre repérable et d'un étang ou d'un puits tubulaire utilisables, de remonter la maison. Le père, artiste voué à d'autres tâches, restait assis avec les hommes, surveillant du coin de l'œil les opérations et tirant sur son chilom.

Le petit Kaliya détestait sa vie, les marches pénibles qui n'en finissaient pas ; il avait horreur de mendier dans tous les villages et les villes qu'ils traversaient. Il avait l'impression qu'ils étaient les seules personnes misérables au monde. Partout ailleurs, il voyait des gens vivant dans des maisons construites pour durer. De jour en jour, sa colère grandit. Il ne craignait pas de crier, de pester, de protester. Exaspéré, son père disait : « À force de recevoir des raclées, sa peau va muer comme celle d'un serpent, mais ça ne l'empêchera pas de continuer d'aboyer comme un chien enragé ! » De temps à autre, le garçon s'en prenait à sa mère ; il voulait savoir quand ils cesseraient de marcher, vivraient dans une vraie maison, donneraient l'aumône au lieu de la demander, et quand son père arrêterait de se conduire comme une brute. La mère exténuée répondait que tout cela arriverait lorsque le soleil avalerait la lune, que du lait coulerait dans les rivières, que les fleurs pousseraient dans le désert, que les hommes voleraient comme des oiseaux, que les serpents parleraient comme les hommes, et que les dieux regarderaient les hommes comme leurs égaux.

Mais Kaliya savait qu'il existait un autre moyen. À l'âge de huit ans, alors qu'ils campaient à l'extérieur d'une grande ville pleine de bâtiments et de minarets célèbres, ils reçurent un soir une visite-surprise qui causa une grande agitation. Le visiteur avait la peau noire comme la leur, mais il était si élégant qu'il en paraissait presque clair. Chemise rouge, pantalon gris, chaussures noires lustrées, cheveux huilés et peignés en travers du front, montre dorée au poignet, et, le plus éblouissant de tout, un rire chantant et des manières assurées.

Kaliya et les autres enfants, fascinés, observèrent de loin le jeune homme assis parmi les aînés, qui les régalait d'histoires et leur parlait d'égal à égal. Ce jeune homme était le fils cadet de Shambhu Nath. Il avait fui le giron familial à l'âge de douze ans pour rejoindre la grande métropole de Delhi et chercher fortune. À présent, il travaillait dans un bureau qui imprimait un journal réputé. Son emploi consistait à parcourir la ville en scooter pour porter des messages importants. Il disait qu'on l'appelait Le Coursier, et que l'issue de nombreux événements majeurs dépendait de sa rapidité et de sa fiabilité. Il raconta des histoires grivoises sur les voitures des sahibs et ce qu'ils faisaient à l'intérieur. Impressionnés, les charmeurs s'esclaffèrent : « Arre saale, Le Coursier, nous, au moins, nous gardons nos serpents dans des paniers d'osier, alors que tes sahibs les ont dans leur pantalon ! » Tirant sur sa cigarette, Le Coursier s'esclaffa : « Leurs serpents ne sont pas comme les nôtres, tau. Les leurs sont tout petits. De vrais jalebias ! »

Kaliya rêvait de devenir Le Coursier, filant à toute vitesse sur un scooter, en chemise rouge et pantalon, livrant des messages d'une importance capitale, observant les sahibs dans leur belle voiture sortant leur petit jalebia pour l'offrir à la gourmandise des memsahibs. À en croire Le Coursier, il y avait à Delhi des joies et des plaisirs qu'ils ne pouvaient même pas imaginer. Des restaurants qui sentaient bon, des cinémas frais, de grands magasins avec des marchandises étincelantes, de belles femmes dans les rues, des parcs beaux comme des tableaux, des immeubles de verre, et l'incroyable Qutub Minar, sans aucun doute le plus grand jalebia du monde. Toute sa vie, Kaliya se représenta le célèbre minaret comme une vipère géante, la tête pointée vers le ciel.

Cet été-là, dans une bourgade du Rajasthan écrasée par la chaleur brûlante de l'après-midi, alors que son père, frustré d'avoir récolté dix maigres roupies après des heures passées à souffler dans le pungi et à mendier, commençait à le battre impitoyablement, Kaliya fut envahi d'une fureur noire et sans limites. Toute la matinée, de sa voix fluette, il avait sollicité les serpents, toute la matinée, il avait tendu sa petite main pour recueillir une pièce de monnaie. Toute la matinée, il avait senti la faim et la soif lui tordre le ventre, toute la matinée, il avait vu des hommes et des femmes vaquer librement à leurs occupations, et toute la matinée, il s'était dit qu'il n'aurait pas la force de mener la vie de son père. Alors, quand celui-ci se mit à le frapper à coups de pungi, il comprit qu'il allait fuir. Il irait à Delhi. Il deviendrait Le Coursier.

Kaliya cracha sur son père, il se débattit pour lui échapper, et quand le misérable charmeur de serpents sombra dans un sommeil de haschich, le petit garçon courut, courut, le sang battant dans sa tête. À la gare, un train l'attendait et démarra dès qu'il fut à bord. Il lui fallut trois jours, de nombreuses questions, et trois trains différents pour atteindre Delhi. Dacca était là, visage noir nuit dans le compartiment, et Kaliya fondit en larmes comme Chini des années plus tard, frappé de terreur à la vue du monde, de l'agitation, du vacarme, des trains.

Le petit garçon en colère ne devint jamais Le Coursier, pas plus qu'il ne vit de riches sahibs dans de belles voitures montrer leur petit jalebia à de jolis memsahibs au teint clair. Il mit de longues, très longues années avant d'entrer dans un restaurant et d'aller admirer le plus grand jalebia du monde, le Qutub Minar, mais il prit goût à la liberté des quais de gare avec une joyeuse exubérance. Il devint un chat de gouttière, grondant, crachant, griffant, mordant, imposant le respect aux autres. Jamais il ne mendia quoi que ce soit. Il exigeait toujours, volait, négociait, trompait. S'il rencontrait un adversaire plus fort que lui, il se procurait un serpent inoffensif dans les allées du grand bazar de Paharganj, et restaurait très vite l'équilibre de la terreur. Jamais il ne songeait à sa famille ni à la misère de sa vie de nomade, mais, chaque nuit, quand il trempait son chiffon dans l'offrande de Shiva et le plaçait sous son nez, il n'entendait qu'un seul son : la plainte lancinante du pungi, il ne voyait qu'une seule image : la tête évasée du roi noir dressé au-dessus des forêts de l'Assam, emplissant le ciel et semant la terreur sur le monde.

Quelques années plus tard, quand mourut le mentor de Dacca, Bham Bihari – de nombreux flacons de solution l'avaient transporté pour l'éternité dans de vertes rizières –, Dacca devint le gardien de son trident de fer, le chef indiscuté du gang, et Kaliya son second. Entre la violence de Dacca et la ruse de Kaliya, la bande ne manqua jamais de nourriture ni de solution. Une fois seulement le garçon serpent eut un pincement au cœur quand il aperçut un groupe de charmeurs au visage buriné descendre d'un train, le turban souillé, les vêtements élimés, les boucles d'oreilles ternies, les juttis déchirés, le regard vide, portant dans leurs bras de petits enfants, des paniers de serpents, des pungis, des ballots de vaisselle et de hardes. Son instinct le poussa à se cacher. Parmi ces charmeurs, l'un d'eux l'avait peut-être connu. Mais le groupe, aveuglé par la misère, se déplaçait dans son cocon de souffrances.

Kaliya se prit d'affection pour Chini dès qu'il posa les yeux sur lui. Il était si différent de tous les autres, avec sa peau claire et lisse, ses yeux bridés aux longs cils, ses beaux cheveux raides. Une sorte d'élan maternel naquit en lui. Cette fleur ne devait pas être souillée par tous les rats grouillant alentour. Il faudrait la choyer, la préserver.

Dacca partageant les mêmes sentiments, Kaliya prit Chini sous sa protection. Il l'initia au mode de vie souterrain, aux joies de la solution, il gagna sa loyauté et son amitié en lui racontant toutes sortes de récits fascinants sur les serpents cracheurs, frappeurs, à deux têtes, à capuchon, venimeux ou dociles. Mais l'histoire que le petit Chini réclamait inlassablement était celle du grand serpent noir. Chaque fois que l'animal incomparable se dressait de toute sa hauteur dans la clairière et croisait le regard du plus grand charmeur de son temps, l'excitation de Chini était si grande qu'il devait saisir son pénis pour s'empêcher d'uriner.

La liberté de minuit

Les pluies n'ayant pas cessé, le premier domicile que connut Chini fut la marquise qui couvrait le quai trois, sous la passerelle enjambant les voies. À cet endroit, le toit de tôle ondulée s'inclinait en deux pentes douces opposées, créant une alcôve accueillante, sûre et sèche, sauf pendant les très violents orages. La brise y circulait de part en part, jour et nuit, et il était agréable de s'y allonger en regardant le ballet ininterrompu des voyageurs sur le quai. Il fallut plusieurs jours à Chini, chaudement calé entre Kaliya et Makhi Khan, pour s'habituer à ajuster son corps dans les ondulations de la tôle et à dormir en pente. Une fois que l'on était accoutumé, le confort était parfait. Autre avantage : le toit de la chambre à coucher n'était qu'à un mètre environ au-dessus de leurs têtes, et résonnait du martèlement rassurant de pas humains à chaque minute de la journée.

Cette situation leur permettait de pratiquer un de leurs jeux favoris : le Madhuri. La plupart du temps, il revenait à Gudiya de se poster juste en bordure de l'ouverture, pour surveiller la passerelle et crier les résultats. Le jeu consistait à parier sur le moment où Madhuri Dixit – star régnante du cinéma de Bombay et fantasme de chacun – passerait au-dessus d'eux. Ainsi, à intervalles, un garçon criait « Madhuri ! » et, si Gudiya confirmait que, à l'instant même, une belle femme marchait sur la passerelle, il avait gagné et chacun devait se fendre d'une roupie. Un consensus tacite fixait les critères donnant droit au titre de Madhuri : n'importe quelle femme en jean ou pantalon, les femmes à peau claire en churidar kamiz et maquillées (particulièrement de brillant à lèvres), les jeunes mariées en sari avec leurs boucles d'oreilles, leurs bracelets et leur auréole de fraîches dépucelées. Une peau sombre disqualifiait immédiatement. Les jours où se préparait un événement important à la gare : cérémonie officielle ou passage d'une personnalité, et où les casquettes rondes et les kakis, autrement dit les agents de police et les soldats, faisaient montre de brutalité, les garçons s'allongeaient sous la passerelle, hors de vue, et jouaient au Madhuri pendant des heures. Dix pour cent des gains revenaient à Gudiya. Le soir, Dacca s'informait des scores : « Qui a fait Madhuri aujourd'hui ? Combien de fois ? »

Une semaine après l'arrivée de Chini, un gros orage éclata. La pluie balayait sans merci leurs quartiers, les éclairs déchiraient le ciel. Chini descendit avec le reste de la bande dormir sur le kiosque de jus de fruits, à l'abri des éléments déchaînés. C'était un perchoir douillet et sûr, pourtant Chini détestait y dormir. Le toit du kiosque était un espace évidé, sale et moisi, entre de petits parapets ; les journaux qu'ils étalaient sous eux se froissaient et se déchiraient. Le pire était la platitude du toit. Sans inclinaison ni ondulations, il était difficile de se caler et de trouver une position confortable. Et puis, il y avait ce sentiment dégradant de faire partie du quai, de baigner dans le tourbillon ridicule de voyageurs et de marchands, de leurs disputes et jérémiades, de leurs bousculades et altercations. Pendant toute la nuit, juste au-dessous d'eux, on se chamaillait sur le prix des oranges et des bananes, des jus de fruits et des milk-shakes. Un marchandeur intraitable eut la peur de sa vie en voyant soudain surgir d'en haut la tête de Dacca exaspéré qui lui gueula : « Monte ici, connard ! Tu auras une grosse banane gratuite ! »

Le vendeur de jus de fruits, Ashok – Shoki – ne le désavoua pas. Il détestait ces clients qui se comportaient comme s'ils achetaient non pas une pomme, mais le Kohinoor. Les garçons étaient ses amis et ses alliés. Ils ne volaient jamais rien dans son kiosque, et quand ils rapportaient des fruits volés ou récupérés dans les trains, Shoki les nettoyait avec un vieux chiffon, évaluait généreusement leur état de fraîcheur, et les payait un prix correct.

Shoki servait également de banquier. Chaque soir, avant de se retirer sur leur toit, chacun mettait son argent en dépôt au kiosque. Shoki inscrivait les entrées d'une écriture minuscule dans le cahier d'écolier qu'il rangeait au-dessus du robot presseur-broyeur-mixeur. À l'exception d'un seul garçon, MD, aucun ne savait vraiment lire. MD lui-même n'osait pas demander à voir les comptes. Shoki possédait, dans une petite alcôve en bois, une collection d'images de dieux encadrées – Lakshmi, Shiva, Krishna, Hanuman, Santoshi Mata –, dont les visages béats étaient léchés par les volutes de fumée des bâtons d'encens qui brûlaient en permanence. Montrant du doigt son panthéon, Shoki instruisait les nouveaux arrivants : « Si je voulais vous voler, petits merdeux, vous ne le sauriez pas, même en sept vies ! Mais c'est à eux que je rendrai des comptes, au final, et c'est tout ce qui m'importe ! »

Shoki prélevait vingt pour cent de frais bancaires et si, par malheur, l'un ou l'autre des garçons se faisait arrêter par les casquettes rondes ou les kakis, il piochait dans leurs dépôts pour les faire libérer. Il y avait quelques garçons, sur les quais cinq et six, dont le passé n'était pas un trou noir total. La gare était un choix de carrière. Ainsi, l'un d'eux venait de Faizabad, un autre de Bijnore, et ils vivaient là depuis près de dix ans. Tous les trois mois environ, ils prélevaient une liasse de billets chez Shoki pour la porter à leurs parents. Ils ne restaient jamais absents plus de quelques jours. D'abord parce qu'ils détestaient leur foyer et que la liberté, la solution et les plaisirs faciles de la gare leur manquaient. Ensuite, parce que des égarés risquaient de profiter de leur absence pour annexer leur secteur. Comme le répétait souvent Dacca : « La vie d'un garçon de gare file aussi vite que les trains. Elle disparaît sans qu'on s'en aperçoive. »

En effet, des garçons disparaissaient régulièrement. Les plus durs étaient recrutés par des syndicats du crime et dispersés dans diverses régions du pays ; certains se faisaient épingler par les autorités et envoyer dans des centres d'éducation surveillée ; d'autres mouraient subitement, et l'on découvrait leur cadavre le lendemain matin. Cause du décès : accident, overdose, bagarre avec un gang rival, sévices sexuels. Si la mort était officiellement confirmée, Shoki opérait une répartition à l'amiable des avoirs du défunt avec ses plus proches amis et clôturait son compte. En cas de disparition simple, Shoki gardait le compte ouvert dans le cahier, souvent pendant des années, jusqu'à ce que tout l'écosystème du quai eût changé, et qu'il n'y eût plus personne pour se souvenir du disparu. Shoki gagnait davantage d'argent comme banquier que comme marchand de fruits.

C'était la raison pour laquelle il avait tenté d'apprendre à son fils, Kishen, à respecter les garçons. Mais Kishen, qui avait étudié dans une école convenable à Rajendar Nagar, et même effectué trois années d'université, était un sot. Il avait perdu six ans à étudier et des dizaines de milliers de roupies en frais de scolarité pour préparer son admission dans la fonction publique. Il aspirait à devenir policier ou fonctionnaire. Mais Shoki connaissait son fils et son inaptitude pour l'administration. À présent, à vingt-huit ans, recalé et désespéré, Kishen revendiquait l'échoppe de jus de fruits. Shoki était d'accord, mais l'attitude hostile de son fils à l'égard des garçons de la gare le chagrinait, et il voyait que ceux-ci doutaient de l'honnêteté de Kishen – chaque fois qu'ils remettaient leur argent au fils, ils jetaient un regard au père. Shoki avait cinquante-trois ans et en avait passé trente-quatre sur le quai. Il savait que rien n'est permanent. De grands empires meurent, de grandes entreprises meurent, de grands hommes meurent, et tous les trains finissent par partir. Son cliché préféré était : « Puisque Gandhi et Nehru ont disparu, que sommes-nous ? » Shoki savait qu'il n'y avait rien de plus facile pour les garçons que de transférer leurs avoirs chez l'un des autres banquiers de la gare. Gulab, par exemple, le vendeur de puri et d'aloo au bout du quai quatre, qui avait un peu perdu de terrain par manque de crédibilité, ou Malhotra, le bouquiniste, qui sortait des revues pornos sous cellophane de sous le présentoir de manuels pratiques, mais dont le regard rusé nuisait à la confiance. Si les garçons décidaient de placer leur argent chez eux, cet idiot de Kishen serait condamné à fourrer une banane et une pomme dans le gosier de tous les voyageurs transitant par la gare s'il voulait seulement survivre !

Chini ouvrit son compte chez Shoki en raflant un sac à main de dame en cuir rouge dans la voiture-lit d'un train en partance pour Patna.

Le visage récuré et brillant, il avait été escorté dans le wagon par Kaliya, qui l'assit au bord d'une couchette à côté d'une jeune mère aux prises avec ses trois enfants. Le fils de charmeur de serpents redescendit ensuite sur le quai et se posta devant la fenêtre, par laquelle il observa la mère excédée houspiller ses rejetons turbulents. Quand la première vibration secoua le convoi, Kaliya colla sa bouille noire contre la vitre en faisant sa grimace favorite : yeux exorbités et dents découvertes. Les trois enfants en restèrent bouche bée, comme devant un animal dans un zoo. Puis, alors que plusieurs trépidations successives annonçaient le départ imminent du train, Kaliya sortit un serpent domukhi court et gras de son sac et le pressa contre la fenêtre sale. Les enfants firent un bond en arrière en poussant un hurlement. La mère les prit dans ses bras rassurants et cria à l'horrible noiraud de ficher le champ. Le train s'ébranla et ses hoquets se mêlèrent aux tremblements de la famille apeurée. Kaliya et son serpent avançaient avec le train, lequel roulait maintenant de façon moins saccadée, et la mère mit une main devant les yeux du plus jeune des enfants pour lui masquer l'horrible spectacle. Enfin, la vision de cauchemar disparut, bientôt remplacée par celle des culs dénudés des défécateurs alignés le long de la voie.

Quand Kaliya revint tranquillement au milieu du quai temporairement déserté, le petit Chini était là, serrant dans ses bras le sac en cuir rouge. Seul un être à l'esprit vil et tordu aurait pu se méfier d'un visage aussi angélique. Comme c'était le premier butin de Chini, la bande avait attendu le soir pour le montrer à Dacca et procéder à l'inventaire.

Le chef était d'humeur joyeuse. De toute évidence, il avait déjà fait chauffer l'alu. Ils étaient assis en demi-cercle sur le toit incliné, sous la passerelle, autour de la gouttière centrale où se joignaient les deux pentes. L'éclairage du quai diffusait assez de lumière de part et d'autre.

« Joli sac de dame, commenta Dacca. Le petit a déjà le coup d'œil. Voilà la différence entre les Chinois et vous, espèces de chutiyas ! » Il frotta les oreilles du garçon assis près de lui puis, avec un geste à l'adresse de Kaliya, il ajouta : « Vas-y, ouvre ! Entre une femme et un sac à main, il n'y a pas de différence. L'extérieur peut n'avoir aucun rapport avec l'intérieur ! »

Des nombreuses poches du sac – petites et grandes –, émergea une montagne de bric-à-brac. Puisqu'il s'agissait d'une initiation, Kaliya sortit chaque objet avec une lenteur cérémonieuse et le brandit à la vue de tous. Trois tubes de rouge à lèvres : rouge, rose pâle, rose foncé. Une brosse à cheveux ronde, avec des dents de plastique raides et de longs cheveux entremêlés. Un petit flacon de couleur brune, au bouchon taché, diffusant une odeur agréable. Deux stylos bille en plastique, un petit crayon à papier. Un carnet mince aux feuilles épaisses que Dacca pensait pouvoir vendre. Une petite serviette à mains jaune. Une paire de lunettes noires avec un filet d'acier brillant sur les branches. Un coupe-ongles, une lime à ongles, un épais couteau multilames. Un petit agenda en cuir brun attaché par un cordon. Plusieurs élastiques noirs épais. Divers bristols imprimés. Des feuilles de papier avec des mots et des chiffres griffonnés. Une boule de coton doux et blanc, l'obus d'un tampon. Un poudrier. Un crayon d'eye-liner. Un ravissant flacon de parfum. Une tablette de comprimés, vieille et cabossée. Deux minces bracelets en argent et deux épais bracelets en verre. Un petit récipient de crème. Un sachet en plastique contenant du coton. Une barre de chocolat et une poignée de caramels. Une brochure agrafée qui avait un aspect religieux : on y reconnaissait Ram et Hanuman grossièrement imprimés. Un carton épais avec, au recto, l'image de la déesse Lakshmi et, au verso, un calendrier dont plusieurs jours étaient soulignés au stylo. Une paire de boucles d'oreilles en argent sertie d'une pierre orange. Un autre petit pot de crème bleu et plat, un tube de crème marron, et un autre contenant un liquide douceâtre. Un rasoir jetable. Une petite lampe torche noire. Quelques pièces de une, deux et cinq roupies. Un préservatif dans sa pochette en plastique noire, dont le bourrelet de caoutchouc rond suscita un certain émoi. Et enfin le sac à l'intérieur du sac : un portefeuille de cuir fauve, avec cartes de crédit, permis de conduire, petites photos d'un homme et de jeunes enfants, et sept cent vingt-deux roupies.

Dacca regarda Chini et s'exclama :

« Tu imaginais qu'autant de choses pouvaient tenir dans un sac aussi petit ? Prends-en de la graine ! Un sac de femme est comme sa chatte. Tu crois qu'il n'en sort que de la pisse, et un jour, ça te crache un bébé ! » Puis, se tournant vers le reste de la bande, le chef ajouta : « Et vous autres chutiyas, retenez la leçon du petit Chini ! Pour son premier coup d'essai, vous voyez ce qu'il nous rapporte ! Je comprends pourquoi il se faisait appeler Aladin ! Et vous autres, abrutis ! Vous revenez chaque soir en clamant "Guru, guru, j'ai eu deux bananes aujourd'hui ! J'en mangerai une et je vendrai l'autre !" » Tout le monde ricana. Le chef était en verve. « Regardez Aladin ! Regardez-le ! On dirait un petit saint ! Il a prié toute la journée, alors Dieu lui a donné ce sac rouge pour le récompenser de ses dévotions. Croyez-moi, ce Chini sera le plus grand maaderchod de tous, un de ces jours ! Il vous piquera votre bite et filera en douce. Vous ne vous en apercevrez qu'en allant pisser ! »

Le petit Lhungdim le regardait sans comprendre, impassible.

Dacca mit de côté les roupies et le couteau suisse, puis commença le partage. Gudiya se servit la première. Depuis l'apparition à la gare, moins d'un an plus tôt, de cette petite fille de huit ans originaire d'Indore fuyant un beau-père enclin à abuser d'elle, Dacca lui avait ménagé une place spéciale au sein de sa bande. Il éprouvait de l'affection pour elle et se sentait une responsabilité de grand frère. La protéger était la seule chose au monde qui lui donnait l'impression d'être vertueux. Dans la gare, où la vie d'un garçon file plus vite qu'un train, et celle d'une fille à une allure plus vertigineuse encore – cela se comptait en jours –, la seule raison de la survie de Gudiya était la protection de Dacca. Les garçons avaient l'ordre de rester toujours à portée de voix de Gudiya, et ils savaient que s'il lui arrivait quelque chose, Dacca les écharperait.

Une fois que Gudiya eut pris les objets féminins – boucles d'oreilles, bracelets, maquillage, à l'exception du parfum et du tampon –, Dacca fit un signe à Chini, qui choisit la barre de chocolat d'une main hésitante, puis les caramels.

« Je vous disais qu'il grandirait vite ! À sa place, vous auriez pris les lunettes ou la lampe-torche, et vous auriez tout perdu en un jour ! Lui, il a déjà compris la vérité de la gare, et de la vie. On ne possède vraiment que ce qu'on peut consommer aujourd'hui. » Kaliya prit les lunettes et se les mit sur le nez. Sur sa peau noire, les verres noires et l'éclat du métal et de ses dents blanches créaient un effet saisissant.

Malgré les craintes de Dacca, Chini ne se fit jamais pincer. Son innocence brillait comme une pluie fraîche. Avec son air de chérubin, il déambulait dans les compartiments bondés, dérobant sacs à main, sacoches, portefeuilles, sacs à dos, tout ce qui pouvait s'emporter en un tournemain et avec un sourire désarmant. Grâce à ce talent rare, il n'était jamais réduit à ramasser ni à vendre les déchets – journaux, boîtes en carton, bouteilles en plastique et en verre, magazines, boîtes en fer-blanc, tubes, etc. –, vocation habituelle des autres enfants de la gare. Toutefois, il ne pouvait pas se passer de l'omniprésent sac de jute. Ces sacs renfermaient la vie de chaque garçon, tout ce qu'il parvenait à soustraire au monde – une poche en plastique séparait les détritus des objets personnels et de valeur. Le sac de Chini était unique en cela qu'il ne faisait jamais le commerce des rebuts, et celui de Kaliya était unique car il renfermait toujours un serpent lové.

Kaliya et Chini devinrent rapidement un duo inséparable. Ils mangeaient, buvaient, chiaient, inhalaient et opéraient ensemble. Le djinn qui servait de leurre, et l'innocent qui volait. En un rien de temps, Chini acquit les subtilités du hindi de gare et en apprit tous les jeux : avec des cartes, des pièces, les numéros de train, et bien sûr le Madhuri. Après les pluies, la bande réintégra le toit au bout du quai un pour la nuit. L'endroit était très confortable : moins de bruit, moins de fumées, et l'incroyable liberté du ciel grand ouvert. La nuit, ils s'allongeaient sur le dos, un chiffon imbibé sous les narines, et parlaient des choses qu'ils avaient envie de faire, jusqu'au moment où les vapeurs emportaient leurs paroles et emplissaient leur tête d'une musique paisible. De l'autre côté, entre les voies, se dressait la petite boîte verte d'une mosquée, d'où pointaient de petits minarets semblables à des doigts d'enfant. Quand l'appel du muezzin flottait vers eux et les enveloppait, Makhi se mettait toujours à genoux. Personne ne se moquait de lui. Parfois même certains s'agenouillaient avec lui – le plus souvent Trajan ou Chotu. Pour eux, la religion méritait la piété. Lorsqu'ils se rendaient au mandir près du Sheilapul, Makhi Khan s'inclinait devant les dieux alignés avec une égale ferveur et posait le front à terre. Étant donné leur mauvaise fortune, il était sage d'avoir un arsenal divin aussi large et varié que possible.

Le lieu de culte préféré était bien sûr le mandir. La petite mosquée était trop sombre. Cependant, le temple, bâti sur un petit tertre rocheux près d'un vieux ficus chevelu aux racines aériennes, était encombré de sadhus ivres à demi nus, qui se grattaient les couilles à longueur de journée en aspirant les vérités de l'univers dans des chiloms bourrés de haschich. Tout autour se trouvaient les autels des divinités taillés dans la pierre, la terre cuite, le bois et le papier, peints de toutes les couleurs criardes de l'imagination. Le tronc entier d'un sisso, incrusté d'une statue de Hanuman, était recouvert d'une pâte safran.

En général, les sadhus se montraient amicaux avec les enfants, troquant cigarettes, savons, montres, huiles, couteaux et nourriture contre des doses de haschich, de ganja, d'héroïne. À l'occasion, l'un des garçons avait un bref échange sexuel avec un renonçant, mais, le plus souvent, le commerce portait sur des marchandises ou de la drogue. Pour les plus innocents, il s'agissait surtout de frayer avec le Tout-Puissant, et de goûter aux offrandes de burfi, de laddu, de bundis et de halwa apportées par les dévots les plus conservateurs : conducteurs de rickshaws et employés des chemins de fer habitant les quartiers voisins. Parfois, quand un fidèle avait reçu la bénédiction qu'il était venu chercher pour un travail, un mariage, un enfant, ou la fin d'une maladie, il y avait du puri, de l'aloo et du khîr.

Kaliya enseigna très vite à Chini une règle cardinale : ne jamais se laisser entraîner dans une bagarre avec les sadhus. Les fakirs nus avaient la fâcheuse manie de se quereller entre eux, mais si un outsider les défiait, ils serraient aussitôt les rangs et se transformaient en soldats de Dieu, brandissant tridents de fer et lances. Saturés de haschich, ils pouvaient se montrer féroces, insensibles à la douleur et aux conséquences de leurs actes. La légende de la gare rapportait des incidents avec des garçons que l'on avait retrouvés les tripes à l'air, les yeux enfoncés dans leurs orbites. Ni la police ni les officiels du temple n'avaient pu intervenir.

Chini apprit à préparer ses drogues à l'ombre des sadhus. Kaliya et lui s'installaient sous l'arche gracieuse du pont Sheilapul – à chaque extrémité, les carrés de soleil bourdonnaient de mouches et de moucherons ; des chiens errants et des rats gros comme des lapins fourrageaient autour d'eux dans les monceaux d'ordures. Après avoir chauffé quelques lignes sur l'alu, ils longeaient les voies, maîtres du monde, la délicieuse fraîcheur des rails de fer sous leurs pieds nus, marchant bras écartés, défiant les trains de les faire dérailler. Ce faisant, ils s'inspiraient de l'histoire de Tattua.

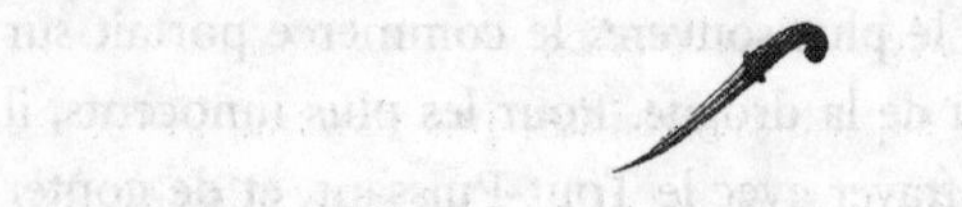

On racontait que le plus grand trompe-la-mort de la gare de New Delhi était un garçon mince comme un jeune bambou, plus vif qu'un oiseau, originaire d'un village des environs d'Amritsar. Sa spécialité était de traverser la voie ferrée juste avant le passage d'un train. Il faisait parfois son numéro devant les passagers massés sur les quais, et suscitait un tel émoi collectif que les pigeons, affolés par la clameur, quittaient à tire-d'aile leur perchoir sur les chevrons. Malgré ses cheveux courts, beaucoup pensaient qu'il était sikh. Seul un sardar pouvait faire preuve d'un courage aussi absurde.

Il n'y avait aucun train que le jeune Pendjabi n'eût défié et vaincu. Trains postaux, express, michelines, trains de luxe rajdhanis et shatabdis, trains spéciaux, il les avait tous faits. Régulièrement, la nouvelle se répandait à la vitesse d'une mèche allumée que Tattua allait affronter tel ou tel train, sur tel ou tel quai. Aussitôt, tout le quart-monde de la gare affluait sur les lieux. Venaient aussi la plupart des karamcharis qui ramassaient les ordures sur le ballast, les balayeurs, les ouvriers de maintenance. Les kakis, également informés, préféraient détourner la tête : la démonstration était de l'art, pas une infraction. À l'approche du train, quand le sol vibrait, Tattua se mettait en position au bord de la voie, le bras droit levé très haut, le bras gauche en arrière, un large sourire sur son visage mince. Tout autour, les adultes et les enfants se tenaient debout ou accroupis, se demandant si ce serait la dernière traversée du célèbre Tattua. Puis, lorsque le train arrivait, incroyablement près – toujours incroyablement près –, et que beaucoup pensaient qu'il ne sauterait pas, Tattua s'élançait d'un bond par-dessus les rails vibrants.

La singularité de l'exploit ne résidait pas dans sa bravoure mais dans sa grâce. Tattua ne courait pas, ne se précipitait pas, et il n'y avait rien de gauche dans son élan devant la mort imminente. Le bras droit levé haut, le gauche étiré en arrière, un sourire serein sur le visage, il effectuait la traversée mortelle en trois pivots de hanches. Ce mouvement très personnel devint célèbre sous le terme de « Tattua ki chaal », le pas de Tattua, et de nombreux jeunes gens, de son temps et longtemps après, s'exercèrent à cette démarche légendaire.

Tattua affirmait avoir pris cette habitude à Amritsar où, à longueur de journée, il s'amusait à couper la circulation ininterrompue qui passait devant le Jaliyan Wala Bagh en direction du Temple d'Or. Il disait avoir eu une vision en s'agenouillant dans le sanctuaire du temple devant le livre saint. Dans cette vision, le célèbre Guru Gobind Singh, chevauchant son superbe destrier, avec la plume de son turban flottant au vent, son nez impérieux effilé comme une flèche, lui avait dit que sa tâche, dans la vie, serait de stopper le flot de l'humanité mécanisée. Mais d'autres personnes affirmaient que l'obsession de Tattua s'expliquait par la mort brutale de sa mère, écrasée par la voiture d'un riche propriétaire sur une route de campagne près de Patti. La vérité importait peu. L'important était que le Tattua ki chaal était une sorte de gant insolent et gracieux lancé plusieurs fois par jour, à la face de la vie, du transport motorisé, de la logique et du sort.

Tattua avait été contraint de fuir Amritsar après avoir exécuté une danse avec la mort devant une voiture Ambassador gouvernementale roulant à vive allure, et provoqué un accident, tuant quatre personnes, dont la fille de l'inspecteur des impôts. Tattua avait refait surface dans la gare de Delhi, et mis la barre plus haut en se mesurant à un adversaire bien plus implacable qu'une simple automobile. Nul ne savait s'il avait fini par périr sous un train. Comme la plupart des rats de gare, il disparut subitement, bien des années avant l'arrivée de Chini. Selon certains, il avait été taillé en pièces sur la voie numéro un après avoir passé des heures à fumer de l'alu ; les kakis avaient ramassé ses morceaux éparpillés et les avaient fourrés dans un sac de jute qu'ils étaient allés déposés au bout de Paharganj, en dehors de leur juridiction. D'autres prétendaient qu'il avait été recruté par la mafia de Bombay et travaillait maintenant dans le trafic de drogue. Il en restait quelques-uns pour croire que Tattua avait haussé le niveau de ses défis et que, désormais, il trompait la mort dans les grands aéroports, cherchant à effaroucher les gros oiseaux rugissants au moment où ils s'apprêtaient à décoller ou atterrir.

Derrière la gare, loin des voies, juste au-dessous de l'endroit où la bande dormait, il y avait un parking. Plus exactement un terrain ouvert, bordé d'eucalyptus anémiques et de quelques buissons de lauriers-roses jaunes. Pendant deux mois, chaque année, souvent en octobre et novembre, selon le décret des prêtres quant à l'alignement des étoiles, ce terrain devenait une véritable salle de banquet à la Kubilaï Khan[1] . Chaque jour, en effet, un nouveau groupe envahissait les lieux pour monter des tentes rayées rouges et bleues similaires, sur des dhurries élimés rouges et bleus également similaires, et dresser les mêmes vilaines tables en bois et métal, recouvertes de draps blancs

1. Petit-fils de Gengis Khan, khan mongol puis empereur de Chine et fondateur de la dynastie Yuan, il accueillit à sa cour Marco Polo. On dit qu'il fit bâtir Xanadu, palais d'été mirifique, surnommé le grand dôme du plaisir.

amidonnés mais tachés. Dans le coin le plus éloigné, où poussait le plus grand des eucalyptus, on installait d'énormes cuisinières à gaz et des marmites gigantesques.

Pendant la journée, les rats évitaient de trop loucher sur ce qui mijotait dans les marmites. Mais le soir, quand tout l'espace se transformait en un palais de lumière et de beauté, que la musique explosait dans les arbres et sur les toits, deux d'entre eux se récuraient avec soin et enfilaient les vêtements les plus propres qu'ils pouvaient dénicher – des invendus d'exportation payés quelques roupies sur les étals de Sadar Bazar. Quand le cortège du jeune marié arrivait, fanfare tonitruante, chevaux sémillants, hommes sautillants, et fendait une large trouée dans la foule des invités qui attendaient au cœur de la tente, les deux rats déguisés s'engouffraient dans son sillage. Au moment de s'attabler, ils plongeaient dans le tourbillon de convives le plus large, et s'empiffraient jusqu'à ce que la nourriture leur remonte aux narines. Ensuite, ils remplissaient leurs poches et, parfois, quand la tente était découverte, ils lançaient de la nourriture et des boissons sur le toit de béton voisin.

Tous ne pouvaient pas se livrer à ce type d'expédition. Kaliya, notamment, n'y participait jamais : avec sa peau noire, il était aussi repérable que si on lui avait accroché une pancarte « intrus » autour du cou. Dacca non plus, pour la même raison mais aussi parce qu'il ne s'abaissait pas à jouer les pique-assiettes. Tarjan présentait un risque. Il pouvait se fondre dans certaines fêtes de mariage, mais sa lenteur d'exécution le rendait vulnérable. Les plus passe-partout étaient Gudiya, qui dégoulinait de maquillage volé, Chotu, Makhi et Chini. Grâce à leur teint clair, ils n'éveillaient pas les soupçons. Chini devait néanmoins se montrer prudent, car s'il séduisait par son air innocent, ses yeux bridés et son nez épaté le trahissaient.

Bien entendu, de temps à autre, ils étaient démasqués et pourchassés. Mais attraper un rat de gare n'était pas aisé. Travaillant en tandem, ils créaient la diversion et le chaos, fonçaient sous les tables, par-dessus les chaises, à travers les trous du shamania. Les mains qui tentaient de les saisir écopaient de morsures, et ceux qui les insultaient de bordées d'injures très colorées. Les rats vivaient au-delà de la honte. C'était la première injonction de leur catéchisme. D'ailleurs, provoquer les imbéciles heureux participant à une noce les amusait beaucoup. Parfois, quand ils étaient rassasiés, ils déclenchaient un scandale juste pour le plaisir.

Les jours les plus fastes de leur vie étaient les week-ends où un banquet sur le parking coïncidait avec une nuit vidéo. L'information commençait à circuler en fin d'après-midi ou en début de soirée. Oui, il allait venir. Oui, on l'avait aperçu. Oui, il avait les derniers films de Amitabh Bachchan. Partout l'excitation était palpable. L'estomac rempli de muttar panir, de naan, de gulab jamun et de rasmalai, la bande de Dacca se rendait à la grande décharge, derrière le quai un. Tous les chemins invisibles de la gare y menaient. L'ambiance était déjà électrique. Les rats bourdonnaient comme un million de mouches.

Une ampoule de vingt-cinq watts suspendue à un fil accroché à un clou marquait l'entrée de la décharge. Sur la gauche, contre le mur du fond carrelé de blanc, un téléviseur émettait une lumière bleutée en grésillant doucement. Sur la droite, le monceau d'ordures était interdit d'accès pour la nuit avec un long auvent de récupération. Sous l'ampoule faiblarde, vêtu d'une kurta pajama blanc sale, assis jambes croisées sur une caisse d'emballage, tirant sur un beedie qui coupait la puanteur, se tenait Oncle Vidéo. Il arborait une longue barbe à la manière de Salushan Baba, le Père Solution, mais il était différent : plus gras, plus jeune, moins patient, plus autoritaire. Oncle Vidéo ne démarrait pas le film avant que la décharge soit comble, avant que tous les rats de la gare aient acheté leur ticket de cinq roupies et se soient assis. Il détestait rembobiner et repasser des scènes, et n'acceptait de le faire que pour les occupants du pipal. D'ailleurs, ceux-ci n'étaient jamais en retard. Ils adoraient les films autant que n'importe qui d'autre ; c'étaient même eux qui s'assuraient qu'Oncle Vidéo leur en donne pour leur argent toute la nuit.

Quand la décharge était bondée et que les bavardages avaient fait fuir tous les oiseaux nocturnes, Oncle Vidéo envoyait quelqu'un prévenir le pipal. Cet ancien géant, autrefois en bordure de l'appentis construit à l'époque du Raj juste derrière le quai principal, avait au fil des décennies fendu le vieux mur de briques et ne faisait plus qu'un avec la bâtisse. Pour accéder au toit de l'appentis, il fallait grimper sur la centaine de tendons noueux de l'arbre. Avec le temps, on avait creusé des prises de pied dans la chair du pipal pour faciliter l'ascension, et une épaisse barre de fer enfoncée dans une crevasse, juste au-dessus de la tête, permettait de s'y hisser. Bien sûr, on ne montait là-haut que sur invitation, ou sous la contrainte. Les rats surnommaient cet arbre « narak », l'enfer. Les histoires de narak, le bien nommé, faisaient dresser les cheveux sur la tête : violence, drogue, alcool, sexe. Une simple convocation dans le pipal suffisait à donner mal au ventre aux rats les plus endurcis.

Le balcon – deux banquettes arrière arrachées à une vieille voiture Ambassador dont le rembourrage dégueulait par les fentes du Skaï vert – était réservé aux garçons du pipal. Ils s'y vautraient, avec leur papier alu, leurs cigarettes, leurs paquets de cacahuètes et leurs bouteilles de bière, commentaient d'une voix grasse les scènes du film, et balançaient les canettes vides par-dessus le paravent de toile, sur la décharge. Tout rat osant lever les yeux vers eux se faisait corriger. Lorsqu'ils avaient envie d'uriner ou de revoir une scène, ils apostrophaient Oncle Vidéo, qui arrêtait aussitôt le film, rembobinait la cassette, répétait, re-répétait à la demande. S'ils n'aimaient pas un film, ils exigeaient l'interruption. Oncle Vidéo n'avait plus qu'à fouiller dans son sac pour en choisir un autre.

Les garçons du pipal étaient durs, mystérieux, inaccessibles ; leur nombre augmentait, diminuait, leur réputation de violence tenait même les kakis à distance. À l'époque, le chef de la bande était un jeune homme prénommé Shakal – en référence au méchant à crâne rasé d'un film à succès des années quatre-vingt. Chaque samedi soir, Madhmudwa, le barbier tenant une échoppe minuscule le long du mur du parking, grimpait dans le pipal pour raser la tête de Shakal. La nuit, ceux qui se risquaient à l'observer du coin de l'œil voyaient la lumière de l'écran se refléter sur son crâne huilé. On racontait que, dans la poche de Shakal, se nichait non pas un tamancha fabriqué dans un tuyau scié, comme les autres, mais un vrai revolver.

Chini tomba à son tour amoureux du cinéma, et sa ferveur ne faiblit jamais. Assis sur le dhurrie, les bras serrés autour de ses genoux repliés, calé entre Kaliya et Trajan, ou un autre de la bande, il gardait les yeux rivés sur l'écran pendant toute la nuit. Vers la fin du troisième film, alors que le ciel nocturne commençait à virer au gris, il restait parmi les derniers rats éveillés.

Dès que Oncle Vidéo rangeait son matériel et les cassettes, une insondable mélancolie s'emparait de Chini. Des images éparses, floues, se mettaient à flotter dans son esprit attristé.

Des images de collines verdoyantes, luisantes de pluie, un bambou, une chaumière avec des lits bas, de grands oiseaux et de petits animaux, le tourbillon incessant de gens passant devant la porte ouverte, des conversations dans une langue qu'il ne comprenait plus, les bras d'une mère au regard noir et méfiant, un homme qui entrait et sortait, lui tapotait la tête, s'allongeait sur sa mère, des hommes nombreux qui entraient et sortaient, lui tapotaient la tête, chuchotaient. Puis, la nuit du vacarme infernal : des cris dans l'obscurité, des flammes, des jappements de chiens, des piaillements de poulets ; des coups secs perforant les ténèbres, répétés en cycles rythmés. Thak. Thak. Thak. Thakathakathakatathakatathakatathak. Un bras maternel le poussant sous le lit bas, suivi d'un châle épais et d'un sac rempli. Des cris sonores dans la pièce. Un grognement maternel. Thakathakathakatathakatathakatathak. Sa mère perforée en cycles rythmés. Le petit Lhungdim dormant. Le petit Lhungdim s'éveillant. Le petit Lhungdim voyageant dans les bras d'un oncle. Le petit Lhungdim dans un train. Le petit Lhungdim dans un train. Le petit Lhungdim dans un train. Le petit Lhungdim, le petit Aladin. Le petit Lhungdim, le petit Chini.

Un jour où Chini confiait ses souvenirs fracturés à Kaliya, le garçon serpent lui assura qu'il avait eu des parents comme tout le monde. Chacun doit venir de quelque part. Mais mieux valait pour lui en être débarrassé. Les parents étaient rarement autre chose qu'un fardeau. Kaliya avait fui les siens. D'ailleurs, s'il ne les avait perdus, Chini aurait-il jamais connu Kaliya ? Et la bande ? Et la solution ? Et les films ? Kaliya l'emmena sur le quai un, où des hordes chargées de bagages franchissaient les grilles sans être arrêtées par le contrôleur de tickets, et il lui montra tous les enfants moroses traînés par des adultes à l'air revêche.

Chini fut bien forcé de reconnaître que la vie de rat de gare était la seule qui valait la peine d'être vécue, et si le prix pour cela était de n'avoir pas de parents, ce n'était pas cher payé.

Pourtant, le shrapnel de ses souvenirs continuait de lui perforer la tête, et chaque fois qu'il inhalait le chiffon, il entendait la douce musique de la pluie sur un toit de chaume, au milieu d'arbres verts luisant de pluie, au bout d'un monde qu'il ne retrouverait plus jamais.

De Bangkok à l'enfer

Dacca fut le premier à toucher le pénis de Chini. C'était son droit inaliénable. Après tout, Chini était son butin, sa récompense. L'hiver s'était glissé dans Delhi, avec le brouillard, la bruine, et des vents intermittents qui vous laminaient la tête. Les nez coulaient et les yeux larmoyaient. La gare, qui souffrait d'un ensoleillement plus réduit que le reste de la ville, sentait les doigts de la nuit se refermer sur elle dès quatre heures de l'après-midi.

Les toits étant devenus des glaciers mortels, la bande déménagea de nouveau pour se calfeutrer dans l'égout situé entre les quais quatre et cinq. Ce n'était pas aussi terrible que ça le paraissait. La canalisation était seulement à un mètre cinquante sous le sol, et relativement sèche. Ils avaient enfoui le filet de boue s'écoulant dans le sillon central sous de vieilles couchettes de wagons-lits placées en travers. Et la plaque en fonte ayant été enlevée et vendue depuis longtemps, l'entrée de leur demeure était maintenant obstruée par un couvercle de caisse en bois, dont les dizaines de têtes de clous luisaient sous le soleil de midi. La plupart des nuits, sauf en cas de pluies anormales pour la saison, la trappe restait ouverte pour laisser entrer l'air frais et les bruits rassurants de la gare.

Ce n'était pas aussi terrible que ça le paraissait. L'égout était en assez bon état et les infiltrations limitées, même quand il pleuvait à verse. Sur la gauche, tout au bout, il y avait deux grosses perforations et de nombreuses plus petites, mais, par chance, cette portion se trouvait sous le grand réverbère qui surplombait les voies et, même dans la nuit la plus noire, de minces rais de lumière filtraient dans leur tanière souterraine. En décembre, janvier et février, quand une seule nuit sans abri suffisait à vous glacer le sang et vous transformer en cadavre, l'égout était un formidable refuge, chaud et réconfortant, peuplé de corps blottis, enroulés dans des haillons de couvertures et de couvre-lits. Parfois, on pouvait même improviser un feu de bois sur une grille de fer posée sur quatre briques volées et une poignée de sable.

Ce n'était pas aussi terrible que ça le paraissait. Tant que les garçons respectaient la règle établie de ne pas apporter de nourriture dans l'égout, les rongeurs – dont certains avaient la taille de petits chats – se tenaient à distance. Si l'un d'eux s'aventurait néanmoins, il était aussitôt capturé par Trajan et lancé comme une balle de cricket par la trappe. Certains passants avaient la mauvaise surprise de voir des rats jaillir devant eux.

Le premier hiver, ils étaient neuf à dormir dans l'égout. Ils devaient payer à la casquette ronde de faction cinquante roupies par jour. Chacun se fendait de cinq, Dacca de dix. Parfois, si un nouveau venu n'avait pas les moyens de payer sa cotisation, la casquette ronde exigeait une rétribution d'un autre genre.

Très tard, un soir de la fin de décembre, en descendant dans l'égout, Dacca écarta Makhi pour s'installer à côté de Chini. C'était l'heure des vapeurs et tous avaient un chiffon imbibé sous le nez. La pluie martelait le toit de chaume quand le petit Lhungdim sentit la main de sa mère sur sa peau. La main remonta sous son short, palpitante. C'était bon, très bon, meilleur que tout ce que la solution lui avait procuré jusqu'ici. Puis la main prit la sienne et enroula ses doigts autour d'une chose merveilleusement chaude. Le baba, apparemment, lui avait donné une nouvelle solution.

Allongé de l'autre côté de Chini, Kaliya scruta les contours qui se dessinaient dans l'obscurité et sentit un pincement de jalousie. Mais il savait que le nouveau train qui quittait la gare s'arrêterait bientôt devant lui.

Dacca n'eut aucun geste brutal ni précipité. Ayant son content depuis des années, il avait désormais l'approche d'un épicurien. Le jeune Chini était petit et d'une rare délicatesse – il n'y avait aucun plaisir à le consommer rapidement, il fallait au contraire semer en lui les graines du désir et observer leur éclosion. Tous les membres de la bande, hormis Gudiya qui était sa sœur d'adoption, avaient connu leur période d'initiation avec Dacca. Cela s'était passé en douceur pour chacun d'eux, sauf pour Makhi, dont la peau douce et les traits délicats avaient longtemps séduit le chef. Mais, avec lui aussi, l'attrait de la nouveauté avait fini par se tarir, et le bon sens par reprendre ses droits.

À présent, Dacca avait deux filles, une sur le quai deux et une autre sur le quai neuf. L'une de Calcutta, l'autre de Lucknow. Il les emmenait dans les couchettes des wagons-lits sur les voies de garage. Deux membres de la bande les accompagnaient pour faire le guet. Dacca restait attaché à sa bande et rentrait au bercail la plupart des nuits, pourtant, depuis un an, il délaissait les plaisirs ordinaires de la gare pour des occupations plus sérieuses : trafic de drogue et crime organisé. Kaliya se doutait que son chef ne se contentait plus de couper les poches et frayait avec des gangs importants de Sadar et de Chandni Chowk.

Certains jours, Dacca avait des rouleaux de billets de banque dans ses poches, et au lieu de demander aux garçons de déballer ce qu'ils avaient glané pendant la journée, il leur donnait un billet de cinquante roupies tout neuf à chacun. Deux minces chaînes en or étaient apparues au milieu de ses colliers et il s'était fait percer une oreille, laquelle s'ornait maintenant d'un anneau d'or. Avec un large sourire, Tarjan s'était exclamé : « Dacca est devenu America ! » Leur chef avait également cessé de sniffer la solution. Il ne fumait plus que de l'alu. Allongés dans l'égout, les garçons l'observaient chauffer les lignes d'héroïne l'une après l'autre, et ils sentaient sa sérénité croissante les envelopper tous.

La réputation de Dacca s'était construite sur son habileté au tournevis. Un tournevis exigeait davantage de rage qu'un couteau. Avec un couteau, on pouvait inciser, taillader, provoquer une escarmouche et se retirer, entamer un jeu et s'amuser. Pas avec un tournevis. Un tournevis demandait un engagement total. Il n'y avait pas de place pour le divertissement. C'était franc et pur. Avec un tournevis, il fallait plonger profond, aller jusqu'au bout, de toute son âme, de tout son corps. Un tournevis ne supportait pas le doute. Sinon, sa pointe de fer ne pouvait pas transpercer la peau, les muscles, l'os, et atteindre sa fin logique. Un tournevis autorisait rarement une seconde chance. Il devait accomplir son œuvre d'un seul mouvement. C'était un stylo de fer, et ce qu'il écrivait était ineffaçable. Si on le plantait bien droit, on ne salissait même pas ses vêtements ni ses bottes. Il suffisait de se laver soigneusement les mains et de passer le stylo de fer sous le robinet.

Dacca disait : « Les frimeurs se servent d'un couteau. C'est du cinoche ! Si vous voulez impressionner les filles, c'est parfait. Mais si vous voulez tuer, rien ne vaut un tournevis ! » Selon lui, la beauté du tournevis résidait dans son esthétique et dans sa qualité de bombe à retardement. Pas de chair béante, pas de viscères répandus, pas de sang giclant comme d'un tuyau crevé. Un simple petit orifice semait la mort. Quelques heures plus tard, une fois votre adversaire réfugié dans la niche puante d'où il était sorti, la mort explosait à l'intérieur de lui. Ceux qui ne succombaient pas, vivaient jusqu'à la fin de leurs jours avec un trou suppurant dans le corps. Et avec la peur. Ils vivaient en sachant que, dans le tréfonds de leur être, il y avait une cavité suppurante que rien ne pourrait combler.

L'arsenal de tournevis de Dacca provenait des quincailleries de Chawri Bazar. Certains étaient longs comme son avant-bras, d'autres comme sa paume, beaucoup étaient courts, avec un embout de fer d'une dizaine de centimètres, une poignée en bois lisse et ronde, creusée de sillons pour la traction. Ceux-là étaient les préférés de Dacca ; il en portait deux en permanence sur lui.

Chini aimait le contact doux des manches courts, et quand Dacca lui prenait la main, la nuit, il imaginait que ce qu'il caressait était le manche en bois de l'arme. Au fil des mois, puis des années, Chini en vint à caresser les manches de tous les garçons de la bande, tout particulièrement celui de son ami le plus proche, Kaliya.

Ces tâtonnements initiaux menaient à un voyage inévitable au cœur du quartier de Bangkok. Pour atteindre Bangkok, il fallait sortir par Ajmeri Gate et marcher tout droit, à travers

Old Delhi, par Asaf Ali Road et Daryaganj, vers la centrale électrique derrière le Raj Ghat où flottaient encore les cendres du Mahatma Gandhi. La première fois, ils quittèrent la gare vers huit heures du soir et marchèrent pendant deux heures. Chini était sidéré par le nombre de véhicules, les grands immeubles et les larges avenues. Il n'en revenait pas : deux heures de marche accélérée et c'était toujours la même ville. Ses amis lui avaient assuré que, à Bangkok, l'attendaient des surprises bien plus inimaginables.

Au-dessus du bidonville dans lequel ils pénétrèrent, était suspendu un écheveau hallucinant de fils électriques dénudés avec des ampoules nues. Un caniveau engorgé courait le long des ruelles en terre battue. Dans ces ruelles, des marchands ambulants vendaient des glaces, du chât, des tikkis ; d'autres, sur des mobylettes transformées, proposaient des rasgullas, de la barbe à papa, des aampapad, des kulchas ; des carrioles plus imposantes vendaient des légumes, des sorbets, des repas tout préparés ; il y avait aussi des récipients en aluminium pour l'eau potable. Des chiens somnolaient çà et là, des voix jaillissaient des petits abris de brique ou de tôle. Tout le monde semblait se disputer. Personne ne leur jeta un regard curieux quand ils s'engagèrent dans les ruelles l'un derrière l'autre.

Ils étaient dans les entrailles du taudis. Chini se disait que jamais il ne pourrait retrouver son chemin lorsque la procession s'arrêta. Il remarqua trois petites enseignes sur trois cabanes alignées, d'une pièce chacune. *Tempo Video House. Manpasand Video House. Sweet Dreams Cinema Parlour*.

Pendant quatre heures, pour cinq roupies, dans le cinéma des « Doux Rêves » où s'entassaient une vingtaine de spectateurs, Chini vit des films qui lui explosèrent le cerveau en fragments kaléidoscopiques. Des Blanches, plus belles que les héroïnes des films indiens, se livraient à des cochonneries inouïes. Le corps de ces femmes blanches aux cheveux d'or, à la bouche rouge, surpassait tous les fantasmes. Des seins pareils à des ballons, des cuisses pareilles à des colonnes, des vulves pareilles à des pêches. Entre leurs cuisses ouvertes, Kaliya vit la gueule puissante d'un python, capable d'avaler n'importe quoi, y compris un homme.

Dans le rayonnement translucide de ces femmes gémissantes, Chini aperçut d'autres silhouettes affluer, jusqu'au moment où, vers minuit, le dhurrie de jute bleu maculé d'un million de bonheurs sur lequel ils étaient assis fut totalement comble. Les spectateurs les plus grands s'entassaient dans le fond, contre le mur, où rougeoyaient les bouts incandescents des lignes argentées qui circulaient. Seul le dernier rang était autorisé à parler fort ; les commentaires sur la taille, la forme et la couleur des sexes allaient bon train.

Mais Chini n'avait pas de temps à perdre à ces futilités. Ses doigts voletaient comme ceux d'un maître-tisserand. L'odeur de sperme envahissait la salle, oblitérant même celle de la sueur, de la crasse et du tabac. Chaque garçon s'escrimait sur son manche ; certains, sur celui des autres. Quelques-uns s'étaient endormis, épuisés et repus. Bientôt ils se réveilleraient et se remettraient à l'ouvrage.

Malaria, le jeune propriétaire émacié du cinéma des Doux Rêves, était assis dehors, très occupé à fumer des lignes d'alu. Quand, avec un claquement sec, la bande s'arrêtait et que le public rugissait, Malaria s'empressait d'aller mettre une nouvelle cassette. Chini s'émerveillait des splendeurs infinies du cinéma. Vers trois heures, Malaria revint en titubant, l'air endormi, pour changer de nouveau la cassette – à ce moment-là, l'odeur de sperme était aussi dense que des relents de fromage. « Tas de vagabonds, arrêtez de vous tirer sur la tige comme si un sac d'or poussait à la racine ! Vous n'en avez pas eu assez ? » À quoi les garçons répondirent rudement : « Va enculer ta mère, Malaria ! Et qu'elle chope le filaria ! » Il sourit et battit en retraite.

Cette nuit-là, ni Chini ni Kaliya ne fermèrent l'œil, et lorsque le propriétaire revint éteindre le magnétoscope, aussi chaud qu'un grille-pain, toutes les parcelles du corps des garçons étaient endolories – des yeux jusqu'aux jambes, des mains jusqu'au manche.

Dehors, une aube grise entamait la journée. Les ruelles de Bangkok fourmillaient déjà. Des hommes à la peau recuite, vêtus de petits gilets, préparaient leurs charrettes et leurs triporteurs ; des effluves de nourriture concurrençaient les émanations des égouts. Quelques enfants privilégiés, vêtus d'un uniforme loqueteux, partaient à l'école d'un pas guilleret, ployant sous le poids de leur cartable en toile. En moins d'une heure, le bidonville serait vidé de toute activité. Tous les habitants de plus de neuf ans s'en iraient fouiller la ville en quête de la moindre roupie qu'ils pourraient trouver, tandis que les trimeurs nocturnes, tels que Malaria et l'escouade du porno et de la sécurité, iraient dormir.

Le bidonville travaillait dur en permanence pour dénicher de nouveaux moyens de subsistance. Nouveaux dans tous les sens du terme. La pornographie n'était pas moins respectable que la vente d'eau contaminée, le gardiennage des chiens d'une riche famille, ou la récolte de fonds pour un prétendu orphelinat. En fait, pendant plusieurs années, Chini et Kaliya prétendirent que c'était un passe-temps relativement sain comparé à d'autres activités auxquelles se livraient leurs camarades.

Lorsqu'ils regagnèrent la gare, exténués, le soleil commençait à brûler la ville. Les deux garçons s'étaient découvert une passion commune pour la consommation de films pornos qui allait à jamais sceller leur amitié.

Si Bangkok devint une destination régulière pour les deux amis, ni l'un ni l'autre ne goûtèrent à aucun autre secteur de la ville tentaculaire pendant de nombreuses années, hormis bien sûr le bazar de Sadar, où ils se rendaient une fois par mois pour acheter une chemise et un pantalon à vingt-cinq roupies, chemise et pantalon qu'ils portaient sans discontinuer jusqu'à les user jusqu'à la corde et venaient revendre l'hiver, pour acheter des gilets et des vestes à vingt-cinq roupies. Certains de ces vêtements portaient des étiquettes de marques qui auraient attiré la convoitise dans les vitrines chic de Park Avenue ou de Mayfair ; le fossé entre les riches Blancs et les enfants de la rue se résumait à une couture pas assez solide ou à un col non conforme.

S'il était facile de se promener à Sadar – il suffisait de suivre les rails –, le reste de la ville leur demeurait étranger. Divers périls y rôdaient : policiers, fonctionnaires du gouvernement, mafia des mendiants, tribus d'eunuques. Des garçons s'étaient perdus là-bas, avec les mutilations de bras, de jambes et de pénis que cela supposait. Il fallait aussi compter avec les espions des services sociaux, qui avaient pour armes des épées émoussées et des rêves roses, parlaient avec un regard candide de bonté et d'éducation, et tentaient d'attirer les enfants dans leurs orphelinats afin de les domestiquer et d'en faire des cuisiniers, des gardiens et des jardiniers. Les rares enfants qu'ils parvenaient à pousser jusqu'à la fin de leurs études finissaient employés de bureau ou comptables.

Dacca appelait ces rabatteurs les « maquereaux de la bonté ». « Qu'ils viennent s'asseoir sur ma bite ! Ils détestent notre liberté et notre bonheur ! Ils ne supportent pas qu'on ne vive pas selon leurs règles ! Ils veulent nous récurer la peau, nous apprendre à écrire et à lire quelques mots, ensuite ils nous expédient comme esclaves chez un riche patron ! Pour cirer les pompes de la memsahib ou torcher le cul de ses enfants ! Qu'est-il arrivé à Ismaïl, à Kamal, au Docteur, à Pani ? Ils servent le thé, essuient les tables et lavent la vaisselle ! Est-ce que l'un de nous a jamais été obligé de faire ça ? Je préférerais crever sous un train plutôt que de me livrer à ces souteneurs ! » Et à Chini, il disait : « Toi, ils ne t'apprendront même pas quelques mots. Ils te colleront d'office un topi sur la tête et un lathi dans la main pour faire de toi un chowkidar. Un veilleur de nuit ! Tu te vois passer le reste de ta vie debout toutes les nuits, à faire ta ronde en martelant le sol avec ta matraque ? »

Chini, en réalité, s'entraînait à devenir non pas un gardien de nuit, mais un escroc. Dacca l'avait formé au maniement du rasoir.

« Tu es trop joli pour te servir d'un tournevis, Aladin. Il te faut quelque chose de doux, de délicat. »

Chini, irradiant d'innocence, était davantage fait pour l'arnaque de contact, le délit de charme : petites escroqueries, vol de sacs à main, incision de poches. La lame en acier inoxydable du rasoir Topaz se pliait en deux ; elle disparaissait facilement entre l'index et le médium, le fil tranchant au ras de la paume. À l'instant où Kaliya bousculait leur victime, Chini tailladait sa poche, laquelle s'ouvrait comme la gueule d'un chien. Si l'homme comprenait ce qui lui arrivait, Kaliya se jetait sur lui, gigotait, se tortillait, attaquait à la manière d'un serpent, dont les gènes étaient inextricablement mêlés aux siens, tandis que Chini s'enfuyait à toutes jambes.

Parfois, pourtant, ils étaient attrapés et roués de coups. Par des groupes de voyageurs, par les kakis, par les casquettes rondes de la gare, par d'autres rats plus coriaces. Il leur restait alors à s'allonger sur le toit ou dans l'égout, et inhaler le chiffon jusqu'à ce que la douleur cesse et que les marques disparaissent. Et si l'un des garçons de la bande rapportait un tube de pommade Iodex, ils préféraient la manger étalée sur du pain plutôt que de l'appliquer sur leurs ecchymoses.

Ainsi s'écoula une décennie.

Dix années au cours desquelles tout changea. Tout et pas grand-chose. Dacca trouva la mort, découpé en morceaux avec un couteau de boucher. Quand la nouvelle parvint à la gare et que les garçons se précipitèrent sur le terrain vague derrière le Fort Rouge, ils découvrirent des parties de son cadavre jetées à côté d'un petit massif de lantana, près d'un caniveau. Comme une poupée de plastique dont on aurait arraché les bras et les jambes. Sa tête, tranchée au ras du torse, avait roulé quelques pas plus loin. Les chairs démembrées avaient gonflé et pris une teinte rouille-bleu-vert. Sans ses poignets de tennis, personne n'aurait reconnu Dacca. Le tournevis court qu'il portait habituellement caché dans sa botte était enfoncé dans son nombril. Le manche de bois lisse dressé comme une pierre tombale. Lorsqu'ils l'eurent identifié, le policier lâcha :

« Saletés de va-nu-pieds, voilà comment vous allez tous crever ! J'espère que quelqu'un viendra vous reconnaître ! »

On empaqueta les restes de Dacca dans un drap, et la crémation eut lieu à l'ancien ghat de la rivière Yamuna. De tous les rats de gare qu'il avait connus au cours des seize années passées sur les quais, trois seulement assistèrent à sa crémation. Kaliya, Chini et Trajan donnèrent soixante-dix roupies à un prêtre pratiquant des tarifs réduits, qui réclama une cigarette avant d'exécuter quelques rites de pure forme. Il marmonna des incantations à une vitesse telle que pas un mot audible n'en sortit, agita une touffe d'herbe verte et un lota en cuivre, et jeta un peu d'eau autour du bûcher. Les trois brassées de bois leur coûtèrent quatre-vingts roupies. Ils avaient de la chance que le mort eût été coupé en morceaux, remarqua le prêtre, sinon cela n'aurait pas suffi.

Le lendemain, ils retournèrent récupérer les cendres et quelques fragments d'os calcinés dans un petit récipient, et prirent un bus pour Haridwar. Sur le chemin du ghat, Kaliya bouscula deux groupes de nantis endeuillés, tandis que la lame de Chini ouvrait deux poches de kurtas blanches amidonnées. L'argent leur permit de payer un jeune panda, qui marmonna des incantations inaudibles et accélérées. Les restes de Dacca furent ensuite jetés dans le large Gange, dont le courant le ramènerait vers l'endroit qu'il avait quitté bien des années plus tôt.

Les trois amis séjournèrent dans la ville sainte plusieurs semaines, passant leur temps à cisailler quelques poches de kurtas, à observer les pèlerins et les cortèges funéraires, les aartis du soir avec leurs incantations assourdissantes et l'ondoiement des diyas étincelantes, à se repaître de puri aloo et de halwa, à étudier les filouteries des intermédiaires de Dieu. Ils dormaient dans les ashrams bourdonnants, sur les rives du fleuve grondant, et, les jours où les poches des kurtas étaient généreuses, ils s'offraient une chambre dans l'un des nombreux hôtels exigus de la ville. Ils regardaient les femmes marmonner des prières et se plonger dans la mère de toutes les rivières – bénédiction de Shiva et détergent de tous les péchés –, le sari moulant leurs chairs vallonnées, le soutien-gorge blanc gravé sous le corsage blanc, leurs pointes de seins rondes, noires et liquides.

Ainsi s'écoula une décennie.

Au cours de laquelle Gudiya fut molestée, enlevée et violée. Les garçons de l'autre pipal, celui qui se trouvait derrière le dernier quai, à côté du kiosque à thé, près de Ajmeri Gate, la surprirent un soir alors qu'elle explorait des wagons vides en quête de quelques restes, et la ramenèrent à la cave. L'endroit était prédisposé aux activités illicites : les derniers doigts lumineux des hauts réverbères s'arrêtaient à quelques mètres, et les kakis ne s'y aventuraient jamais. Dans le trou béant en forme de capuchon, sous le tertre herbeux derrière les voies de garage, les trois garçons la violèrent à tour de rôle.

Ils étaient brutaux, expéditifs, et crachaient dans leurs mains. L'un d'eux la baisa en silence. « Ça te plaît, salope ? Tu vas en redemander, hein ? » On aurait pu croire qu'ils étaient amants et qu'il cherchait son approbation.

Gudiya cessa de lutter au bout de cinq minutes. Il était tard, elle flottait déjà sous les effets de la solution, et elle avait vécu assez longtemps dans la gare pour savoir que cette agression aurait dû se produire depuis longtemps. Quand ce fut fini, les violeurs s'assirent en demi-cercle, le souffle rauque, époussetèrent leurs avant-bras et leurs pantalons, et fumèrent des cigarettes. Gudiya s'accroupit et enfonça ses doigts en elle pour y puiser tout ce qu'elle pouvait.

Elle s'essuyait encore la main sur sa kamiz lorsque Shankar, le plus grand des trois, et chef des quais sept et huit, l'allongea de nouveau. Il cracha dans ses paumes par habitude, bien que ce ne fût pas nécessaire. Cette fois, il la pénétra doucement, gentiment, et ne lui posa aucune question. Gudiya cala sa tête dans la terre meuble et écarta les jambes. Elle entendit le postal Jammu-Tawi quitter la gare avec un sifflement perçant. Ensuite, Shankar congédia ses deux comparses et confia à Gudiya qu'il l'observait depuis des mois, qu'il avait toujours cru qu'elle était la femme de Dacca et venait juste d'apprendre la vérité. Maintenant, elle était à lui. Il aimait tout en elle. Il aimait son nom. Il aimait sa beauté. Il l'aimait. Il partagea sa cigarette avec elle et lui donna cinquante roupies.

Le lendemain, il l'emmena à Chandni Chowk et lui acheta un ensemble rose scintillant, des bijoux de pacotille, des sandales argentées, et un petit flacon d'attar, une huile de parfum naturel dont la senteur emplissait l'air comme un nuage de fumée. Ils mangèrent du mouton korma chez Karim, et Shankar plongea ses yeux dans les yeux noirs de Gudiya.

La semaine suivante, il la conduisit chez son meilleur ami, Abbas, derrière Asag Ali Road. Dans le salon du deuxième étage, meublé de sièges capitonnés et moelleux, il partagea avec lui son amour pour elle sur le grand sofa en Skaï vert. Abbas était gros mais gentil. En ahanant sur elle, il l'appela sa nouvelle reine – nai begum. Plus tard, il lui donna à manger. Shankar plongea ses yeux dans les yeux noirs de Gudiya et l'amour qu'elle y lut la réchauffa.

Le mois suivant, Shankar monta avec elle dans le Radjhani et l'emmena à Bombay. Il en revint dix jours plus tard, seul. Quand Kaliya, Chini et Trajan se rendirent sur le quai sept pour demander des nouvelles de Gudiya, il leur répondit : « Pour qui vous me prenez, connards ? C'est pas le bureau des personnes disparues, ici. Vous n'êtes pas foutus de retrouver votre propre mère et vous voudriez que je sache où est une pute ? Si je vous revois par ici, je vous coupe les couilles en rondelles ! Comme ça, vous vous sentirez plus proches d'elle ! »

Le lendemain soir, ils rapportèrent l'histoire à Dacca. Celui-ci, tout en brûlant l'alu à une vitesse effrénée, lâcha : « Gudiya doit être la meilleure pute de tout Kamathipura, à présent. Quand on traîne autour de Shankar, c'est ce qui arrive. De toute façon, où croyez-vous qu'on va tous finir ? Au Rashtrapati Bhavan[1] ? Mieux vaut être une pute avec une queue entre les jambes, qu'un cadavre sur une voie ferrée ! »

Là-dessus, Dacca se tourna sur sa couche et s'endormit. Plus jamais il ne mentionna le nom de Gudiya.

Ainsi s'écoula une décennie.

Au cours de laquelle, le joli Makhi Khan, ancien amour de Dacca, qui avait vu sa famille décimée par le feu et l'épée, par les slogans et les cris, fut coupé en trois par les sabots de l'express d'Amritsar. Makhi avait alors largement dépassé le stade de l'inhalation. Désormais, il tétait le chiffon imbibé de solution, comme une crème glacée et, certains jours, il se ver-

1. Ancienne demeure du vice-roi des Indes, et palais présidentiel depuis l'indépendance. *(N.d.T.)*

sait les petits flacons directement dans la gorge. La voix rassurante du mollah appelant les fidèles à la prière résonnait en permanence dans sa tête. Au moment où les hommes braillards, le front ceint d'un bandana, l'acier fendant l'air devant eux, allaient enfoncer la porte et s'emparer de son père et de ses frères, de ses sœurs et de sa mère, il tétait avidement le tissu plié dans sa paume, et la voix apaisante du mollah revenait doucement le bercer.

Makhi avait depuis longtemps cessé de mendier ou de voler pour s'abandonner à son talent naturel. Il était difficile de ne pas se laisser fasciner par le tendre évasement de ses hanches, sa bouche charnue et carmin, ses grands yeux bruns aux longs cils recourbés. Des hommes malheureux, jeunes et vieux, mariés et célibataires, tristes et en colère, transitaient par la gare jour et nuit, et Makhi avait le don de leur procurer un fugace instant de joie. Certains le brutalisaient, certains ne le payaient pas, mais la plupart se montraient attentionnés et reconnaissants. Quelques-uns revenaient, mais si cela devenait une habitude, Makhi apprenait à les éviter. Les kakis et les casquettes rondes le prenaient au gré de leurs envies. Il n'y trouvait rien à redire. La gare, au fond, leur appartenait.

Makhi disait souvent que sa mère avait imploré grâce pour ses enfants de façon tellement hystérique que les assaillants l'avaient tuée en dernier, et cela ne les avait pas empêchés de la violer. Bien au contraire, ses plaintes les avaient excités, amusés, attisés. Et Makhi s'en inspirait parfois, dans un compartiment vide, quand l'homme était gentil et avait les poches bien remplies. Ça marchait toujours. Implorer pitié provoquait des érections plus dures, un désir plus fort. Les hommes et le pouvoir.

Ce jour-là, Makhi revenait tranquillement de Sheilapul, en se versant la solution dans la gorge. Il avait eu deux sadhus du temple, défoncés au charas, dont les longs cheveux emmêlés lui coulaient sur le dos pendant qu'ils le besognaient. Ils ne lui avaient donné que quinze roupies, sous prétexte qu'il avait la chance immense de faire le travail de Dieu. Ce qui était vrai puisqu'il entendait le doux appel du muezzin, clair et fort, qui emplissait le ciel. Quand il tomba sur les pierres du ballast, ses jambes en travers des rails lisses, et que le shatabdi, l'express d'Amritsar, surgit avec un bruit de tonnerre, toutes lumières allumées, l'appel du muezzin grandit encore, en puissance et en douceur, lui apportant une paix infinie.

Makhi souriait toujours lorsque ses amis arrivèrent sur les lieux. Les kakis avaient mis ses jambes dans son sac de jute et discutaient de ce qu'il convenait de faire. Kaliya voulut se pencher pour bercer sa jolie tête dans ses bras, mais un kaki lui décocha un coup de pied dans les côtes et ricana.

« Sales voyous ! Quand on vit salement, on meurt salement ! Ils se font couper en rondelles comme des légumes ! Ils imaginent peut-être que leur mère les attend pour les faire mijoter ! »

Les kakis continuèrent de tergiverser jusqu'à ce que Makhi eût rendu son dernier souffle. Deux karamcharis aidèrent à le mettre dans un sac. Le paquet fut laissé sur un tas d'ordures au bout de l'allée Paharganj, en face de la gare, où il relevait de la responsabilité de la municipalité. Ils avaient le don de se débarrasser des carcasses de toutes sortes.

Le prochain à partir fut Chotu, chasseur de cerfs-volants, voyeur de toilettes publiques, ami de tous les rats de tous les quais, farceur jovial. Garçon insaisissable dont les pieds coulaient comme l'eau vive. Maître de l'esquive, de la feinte, du défi, il pouvait échapper à trois poursuivants sur un quai étroit aussi longtemps qu'il fallait pour les épuiser. Rien ne le ralentissait : ni les béatitudes de la solution, ni les blessures, ni la fièvre.

Certains jours, pour s'amuser, les rats repéraient un groupe de personnes à l'air respectable et décidaient d'aller les narguer. La créativité résidait dans la provocation : pisser aux pieds des voyageurs, étaler de la morve sur leurs bagages, lancer un kulad de thé sur leurs habits, lorgner leurs femmes. S'en suivait un échange d'insultes, puis la chasse. Les garçons se faufilaient au milieu des voyageurs fatigués, autour des kiosques et des carrioles des vendeurs ambulants, montaient les marches des escaliers, sautaient par-dessus les balustrades, les bagages, et cela sans cesser de rire, stimulés par leur public hilare. En moins de dix minutes, les poursuivants finissaient pliés en deux, à bout de souffle.

Mais lorsque les vapeurs magiques du chiffon emplissaient son être, Chotu ne voyait plus rien de tout cela. Il n'entendait que la berceuse de sa mère, ne voyait que les cerfs-volants. Des âmes de toutes les tailles, parées de cent couleurs, emplissaient le ciel bleu par milliers, surpassaient tous les oiseaux, glissaient sur les courants d'air chaud, sautaient, esquivaient, plongeaient, dansaient, reliées par le fil mince de leur corps à mille doigts frémissants perchés sur une centaine de toits étincelants.

Chotu ne vivait que pour les cerfs-volants, pour sentir la vie de l'oiseau de papier glisser entre ses doigts sales. Au cours de ses années de gare, quiconque apercevait un visage levé vers le ciel et deux pieds nus voleter sur les toits en tôle ondulée l'identifiait aussitôt. Un jour sans vent, quand le papier pesait comme une pierre, ce fils fugueur d'un agent de police était capable de hisser l'oiseau en jouant avec ses seuls poignets. Et si la brise se levait, il pouvait le faire voler si loin que l'œil le plus acéré le perdait de vue. Si le ciel était encombré, il maniait son oiseau volant tel un guerrier son cimeterre pour dégager l'espace. Sa ficelle était comme le fil d'une lame, enduite d'éclats de miroir écrasés dans de l'amidon. Sur ses paumes, les sillons grossièrement gravés supplantaient les lignes du destin.

Les mois-champagne de Chotu étaient août et septembre. Les pluies avaient cessé, laissant dans leur sillage des brises fraîches. À l'approche de la fête de l'Indépendance et de ses pâles rituels ponctués de discours sur la liberté, des hommes-oiseaux apparaissaient sur les toits et dans les rues d'Old Delhi, tenant leurs grands cerfs-volants comme de fragiles porcelaines. Alors, Chotu devenait littéralement aérien. D'autres rats – entre les rails, dans les voies de triage, sur les toits – lançaient des cerfs-volants dans le ciel, mais ils faisaient figure de paysans entourant un gladiateur, et jamais Chotu ne croisait sa ligne chantante avec la leur. Planant sur les toits de la gare, il chassait les pilotes de haut vol, guerriers comme lui, capables de virer et d'obliquer avec puissance et précision, et dont les cerfs-volants, une fois décapités, étaient poursuivis par les paysans qui couraient et bondissaient pêle-mêle pour s'emparer du trophée.

Kaliya trouvait juste que Chotu rencontrât la mort en faisant l'une ou l'autre des deux choses qui le définissaient : courir et manier un cerf-volant. En fait, il mourut en tombant du toit du quai quatre, en pleine fête de l'Indépendance, alors que son père policier était sans doute de service quelque part, occupé à protéger une haute personnalité ou une route du vandalisme de l'esprit de liberté. À midi, alors que l'air bourdonnait de cerfs-volants telles des mouches sur un tas d'immondices, et que Chotu les pourfendait comme des brins d'herbe, son pied agile roula sur une boîte de Coca-Cola vide jetée sur le toit. Les rats qui le virent plonger racontèrent qu'il rebondit sur les câbles électriques comme une balle de caoutchouc, et que les câbles chantèrent et crachèrent. Le spectacle était si fascinant que personne ne put se rappeler s'il avait crié ou dit quelque chose. Mais tous se souvenaient qu'il tenait bien serrée dans sa main la grosse bobine de ficelle. Quand, finalement, Chotu tomba à terre, joliment carbonisé, et que les kakis arrivèrent pour l'emporter, il s'y agrippait encore.

Ce soir-là, alors qu'ils étaient allongés sur le toit, Kaliya dit à Chini : « C'est toi le prochain ! Tu as l'air si tendre, si innocent. Quelqu'un voudra te liquider juste pour ça ! » Bien entendu, à cette époque, Chini n'était plus ni tendre ni innocent. Il était le seul de la bande à avoir fait le voyage au sommet du pipal, au bout du quai un. La convocation lui avait été remise un soir, au cinéma de la décharge. Les autres rats de la bande se tinrent à l'écart tandis qu'il escaladait les tendons noueux du vieil arbre qui avait éventré la bâtisse, et saisissait la barre de fer pour se hisser dans le feuillage sombre. Narak. L'enfer où l'on n'allait que contraint ou invité.

Bizarrement – raconta Chini plus tard –, il fut assailli par une odeur âcre qu'il ne put identifier, et quand il émergea de la voûte obscure de la canopée luxuriante du pipal, il sursauta en voyant une grande image de lui qui lui faisait face. Il faillit trébucher de frayeur et tomber dans le trou d'où il venait d'émerger. Puis il se rendit compte que c'était un grand miroir debout, dans un cadre en bois inclinable, comme on en trouvait dans les anciennes maisons coloniales. Dans l'obscurité, une voix ricana : « Tu vois ! On a une copie de tout ! »

Chini sentit ses jambes flageoler. Sa vision s'accoutumant à la pénombre, il discerna un charpoy avec un matelas, des draps, des oreillers, et un jeune homme chauve allongé dessus, les bras croisés sous la nuque, vêtu en tout et pour tout d'un short Michael Jordan des Chicago Bulls avec le numéro 23 inscrit en lettres rouges fluo, dont l'entrejambe pointait comme un igloo. Mais ce n'était pas Shakal qui avait parlé. Deux jeunes gens occupaient des chaises en bois devant une petite table. L'un d'eux avait une barbe drue et un large sourire. On l'appelait Kamla Jogi – Joginder le Fou. Il avait tendance à parler à tort et à travers, et à se livrer à des actes de violence imprévisibles. Il souriait au travers du gros cigare planté dans sa bouche. « C'est toi, le chinetoque ? Tu aimes les nouilles ? » La voix de Chini avait depuis longtemps sombré dans des profondeurs insondables. Comme il ne répondait pas, Kamla Jogi émit un gloussement hystérique, puis il s'arrêta net et reprit : « Enlève tes fringues minables. Il paraît que les Chinois ont deux bites. Une pour pisser, une autre pour baiser. Et qu'ils peuvent faire les deux choses en même temps. Ce qui explique pourquoi ils sont plus nombreux que nous ! » Il gloussa de nouveau, puis conclut : « On va voir si c'est vrai. »

Rien ne pouvait surprendre un aficionado du cinéma de Bangkok. Mais ce fut douloureux. Shakal passa le premier, sans retirer son short Michael Jordan, suivi de Kamla Jogi, qui ne cessa pas un instant de parler et de glousser, puis du troisième homme, qui se servit brutalement de la bouche de Chini. Plus tard, ce troisième homme l'agenouilla sur le bord de la table et s'activa sans discontinuer. Chini regardait le feuillage magnifique et les lumières venant de l'extérieur de la gare, certaines blanches d'autres jaunes. Il regretta de ne pas avoir pris son chiffon. La solution aurait un peu estompé la douleur.

Pendant ce temps, Shakal et Kamla Jogi discutaient d'un film récent. La table grinçait en rythme sur le sol de brique. Dacca lui avait conseillé de n'offrir aucune résistance. Parmi ceux qui étaient montés dans l'arbre, certains en étaient descendus infirmes, d'autres morts. Il n'y avait pas de vengeance possible. L'enfer et les kakis jouaient dans le même camp. Peu à peu, il n'y eut plus de douleur, juste le martèlement. Chini s'agrippait aux bords de la table. Enfin, Shakal lança de sa voix de baryton de cinéma : « Arrête, maintenant, chutiya ! Tu cherches à réunir l'Inde et la Chine en un seul pays ? »

Après cela, Kamla Jogi glissa le canon d'un pistolet noir dans la bouche de Chini et le fit entrer et sortir lentement. « Tu vois, mon petit Bruce Lee, celui-ci baise à chaud, celui-là baise à froid ! L'un éjacule la vie, l'autre la mort ! » Il eut un gloussement de fou, puis ajouta : « Sois toujours un garçon sage et tu auras la vie ! » Quand Chini dégringola de l'arbre, il vit son ombre se mouvoir dans le grand miroir.

Lhungdim ne quitta pas l'égout de cinq jours. Le visage enfoui dans un chiffon dégoulinant, il écoutait au loin le doux bruit de la pluie sur un toit de chaume au milieu des arbres verts, au bout d'un monde qu'il ne reverrait jamais. À partir de ce jour, lors des week-ends de cinéma dans la décharge, il se dissimula dans un coin sombre, coiffé d'une casquette, entre ses amis. Mais l'enfer sait retrouver ceux qu'il choisit.

Lhungdim. Aladin. Chini. Giton. Les convocations arrivaient périodiquement. Il finit par maîtriser tous les tendons de l'arbre et par l'escalader en un clin d'œil même en pleine nuit. Il apprit à relâcher ses muscles internes et à se munir du chiffon. La canopée dévoilait régulièrement de nouveaux corps, et il lui arrivait d'être l'objet d'une transaction. Parfois, pendant qu'on le pilonnait, il entendait une voix demander : « Il comprend le hindi ? Je dois reconnaître qu'un cul chinois est meilleur qu'un cul indien ! » Il était étonné quand, à l'occasion, quelqu'un revêtait une capote avant de se mettre à l'ouvrage. Bien sûr, il savait que ce n'était pas pour le protéger lui. Les abrasions le brûlaient pendant des jours.

Kaliya l'attendait sur le quai, et s'endormait souvent sur le banc de ciment ondulé. Il était devenu un jeune homme mince et nerveux, gagné par la morosité de ceux qui ont été injustement relégués. Pour un rat de gare, la couleur de la peau était une fatalité. Le fils noir comme la nuit du charmeur de serpents aimait son ami, dont il était à la fois le gardien et le tuteur, mais il était contraint de rester en coulisse et de le partager avec les maîtres du monde. Au début, cela le mit en rage. Il menaça de lâcher des cobras dans le pipal. Mais les angoisses de Chini le tempérèrent. Puis, peu à peu, les jeunes démons de l'enfer se mirent à donner des billets de cent roupies à Chini, et Kaliya commença à voir les choses sous un angle professionnel. Vous pouviez ramasser des détritus, voler, vendre de la drogue, vous faire enculer, ou bien vous pouviez, comme la plupart, vous diversifier. Cela vous mettait à l'abri des caprices du marché.

Ainsi s'écoula une décennie.

Au cours de laquelle ils découvrirent qu'il existait une ville au-delà de la gare. Une ville regorgeant d'opulence véritable et de véritable beauté. Vertus qu'ils avaient trop longtemps attribuées aux seuls films projetés dans leur cinéma décharge. À Connaught Place – qui se trouvait à un jet de pierre de l'égout où ils vivaient –, il y avait des magasins avec des vitrines étincelantes et de grandes enseignes lumineuses. Des cinémas avec des écrans grands comme mille télévisions, et sur les avenues, de grosses automobiles qui brillaient comme des diamants. Dans les galeries à colonnades, marchaient des femmes et des hommes si beaux et si agréablement parfumés qu'on se sentait défaillir en leur présence. Ce n'était pas tout. La ville s'étendait sur des kilomètres et des kilomètres, et aucun d'eux n'en avait jamais vu la limite.

Au cours de ces années, ils découvrirent que le grand monde n'était pas pour eux. Ils ne possédaient pas les outils pour se mesurer à lui. Ni le langage, ni la connaissance, ni les relations, ni l'argent. Mais, d'un autre côté, la gare n'était plus assez grande. Des jeunes garçons affluaient sans cesse, investissant les trous et les toits. Ils étaient insolents, énergiques, querelleurs. Leur contester l'espace et le butin aurait été humiliant – Kaliya et Chini n'avaient ni l'autorité, ni l'esprit, ni la violence nécessaires pour inspirer la crainte. Et les garçons du pipal ne s'intéressaient pas aux batailles de terrain qui se livraient sur les quais. Eux jouaient dans la cour des grands.

Voilà pourquoi le soir où Shakal les convoqua dans le pipal – sans ôter son short Michael Jordan et sans qu'aucun de ses acolytes ne déboutonne son pantalon – et leur offrit une nouvelle orientation professionnelle, Kaliya et Chini étaient prêts à tout.

« Quelle paire ! glousse Kamla Jogi. Noir et blanc ! Le jour et la nuit ! Dieu et le démon ! C'est parfait ! »

L'activité qu'on leur proposait ne concernait en rien les trafics de drogue, d'armes, ou de fausse monnaie. Une nouvelle arnaque était en cours d'expérimentation, et les maibaaps de Shakal et de ses amis, autrement dit leurs parrains haut placés, avaient besoin de quelques novices à l'air innocent et sans casier judiciaire. Une nouvelle source de revenus s'ouvrait dans l'escroquerie en col blanc. Ni couteau, ni revolver, ni sang, ni massacre, il suffisait tout simplement d'aller à la banque et de retirer de l'argent.

Le grand maibaap, autrement dit le gouvernement, dans son infinie bonté, avait mis sur pied un système de prêts aux handicapés analphabètes. On remit à Kaliya et Chini des certificats médicaux qui les déclaraient sourds et muets, puis on les conduisit dans un petit service d'une banque nationale spécialisée à Gurgaon. Les malheureux Mr Lhungdim et Mr Nath postulèrent pour un prêt de l'État dans le but de monter un atelier de réparation de scooters. Billa, le médiateur, saisit leur pouce et l'apposa sur divers documents. Après quoi, il assena dans le dos maigre du directeur une claque si chaleureuse que le minuscule et suffocant bureau en contreplaqué en trembla. Deux semaines plus tard, ils allèrent encaisser un chèque de deux cent mille roupies. Sur cette somme, Shakal leur en donna quatre mille à chacun, et, grattant son crâne huilé, s'exclama : « Bande de veinards ! Vous n'avez même pas eu à verser une goutte de sang pour gagner ce fric ! C'est aussi peinard que de bosser dans un bureau ! »

La deuxième arnaque se déroula dans une banque coopérative de Najafgarh. Le médiateur, Sehwag, un type gras et mal rasé, vêtu d'une kurta pajama blanc sale, conduisait une Maruti rouge déglinguée. Le directeur de la banque coopérative, un homme jeune arborant une fine moustache aux pointes relevées, remit aux deux sourds-muets illettrés cent cinquante mille roupies pour acheter des buffles et monter une laiterie. Kamla Jogi reversa de nouveau quatre mille roupies à chacun des entrepreneurs en série et gloussa :

« On accuse toujours le gouvernement de ne rien faire pour les pauvres. En fait, il suffit de demander gentiment ! »

Huit mois plus tard, Chini et Kaliya emménagèrent à Rajinder Nagar. Le logement d'une pièce était situé au deuxième étage, auquel on accédait par un escalier étroit et interminable. Le cabinet de toilette et les W.-C. se trouvaient sur la petite terrasse, chacun de la taille d'un grand placard. Ils dormaient ensemble sur le lit à une place et faisaient profil bas dans le voisinage, n'adressant la parole à personne. Ils ne retournaient à la gare que pour faire leur rapport dans le pipal. Ou bien, certaines nuits, quand ils n'arrivaient pas à dormir et avaient besoin du grondement des trains pour trouver le sommeil.

Mais les quais n'avaient plus rien de joyeux. La plupart des rats de leur époque étaient morts ou partis ; même les kakis avaient changé. Shoki était mort depuis quelques années et ses anciens clients avaient fermé leur compte bancaire au kiosque à jus de fruits. Le chiffon était toujours utilisé, mais le secteur de Salushan Baba avait été repris par un homme plus jeune – bien habillé, ni sage ni fakir, juste un commerçant. Le plus triste était la disparition du cinéma : la décharge n'était plus qu'une décharge – saturée jusqu'au trop-plein – et aucun Oncle Vidéo ne venait plus chaque week-end y apporter son lot de magie. Terrible aussi était l'assaut des redoutables « maquereaux de la bonté ». Des hommes et des femmes au sourire miséricordieux écumaient la gare pour tenter de piéger les rats dans des orphelinats et des écoles sinistres.

La nouvelle vie qui s'offrait à Kaliya et à Chini était donc la bienvenue. Tous les trois ou quatre mois, le duo handicapé se présentait dans une banque pour éponger un prêt. Kamla Jogi gloussait : « On aurait dû leur acheter des costumes-cravates ! Regardez-les, le couple idéal ! Mr et Mrs Sahib vont à la banque ! Leurs parents seraient fiers d'eux ! »

Pendant leurs longues heures d'oisiveté, Kaliya et Chini inhalaient le chiffon et chauffaient de l'alu. Parfois, pendant des jours, ils planaient tellement qu'ils ne descendaient même pas l'escalier. Quand ils le pouvaient, ils passaient des nuits entières à Bangkok, pour humer le musc du désir des mâles et trouver la paix parfaite de l'oubli. Même après avoir acheté un téléviseur Akai et un magnétoscope Panasonic, ils continuèrent d'aller chercher le frisson collectif à Bangkok.

En octobre 1996, ils furent arrêtés à Ghaziabad alors qu'ils essayaient de toucher un prêt de cinq cent mille roupies à la State Bank pour un projet d'atelier de machines-outils. La vérité avait éclaté après sept escroqueries. Les flics les tabassèrent de façon rationnelle et systématique. Ils leur matraquèrent tous les os sans en casser un seul, leur broyèrent les muscles sans les déchirer. Pendant des semaines, Kaliya et Chini ne furent plus que des tas de chiffons. En dix ans de gare, personne ne les avait frappés aussi cruellement. Les flics étaient furieux. Et pour deux raisons. D'abord, parce que les garçons n'avaient pas d'argent à leur donner. Ensuite, parce qu'ils étaient du menu fretin, des voyous sans envergure, que leurs chefs, quels qu'ils fussent, n'avaient aucun intérêt à récupérer. Kamla Jogi paya leur caution quatre mois plus tard et les ramena au pipal. La joue gauche de Chini s'ornait d'une cicatrice à la suite d'une bagarre dans la prison de Dasna. Pour punir le Jat excité qui l'avait balafré, Kaliya lui avait arraché un morceau du torse à coups de dents.

Shakal se frotta l'entrejambe au travers de son short Michael Jordan et déclara :

« Parfait ! Maintenant, vous voilà diplômés ! Vous êtes prêts à passer au degré supérieur ! Qu'y a-t-il après "sahib" ?

– Shaitan ! gloussa Kamla Jogi.

– Et après Shaitan ?

– Sant ! »

Sahib. Satan. Saint.

Conformité. Rébellion. Illumination.

Shakal reprit de sa voix grave :

« Vous savez ce que Bhagwan Krishna a dit à Arjuna au moment il se tenait, l'air idiot, comme vous, devant un million de guerriers en armes ? Krishna a dit : "Même l'homme sage agit selon sa nature propre. Tous les êtres obéissent à leur nature. À quoi bon la forcer ? L'attraction et la répulsion se tiennent en embuscade. Ne tombe pas en leur pouvoir. Mieux vaut pour chacun suivre son dharma, même imparfaitement, que le dharma d'autrui, même bien appliqué. Mieux vaut périr dans sa propre loi. Il est périlleux de suivre la loi d'autrui."

– Et vous les garçons, quel est votre dharma ? » gloussa Kamla Jogi.

Faire les courses.

Ainsi fut établi l'ordre de l'évolution pour les deux anciens rats. On les forma à la vie de coursiers et de messagers : livrer et collecter des colis, ne poser aucune question, ne chercher aucune réponse. Ne connaître personne en dehors de narak ; ne rien connaître d'autre que la prochaine adresse. C'est ainsi que, au cours des années suivantes, ils parcoururent tout le pays, du Cachemire à Bombai, de Guwahati à Calcutta, de la côte du Gujarat à celle du Tamil Nadu, de la frontière du Pakistan à celle du Népal, du Bangladesh et de la Birmanie. Parfois, la cargaison était une simple enveloppe glissée entre le maillot et la peau ; parfois, un petit cylindre lisse niché dans le cul assoupli de Chini ; parfois, un camion rempli de sacs et de caisses solidement arrimés, avec eux deux dans la cabine du chauffeur, partageant un chiffon et l'alu. Une fois seulement Shakal leur proposa un pistolet avant de les envoyer en mission à Ganganagar, au Rajasthan, mais en les voyant hésiter, Kamla Jogi reprit l'arme et gloussa : « Oh non, non ! Pas Mr et Mrs Sahib ! Si vous tremblez comme ça, il faudra vous branler, pas tenir un flingue ! »

Ils s'en tinrent à l'héritage de Dacca : tournevis, lames, scalpels, sans d'ailleurs jamais s'en servir ou presque, jusqu'au jour où Shakal les convoqua dans le pipal et, jouant d'une main avec un téléphone portable argenté flambant neuf, déclara :

« Ce pays est en train de changer. Tout le monde découvre de nouveaux joujoux amusants. Vous n'avez pas envie de faire quelque chose de plus excitant ? Vous voulez rester postiers toute votre vie ? »

Kaliya et Chini se turent, sachant que la décision avait déjà été prise à leur place. Kamla Jogi, qui portait sur le visage une cagoule dont les pointes saillaient comme des oreilles de lapin, glousssa :

« Chutiyas, on va faire de vous des James Bond ! Zéro zéro sept ! Voitures, pistolets, et permis de tuer ! »

Chini, fils égaré d'un pays lointain où les collines étaient toujours vertes et la pluie abondante, et Kaliya, rejeton à la peau noire comme du charbon d'une lignée errante à jamais liée au serpent, reçurent un bout de papier sur lequel était notée une adresse. Ils devaient y rencontrer un homme bien plus redoutable que Dacca, plus redoutable que les garçons de l'enfer, plus redoutable que tout ce qu'ils avaient connu, dont l'arme favorite était un marteau, qui faisait des trous dans les crânes qu'aucun chirurgien ne pouvait suturer, et qui était craint même par les hommes dont les empires illicites s'étendaient à travers tout le pays.

LIVRE 7

Le rongeur du château

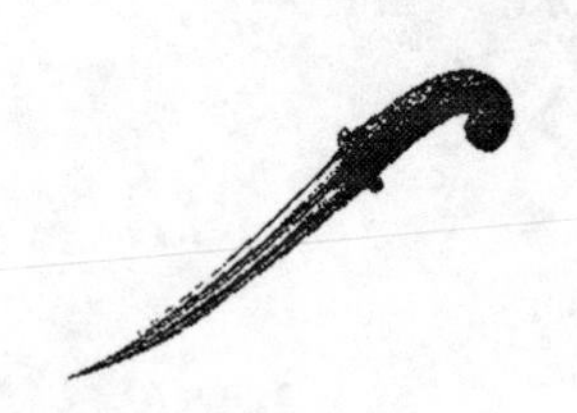

Jai décida de m'accompagner. Il n'y était pas obligé car la convocation m'était adressée. Cependant, c'était le genre de geste ostentatoire auquel il se laissait aller de temps à autre pour montrer qu'il se sentait vraiment concerné. Je ne crois pas qu'il se souciait de quiconque, mais cela flattait son image. Et puis cela lui permettait d'animer les dîners en ville avec des histoires douteuses de procès opposant un citoyen à l'État. Ces récits exerçaient une fascination macabre sur les crétins nantis qu'il fréquentait, des hommes et des femmes qui retroussaient le bas de leur pantalon et cessaient de respirer si vous les lâchiez sur une route de village. Jai enjolivait ce que je lui racontais pour en faire du théâtre de salon : les ombres sinistres, la salle de tribunal kafkaïenne, le visqueux Sethi, le menaçant Hathi Ram, les froids assassins menés par l'homme au curry de cervelle, le fatal Kapoor sahib. Les imbéciles qu'il régalait de ses contes ne se rendaient pas compte que, en réalité, ils faisaient partie du même ballet : l'État-système avait un doigt enfoncé dans le cul de tout le monde. Dès l'instant où nous entrâmes dans l'immeuble, je compris que Jai allait pouvoir à nouveau briller dans ses cocktails mondains.

La bâtisse était un bloc de ciment de neuf étages, informe et opaque comme une boîte en carton, situé dans le centre de Delhi, vers Chanakypuri. Un vigile en tenue kaki montait la garde à l'entrée principale dans une guérite en bois ; très occupé à pianoter sur son téléphone portable, il ne leva même pas les yeux sur nous. Le hall était exigu et faiblement éclairé, le sol en granito et les murs de ciment couverts d'une épaisse couche de saleté. Il y avait deux ascenseurs côte à côte, avec des portes métalliques. Une pression sur le bouton d'appel déclencha, dans le lointain, un grondement caverneux et un cliquetis de rouages, suivis d'un râle continu. Les petites consoles vitrées au-dessus des portes étaient fantasques, indiquant certains étages et pas d'autres. En arrivant au rez-de-chaussée, la cabine heurta le sol avec un bruit sourd et un tremblement. Néanmoins, les passagers en sortirent vivants, tous anonymes, tous en chemise et pantalon de brousse.

Il était six heures du soir. Nous étions les deux seuls à monter. Quand les portes se furent refermées sur nous en vibrant et que nous nous retrouvâmes dans la semi-pénombre, Jai me demanda nerveusement : « Tu ne penses pas qu'on ferait mieux de prendre les escaliers ? » Mais quelqu'un dans les étages avait déjà pressé un bouton et la cabine s'ébranla avec un grondement grave.

Le couloir du huitième étage était étroit et encombré de mobilier administratif : tables à cadre de fer avec un plateau de planches de bois vissées, chaises au maillage de plastique déchiré, armoires métalliques cabossées, placards en bois cassés, malles en aluminium munies d'épais cadenas. L'endroit était mal éclairé par des tubes de néon de travers, couverts de crasse. L'ascenseur ne montait pas plus haut, or, on nous attendait au neuvième étage. Un homme bedonnant sortit d'une porte en se grattant l'entrejambe. Il s'arrêta et nous dévisagea. Nous lui demandâmes notre chemin. De sa main libre, il nous indiqua un escalier en colimaçon, relativement large, mais sans éclairage ni aération. Les rangées de fenêtres à loquet étaient toutes bloquées, et les vitres tellement enduites de crasse et de fientes de pigeons qu'elles ne laissaient même pas filtrer la lumière. Une rambarde en ciment courait tout au long, mais il n'était pas question d'y poser la main. Nous avancions en tandem, moi devant, tâtonnant du bout du pied, Jai derrière, pestant contre l'état de l'État.

Le palier du neuvième étage ressemblait comme un frère à celui du huitième. Même encombrement de mobilier bas de gamme, mêmes tubes au néon de travers et vacillants. Une seule différence : les deux extrémités du couloir étaient percées de portes en carton-pâte anonymes.

Une fausse assurance s'empara soudain de Jai. Il prit la tête, ouvrit la porte située à notre droite et entra d'un pas décidé. Un homme râblé, arborant une grosse moustache et une chemise saharienne ouverte jusqu'au quatrième bouton, était assis derrière une petite table brillante – du contreplaqué recouvert de sunmica –, occupé à écrire dans un gros registre relié de toile. Il leva sur nous un regard inexpressif, fourragea dans son oreille droite avec son stylo, puis reprit ses écritures. Jai demanda à voir l'homme qui m'avait convoqué. L'employé pointa un doigt par-dessus son épaule sans lever la tête. Nous franchîmes une deuxième porte en carton-pâte, mince, rugueuse, mal équilibrée sur ses gonds, dotée d'une poignée en chrome brillant, et nous débouchâmes dans ce qui ressemblait à une petite salle de travail, avec des tables et des chaises dans tous les sens. Toutes étaient vides, à l'exception d'une table, tout au bout. Deux hommes s'y tenaient assis face à face. Ils comparaient des documents. Le premier lisait une phrase, doucement, puis l'autre la lisait, doucement. Après quoi le premier annonçait d'une voix forte : « Vérifié ! » Les deux fonctionnaires étaient bien rasés, vêtus de chemises sahariennes couleur crème, identiques et interchangeables. S'ils avaient pris la place de l'autre, en rentrant chez eux, leurs femmes n'y auraient vu que du feu.

Nous nous approchâmes. Ils ne daignèrent lever la tête qu'à la quinzième vérification, après avoir terminé une page. Ils affichaient le même air indifférent que leur collègue ; des tas de types bizarres devaient se pavaner dans ces services à longueur de journée. Jai reposa sa question. Ils levèrent le pouce sans un mot pour indiquer la porte située derrière eux, et reprirent aussitôt leur travail.

Cette porte donnait dans une sorte de vestibule sombre aux murs lambrissés de contreplaqué. Les bords des planches peintes en jaune beigeasse pelaient comme le vernis sur un ongle. Trois nouvelles portes nous faisaient face : celle de gauche avait un verrou argenté gros comme un poisson enfoncé dans le loquet ; celle du milieu portait une grande pancarte avec « Défense d'entrer sans autorisation » peint en blanc au pochoir ; celle de droite, de guingois dans son cadre, était nue.

Derrière celle-ci, nous découvrîmes un homme renversé contre le dossier de son fauteuil, les doigts de la main droite en éventail sur son front, écoutant une petite radio qui diffusait doucement une chanson larmoyante de Mukesh. Il nous jeta un coup d'œil entre les lames de ses doigts, puis ferma les yeux. Il vivait un moment de grande tristesse ; sa tête dodelinait lentement. Il ne faisait qu'un avec la musique. À son tour, Jai ferma les yeux et se mit à fredonner la mélodie. Ce foutu pays était submergé de benêts sentimentaux. Il suffisait de tourner un bouton de radio pour faire surgir des hordes de pleureurs.

La chanson s'acheva. L'homme s'essuya les yeux et se redressa. Il avait une tignasse un peu trop parfaite, avec une raie bien droite, aiguisée comme un couteau. Probablement un postiche bon marché.

« Personne n'égale Mukesh ! » s'exclama Jai.

L'homme acquiesça, les yeux brillants, tenant sa main gauche comme un petit miroir devant son visage.

« Pour moi, Mukesh passe avant Dieu ! Quand je l'entends chanter, je cesse toute activité. Quelle qu'elle soit. Que ce soit pour ma femme, mes enfants, ou mon patron ! Après tout, si vous êtes agenouillé dans un temple devant une image divine, est-ce que vous vous levez d'un bond à l'entrée d'un officier supérieur ? »

À quoi Jai répondit : « Votre Dieu est vraiment grand, et vous un disciple sincère. »

L'homme tapota son postiche d'un air sombre – c'était décidément du nylon – et me regarda. Je lui dis mon nom. La lumière disparut de ses yeux. Il hocha la tête, impassible, ouvrit un registre, le fit pivoter et le poussa vers moi. La double page était couverte d'écritures différentes, pour la plupart illisibles. J'inscrivis nos noms, celui de la personne que nous étions venus voir, le but de notre entretien, notre adresse, l'heure de notre arrivée, et je signai. Il y jeta un coup d'œil sans retourner le registre, puis, plaçant une règle en fer sur une feuille de papier blanc, déchira nettement un petit carré de papier, où il nota mon nom avec le stylo bille attaché à sa table par une ficelle. Ensuite, il ferma le registre, se leva, boutonna la ceinture de son pantalon, ouvrit la porte et sortit.

« L'amoureux de la chanson rencontre le commissaire dans un moment mélancolique de partage de renseignements », dit Jai.

L'amoureux de la chanson revint, dégrafa son bouton de pantalon avec soulagement, et se rassit, le visage inexpressif. Puis il ralluma la petite radio. La voix de Mohammed Rafi flotta dans la pièce. Aussitôt, l'homme s'agita.

« Nul ! Nul ! Nul ! Ça, de la chanson ?

– Excusez-moi, monsieur, dit Jai. Ce sera long ? »

L'homme leva une main, le visage déformé par le dédain. Il actionna la roulette de la radio secouée de parasites pour retrouver Mukesh. Un garçon apporta du thé dans de petits verres sur un plateau en métal. L'amoureux de la chanson nous regarda en haussant les sourcils. Nous répondîmes de même. Il regarda le garçon en haussant les sourcils. Le garçon nous donna un verre à chacun et sortit.

Quelque part dans la pièce, un interphone émit un bourdonnement. L'amoureux de la chanson se leva, reboutonna son pantalon, et dit : « Suivez-moi. »

Dubeyji était une souris. Ou, plus exactement, un écureuil. Petit, avec un museau de rongeur et des yeux vifs, mais il avait l'air plus ludique que furtif. Sous le nez pointu saillait une moustache hérissée, frémissante, amicale comme une queue d'écureuil.

Le chemin menant à lui traversait un dédale de cloisons et de portes en carton-pâte – sans fenêtres – et des pièces vides meublées de tables et de chaises inoccupées. Partout, le mobilier était en pagaille, comme si les occupants avaient détalé en vitesse. Soit les armées du service secret de l'État écumaient la contrée en quête de renseignements inestimables, soit elles avaient conclu que c'était une poursuite sans espoir dans cette folle et gigantesque nation, et abandonné leurs postes.

Dubeyji nous serra chaleureusement la main et me dit : « Beau travail, monsieur. »

Comme tout le monde dans cet immeuble, il portait une chemise saharienne blanc crème et un pantalon sombre. Son mince poignet gauche s'ornait d'une énorme montre à bracelet acier, et le poignet droit de multiples fils élimés de mauli rouge rosé. Autour du cou, un médaillon en métal blanc au bout d'un cordon noir serré. J'aurais parié que le médaillon renfermait l'image d'un saint homme, voire de deux.

Dubeyji était l'officier chargé de l'affaire, avec le rang, probablement, d'inspecteur ou d'inspecteur adjoint. Dans ce service de fantômes, il n'y avait pas de place pour les uniformes. Ce n'était pas une force de maintien de l'ordre par l'autorité, mais par la célérité. D'évidence, Dubeyji était un homme de terrain, le bras armé de cette citadelle centrale d'investigation et de renseignement. Sur les miettes qu'il amassait, de formidables affaires s'épanouissaient et périssaient, de grands gouvernements conspiraient et tombaient. Dans cet emploi, sa taille et son flair de rongeur étaient des atouts manifestes.

La pièce allouée au bras armé était si exiguë que je dus tirer une chaise pour laisser entrer Jai avant de la remettre en place. C'était intime comme un lit partagé à deux : la petite table en fer, les trois chaises à pieds tubulaires, nos genoux et nos pieds qui se frôlaient. Dans un angle du mur, un petit ventilateur tournait bruyamment et son cou pivotait avec des grincements arthritiques. Jai lui jeta un coup d'œil malveillant et Dubeyji se leva avec quelques difficultés pour l'éteindre. Cette pièce-placard, contre toute attente, était dotée d'une fenêtre. Mais, conforme à l'esprit du lieu, celle-ci ressemblait plutôt à une fente, à une meurtrière de château fort. Le bras armé suivit notre regard et remarqua :

« Une fois, il y a longtemps, quelqu'un s'est jeté par la fenêtre pendant un interrogatoire et s'est tué. À présent, on manque d'air, de lumière, mais il n'y a plus de suicide ! »

Posé près de sa chaise, il avait un attaché-case en Skaï brun foncé, luisant, un peu éraflé, doté d'une serrure à numéro. Code 007, probablement : permis d'inspirer le suicide.

Souriant gaiement sous sa moustache broussailleuse, Dubeyji s'adressa à moi :

« Dites-moi tout ce que vous savez sur votre assassinat, monsieur.

– Je ne sais que ce que la police m'en a dit. Et ce que j'ai vu et entendu au tribunal.

– Vous avez vu vos assassins ? Ils ont l'air innocents, n'est-ce pas ?

– En effet. Pour la plupart.

– C'est toujours comme ça. Dieu est le meilleur réalisateur de polars du monde. Il donne aux tueurs un visage innocent, si bien que le public reste en haleine et que la police doit mettre les bouchées doubles.

– Le policier chargé de ma sécurité semblait suggérer que vous connaissez les véritables ressorts de l'histoire.

– En effet. Le contrat lancé contre vous émane de l'ISI, répondit Dubeyji.

– Les services secrets pakistanais ? »

Il acquiesça de la tête.

« Vous n'êtes pas sérieux ! intervint Jai. Ça sonne comme de la mauvaise propagande indienne. Reporter toutes les fautes sur le Pakistan ! Pourquoi l'ISI lui en voudrait-il ? »

Voilà que je devenais un pion sur l'échiquier géopolitique.

« Ils pensaient qu'on imputerait l'assassinat aux hommes politiques mis en cause par votre magazine, expliqua Dubeyji.

Ils espéraient que cela provoquerait un tollé général et que le gouvernement serait déstabilisé. »

Un tollé général ? Quelle blague. Ce pays de cinglés était un ramassis de mythomanes.

Dubeyji humecta le bout de son index et sortit avec précaution de son tiroir trois feuilles de papier ministre blanc et deux feuilles de papier carbone froissé. Plaçant le carbone entre les feuilles de papier, il les épingla proprement ensemble et les poussa vers moi.

« Écrivez ici tout ce que vous savez et signez, je vous prie.

– Je vous l'ai dit, je ne sais rien.

– Bien sûr, dit-il avec un sourire enjoué. Nous savons que vous ne savez rien. Écrivez-le. C'est une formalité. De la paperasse. Le gouvernement a besoin de papier comme le buffle a besoin d'herbe. »

Je le regardai d'un air ébahi.

Il ajouta, souriant toujours :

« Comme un buffle, il mâche, mâche et remâche le papier inlassablement. Et, pour finir, il en sort du lait ! »

J'attirai les feuilles vers moi, les plaçai de biais pour être plus à mon aise, et, d'une large écriture, inscrivis : « Hormis l'information fournie par la police, je ne sais strictement rien des cinq hommes accusés d'avoir prémédité mon assassinat. Je ne connais aucun d'eux et les ai vus pour la première fois dans la salle de tribunal de Patiala House. » Je signai, datai, notai mon adresse et mon numéro de téléphone, et lui tendis le tout. Il relut lentement, en remuant les lèvres, une fois, deux fois, trois fois. Puis, avec un sourire, il reprit :

« Vous ne voulez pas dire si vous soupçonnez quelqu'un ?

– Je ne soupçonne personne. »

Le rongeur ôta l'épingle, sépara les feuilles de carbone des feuilles de papier ministre, et les rangea soigneusement dans son tiroir. Jai pianotait à toute vitesse sur le clavier de son téléphone portable.

Tournant la clé de son tiroir, le jovial fonctionnaire poursuivit : « Il y a une jeune femme. Une jeune femme très intelligente qui aide ces hommes. Du moins elle essaie. Vous la connaissez ? »

Jai leva vivement les yeux – ses doigts continuaient de s'agiter de leur propre volonté. La pensée de Sara me remua. Cela faisait des jours que je ne l'avais pas vue.

« Qui ? Non. Non je ne la connais pas.

– C'est une fauteuse de troubles, semble-t-il. Le genre à chercher des ralliements. Elle habite Vasant Kunj et rend souvent visite aux inculpés à la prison de Tihar. Elle leur a même trouvé un avocat. Et elle a des amis dans la presse. »

Dans quelques minutes, il allait étaler des photos sur la table. Mon cul noir et velu clouant Sara contre le mur. La Crucifixion du Croisé. Un poster en quadrichromie. Peut-être même une cassette vidéo obscène : nous deux en plein duo bilingue.

Je sentais le regard de Jai rivé sur moi et restai caché derrière mon masque de fer.

« Et cette histoire de Pakistan, dis-je. Les hommes ont avoué ? »

Souriant sous sa moustache frémissante, Dubeyji répondit : « Les aveux ne signifient rien. En prison, on peut faire avouer n'importe quoi ! Même le meurtre de Gandhi ! Mais ça n'a aucune valeur devant un tribunal. Il faut des preuves solides.

– Vous les avez ?

– Nous avons la vérité. Les preuves suivront. »

Derrière la tête de l'inspecteur, le mur était nu à l'exception d'une affiche d'un vert criard, représentant un bel homme coiffé d'une casquette de base-ball qui venait d'énoncer une équation en lettres majuscules.

Les petits esprits discutent des hommes.

Les esprits moyens discutent des événements.

Les grands esprits discutent des idées.

Les esprits supérieurs travaillent en silence.

Sara ouvrit la porte et j'eus envie d'elle. Son visage affichait une expression de résistance boudeuse – son humeur naturelle – qui éveilla aussitôt mon désir. J'arrivais directement du château de Kafka parce que je ne voulais pas rentrer chez moi et que je n'avais pas d'autre refuge. J'avais brièvement envisagé d'aller courir au club sportif, mais la pensée de Sara était beaucoup plus alléchante. Elle ouvrit la porte vêtue d'un slip en coton blanc et d'une grande écharpe rouge à fleurs jaunes. Elle avait un air irritable, et moi une seule idée en tête : la clouer contre le mur.

Le problème, évidemment, était que pour clouer Sara contre le mur, il fallait d'abord se disputer avec elle. Ou, plus exactement, la pousser à vous engueuler. Ce jour-là, j'avais du carburant tout frais pour alimenter sa colère. Mais mon ardeur faiblit dès l'instant où je m'aperçus qu'elle buvait du rhum à l'eau. Le verre était à moitié vide et le liquide très sombre, fortement chargé en alcool. Je détestais quand sa bouche sentait le rhum. Une bouteille trapue de Old Monk était posée sur la table de la salle à manger, à peine entamée, à côté d'une seconde bouteille, vide et débouchée. Mauvais signe. L'abus de rhum indiquait qu'elle était perturbée par un sujet sérieux, peu propice à un duel verbal et un clouage au mur. Il régnait plutôt une ambiance de faux calme : paroles rares, rideaux baissés, réserve mélancolique. De temps à autre même, une pointe de doute, ce qui chez elle était contre nature.

Sans un mot, elle alla dans la cuisine en désordre me préparer une tasse de thé, puis se replia dans la chambre. Je l'y suivis. La pile de journaux, de livres, de magazines, de feuillets épars, de dossiers bruns mal ficelés, avait pris des proportions incontrôlables. Ajoutant au chaos, il y avait aussi un paquet de chips ouvert, un paquet de biscuits éventré, et un cendrier gorgé de mégots. Bientôt, il faudrait se coucher sur le sol. La lampe de chevet, orientée vers les oreillers, brûlait visiblement depuis un long moment. Elle semblait palpiter sous l'effet de la chaleur. Napoléon était silencieux, mort jusqu'à avril prochain.

Elle s'assit contre les oreillers et je dus trouver un coin libre à ses pieds. J'aurais pu regarder sous son écharpe, mais je n'osais pas. C'était un genre de vulgarité qu'elle ne pardonnait pas. Trivial, minable. Notre symphonie d'insultes était d'une autre trempe. C'était une joute intellectuelle. Une forme d'art. Alors je la regardai dans les yeux, et elle me foudroya. Ses épaules frêles, presque tranchantes, étaient d'une folle sensualité.

De ma voix la plus atone, je lui contai notre visite au neuvième étage. J'omis les allusions de Dubeyji à une mystérieuse jeune femme. Il était inutile de l'alarmer. Et puis je ne tenais pas à la voir foncer là-bas et démolir les portes en carton-pâte. Elle ne m'interrompit pas une seule fois. Elle alternait rasade de rhum et bouffée de cigarette. Quand j'eus fini, elle vida les dernières gouttes de son verre, quitta le lit pour aller se resservir, et revint avec un verre plein. Je détestais la voir dans cet état.

« Tu crois qu'ils disent la vérité ? »

Elle haussa les sourcils.

« À propos du Pakistan, tu crois qu'ils disent la vérité ?

– Écoute, tu es vraiment un gamin stupide. Ils voient des imbéciles de ton genre tous les jours. Ils savent que ça t'excite d'être devenu si important. Avec ces assassins à tes trousses, ces policiers chargés de te protéger, ces juges qui étudient ton cas. Ça te fait jouir, non ? Eh bien, ils vont en rajouter. Une conspiration internationale, des tueurs payés par le Pakistan, des agents secrets d'opérette dans des immeubles de neuf étages décryptant des complots sophistiqués. Finalement, tu deviens la star de ton propre roman de gare. Tu en crèves de les croire. Alors crois-les. »

Je résistai à l'envie de la projeter contre le mur, de lui tordre le cou pour lui faire cracher toute sa suffisance. Guruji avait raison : l'excès de lectures était dangereux. Avec Sara, aucune conversation n'était simple, aucune réaction non calibrée. Tout devait être façonné en une construction élaborée de motivations, de postures, de névroses et de défaillances. J'aurais voulu pouvoir dire à cette folle salope que ce qu'elle pensait ne m'intéressait pas. Que j'avais seulement envie de toucher sa peau chocolat et de mourir avec sa voix dans mes oreilles, de sombrer dans ce recoin obscur et profond qu'elle gardait toujours si délicieusement humide.

« En tout cas, les agents secrets d'opérette connaissent ton existence. »

Elle tira sur sa cigarette – sa troisième depuis mon arrivée – si longuement que le bout grésilla.

« Que savent-ils sur moi, Mr Sarbacane ? Que je bois du rhum à l'eau et que je te permets parfois de me mettre ton cure-dent ? »

Que lui avaient fait ses parents ? Ils l'avaient sevrée à la quinine ?

« Sois prudente. On ne peut pas se fier à ces gens. »

Pour la première fois, l'ombre d'un sourire apparut sur son visage. Le genre de sourire qui accompagnait le coup de poignard final.

« Oh, on ne peut pas se fier à ces gens ! Depuis un an, tu écoutes docilement tout ce qu'ils te racontent. Ça, ce sont les policiers qui vous gardent. Ça, ce sont les tueurs à gages. Et là, le Pakistan qui les commandite ! Mais maintenant qu'ils ont mis le nez dans tes petites affaires d'adultère, tu commences à te méfier d'eux ! À ton avis, qu'est-ce qu'ils feront de moi ? Ils m'accuseront d'être complice des cinq autres ? D'aspirer dangereusement tes fluides corporels ? »

L'immense tasse de thé avait rempli ma vessie comme un ballon. Je me levai pour aller m'épancher dans le lavabo. À mon retour, elle avait enfilé un jean et un chemisier, et se tenait dans le salon, ses clés dans la main. La colère me submergea. Je l'écartai d'un coup de coude et je sortis sans un mot. Sa voix me rattrapa en bas de l'escalier :

« Il est l'heure de rentrer tringler madame rose bonbon ! Quand tu auras fini, Mr Sarbacane, regarde le plafond et réfléchis un peu sur toi-même. »

C'est ce que je fis. Quand Dolly-doll ouvrit la porte et demanda si j'avais dîné, je la poussai dans notre chambre et sur le lit sans un mot. Cet assaut, si rare de ma part, l'émoustilla tellement qu'elle ouvrit illico ses longues jambes – entraînant le plongeon des chérubins de sa nuisette – et miaula doucement. J'avais encore la rage dans le corps et la pénétrai aussitôt, profondément. J'avais l'impression de baigner dans un bol d'eau chaude. Elle dégoulinait de larmes. Ça lui ressemblait bien. Pas une once de subtilité.

J'enfouis mon visage dans son cou, loin de sa bouche, et commençai à nager. Elle referma ses chevilles autour de mes reins comme une paire de menottes, et se mit à haleter en murmurant mon nom. C'était insupportable. La lumière aggravait les choses. J'essayai d'étouffer sa voix, son corps.

Pour je ne sais quelle raison, l'image de l'écureuil souriant dans le bureau placard du neuvième étage m'apparut soudain. Les esprits supérieurs travaillent en silence. En savait-il réellement plus, ou était-ce une tactique bien rodée ? Ne jamais laisser transparaître ce que l'on sait, et toujours prétendre qu'on en sait plus que ce que l'on sait vraiment ? Et moi, devais-je m'inquiéter ? N'était-ce pas une situation typiquement indienne, riche en fictions enfiévrées et paroles trompeuses ? Comme Guruji le disait souvent : « La plupart du temps, nous sommes comme des fantômes dans le brouillard. C'est à peine si nous pouvons nous voir nous-mêmes. Encore moins les autres. » J'avais toujours tiré avantage d'être un fantôme dans le brouillard, alors pourquoi m'en soucier maintenant ? Parce qu'une femme au corps inégal m'avait ordonné de fixer le plafond et de réfléchir sur moi-même ?

Je me rendis soudain compte que Dolly-doll s'agitait sous moi. Sans doute parce que je nageais mal. Il ne me restait plus assez de vigueur. À ce train-là, j'allais bientôt me noyer. Ses talons se plantaient dans mon dos. Elle m'aiguillonnait comme un cheval ! Qu'était-il advenu de la discrète épouse indienne idéale ? Son halètement sonore me laissait également perplexe. L'action ne le méritait pas. J'imaginais ce que Guruji aurait dit : « Il ne faut pas mélanger les choses. Ne jamais reporter la colère que vous inspire une femme sur une autre. »

Je remarquai ses boucles d'oreilles. Des raquettes de tennis en argent ! Nous étions décidément un pays sans espoir. Je fermai très fort les paupières pour tenter de faire apparaître une écharpe rouge avec des fleurs jaunes. Sans avertissement, la femme qui se tortillait sous moi lâcha un grognement bruyant. Un son animal. De dégoût, je lui mordis durement l'épaule. Elle se méprit sur mon geste et amplifia ses ruades, m'éperonnant le dos en rythme. Je tentai d'imaginer une astuce qui m'aiderait à en finir. Mais rien ne venait. L'écureuil souriant continuait d'envahir mon écran imaginaire, avec sa moustache broussailleuse, la fenêtre anti-suicide, les esprits supérieurs travaillant en silence.

Il y eut trois bips étouffés. Je plongeai pour puiser mon téléphone dans ma poche de pantalon. C'était un message accusateur et interminable. Un roman. Impossible de le lire et de baiser en même temps. Je roulai sur le côté et m'assis contre la tête de lit. Dolly-doll me jeta un regard pitoyable d'auto-apitoiement et de reproche. On aurait dit que je l'avais dévêtue et abandonnée nue en pleine rue. Les chérubins volants regroupés autour de sa taille avaient l'air misérablement délaissés eux aussi. D'un ton grave, je lui dis : « C'est la police », et commençai à faire défiler le message. Pauvre Dolly-doll ! Était-elle assez stupide pour croire que la police m'envoyait un roman par SMS au milieu de la nuit ? La meilleure chose que j'aie faite dans ma vie est de ne lui avoir jamais laissé le droit de poser des questions. Deux écrans de téléphone plus loin, j'avais déjà oublié qu'elle reposait à demi nue près de moi.

Sara était bouleversée parce que le moineau avait fini par quitter leur nid. Depuis deux mois, je savais que Bhandariji, le petit et mélodramatique avocat de Patiala House, avait donné des signes d'essoufflement dans l'affaire Sara, ou plutôt devant Sara elle-même. Elle ne me l'avait pas dit, mais je l'avais déduit de ses propos. Ce jour-là, apparemment, il n'avait pas répondu à ses appels téléphoniques, et quand elle s'était présentée à son bureau – à son domicile –, il avait refusé de la recevoir. Bien sûr, on n'arrêtait pas aussi facilement Sara. Elle avait braillé si fort et si longtemps que toutes les portes s'étaient ouvertes. En présence de ses employés et de son épouse revêche prématurément vieillie rôdant dans le fond, Bhandariji avait déclaré qu'il n'y avait pas d'affaire. Les cinq hommes étaient condamnés d'avance. Il avait fait de son mieux. Il n'y consacrerait pas une minute de plus.

À Sara qui l'accusait de ne penser qu'à l'argent, il avait répondu – je l'imaginais sans peine, sa tête inclinée de côté, ses doigts rajustant son col – : « Madame, qui n'aime pas l'argent ? Mais dans le cas présent, il n'y a ni affaire ni argent ! J'ai étudié le dossier. Nous perdons l'un et l'autre notre temps. Ces hommes sont comme des épis de canne à sucre cueillis au hasard. Les hommes puissants les coupent, les mâchent, et les crachent. Personne ne paie pour les tuer, personne ne paie pour les sauver. Vous devriez consacrer votre temps à de plus nobles causes. Les jeunes mariées brûlées, par exemple, le travail des enfants, la chasse aux sorcières, le sati, les meurtres pour cause de dot, les infanticides des filles, le choléra, la tuberculose, la polio, la déforestation, la pollution, etc… »

Oui, ce putain de monde avait besoin d'être sauvé. De lui-même.

Mais Sara n'était pas femme à prendre n'importe quoi pour argent comptant. Elle était trop supérieurement éduquée pour cela. L'université américaine lui avait enseigné des notions telles que déconstruction et sujet sous-jacent. Elle n'avait pas la ruse de l'illettré, mais la suspicion de l'érudit. Et comme la majorité des Indiens, qui avaient deux cents ans de génuflexion coloniale dans leurs veines, elle avait goûté à la thèse du complot dès le biberon. Selon elle, soit le moineau subissait des pressions, soit on l'avait soudoyé. Elle allait découvrir la vérité, et le démasquer. L'étrange volte-face du moineau renforçait sa foi en l'innocence de mes présumés assassins.

Je repris conscience des jambes nues étendues près de moi, des chérubins agglutinés à la taille. Dolly-doll posait comme si elle allait figurer sur la double page d'un magazine de charme. Elle faisait ce qu'on m'avait intimé de faire : fixer les yeux au plafond et réfléchir sur soi. Sentant mon regard, elle tourna la tête vers moi. Ses yeux implorants me chassèrent du lit. Je ramassai mon pantalon et m'enfuis dans la salle de bains.

Quand je sortis de la maison, l'ombre dormait sur son lit pliant sous la véranda. Sa tête émergea de la couverture. C'était un nouveau, dénommé Munna, novice dans le métier. Il n'était pas fait pour être flic. Je répondis à la question muette de ses yeux en disant que j'allais juste au bout de la rue chercher du paan et qu'il pouvait continuer de dormir. Il se recoucha avec un soupir de reconnaissance.

Je pris la voiture, quittai la rue, tournai deux fois, et me garai sous le vieux pipal près du parc. Puis j'éteignis les phares, verrouillai les portières, et composai le numéro de téléphone de Guruji. Il n'était pas encore dix heures mais les rues du quartier résidentiel étaient désertes. Pas un seul promeneur nocturne en vue. Seul le borgne Jeevan ouvrait l'œil. Il avait sauté de sa niche au creux d'un tas de feuilles mortes pour se diriger vers moi. C'était un chien déterminé, doté d'une sainte foi en l'humanité. J'ignore pourquoi, mais je ne le chassai pas comme j'en avais l'intention et il se posta à côté de moi en remuant la queue quand je coupai le contact et ouvris la portière.

Guruji me répondit d'une voix très détendue, comme toujours. D'un ton où perçait un rire, il me demanda :

« Dans quel pétrin t'es-tu fourré, aujourd'hui ? »

Je lui racontai l'histoire du château de Kafka et il dit :

« De même que le temple se dresse entre l'homme et Dieu, en Inde, le gouvernement se dresse entre l'homme et la justice. Il ne faut pas t'inquiéter pour ça.

– Mais comment parvient-on à connaître la vérité ? »

Je l'imaginais assis sur son charpoy, sous un million d'étoiles, torse nu, un sourire aux lèvres.

« La vérité est ce qu'elle est. Que tu la connaisses ou non ne change rien à ce qu'elle est. Alors pourquoi te tracasser ? Les hommes pourchassent la vérité comme si c'était le génie d'Aladin, capable de résoudre tous leurs problèmes – au lieu de faire la seule chose qui convient, être rassuré de savoir que la vérité est inaltérable et demeurera ce qu'elle est, connue ou non. Qu'est-ce qui te perturbe tant dans tout cela ? »

Du Guruji pur jus. Une sagesse ample, et, dans le même temps, une tactique simple.

« Tout ce que je veux, c'est savoir si je dois ou non m'inquiéter. Eux me disent que ce sont des tueurs engagés par le Pakistan, et Sara m'explique qu'elle a vérifié et que ce sont des innocents pris au piège. »

Je devinais le sourire de Guruji.

« Si, pour elle, cela signifie qu'ils sont victimes des circonstances, elle a raison. Ils sont innocents. Comme le sont les policiers, elle, toi, et moi ! » Il éclata de rire et ajouta : « Et Ravana, et Duryodhana, et le Pakistan !

– Ça ne m'avance guère.

– Évidemment. De toute façon, ce n'est pas ce qu'elle veut dire. Ce n'est pas ainsi qu'elle voit le monde. Seuls les saints et les sots sont supposés trouver les êtres irréprochables. Et tu n'es ni l'un ni l'autre. La confiance n'est pas comme l'amour. Il est bon de donner de l'amour librement tout autour de soi, mais la confiance est comme un bon karma : il faut la mériter. Les hommes doivent se souvenir qu'ils vivent parmi les hommes. Il serait insensé de l'oublier. Car les hommes, c'est connu, sont les moins fiables de tous les animaux. Pour l'argent et le pouvoir, ils sont capables d'abandonner le ventre qui les a mis au monde, de découper en rondelles les reins qui les ont engendrés, de tuer l'ami qui les a recueillis. Souviens-toi, Gandhi fut assassiné par un hindou, Jésus trahi par l'un de ses disciples et cloué sur la croix. L'univers génère plus d'hommes mauvais que bons, si bien qu'il faut sans cesse mettre les bons à l'épreuve. Car il ne suffit pas d'être bon une fois ou deux. Il ne suffit pas de vaincre un homme mauvais. Les guerriers du bien doivent triompher des bataillons du mal tout au long de leur vie. »

Merde. Je regrettais d'avoir téléphoné. Ce n'était pas le sermon qu'attendait un homme transportant son érection à travers la ville. Le temps que j'arrive, Sara ne serait plus la déesse Durga, mais Mahakali.

« Je comprends, Guruji. »

La voix rieuse s'esclaffa :

« Tu te demandes pourquoi Guruji bave ainsi de grands mots à cette heure de la nuit. Mais les Guruji aussi doivent accomplir leur karma. Rappelle-toi seulement ceci : si tu n'es ni un saint ni un idiot, que ta destinée n'est ni de pardonner ni de rire, alors ces cinq hommes ne sont pas innocents. Tous ont franchi les lignes tracées par les humains, et l'un d'entre eux a ouvert des crânes comme on ouvre des coquilles d'œufs à l'âge où tu allais encore à l'école en culotte courte. »

Livre 8

Hathoda Tyagi

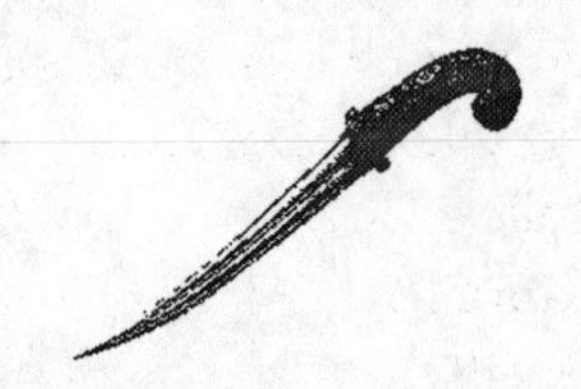

Le voyage du sprinteur

Sa mère affirmait qu'il avait le cœur tendre. Seule sa tête était un peu échauffée. Son père disait que sa tête n'était pas seulement échauffée mais en feu, et qu'un jour les flammes lui carboniseraient le cœur, peut-être même tout ce qui l'entourait. Ses sœurs disaient qu'elles l'aimaient, mais qu'elles avaient besoin d'être protégées de lui. Ses camarades d'école disaient qu'ils l'aimaient mais qu'ils avaient besoin d'être protégés de lui. Ses professeurs disaient douter de pouvoir lui apprendre quoi que ce fût, et surtout pas les principes fondamentaux de la non-violence.

Le shastri – l'astrologue et lettré qui avait établi la carte du ciel de sa naissance – déroula le parchemin jaune et se gratta la tête. Pointant le bout émoussé de son crayon sur les hexagones, pentagones et triangles bleus et rouge vif, il énonça lentement :

« Le thème astral du garçon présente beaucoup d'aspects positifs. Il est né sous le signe du soleil. Il détiendra la force et le pouvoir. Les hommes le craindront et le suivront. Il ne manquera jamais de nourriture ni d'argent. Cela viendra à lui quand il le désirera et, tel un roi, il le distribuera aux autres. »

Puis le shastri s'interrompit et, par-dessus ses épaisses lunettes noires, il examina la cour de ferme.

Ces gens traversaient de bien mauvais jours. La cour enduite de bouse séchée était propre mais dépouillée. Au bout, à droite, une bufflonne attachée avec son petit, tout maigrelet ; un peu à l'écart, deux bœufs blanc sale aux os saillants. Un simple abreuvoir rectangulaire en terre aux bords effrités, tacheté de brins de foin, servant à toutes les bêtes. Sur le côté gauche, une pompe à main poussive, avec une inhabituelle gueule carrée, et, juste derrière, un muret en pisé derrière lequel se lavaient les femmes de la maison. Leurs vêtements séchaient sur le muret.

Le shastri, qui habitait à deux villages de là, rendait visite à cette famille depuis toujours. Il avait été témoin de l'aggravation de ses malheurs et de sa détresse : disputes de terrains, affrontements brutaux, interventions de la police, recours devant les tribunaux, impasse juridique, puis, bien sûr, de sa décadence.

La maison d'habitation comprenait une vaste pièce, fabriquée à l'aide de briques de rebut, dont la nudité révélait ses défauts. L'unique porte était ouverte en permanence, laissant entrer un faisceau de soleil pendant la journée et, la nuit, un miroitement de lune. Les deux fenêtres, situées aux deux extrémités opposées, étaient toujours fermées, leur rebord surchargé de provisions ; sur les encadrements étaient accrochés de vieux vêtements poussiéreux. Le sol était en terre battue, enduite de bouse délayée et séchée. Des rais de lumière filtraient par les interstices des murs imparfaits, des cadres d'huisseries mal fixés et du toit inégal, animé continuellement par le va-et-vient des rongeurs.

Deux grandes malles en fer étaient posées côte à côte contre le mur du fond, surchargées de literie : matelas, oreillers, édredons, tous de la même teinte brune fanée. De gros cadenas verrouillaient les deux malles. Elles contenaient tous les objets de valeur de la famille, notamment les bijoux de mariage transmis de génération en génération. Plusieurs années s'écoulaient souvent sans qu'aucune des malles ne soit ouverte. À côté, cinq charpoys en corde aux pieds grossièrement sculptés s'empilaient les uns sur les autres. Les nuits d'été, on les tirait dehors et la famille dormait à la belle étoile. L'hiver, on les alignait côte à côte et la pièce était tapissée de charpoys ; il fallait les enjamber pour rejoindre sa place attitrée. Dans un angle se dressaient deux longues lances, leur corps de bambou épais et solide, leur tête de fer émoussée et rouillée. Une épée nue, sa lame noircie par manque de soin, était accrochée à un clou près des lances. Entassés dans le coin opposé : d'imposants ustensiles de cuisine en cuivre, dont certains assez grands pour préparer des repas pour cent personnes.

Gyanendra Tyagi avait une moustache en guidon de vélo, de larges épaules, mais une seule jambe valide. Un lathi à bout de fer lui avait éclaté le genou gauche six ans auparavant, au cours de la dernière empoignade pour la saisine des terres. Il ne restait plus à Gyanendra que cinquante bighas, l'équivalent de treize hectares. Cent bighas restaient en litige, et cent vingt autres lui avaient été arrachés – au cours de plusieurs invasions – par son cousin plus âgé, Jogendar, et ses cinq costauds de fils.

Depuis maintenant six ans, le shastri pouvait en juger, Gyanendra maintenait la paix, bouillant de rage mais craignant de provoquer un nouvel affrontement physique. Son fils dont le shastri était venu lire l'horoscope se prénommait Vikram et il avait déjà deux ans. Gyanendra l'avait engendré après une succession de filles. Tous ses espoirs d'égaler son cousin reposaient sur l'enfant.

Pesant ses mots avec soin et mâchonnant son crayon, le shastri déclara :

« Pour son père, il sera une tangerine, douce et aigre à la fois. Pour sa mère, il sera une goyave, toujours succulente malgré ses pépins. Pour le monde, il sera un ananas, rugueux à l'extérieur mais juteux à l'intérieur. »

Ces paroles furent douces aux oreilles de Gyanendra Tyagi, assis en tailleur sur son charpoy en face du shastri. Sa femme, accroupie dans la cour, le voile tiré sur son front, demanda :

« Est-ce que sa venue mettra fin à cette continuelle guerre pour la terre ? Aurons-nous enfin la paix ? Connaîtrons-nous de nouveau la prospérité ? »

Le shastri froissa son parchemin. Tous les parents espèrent qu'un nouvel enfant apportera un changement de fortune. Or, d'après son expérience, un nouvel enfant n'est qu'une nouvelle bouche à nourrir. Il avait déjà vu des thèmes astraux semblables. Ils présageaient une vie tourmentée.

« Il sera un guerrier qui sèmera la peur chez ses ennemis, prédit le shastri. Il vous apportera le bien-être et vous protégera. Mais il lui en coûtera un lourd tribut.

– Shastriji ! s'écria la mère alarmée. Vous nous cachez quelque chose ! Mon fils a-t-il une destinée funeste ? »

L'astrologue, une touffe de cheveux sur les oreilles mais le haut du crâne dégarni, la rassura :

« Ne vous inquiétez pas. Simplement, à cause de son travail et de sa force, votre fils aura de puissants ennemis ! Mais il ne sera pas facile de l'atteindre. Ses planètes sont comme celles de Hrinakashyap. On ne peut le blesser que dans un lieu baigné à la fois de soleil et d'ombre ; il ne peut être blessé que lorsqu'il est en mouvement et pas immobile ; il ne peut être blessé que lorsqu'il a le ventre plein ; il ne peut être blessé que lorsqu'il est caché à la vue ; il ne peut être blessé que par un ennemi tué dans la bataille ; et il ne peut être blessé que coincé entre ses amis. Réunir toutes ces conditions est presque impossible. Donc, vous n'avez pas à vous tourmenter. Rappelez-vous que, pour tuer le démon Hrinakashyap, Vishnou a dû apparaître en personne pour influer sur les éléments. Or nous savons que les dieux ne descendent plus dans ce pays. »

En dépit des présages rassurants du shastri, la mère ne put réprimer son angoisse. De fait, des signes inquiétants se manifestèrent très tôt, à mesure que l'enfant gagnait en force physique et en colère. Il parlait peu et n'argumentait jamais, mais il était enclin à de subites explosions d'humeur. Il était impossible de déterminer ce qui déclenchait ses éclats, mais généralement c'était un mot, plutôt qu'un acte. Une remarque fortuite d'une de ses sœurs, une réflexion de sa mère, une intonation aigre dans la voix de son père, le sarcasme d'un ouvrier agricole. Dans son jeune âge, sa colère s'exprima par le jet d'objets divers : cruches, casseroles, sandales, vêtements, nourriture, tout ce qui se trouvait à sa portée. Et la moindre tentative pour le calmer le transformait en une boule de fureur ; il cognait, ruait, mordait.

Dans une grande ville, au sein d'une riche maison, on l'aurait conduit chez un pédopsychiatre, lequel l'aurait endormi avec de belles paroles et des pilules multicolores. Dans un village, dans la pièce unique perdue au milieu des champs, le problème fut d'abord traité par des raclées systématiques. Mais il devint vite évident que ce remède aggravait la maladie. À peine avait-on fini de le battre qu'une nouvelle éruption soulevait le volcan.

Un jour où son père, particulièrement sévère, l'avait frappé avec le court bâton de bambou servant à aiguillonner le bétail et lui avait ligoté les mains, le garçon enragé, qui ne pleurait jamais et ne demandait jamais grâce, se cogna la tête contre le mur si violemment que la peau éclata et que le sang ruissela sur son visage.

La famille terrifiée se vit contrainte de changer de tactique. Le meilleur moyen de garder l'eau immobile est de ne pas la remuer. Par un consensus déclaré – et souvent répété –, il fut convenu de ne rien lui dire et de le laisser tranquille.

Très jeune, donc, le jeune Tyagi cessa toute conversation et tout commerce affectif avec ses sœurs, et entre ses parents et lui se créa une distance qui ne serait jamais plus comblée. Cela le laissa apparemment indifférent. Il ne recherchait la compagnie de personne et se réjouissait de fuir sa famille en plongeant dans les forêts de canne à sucre qui encerclaient la cour de leur ferme. Il y passait souvent de longues heures à vagabonder. Se frayant un chemin au milieu des feuilles coupantes, il pelait, mâchait, pelait, mâchait les tiges de canne à sucre.

Parfois, il marchait si longtemps qu'il pénétrait sur les champs des voisins et perdait ses repères. Il devait alors sortir de la forêt, localiser sa position d'après une ferme, un arbre, un puits, et revenir tranquillement en empruntant les diguettes.

Parfois, il s'imaginait cerné par des armées de dacoits qu'il fallait esquiver et tuer. Alors, armé d'une tige tendre qu'il pointait comme une dague ou brandissait comme une épée, il faisait des ravages dans leurs rangs.

Les forêts de canne à sucre recelaient d'autres surprises que des dacoits voleurs de bétail. Les serpents n'étaient pas rares, ni les lièvres. De temps à autre, on apercevait un chacal s'éloignant furtivement, la tête au ras du sol, et rarement, très rarement, un sanglier ou une imposante antilope nilgaut. Une fois, il découvrit le fils du Thakur voisin aux prises avec une femme qui travaillait dans les champs : il avait réussi à se jeter sur elle et la plaquait au sol. Le garçon observa la scène à leur insu pendant un moment, mais quand il crut que l'homme allait tuer la femme, il détala. La femme survécut. Quelques jours plus tard, il l'aperçut accroupie de nouveau entre les rangées de choux, retournant la terre avec soin.

Il lui arrivait aussi, dans ces étendues d'herbes géantes, d'assister à un spectacle insolite : celui des culs occupés à déféquer. La ruse consistait à s'approcher du cœur du fourré – les défécateurs s'aventurant rarement au-delà du troisième rang de canne à sucre. Caché dans le feuillage, il fit deux découvertes : la paix profonde qui régnait au sein de ce néant tout bruissant, et une cachette inégalable. L'une et l'autre allaient, au cours des années à venir, lui apporter le réconfort dont il aurait besoin.

Cependant, le jeune Tyagi avait une autre source de consolation : le bétail attaché dans la cour dont il aimait caresser le flanc. Celui de la bufflonne, charnu mais rêche ; celui des bœufs, sec mais soyeux. Il trouvait un apaisement à frotter leur tête osseuse, à empoigner leurs cornes, et s'amusait à les voir sursauter et piétiner quand il leur tirait doucement les oreilles et la queue. Si personne ne le regardait, il chatouillait son visage avec le plumet de leur queue.

Il découvrit un moyen insolite de refroidir sa tête dont tout le monde disait qu'elle était en feu. Quand la bufflonne

– nommée Shanti, paix –, se mettait sur le flanc pour ruminer, il s'allongeait devant elle, la tête dressée sur ses coudes, et lui offrait son crâne tondu très ras (stratégie de son père pour lui rafraîchir les esprits). Shanti entreprenait alors de le lécher avec son épaisse langue mouillée. En peu de temps, son cuir chevelu se trouvait entièrement trempé. Le jeune garçon raffolait de ce massage et s'y prêtait dès qu'il était certain que personne ne le voyait. Il lui arrivait même de s'assoupir pendant que Shanti lui pourléchait le crâne.

Lors de la cérémonie d'attribution de son nom, le shastri avait tiré la lettre V. Au début, la famille le prénomma donc Vinod, en hommage à deux acteurs de cinéma, dont l'un était un héros pendjabi macho avec une fossette au menton. Le surnom du garçon fut, bien sûr, Guddu, titre d'un film, Vinod n'étant jamais utilisé. Puis, quand il eut six ans et fut envoyé à l'école publique locale, le directeur lui palpa les épaules et les bras, et déclara : « Il est bien trop costaud pour n'avoir que six ans. Vous ne mentez pas sur son âge ? » Le père changea alors son nom en Vishul, qui signifie « immense ». Et bien qu'il ne grandît pas de façon excessive, Vishul acquit un torse d'haltérophile et la démarche souple d'un boxeur professionnel.

À l'école, il fut très tôt la risée de tous. Il était grand par la taille mais indolent par l'esprit. Il parlait peu, de façon hésitante, et avait un regard lourd qui, des années plus tard, serait décrit comme un regard qui ne cillait jamais. Ses camarades le surnommaient chacha (oncle), daddu (papa), oonth (chameau), bhainsa (taureau), khachchar (mule). Dans les saynètes de théâtre jouées en classe, on lui donnait toujours le rôle du démon. De grosses moustaches noires peintes sous le nez et relevées sur les joues, il arpentait la scène improvisée avec un gourdin, avant d'être tué par Ram, Bhima ou Shiva. Son professeur de maths l'appelait Bakasura – démon.

Lorsqu'il eut neuf ans, et la force d'un adolescent de quatorze, il commença à cogner l'une contre l'autre les têtes de ceux qui le raillaient. Son comportement ne différait pas de celui qu'il manifestait depuis son tout jeune âge. Il laissait les sarcasmes glisser sur lui un long moment, sans réagir, le regard ailleurs, continuait de vaquer à ses occupations à sa manière ralentie, puis, subitement, comme si un claquement se produisait en lui, il empoignait les premiers garçons qui passaient à sa portée et leur martelait le crâne jusqu'à ce que l'école résonne de leurs cris.

Le directeur en discuta plus d'une fois avec son père. Gyanendra Tyagi, épuisé par une guerre judiciaire et physique avec ses cousins, malade de l'indomptabilité de son fils, dit simplement :

« Pourquoi croyez-vous que je vous l'ai envoyé, professeur ? À quoi sert une si grande école dans un si petit village si, finalement, j'en suis réduit à former mon fils à coups de pied au cul ? Venez donc diriger ma maison et ma ferme, je m'occuperai de votre école ! »

En effet, les dimensions de l'établissement étaient extravagantes. Seize salles de classe en ciment dans un bâtiment en forme de L, dix dans une aile et six dans l'autre, toutes mesurant cinq mètres sur cinq, avec chacune deux portes et deux fenêtres. Douze ans plus tôt, un habitant du village était devenu membre de l'assemblée législative de la région, puis ministre du gouvernement de l'État. L'école était son cadeau à son village, bien que celui-ci fût trop petit pour répondre aux critères exigés pour un lycée. Plus tard, une fois le ministre privé de pouvoir, l'établissement était tombé en ruine. Les subventions pour l'entretien étaient maigres et la plupart des villageois n'avaient pas la patience de pousser leurs enfants sur la tortueuse route éducative qui les mènerait à coup sûr à une impasse. À présent, les briques du mur d'enceinte étaient systématiquement volées, plusieurs salles de classe transformées en quartiers d'habitation des enseignants et le terrain de sport en pâturage pour le bétail.

Le directeur, qui dirigeait parallèlement un négoce de ciment, se moquait de l'école comme d'une guigne. Son unique souci était d'éviter un scandale. Il ne voulait pas avoir une mort sur les mains. Les temps avaient changé. Il y avait de petits et de grands journaux un peu partout, comme *Sanjhi Khabar*, une feuille de chou de quatre pages toujours à l'affût d'une histoire croustillante à monter en épingle. Le directeur de l'école jouissait d'une situation confortable. Son village n'était qu'à une quinzaine de kilomètres et son commerce de ciment réalisait de bonnes affaires. La moindre controverse suffirait à l'expédier dans l'Uttar Pradesh oriental ou, pire, dans quelque hameau perdu à 2 500 mètres d'altitude dans le Kumaon, à une heure de marche de la route la plus proche, aux hivers si froids que l'urine y gelait.

Ce garçon l'embarrassait. Soit il serait mort avant d'avoir dix-huit ans, soit il deviendrait une légende. Le directeur avait passé sa vie à mater des petits durs et des morveux, et il savait détecter leurs limites. Le plus fréquemment, il s'agissait de jeunes impertinents qui aimaient fanfaronner pour la galerie : on les réduisait aisément au silence par quelques insultes précises sur leur caste, leurs caractéristiques physiques, ou la médiocrité de leur condition familiale. Il y en avait d'autres, plus coriaces, immunisés contre l'insulte, qui avaient besoin de tâter du bâton avant de comprendre l'équation obéissance-punition. Et d'autres, encore plus rétifs à l'autorité, capables de répondre à la violence par la violence. Pour ces derniers, il fallait convoquer leurs pères : entre le maître et le patriarche, on parvenait à leur enseigner le sens de la piété.

Ce garçon-là était différent. Il n'était pas insolent, il ne plastronnait pas. La plupart du temps, il réagissait de façon disproportionnée à une provocation. Rien ne pouvait le retenir tant que sa fureur n'était pas apaisée. Et, physiquement, c'était un taureau. À quelques occasions, il avait terrassé impitoyablement six ou sept camarades de classe, tout en tenant une demi-douzaine d'autres en respect. Depuis la septième, le directeur ne prenait jamais le risque de l'affronter. La situation était aggravée par le fait que l'on ignorait ce qui déclenchait sa violence. Son professeur de hindi, un homme réfléchi qui mâchonnait en permanence son fil sacré, répétait toujours : « À l'intérieur de sa tête, il y a un jwalamukhi. Un volcan en fusion. Quelqu'un sait-il pourquoi et quand un volcan va exploser ? Même un géologue ? Même le volcan lui-même ? C'est pareil avec ce garçon. » Et lorsqu'on lui demandait ce qu'il fallait faire, le professeur répondait : « Que font les hommes devant un volcan en activité ? Ils le surveillent et restent à distance. »

Tout le monde prit cet avis pour une injonction. À la maison, à l'école, au village. Tout le monde sauf un homme, le seul qui allait dessiner et déterminer son existence.

Rajbir Gujjar avait passé vingt-quatre ans dans la police et travaillait maintenant comme professeur de gymnastique. Dans sa jeunesse, il avait été sprinteur, mais pas suffisamment rapide pour descendre en deçà des onze secondes. Ensuite, au camp d'entraînement de la police, il était devenu un fulgurant ailier droit de hockey. Il avait réussi à intégrer l'équipe de la police de l'État, joué les championnats nationaux et d'innombrables championnats régionaux pendant cinq ans. Le rôle de Rajbir sur le terrain était simple : courir sur le flanc droit, capter la balle, et la centrer vivement pour les avants. Il devait accomplir inlassablement le même numéro : exploser à partir du milieu de terrain, sa canne dans la main droite, intercepter la balle et la propulser devant le but. Son talent lui avait évité toutes les corvées policières pendant sept ans. Il vivait dans un baraquement séparé avec l'équipe, tout près du terrain. Ils commençaient l'entraînement avant l'aube. Pendant la journée, ils se reposaient et huilaient leurs corps ; à quatre heures de l'après-midi, par tous les temps, ils retournaient sur le terrain jusqu'à la nuit tombée, finissant par jouer en devinant la balle à son bruit. Leur régime diététique se composait d'un litre de lait, trois œufs, une douzaine de bananes chaque jour, et de poulet trois fois par semaine.

Ces longues années passées à ne pas exercer le métier de policier et à se faire dorloter, à se conformer aux exigences sportives, firent de lui un marginal lorsqu'il dut réellement intégrer la police. Ses collègues découvrirent très vite qu'il était un handicap. Sur le terrain, Rajbir était droit et honnête, tout empreint de l'importance de son uniforme ; au commissariat, il était minutieux, respectueux des règles et des procédures. Mais le laisser seul pouvait s'avérer dangereux. Il fallut des mois pour lui faire comprendre qu'on n'ouvrait pas un dossier de dépôt de plainte chaque fois que quelqu'un venait se plaindre. Les dépositions, les mains courantes, tous ces documents légaux pouvaient être fatals et il était périlleux de les remplir correctement. Les répercussions d'une écriture non réfléchie pouvaient causer de graves ennuis et briser des vies entières, des carrières. Sans compter le problème de l'équilibre des statistiques. Vol, viol, meurtre, émeute : pour chacun il existait un héritage historique et il fallait maintenir les chiffres sur la ligne déjà tracée – ni trop au-dessus, ni trop en dessous, rien qui pût susciter louanges ou damnation, rien qui pût vous mettre sous le faisceau du radar.

Au cours de sa première année à Allahabad, trois commissariats se le partagèrent. En tant qu'ancienne star sportive, Rajbir connaissait des officiers supérieurs de la police. Il demanda et obtint son transfert à Lucknow, pensant que, dans la capitale de l'État, il serait plus facile de travailler en conformité avec le règlement. (C'est une maladie universelle chez les athlètes que d'être obligé de batailler pour s'adapter aux règles infiniment plus complexes de la vie à l'extérieur de l'arène de jeu.) Bien entendu, c'était pire à Lucknow, ville fanatiquement politique, sans marge pour l'erreur. En moins d'un an, le fulgurant ailier droit fut transféré à Meerut, Gorakhpur, Shahjahanpur, Faizabad. Partout, il découvrit qu'il courait dans un sens – celui du règlement –, et ses collègues dans l'autre. Que les règles n'étaient pas celles figurant dans le manuel, mais celles que chacun acceptait de suivre.

Le problème de fond n'était pas tant son penchant pour la droiture et l'honnêteté, mais plutôt son manque d'instinct. À l'intérieur du cercle ésotérique des kakis, il semblait ne jamais savoir ce qu'il convenait de dire ou de faire, quelles que fussent les circonstances.

Lorsqu'il fut muté à Gorakhpur, il décida d'installer sa femme et ses filles en permanence à Ghamond, son village près de Muzzaffarnagar, avec ses parents. C'était un village de Tyagis, néanmoins ses ancêtres avaient vécu là pendant des générations sans trop de difficultés. On racontait beaucoup d'histoires sur les paysans gujjars opprimés par les propriétaires terriens tyagis, mais ce genre de chose pouvait arriver n'importe où dans la plaine du Gange. De toute façon, des réveils s'opéraient, de nouvelles alliances politiques se forgeaient – les gujjars devenaient eux-mêmes de gros propriétaires fonciers et un électorat puissant. Restait à savoir si ces nouveautés allaient améliorer ou aggraver les choses.

Finalement, Rajbir Gujjar – ailier droit fulgurant mais piètre policier – fut affecté au détachement de la sécurité dans la capitale de l'État. Ce bataillon procurait du personnel armé aux personnes influentes que la cellule de renseignement jugeait menacées. Deux sortes d'hommes composaient l'effectif : des novices frais émoulus de l'école de police, pleins de raideur et d'ignorance, et des rebuts des forces de l'ordre, des hommes plus âgés, perturbés, trop dénués de jugeote ou de souplesse pour devenir des rouages lisses et précieux de la grande machine policière. Les personnalités qu'ils avaient pour charge de protéger étaient en général des politiciens, parfois des hommes d'affaires amis de politiciens. C'était un travail mécanique et ennuyeux. Huit heures par jour, l'agent de sécurité personnelle tournait autour de la personne protégée avec son pistolet fourré dans l'entrejambe, après quoi il rentrait dormir et regarder la télévision. S'il faisait partie d'un contingent de gardes plus nombreux, c'était encore plus facile. Chacun arrangeait son emploi du temps à sa guise : parfois l'un d'eux travaillait deux jours d'affilée sans interruption, suivis de quatre jours de congé auprès de sa famille.

En un sens, c'était un travail idéal pour un écrivain. Si vous vouliez observer la déchéance humaine à son plus haut niveau, vous deviez devenir agent de sécurité personnelle. La plupart des politiciens protégés étaient eux-mêmes des parrains de la mafia. Ils avaient leurs propres gardes du corps, natifs de leurs villages, armés de fusils à deux coups et de pistolets, qui traînaient à l'intérieur de la maison, parlaient d'une voix rauque, surveillaient le dernier carré où se déroulaient entrevues et transactions. Devant eux défilaient criminels, corrupteurs, entremetteurs politiques et femmes de compagnie. Les policiers, pour leur part, servaient à établir un cordon officiel, à dresser un rideau derrière lequel les sales besognes des affaires publiques étaient conduites. Comme beaucoup de braves gens, dès lors qu'il n'avait pas à se salir les mains, Rajbir était heureux de jouer le rideau.

L'homme que Rajbir allait protéger pendant de nombreuses années était un membre du corps législatif de Chitrakoot. Bajpai sahib, brahmane de haute caste, avait correctement analysé les forces de la modernité et de la politique, et conclu des alliances avec les basses castes. Son père aurait pris des bains rituels dans la rivière Mandakini si la seule ombre d'un intouchable avait effleuré son corps, mais Bajpai sahib s'asseyait et mangeait avec eux, les serrait dans ses bras, et allait même jusqu'à se soumettre devant leur chef suprême qui était une femme. Il ne la contredisait jamais en public, ne prenait la parole que si elle l'y invitait.

Cependant, derrière les portes closes, il en allait tout autrement : Bajpai sahib était davantage qu'un égal. Il la contredisait, la réprimandait, usant des légendaires artifices brahmaniques, affûtés par des millénaires de manipulation de rois, de guerriers et de laïcs, pour l'aider à avancer ses pions.

Le pouvoir dépasse la famille, l'amitié, la race, la couleur, la religion. Mais la caste est la peau, la caste est indélébile. Comme tout l'entourage de Bajpai sahib, Rajbir savait que, chaque soir sans exception, une fois traitées les affaires du monde, quand il en avait terminé avec les pollutions de la vie matérielle, du pouvoir et du commerce, de la chair et du sang, Bajpai sahib se retirait dans la forteresse de pureté que ses ancêtres occupaient depuis des centaines de générations, et se lavait avec de l'eau du Gange. L'eau sacrée voyageait partout avec lui dans un jerrycan de l'armée soigneusement sanglé sur un cadre métallique soudé à l'arrière de sa jeep Willys. Chaque mois, l'eau du Gange arrivait dans une camionnette Matador sous étroite surveillance, scellée dans quatre bidons des ghats, avant d'être stockée dans le garage.

Le chef suprême n'ignorait pas ce fait et elle le comprenait. En public, la caste était un badge, en privé c'était la peau. Une fois dévêtu, vous redeveniez tel que vous étiez en venant au monde. Dans la naissance, le mariage et la mort, les grandes vérités prévalaient. Pas l'argent ni la politique.

En revanche, au cours de son passage rapide dans d'innombrables commissariats de police, Rajbir avait appris que le maintien de l'ordre n'a rien à voir avec le bien et le mal, la loi et l'ordre, les codes et les règlements, mais tout à voir avec l'argent et la politique.

Désormais affecté par l'État à la garde du leader brahmane, son 9 mm calé dans l'entrejambe, l'ancien athlète apprit qu'il existait très peu de différence entre ceux qui transgressaient la loi et ceux qui la faisaient respecter. C'était comme un match de hockey dont les deux équipes joueraient dans le même camp, mais se donneraient en spectacle pour complaire aux spectateurs. Tant que ceux-ci étaient dupes, le match était un succès. Mais, de temps à autre, le public avait des doutes. On mettait alors sur pied une mascarade sophistiquée, avec enquêtes et punitions, arrestations et mises en liberté sous caution, crime et châtiment.

Au cours des années passées dans l'entourage de Bajpai sahib, Rajbir eut l'occasion de voir tous les patrons du crime organisé, les parrains de la drogue, les rois de l'immobilier, les trafiquants d'armes, les bootleggers, les faux-monnayeurs, qui se présentaient à la porte de l'urbain politicien – souvent chargés de sacs de billets de banque, à l'arrivée ou au départ. Nombre de ces individus étaient des hommes célèbres dans la région, craints et révérés. Tous étaient impliqués dans des affaires judiciaires ; certains avaient même effectué quelques courts séjours en prison. Ils n'étaient véritablement inquiétés que lorsqu'ils s'écartaient du parti au pouvoir.

Rajbir les observait arriver, généralement de nuit, au milieu d'une escorte compacte, les canons de fusils des gardes du corps pointant des jeeps comme des fanions. Tout le monde se répandait devant eux en salamalecs, même les policiers. Les mauvais jours, ils étaient un meilleur recours que n'importe qui d'autre. Ils pouvaient vous donner de l'argent pour le mariage d'une fille, l'opération chirurgicale d'un père. Vous obtenir un transfert dans un poste moins exposé, ou plus lucratif. Conseiller à un ennemi de se calmer, à un ami d'être plus amical. Vous fournir un avocat, une caution. Organiser une fuite et une planque.

En retour, vous n'aviez qu'une seule obligation : vous rappeler la faveur offerte. Ne jamais perdre le sens de la gratitude. Mais les choses ne se passaient pas comme dans les films où, finalement, vient le jour où un parrain laconique exige son dû. La plupart du temps, on ne vous réclamait rien. D'ailleurs, la majorité des bénéficiaires avait peu à donner en échange. En vérité, ces parrains étaient comme tous les puissants de ce monde. Ils ne convoitaient pas seulement l'argent et l'influence, mais aussi l'affection et l'admiration. À l'instar des grands rois et des grands chefs, ils aspiraient à être connus et reconnus comme des mécènes magnifiques, des donateurs et des bienfaiteurs – plus prévenants que la police, plus humains et généreux que l'État. Ils voulaient que les rues et les gallis des villages et des villes bruissent d'histoires sur leur magnificence et la terreur qu'ils inspiraient. Au fond, ils espéraient être les égaux des dieux. Craints et adorés. Embrassés et hissés sur des piédestaux.

C'est là, dans le cordon extérieur du cercle de sécurité de Bajpai sahib, que Rajbir Gujjar fit la connaissance de Donullia Gujjar. L'ancien athlète était assis sur les racines rebondies du vénérable banian, parmi d'autres domestiques, quémandeurs et gardes du corps, près de la porte d'entrée du bungalow, sirotant du thé dans un verre, écoutant ébahi l'histoire de l'acquisition par le chef suprême d'une nouvelle voiture étrangère d'une valeur de quatre millions de roupies, quand un Trekker et une jeep Willys franchirent le portail et freinèrent dans un violent crissement de pneus sur l'herbe et le gravier. Le Trekker avait un toit en tôle mais pas de portes, tandis que la jeep avait un toit en toile avec le rabat arrière enroulé. C'était l'heure des dernières lueurs, des croassements des corbeaux et des criaillements des perroquets regagnant leurs nids.

Près d'une douzaine d'hommes sautèrent des deux véhicules, châles et couvertures sur les épaules. La moitié d'entre eux étaient armés de fusils, et deux au moins portaient un holster en cuir brun en travers du torse. Ils étaient habillés de pantalons vert kaki de la police ou vert olive de l'armée. Chaussés de rangers en cuir ou de pataugas en toile verte, conçus pour les épines et les buissons.

Ils se tenaient en groupe informel, affichant une assurance austère. L'un d'eux, doté d'un visage sombre et large, coiffé d'un turban blanc, sans arme apparente, grogna un ordre. Deux de ses acolytes s'écartèrent aussitôt pour aller se planter près du portail. Aucun des autres n'esquissa un mouvement vers le bungalow. Sous le banian, les murmures s'enflammèrent. Rajbir se leva, rajustant le pistolet logé contre sa cuisse. Après tout, il était le policier de garde.

Finalement, la porte grillagée sur le côté du bungalow s'ouvrit et Pandeyji apparut, avec son manteau d'astrakan fourré et ses lunettes sans monture. L'homme au turban se tourna vers lui. Pandeyji eut un hochement de tête et rentra dans la maison. Rajbir se rapprocha du groupe, cherchant une ouverture, mais les hommes l'ignorèrent. Bientôt on apporta des verres de thé de la cuisine.

Rajbir rebroussa chemin jusqu'au banian. Là, un seul mot circulait : Donullia ! Donullia était ici. C'était la bande de Donullia. Tous se tordaient le cou pour essayer d'identifier le célèbre bandit au milieu du groupe d'hommes. Tâche impossible. La nuit était tombée et tous avaient le visage masqué par les châles et les couvertures. Et aucun ne montrait de déférence envers un autre.

De toute façon, très peu de personnes au monde savaient à quoi ressemblait Donullia. Il n'existait aucune photographie de lui dans les rapports de police. La seule fois où il avait été capturé, douze ans plus tôt, il s'était évadé pendant son transfert du commissariat au tribunal. De tous les noms redoutés de la région, le sien était le plus charismatique.

Donullia était devenu brigand à l'âge de seize ans, en tuant son propriétaire thakur et ses barbares de fils. La rumeur courut que le jeune paysan, enragé par le viol régulier de ses sœurs par les maîtres, les avait traqués jusque dans la cour de leur propre maison, et que, avant de les exécuter, il leur avait crié : « Enfants de salauds, vous n'avez jamais traité personne comme votre égal, mais moi je vais vous traiter équitablement. Une balle pour chacun ! »

Le Donulli – un fusil à deux coups – appartenait au Thakur. Le jeune Gujjar les abattit l'un après l'autre d'une balle en plein cœur. Deux jours plus tard, les frères du Thakur enlevèrent les sœurs de l'adolescent, les violèrent à plusieurs reprises avant de les décapiter et de suspendre leurs têtes sur le flamboyant. Seule la terreur restaure l'ordre. Une semaine plus tard, un des frères reçut une balle dans la colonne vertébrale alors qu'il déféquait derrière les buissons bordant le fossé, un matin de bonne heure. Le message fourré dans sa narine avertissait que tout nouvel acte de représailles contre les Gujjars serait sanctionné.

La fureur des Thakurs explosa et l'on en ressentit les répercussions jusqu'à Lucknow. À cette époque, les Thakurs représentaient encore une force politique. Quelque temps après, une troupe de la police spéciale comptant deux douzaines d'hommes sous le commandement d'un officier du rang de commissaire adjoint fut détachée pour capturer le jeune brigand. Le journal local publia une photo du peloton de police armé de fusils d'assaut SLR et de carabines, accompagnée d'une courte déclaration de l'officier affirmant qu'ils ramèneraient l'assassin d'ici une semaine, une laisse au cou, comme un toutou.

Mais le garçon s'était évaporé – dans les forêts et les ravins de Chitrakoot, et de là, peut-être, dans les terres arides du Chambal voisin, dans l'État de Madhya Pradesh. Neuf mois plus tard, le détachement spécial cessa les recherches et regagna la capitale de l'État.

La rumeur courut que Donullia se faufilait comme une ombre.

Huit mois plus tard, il mit à sac la noce d'un autre Thakur du village d'Habusa, tuant le jeune marié et son père avant de décamper avec de l'argent, des bijoux et des armes. Le message logé dans la narine du jeune marié avertissait que toute famille thakur célébrant une noce sans lui payer une taxe s'exposerait à des conséquences similaires.

Des convulsions de colère secouèrent l'assemblée de l'État à Lucknow ; les députés martelèrent les tables de leurs poings et arrachèrent les micros. Un second détachement de police fut rassemblé sous les ordres d'un tireur d'élite renommé de la police d'État. Pendant plus d'un an, le district entier fut passé au peigne fin, la maison du garçon placée sous surveillance, des informateurs payés et envoyés sur les routes, tous les criminels de la région interrogés et confrontés, d'autres familles gujjars menacées et torturées. En vain. Il n'y avait aucune trace du jeune bandit.

On savait désormais que Donullia était non seulement sans peur, insaisissable comme une ombre, mais aussi un bahurupiya, un homme aux mille visages. Le paysan anonyme assis près de vous au tea-shop pouvait fort bien être le Gujjar armé de son fusil à deux coups.

Vers cette époque, un jeune homme de Habusa qui avait été brutalement interrogé par le peloton spécial disparut subitement. Il s'appelait Kana Commando. L'armée l'avait renvoyé après qu'il eut perdu son œil gauche lors d'une insurrection au Nagaland. On apprit bientôt que le fantassin borgne avait rallié Donullia Gujjar, et ajoutait sa vaste connaissance des armes, du terrain et de la stratégie, à la ruse et au courage du bandit. Quelques mois plus tard, on apprit la disparation d'un autre jeune homme. Entre la police, les castes supérieures et les propriétaires terriens, la pression était assez forte pour alimenter indéfiniment des régiments de revanchards enragés.

Donullia offrait la dignité, la vendetta, et le plaisir sans égal d'un vrai fusil. Pour des hommes qui avaient passé une vie entière à plier sous les coups du lathi, c'était un cadeau des dieux.

Donullia, selon toute apparence, était également un homme moderne et laïc. Il dirigeait un gang sans château ni religion. N'importe qui pouvait adhérer, chacun était libre d'adorer Dieu et de suivre ses rites, tout le monde mangeait et buvait dans le même pot. Un autre de ses lieutenants s'appelait Hulla Mallah. Basse caste loueur de bateaux, il avait, dans un accès de rage, noyé deux Pandey de haute caste dont ses ancêtres auraient baisé les pieds. Hulla Mallah avait la réputation d'être si grand et si fort qu'il pouvait courir dans un ravin en portant un camarade blessé sur son dos sans s'arrêter pour reprendre son souffle ni traîner en arrière. À l'autre extrémité de l'éven-

« Tu veux le quitter ? »

La cicatrice était très creusée, même dans l'obscurité. On avait dû vouloir lui graver le visage pour l'exemple.

« Pas encore, répondit Rajbir.

– Alors reviens quand tu seras décidé.

– Ma vie n'est pas si mal.

– Pour un eunuque ou un fossoyeur. L'un n'a pas de bite et sert ceux qui en ont une. L'autre est vivant et sert les morts.

– Une vie passée à être pourchassé nuit et jour n'est pas spécialement recommandable, si ?

– Les hommes de Donullia Gujjar chassent, ils ne sont pas pourchassés, répliqua le bandit, immobile comme un tronc d'arbre. Nous venons du pays des hommes libres. Nous ne suivons pas les lois faites par les riches pour les riches. Et nous ne suivons pas les hommes qui annoncent une chose et en font une autre.

– Pourtant, votre capitaine vient ici. Pourquoi ? »

Le bandit tourna la tête pour regarder le policier dans les yeux et répondit :

« Donullia Gujjar vient ici en roi. Pour discuter et prélever sa dîme. Pas en quémandeur. Demande à l'homme que tu gardes, si jamais tu en as le courage. Demande-lui s'il survivrait sans Donullia Gujjar. »

Rajbir songea à Bajpai sahib. Aux alliances avec les intouchables, aux alliances avec les dacoits. Combien de litres d'eau sacrée du Gange lui seraient nécessaires pour se purifier ?

« Moi aussi, je suis un Gujjar, dit Rajbir.

– Alors, dit l'homme avec un signe de tête vers la maison, quand le haute caste te décevra, viens trouver Donullia. Même un chien n'oublie jamais le caniveau qui l'a engendré. Le kaptaan s'engage à aider tous les Gujjars qui demandent son soutien.

– Mais où est-il ? demanda Rajbir. Pourrai-je le rencontrer quand il arrivera ? »

L'homme eut un sourire soudain, et le ravin qui creusait son visage lui donna un air diabolique.

« Il est dans la maison que tu gardes, en train de faire cracher à ton riche patron l'argent qu'il reversera aux pauvres.

– Quand est-il entré ?

– Il se déplace comme un serpent dans l'eau, comme une ombre dans la nuit. Vous seriez quatre cents, avec quatre yeux chacun, que vous ne le verriez pas passer sous votre nez et entrer dans la maison. En fait, je pourrais être lui et tu ne le saurais pas. »

Paniqué, Rajbir observa l'homme accroupi. Était-il en train de commettre la plus grande stupidité de sa stupide carrière ?

L'homme éclata d'un rire sonore.

« Donullia peut être un serpent nageant dans l'eau, une ombre se glissant parmi les ombres, mais jamais un imbécile discutant avec un imbécile ! Je ne pourrais pas être Donullia, dussé-je vivre sept vies. Tu ne l'as pas vu entrer et tu ne le verras pas sortir.

– Mais tu me mèneras à lui ?

– Si nous sommes toujours en vie, si tu es un vrai Gujjar, et si tu viens à lui non en policier mais en allié fidèle. En chien issu du même caniveau, sang de son sang.

– Je suis policier pour le salaire, répondit Rajbir. Une simple putain de plus dans le grand bordel de l'État. Quel que soit le prix que tu paies la putain, elle ne t'appartient jamais. Elle reste pour toujours la fille de sa mère.

– Bien parlé, dit l'homme. Le kaptaan te recevra. Mais d'abord, brillant policier, voyons si tu peux le reconnaître.

– Es-tu un gujjar, toi aussi ? »

L'homme éclata à nouveau de rire, et la lumière venant du bungalow fit danser sa cicatrice.

« Si le capitaine est "do nullia", un deux coups, alors moi je suis "ek nullia", un coup unique. Si jamais tu vas au village de Bhasodi, demande Katua Desai et tu les verras détaler comme des rats. Sur le pipal de la place, j'ai ficelé quatre hommes, nus et vivants, après avoir tracé une croix sur leur torse avec mon couteau, et j'ai mis au défi ces salopards de les détacher et de les emmener. » L'homme s'interrompit pour cracher de dégoût et reprit : « Les quatre types ont mis quinze heures pour se vider de leur sang et mourir. Aucun villageois n'a eu le cran de venir les aider ! Voilà pourquoi nous sommes une nation de serfs. Nous avons peur de tout ! Si nous voyons l'ombre d'une bite, nous imaginons qu'elle va nous enculer !

– Donc tu es un…

– Oui. Je n'ai pas seulement le visage de coupé. En bas aussi… Mon ancêtre était Akbar le grand, empereur de tout l'Hindoustan, mais moi je ne suis que Katua Desai, seigneur de l'arbre sous lequel je dors. »

Vers neuf heures, ce soir-là, quand la foule amassée sous le banian se fut éclaircie et que la majorité des solliciteurs eut obtenu une entrevue dans le bungalow, les brigands dispersés sur l'allée et près du portail sautèrent dans les deux jeeps et partirent. Rajbir n'était pas sûr de comprendre ce qui s'était passé. Il effectua une reconnaissance à la porte d'entrée principale et entendit des voix dans le salon, y compris celle du politicien. Puis, il se rendit de l'autre côté, cherchant un employé susceptible de le renseigner. Il n'y avait là que deux paysans : mal rasés, un turban sale dénoué autour de la tête, des couvertures noires rugueuses enveloppant leurs épaules jusqu'au menton. L'un d'eux avait les yeux larmoyants, toussait comme un tuberculeux et crachait par terre. Ils enfourchèrent maladroitement une vieille bicyclette Atlas appuyée contre le mur – le plus petit et chétif sur le porte-bagages –, et s'éloignèrent lentement.

Une minute plus tard, Rajbir comprit enfin. Sous le pajama blanc sale, le tuberculeux portait des Keds, ces chaussures de sport en toile à épaisse semelle de caoutchouc souple. Le genre d'articles que l'on achète dans les magasins de luxe. Le genre qui adoucit les épines et les cailloux, le genre qui ne glisse pas dans la boue et les pentes. Le temps de courir au portail, la rue était déserte. Autour des gros réverbères jaunes, un million d'insectes de nuit se faisaient hara-kiri.

Un serpent dans l'eau, une ombre dans la nuit.

Rajbir réfléchissait à sa vie de policier empoté lorsque la jeep Willys revint et se gara de l'autre côté de la rue. Le balafré, assis à côté du chauffeur, se pencha à la portière et le héla.

« Hé, policier ! J'ai quelque chose à te montrer. »

Quand Rajbir se fut approché, le brigand musulman lui saisit la nuque pour attirer sa tête à l'intérieur de la jeep. Dans la pénombre, Rajbir discerna les silhouettes de plusieurs hommes. Un rai de lumière filtrant à travers la toile faisait briller les canons des fusils.

Une voix tranquille demanda :

« Gujjar ?

– Oui, répondit Rajbir, sa nuque solidement maintenue.

– Tu veux devenir un ami ?

– Oui. Ce serait un honneur si je pouvais faire quelque chose pour vous.

– Fais bien ton travail, répondit la voix. Garde un œil sur le brahmane. Tu es peut-être une putain de l'État, mais il n'y a que les hommes comme nous pour t'apprécier réellement. »

Rajbir devina trois silhouettes à l'arrière du véhicule, mais il ignorait laquelle lui parlait.

« Je serai là pour vous, dit-il.

– Pour le peuple. Toujours pour le peuple. Pas pour moi. Ton règlement dit que tu dois servir le peuple. Ma loi exige la même chose. Servir le peuple. »

Un rectum en acier

Quand Vishal Tyagi eut dix-sept ans, ses deux sœurs furent sauvagement violées. Les violeurs épargnèrent leur vie car ils ne recherchaient pas le plaisir mais un levier pour exercer une pression. Cent bighas de terre, soit vingt-cinq hectares environ, étaient dans la balance. Joginder n'était pas assez stupide – ou grossier – pour envoyer ses fils violer leurs cousines. Il s'adressa à un certain Karimbhai, mafieux à la petite semaine et transporteur routier, lequel lui recommanda des hommes de Meerut. À l'en croire, c'étaient les meilleurs pour ce genre de besogne. Ils suivaient les instructions à la lettre : chhota kaam, petit travail ; bada kaam, grand travail ; poora kaam, travail complet. Le premier consistait en une agression à but d'intimidation : vêtements arrachés, pincement des seins, insertion de doigts. C'était un avertissement lancé à des proches ayant eu une conduite répréhensible. Le deuxième était un viol en bonne et due forme, jusqu'à sa conclusion, avec la graine fermement implantée. C'était un avertissement et une punition. Le travail complet était un viol suivi de meurtre, avec des degrés de cruauté bien établis. C'était un avertissement, une punition, et le solde de vieux comptes.

Joginder avait choisi la deuxième option.

De bonne heure, un matin, alors que la brume s'élevait des champs comme la buée d'un bol de lait bouillant, les deux jeunes filles qui étaient sorties pour s'adonner à leurs ablutions matinales furent traînées dans les champs de canne à sucre et violées de façon très professionnelle. À dix-sept et dix-neuf ans, elles étaient fiancées l'une et l'autre. L'aînée devait se marier trois mois plus tard.

À leur retour, leur mère se prit la tête entre les mains et hurla comme un chacal, mais empêcha son mari Gyanendra d'aller porter plainte à la police et demander réparation à son cousin. Elle savait que la police remplirait des papiers et ne ferait rien, sinon révéler au monde entier la souillure irrémédiable de leurs deux filles. En jouant fin, il restait peut-être une chance de contenir l'information jusqu'à la conclusion du mariage. Le plus difficile fut de retenir son mari de courir chez son cousin. Gyanendra possédait un fusil et quelques vieilles cartouches rouges dans une malle en fer-blanc, mais Joginder et ses fils l'abattraient sans lui laisser le temps de tirer. La mère et les filles violées s'accrochèrent à ses jambes pour le supplier de ne pas risquer sa vie, de ne pas faire d'elles une veuve et des orphelines. Conscient de marcher vers une mort certaine, Gyanendra finit par se laisser fléchir. Il se dessécha et devint l'ombre de lui-même.

Rendu fou par les cris et les pleurs de sa mère et de ses sœurs, Vishal Tyagi se réfugia dans la cour et s'allongea devant la bufflonne. Il ne dit pas un mot à sa famille. Il n'avait rien à dire. Une semaine plus tard, en fin d'après-midi, alors qu'il se rendait à l'école pour ses exercices de musculation sous la tutelle de Rajbir Gujjar – haltères, pompes, abdos, corde raide et course de vitesse –, il croisa les trois fils de Joginder près de l'autel de pierre sous le pipal. L'un d'eux s'esclaffa :

« Ses sœurs sont si jolies et lui si laid ! Vous imaginez ce que ça nous aurait coûté si c'était lui qu'il avait fallu faire violer ! »

Le cerveau de Vishal explosa comme une bombe. Il voulut bondir sur eux, mais les trois frères le tinrent en respect en le menaçant de leurs lathis à bout ferré. La tête en feu, Vishal courut droit chez Rajbir, et la première chose sur laquelle se posa son regard en entrant dans la maison fut un marteau. Un joli marteau, avec un manche long et lisse, et une petite tête dure. Un côté de la tête enfonçait les clous, l'autre était recourbé et fendu pour les retirer. Avant que Rajbir eût le temps de prononcer un mot, le garçon s'était emparé du marteau et rué dehors.

Vishal rattrapa les trois frères juste au moment où ceux-ci s'engageaient dans leurs champs et marchaient en file sur la diguette ; d'un côté, l'eau fraîche sortie du puits tubulaire courait dans le canal d'irrigation, de l'autre, bruissaient les champs compacts de canne à sucre. L'aîné, qui fermait la marche, s'écroula sans émettre un son, le crâne défoncé. Le marteau fit sauter ses circuits avant qu'il eût formé un mot. Il tomba dans le canal avec un grand plouf, et l'eau gargouilla dans sa bouche ouverte. Quand ses deux frères se retournèrent, Vishal brandissait déjà son arme. Le marteau perfora le front et le nez du deuxième frère à la façon d'une cuiller dans une coquille d'œuf, écrabouilla les yeux l'un contre l'autre et lui démonta la mâchoire supérieure. Il faudrait lui envelopper le visage de bandelettes avant de le placer sur le bûcher de crémation. Le troisième frère bredouillait derrière son lathi pointé en avant, tantôt pour implorer grâce tantôt pour menacer Visham d'un terrible châtiment. Faisant preuve d'imagination, ce dernier effectua un mouvement enroulé de son bras droit tout en bloquant le lathi du gauche. La tête d'acier du marteau fit exploser l'oreille gauche de son cousin. Un second coup, superflu, lui creusa un trou dans la tempe. Lui aussi, après ses frères, tomba dans le canal d'irrigation. Les corps formaient un barrage et l'eau déborda sur la diguette.

Vishal lava le sang et la cervelle collés sur le marteau, puis il regagna la ferme familiale et offrit son cuir chevelu aux lèchements affectueux de la bufflonne. Les seuls témoins du carnage furent les trois chiens de Joginder, qui grognèrent et aboyèrent, mais eurent le sage instinct de ne pas attaquer l'ennemi.

Il n'était pas tard, mais les Tyagis avaient terminé de dîner. Ils s'affairaient autour de la pompe à eau pour les dernières ablutions lorsque les chiens de Gyanendra se mirent à japper. Rajbir Gujjar approchait. Il était seul. Dans sa main droite, il tenait un fusil, la sangle de toile pendant comme une guirlande. Il avait le visage crispé. Il s'assit sur le bord du charpoy de Gyanendra et accepta le verre de lait chaud que lui tendait celui-ci. La lune était mince et le ciel envahi d'un milliard d'étoiles.

« Les fils de Joginder sont morts, annonça l'ancien policier.

– Pourquoi ? Qu'est-ce qu'ils ont encore fait ? demanda Gyanendra en tirant sur son dernier hookah de la journée.

– Ils sont morts tous les trois. Trop morts pour être conduits à l'hôpital. Quelqu'un leur a mis la tête en bouillie. »

Gyanendra ôta la pipe à eau de sa bouche et dit :

« C'est impossible. Je les ai vus ce matin au village, le torse bombé comme des jeunes coqs. Et vous savez ce que ces salauds m'ont dit ? "Tout le monde va bien chez toi, cousin ? Ça fait un bout de temps qu'on n'a pas aperçu tes filles." »

L'ancien policier but avec précaution le lait dans le verre brûlant et reprit :

« Personne dans la région n'a vu pareil carnage depuis bien longtemps. Même leur mère n'a pas pu reconnaître l'un d'eux. »

Dans l'obscurité, Vishal Tyagi s'assit par terre à côté de la bufflonne et caressa lentement son flanc rugueux. Il se sentait calme. Il vit son père saisir l'épaule de son entraîneur et demander :

« Vous l'avez vu de vos yeux ? Je ne fais pas confiance à ce basse caste et à ses fils diaboliques ! »

En réponse, l'ancien policier posa deux doigts sur ses yeux.

« Dieu soit loué ! s'écria Gyanendra. Mais qui ?

– On ne le sait pas encore. La police dit que ça ressemble au travail d'une bande de cinq ou six personnes. Apparemment, personne n'a rien vu. Ce sont les aboiements des chiens qui ont alerté les ouvriers agricoles.

– Cette fois, on est sûrs qu'il y a un dieu ! Et une justice ! »

Mais son épouse, accroupie près de la pompe à main, secoua lentement la tête.

« Ce n'est pas bon. Personne ne mérite une telle fin. Maintenant, un nouveau cycle de bains de sang va commencer. Joginder n'en restera pas là. »

L'ancien policier avait aperçu la silhouette du garçon près de la bufflonne. Il lui cria :

« Que comptes-tu faire, Vishal ? »

Vishal ne répondit pas. Ses sœurs se tenaient sur le seuil de la maison, accroupies. Elles tiraient sur leurs cheveux en silence. La mort de leurs cousins ne signifiait rien pour elles. Elles se recroquevillaient dans leur souillure et leur malheur. Toute leur existence, elles allaient devoir vivre dans la peur que leurs maris ne découvrent qu'elles étaient de la marchandise usagée. Du moins si les mariages se concluaient. Le meurtre des cousins allait déclencher une enquête de police, qui risquait de révéler au grand jour leur avilissement.

« Qu'as-tu fait du marteau ? » insista Rajbir Gujjar.

Vishal l'avait enterré derrière la maison, entre des rangées de choux, puis il avait proprement tassé la terre. En l'observant exhumer l'outil, Rajbir remarqua :

« La police l'aurait retrouvé en moins de deux jours. Ne commets jamais l'erreur de sous-estimer un policier. Leurs sources et leurs ressources sont infinies. Quand ils veulent aller au bout de quelque chose, ils le font sans difficulté. Et ils peuvent obtenir des informations de n'importe qui. Même de moi. »

La famille regarda avec un mélange d'effroi et d'admiration l'ancien policier et Vishal laver le marteau sous la pompe.

« Tu m'as vengé, mon fils, dit Gyanendra. Tu as redonné à ton père son turban tombé. »

Vishal demeura silencieux. Il aurait pu défoncer trois autres crânes s'il l'avait fallu. C'était une douce sensation, cet instant où le fer faisait exploser la chair et les os, et mettait un terme définitif à une querelle. Vishal avait toujours considéré que les gens faisaient trop d'histoires et se lamentaient trop. À présent, il savait qu'il était possible de clore une dispute si l'on avait une vision claire de ce que l'on voulait.

Son enthousiasme initial retombé, Gyanendra demanda :

« Vous croyez qu'ils vont comprendre ?

– Sans aucun doute, répondit Rajbir Gujjar. Votre fils doit fuir. S'ils l'attrapent, ils le pendront trois fois. Après que Joginder lui aura brisé tous les os à coups de marteau. Les villageois viennent tout juste de découvrir les corps. Personne n'a jamais vu pareil carnage. Il n'y aura pas de circonstances atténuantes, ni de sympathie de la part de quiconque.

– Mais fuir où ? Il a un oncle maternel, près de Bénarès. Vous pensez qu'on doit l'envoyer là-bas ?

– Hors de question. Il faut exclure la famille. Deux messages radio et la police ira le cueillir là-bas. Et puis il ne faut pas oublier Joginder. Dès qu'il saura, votre cousin participera à la chasse. »

L'ancien policier regarda Vishal, son corps puissant maintenant adossé au mur, et lui dit :

« Tu vas venir avec moi. Le lièvre doit parcourir le maximum de distance avant que la meute s'élance. »

Grâce à un gradé passionné de hockey et à un député gujjar, Rajbir Gujjar avait réussi à obtenir ce poste de professeur de gymnastique dans un établissement scolaire de l'État proche de son village, après sa retraite du service actif. L'école, comme la police, était une vraie pagaille ; le gouffre séparant la théorie de la réalité était assez profond pour y noyer un millier d'élèves. Un grand nombre de salles étaient occupées par le personnel comme résidence privée, et la tenue des cours reposait sur un consensus bancal entre les étudiants et les enseignants. Certains des professeurs principaux travaillaient comme intermédiaires. Les titulaires appointés par l'État vivaient à Muzaffarnagar et déléguaient d'autres personnes pour enseigner en leur nom. Le salaire était divisé en deux. C'était une sorte de sous-location. Le gouvernement connaissait la situation, mais il avait des questions plus importantes à régler.

Pour sa part, Rajbir Gujjar n'avait pas d'activités parallèles. S'il avait voulu, il aurait pu négocier avec le directeur et ne jamais se montrer à l'école. Ici, l'enseignement était un luxe, et l'idée même de sport, une plaisanterie. En Inde, dans les villages, les enfants ne sont pas davantage faits pour l'académisme que pour l'athlétisme : ils vont à l'école pour fuir des pères oppressifs et un labeur acharné. Le terrain de sport situé derrière le bâtiment de l'école était vite devenu un terrain vague, utilisé par les villageois comme pâture pour le bétail. Les cages de but, de part et d'autre, avaient un air irréel. On aurait dit des portes ouvertes sur le néant. Aucun ballon n'y était jamais entré. À une époque, l'établissement s'était doté de matériel sportif : cannes de hockey, ballons de football, javelots, raquettes de badminton, battes et piquets de cricket. Il n'en restait rien, hormis une grosse boule en fer de lancer de poids. C'était le seul sport pratiqué par les élèves. Chaque jour, ils mesuraient leur force. Le sol, dans l'axe du lancer tracé dans la cour de devant, était férocement cabossé.

C'est dans cette arène retentissant de grognements d'efforts et de chocs sourds que Rajbir Gujjar avait fait la connaissance du jeune Vishal Tyagi. Le garçon lançait déjà le poids plus loin que ses camarades plus âgés, et la souplesse de ses larges épaules suggérait qu'il pouvait encore progresser. Il émanait de lui une intensité qui captiva aussitôt l'ancien policier – en son temps, comme tous les bons joueurs de hockey, lui aussi avait eu cette intensité. C'était ce qui lui avait le plus manqué lorsqu'il avait fini par intégrer les rangs de la police : cette volonté tendue vers la réalisation d'un but. En outre, le jeune Vishal paraissait étonnamment calme et généreux. Il était taiseux, peu démonstratif, et donnait volontiers aux garçons les plus chérifs une chance de lancer le poids. Il lui arrivait aussi souvent d'exercer sa force impressionnante pour secourir un élève qui se faisait railler ou duper par d'autres.

Rajbir, à l'époque où il vivait dans des baraquements sportifs de la police, avait vu nombre d'athlètes s'entraîner et le mouvement de rotation des lanceurs de poids lui était familier. Les garçons de l'école se contentaient de prendre un élan de quelques pas glissés. Vishal était le plus apte à apprendre l'impulsion correcte. Après quelques semaines, le taciturne Tyagi projetait le poids plus loin que tous les athlètes. Désormais, il y avait une portion de terrain défoncée à neuf mètres, et une autre, dix mètres plus loin, entièrement imputable au jeune Tyagi. Rajbir avait la conviction que le garçon pourrait aller jusqu'aux championnats de l'État à Lucknow. En fait, avec un peu d'entraînement, il le croyait même capable de participer aux championnats nationaux. Aucun sportif dans tout le district n'était jamais allé aussi loin.

Comme cela se produit souvent chez les entraîneurs et les maîtres, toute la vie de Rajbir Gujjar, toutes ses ambitions personnelles, se concentrèrent sur le jeune athlète. Il mit au point un régime d'entraînement physique. Cent abdos et cinquante pompes deux fois par jour ; vingt tractions sur la barre du but de football cinq fois par jour ; une course de cinq kilomètres chaque matin, le dernier kilomètre avec une brique dans chaque main ; deux cents lancers de poids. Une fois par semaine, il emmenait Vishal dans les champs de sa famille, enlevait le joug des bœufs, puis il s'asseyait à l'ombre et lui criait ses instructions tandis qu'il maniait la charrue. L'exercice se prolongeait jusqu'à ce que Vishal ruisselle de sueur et ne puisse plus avancer.

Rajbir Gujjar obtint en outre du directeur de l'école un régime diététique spécial pour le jeune athlète prometteur : deux litres de lait, une douzaine de bananes et quatre œufs par jour. Il convainquit également son protégé de défier ses parents et de manger du poulet une fois par semaine.

« Tu ne cherches pas à devenir prêtre ! Tu dois manger de la viande pour donner des forces à la tienne ! »

Chaque semaine, Vishal creusait le terrain de lancer de poids un peu plus loin. Les autres élèves venaient assister à ses entraînements, émerveillés par ses voluptueux biceps et ses larges épaules.

Le samedi, l'entraîneur faisait à son poulain un massage à l'huile de moutarde. C'était aussi l'occasion de discuter. Rajbir Gujjar lui racontait les histoires palpitantes sur sa vie de joueur de hockey : les courses effrénées pour attraper et centrer la balle, les moments de suspense, les articles dans les journaux, les trophées, les personnalités rencontrées. Vishal, lui, ne parlait que des deux seuls êtres qu'il aimait : sa mère et la bufflonne Shanti. Il exprimait sa détermination d'atteindre les championnats nationaux et d'y remporter une médaille. À sa façon tranquille et hésitante, il prédisait :

« Le nom de ce village deviendra célèbre grâce à moi. »

Plus tard, à mesure que leurs liens se resserraient, Vishal évoqua la vendetta familiale. Les manœuvres du cousin de son père et de ses fils pour s'emparer de leurs terres, leurs méthodes d'intimidation, la façon dont ils avaient brisé la rotule de Gyanendra. Il jugeait son père trop faible.

« Il aurait dû les tuer, dit-il. Il avait un fusil dans sa malle. » Puis il demanda à l'ancien policier : « Si la police ne vous vient pas en aide, que faites-vous ? »

Rajbir dut convenir que, dans certains cas, il fallait prendre les choses en main.

Comme l'entraîneur l'avait prévu, le garçon remporta les championnats du district et de la région, pulvérisant les records à tous les niveaux. Lorsqu'il arriva à Lucknow, il avait déjà un nom. Au stade, tandis que les garçons et les filles sirotaient des sodas, mangeaient des aloo tikkis et des crèmes glacées, et flirtaient avec toute l'ardeur de l'adolescence, Vishal buvait son lait, mangeait ses bananes, travaillait ses muscles et lançait le poids à une distance record. Un soir, Rajbir l'emmena à Hazratganj et lui offrit un dîner fastueux chez Gaylord.

« Souviens-toi, petit. La réussite ultime ne réside ni dans la tête ni dans le cœur ni dans les muscles. Mais dans le rectum. Le courage et la détermination sont dans les fesses ! Quand les chances s'accumulent contre les hommes, quand les défis augmentent, ce sont les sphincters qui cèdent en premier ! Je l'ai constaté toute ma vie. Le trou du cul s'ouvre et se met à bêler comme une chèvre. Et, voyant ça, la tête, le cœur et les muscles cèdent à leur tour ! »

Rajbir Gujjar réussit du même coup à confesser que sa propre vie et sa carrière avaient pâti de son manque de force dans le rectum.

« J'étais un bon joueur sur le terrain, mais quand j'ai débarqué dans la police, mes sphincters n'ont pas résisté. Chaque fois qu'il fallait entreprendre une action audacieuse, je devais m'asseoir pour empêcher mon cul de flancher. Il y avait avec nous un type de Bulandshahar. On le surnommait Chuchundur. Rat Musqué. Il mesurait à peine plus d'un mètre cinquante, il était noir comme un corbeau et décharné comme le cou d'un vautour. Tu l'aurais pris pour un balayeur si tu l'avais croisé dans la rue. Pourtant, il avait un rectum en acier. Je l'ai vu travailler au commissariat. Si on avait besoin d'écraser quelques doigts, de briser quelques rotules, de tordre des ligaments, de froisser des testicules comme des papiers de caramels, on s'adressait à Chuchundur. Les grands costauds le craignaient. En une fraction de seconde, il pouvait t'enfiler le canon d'un pistolet dans la bouche et te le faire sucer comme un esquimau pendant que tu pissais dans ton froc. Plus tard, il est monté en grade et il est devenu le meilleur nettoyeur de la police de l'État. Tous ceux qui ne méritaient pas d'être envoyés devant un tribunal allaient faire une balade avec Chuchundur. Comme il était de petite taille, ils essayaient tous de s'enfuir et il devait les abattre. À un certain moment, on l'a surnommé Chuchundur Pacheesi, comme le jeu de stratégie, parce qu'il avait atteint un score de vingt-cinq. Par la suite, il l'a largement dépassé. De simple agent de police, l'avorton est devenu inspecteur plus vite que tous ses collègues, et il était réclamé par les inspecteurs généraux de la police et les ministres puissants. Alors souviens-toi, petit, tu peux lancer le poids très loin avec tes muscles et ton cœur, mais, pour gagner dans la vie, tu as besoin d'un rectum en acier ! »

Vishal, qui dévorait sa deuxième portion de chola-bathura, demanda :

« Qu'est devenu Chuchundur ?

– Il est mort. Son corps a été retrouvé au bord de la rivière avec les rotules éclatées, le pénis coupé en rondelles et la langue arrachée. On l'a identifié grâce aux bagues qu'il portait aux doits. »

Les yeux de Vishal s'agrandirent en une question muette, à laquelle l'ancien policier répondit :

« Mieux vaut avoir un rectum en acier et mener une vie courte mais splendide, que de rester comme nous autres, le derrière bêlant comme une chèvre et rationnant nos pathétiques petites existences. La vie n'avait rien donné à Chuchundur. Ni caste, ni argent, ni éducation, ni taille, ni muscles, ni beauté, ni relations. Rien ! Rien sauf un trou du cul en acier ! Et cela a tout changé. »

Vishal ne dit rien mais comprit le message. De toute façon, il était né avec un rectum en acier. Restait à l'endurcir un peu plus.

Même en considérant le critère du rectum en acier, l'ancien policier devenu entraîneur fut sidéré par la débauche de curry de cervelle réalisée par son protégé. Défendre les excès très occasionnels de son pupille face aux autorités scolaires et à l'irascible directeur était une chose, mais ce carnage dépassait totalement Rajbir. Trois hommes morts, le crâne défoncé. Pour protéger un tueur pareil, il fallait être un politicien très puissant ou un homme extrêmement riche. Ou bien un homme qui ne craignait ni l'un ni l'autre.

Rajbir n'en connaissait qu'un seul de cette trempe.

Pendant l'essentiel de ses quatre années passées chez Bajpai sahib comme agent de sécurité personnelle, Rajbir avait été l'homme de Donullia Gujjar. À cette époque, le puissant brigand entreprenait de blanchir une partie de sa fortune. Il avait vécu hors des limites de la loi pendant trop longtemps pour ne pas savoir que les plus grands bandits travaillaient autant à l'intérieur des limites qu'à l'extérieur. C'était seulement à ce stade que, de simple dacoit, vous deveniez une légende. C'était seulement à ce stade que vous surviviez au-delà du cycle court des sept années de gloire et de mort.

Si Donullia Gujjar opérait à l'extérieur du système, Bajpai sahib faisait partie de ceux qui œuvraient à l'intérieur. Et quand des hommes tels que Bajpai et Donullia s'alliaient, ils devenaient les maîtres de tous les royaumes. Ciel et terre, ville et campagne, argent et pouvoir.

Le frère de Donullia, Gwala Gujjar, devint entrepreneur de travaux publics. Il était si talentueux dans son domaine qu'il prit bientôt part à tous les projets du district. Réparation de routes endommagées et aménagement d'axes nouveaux, construction d'écoles rurales et de dispensaires, de caniveaux et de ponts, d'arrêts de bus et d'abris de nuit, de systèmes de drainage, édification de pylônes électriques et de lignes téléphoniques. Les hommes les plus perspicaces en Inde ont toujours su que l'argent se cache non pas dans le faste des marchés, mais dans les froids corridors du gouvernement. Le macadam est pavé de plus grandes – et plus tranquilles – richesses que la place du marché pleine de vacarme et d'agitation.

Le politicien bienveillant bénissait les contrats, tandis que l'ombre sévère de Donullia assurait le silence et la soumission des concurrents.

Toutefois, la relation de Donullia et de Bajpai sahib allait au-delà du béton. Elle s'étendit aux rites les plus élevés de la démocratie. Le brigand était un agent électoral persuasif. Il encourageait les paysans à voter sagement et au mieux de leurs intérêts. Les jours d'élection, des hommes armés et vigilants inspectaient les isoloirs pour veiller à ce que le processus électoral ne fût pas dévoyé par l'argent ni la force. Ainsi Bajpai sahib ne perdit jamais une élection, et les affaires de Gwala Gujjar se diversifièrent. Il possédait désormais des magasins, des stations-essence, des agences de gaz, des cinémas, un petit hôtel végétarien et une école secondaire anglaise.

Il était assez logique que Gwala Gujjar, plus âgé que son frère Donullia, fût un homme petit et affable. Il diffusait la terreur de ses deux ombres tutélaires, mais lui-même s'exprimait d'une voix douce et amicale. Trop peu de gens comprennent la force d'un poing fort derrière un visage avenant. C'était à Gwala Gujjar que Rajbir rendait compte. Il lui rapportait tous les mouvements de Bajpai sahib, les noms des personnes qu'il recevait, et l'informait du sens dans lequel soufflait le vent politique. Il lui fournissait des détails sur les compagnies féminines qui procuraient bien-être et réconfort à la vie stressée de l'homme public, et sur les marchands et les hommes d'affaires qui lui ouvraient de nouveaux horizons lucratifs.

Le frère du célèbre brigand recevait toujours Rajbir avec grâce et humilité, courtoisie et sourire. Il l'accueillait à la porte de sa maison, le faisait asseoir près de lui dans sa chambre-salon, lui offrait une collation, et le raccompagnait ensuite au portail. Parfois, il lui remettait une enveloppe remplie de gratitude, parfois il le serrait dans ses bras. Souvent, il lui disait : « Tu es mon frère gujjar. Donullia dit toujours que, au sein du gang, il n'y a pas de caste et il n'y en aura jamais. Mais, dans la vie, la caste est la famille. Il m'a ordonné de ne jamais fermer ma porte à un Gujjar. »

Il y avait toujours, massée devant la maison, une foule de solliciteurs venus demander justice, un emploi, une recommandation, une aide financière, et parfois une entrevue avec le célèbre frère. Gwala Gujjar s'acquittait de toutes ces bonnes et généreuses actions avec une grande humilité au nom de Donullia, et ne manquait jamais de rappeler au quémandeur reconnaissant : « Demandez des bénédictions pour lui. Donullia vit dans la jungle et dort à la dure, il se nourrit souvent mal, avec le ciel pour toit et les animaux sauvages pour compagnie. Et tout cela, il le fait pour vous, pour la justice, pour le salut des pauvres. Alors priez pour lui chaque jour et, le mardi, apportez des offrandes à Hanuman pour qu'il le protège, lui, et nous par la même occasion. »

Durant les quatre années où il vécut à Chitrakoot, Rajbir vit l'empire de Donullia s'étendre et sa richesse croître. Jeeps neuves et grosses voitures, nouvelles propriétés, un cinéma, un magasin de motos. On apercevait la plupart de ses hommes passer en ville en plein jour, ce qui provoquait toujours un vif émoi. Souvent la rumeur courait que le brigand en personne était en visite, mais, étonnamment, Rajbir n'avait jamais rencontré quiconque affirmant l'avoir vraiment vu. C'était toujours une histoire de seconde main, et toujours formulée de façon vague. En vérité, très peu de personnes savaient à quoi Donullia ressemblait. La police ne possédait pas une seule photo de lui. Il était devenu un hors-la-loi bien avant que le gouvernement eût commencé à ficher les criminels sur des clichés format passeport, et n'avait jamais été arrêté depuis. Et personne ne l'avait trahi, ni vécu assez longtemps pour parler. On racontait des histoires d'anciens membres de la bande ayant pris la fuite, dont certaines parties du corps – yeux, langue, oreilles, cœur, testicules – avaient été systématiquement découpées et alignées comme un jouet modulaire. Donullia donnait sa vie pour ses hommes ; le moins qu'il attendait d'eux était un peu de gratitude.

Maître du déguisement, il pratiquait son art en permanence. Il se laissait pousser la moustache ou la barbe, changeait de coiffure, portait un turban, affectait un zézaiement ou une claudication. Le grand bahurupiya, homme aux mille visages, possédait une vaste collection de faux favoris, de perruques, de robes, de lunettes, de casquettes, de grains de beauté. Une fois, il avait effrayé et enthousiasmé ses hommes en apparaissant dans leur clairière au milieu de la forêt, en pleine nuit, vêtu d'un sari bleu électrique, la bouche fardée de rouge à lèvres. Même quand il rendait visite à Bajpai sahib, son associé politique, il ne venait jamais à découvert. Au fond, le monde est un lieu mouvant, et l'on peut faire confiance à ses associés politiques pour des affaires époustouflantes, mais pas au prix de sa vie.

Les quelques fois où Rajbir demanda à voir Donullia, Gwala répondit : « Bien sûr, bien sûr. Mon frère adorerait te rencontrer. Il parle toujours de toi avec affection. »

Or la rencontre n'eut jamais lieu. À deux ou trois reprises, en arrivant chez Gwala, Rajbir apprit qu'il venait de le manquer, que Donullia était dans la jeep qu'il avait croisée dans l'allée. Lorsque son travail d'agent de sécurité prit fin et qu'il fut transféré au département des archives à Lucknow, Gwala lui assura que son départ attristait Donullia.

« Il m'a demandé de te dire qu'il sera toujours là si tu as besoin de lui. Dans le monde des dieux, il ne peut rien pour personne, mais dans le monde des hommes, il fera de son mieux. »

Vishal Tyagi refusa de se débarrasser du marteau à long manche. L'outil se trouvait encore dans son sac lorsque Rajbir et lui arrivèrent à la maison de Gwala Gujjar, et que les hommes postés dehors insistèrent pour les fouiller. De longues années s'étaient écoulées et plus personne du cercle extérieur ne se souvenait de l'ancien policier détaché comme agent de sécurité personnelle auprès de Bajpai sahib. La maison était la même, mais s'était agrandie de plusieurs étages. Les murs d'enceinte étaient plus hauts, garnis de plantes grimpantes à fleurs bleues, et des sissos couvraient les façades. Rajbir avait gardé le souvenir d'un cordon de sécurité plus affable. Ces nouveaux vigiles étaient rudes, agressifs, et faisaient étalage de leur fusil à deux coups et de leurs prérogatives.

Le maître de maison, cependant, n'avait pas changé. Gwala reconnut immédiatement Rajbir et l'accueillit avec la même grâce et la même humilité qu'autrefois. Néanmoins, il ne l'introduisit pas dans ses quartiers privés. Ils s'assirent dans le salon, qui était devenu une pièce raffinée, meublée de fauteuils tapissés, de sofas, de tables en bois verni, d'objets décoratifs en cuivre et en verre. Les cheveux de Gwala étaient argentés et son visage plus rond ; sur son front, le long tilak rouge était toujours aussi frais et épais. Rajbir remarqua qu'il portait à présent un revolver dans un étui brun sanglé en travers de son torse sous sa kurta blanche. Les risques avaient visiblement augmenté avec le temps.

« Comment va notre Guru ? » s'enquit Rajbir.

C'était en effet le nom par lequel on désignait désormais Donullia. Les années l'avaient élevé au-dessus du brigandage et de la terreur. Son nom glaçait encore le sang car ses hommes opéraient quelques massacres chaque année pour entretenir la peur, mais ses actes de bonté et de générosité avaient modifié la balance des comptes. Dans l'ensemble, Donullia était davantage mécène que prédateur.

« Si tu étais venu hier, tu l'aurais vu, dit Gwala.

– Comment se porte-t-il ?

– Donullia n'est plus très jeune, comme tu le sais. Mais il parcourt toujours la jungle et les ravins avec les plus vigoureux de ses hommes, dort toujours à la belle étoile et se nourrit souvent à la va-vite. Pendant ce temps, nous qui ne faisons rien et n'existons que par sa grâce, nous vivons dans de belles maisons, mangeons des bonbons et prenons soin de notre corps.

– C'est ainsi que font les grands hommes. Ils souffrent pour le bien des autres.

– Donullia ouvre un hôpital et un orphelinat. Il m'a dit : “Gwala, mon frère, le gouvernement peut raconter le pire sur nous. Ils ont besoin de le faire car ils ont besoin de paraître meilleurs que nous. Mais nous, nous savons où est notre devoir. Toujours servir le peuple, les pauvres, les nécessiteux et les malades. Est-ce que je vis la vie d'un fakir dans la jungle par plaisir ? Non, je vis ainsi parce que c'est mon karma. C'est la volonté de Shiv-Shambhu, dieu de la création et de la destruction, l'ascète le plus riche du monde, le gardien des insectes et des animaux, des djinns et des hommes. S'il avait voulu que je sois toi, Gwala, mon frère, il m'aurait fait toi. Il m'a fait Donullia pour que je combatte l'injustice et protège les faibles. Il m'a fait Donullia pour que j'accomplisse son travail dans ce monde transitoire. Quand je parcours la forêt avec mon fusil, je le sens qui court à mes côtés.”

– Donullia est un grand homme, dit Rajbir. Il agit comme agissent les grands hommes. Il souffre pour le bien d'autrui.

– Et moi, que puis-je pour toi, mon vieil ami ? » s'enquit Gwala.

Rajbir prit les poignets de Vishal et répondit :

« Voici une offrande pour notre Guru.

– A-t-il le cœur aussi grand que le corps ? »

Rajbir sortit le marteau à long manche du sac de Vishal et dit :

« Ce garçon a fait une salade exotique avec trois têtes. Même leur mère ne les a pas reconnus. Ils avaient violé ses sœurs.

– Et il saura frapper au service des autres aussi bien que pour lui-même ?

– Vishal ne ressemble à aucun autre, Gwala. Je ne t'amènerais pas un mulet paré comme un cheval. Tu sais que je connais le monde. Celui des hommes et celui des jeunes. Donullia trouvera en celui-ci toutes les vertus d'un berger allemand. Force, courage, amour et loyauté. »

Gwala examina le garçon assis sur le bord du canapé, le large visage inexpressif, son regard fixe, ses muscles rebondis. Donullia était capable de déceler la vraie nature d'un homme d'un simple regard. Lui n'avait pas ce don. Il était obligé de tâtonner, de prendre des risques, d'espérer ne pas se tromper.

« La vie qui t'attend est une vie dénuée de plaisir et de récompenses, l'avertit Gwala. Une vie de danger permanent, d'épreuves et d'abnégation. En as-tu la force ? » demanda Gwala.

Vishal Tyagi acquiesça.

« Es-tu capable de tuer, non par colère, inimitié ou avidité, mais pour le bien supérieur ? »

Vishal Tyagi acquiesça.

« Sache que, une fois devenu un soldat de Donullia, un dévot de Shiv-Shambhu, tu romps tout lien avec ta famille et tes amis. »

Pour Vishal Tyagi, ces paroles furent comme de la musique à ses oreilles.

Pendant les premières semaines, Vishal occupa un charpoy dans le garage situé au bout de l'étroite allée. Au fond, il y avait une salle de bains et une réserve sans fenêtre servant d'armurerie. Épées, lances, haches, plusieurs fusils de qualité médiocre produits par des usines d'armement indiennes, une douzaine de tamanchas, ces pistolets de fabrication artisanale peu fiables aux canons faits de tuyaux sciés. Il y avait également quelques Enfield 303 lourds et destructeurs, pris à la police, une carabine noire accrochée au mur, un revolver Webley & Scott, deux pistolets automatiques 9 mm, et, sur une étagère haute, dans une petite boîte en bois, une douzaine de grenades rondes.

La réserve était fermée à clé, et la clé rangée sous le porte-savon dans la salle de bains. Deux semaines s'écoulèrent avant que l'un des hommes, prénommé Gainda – rhino –, ouvrît enfin la porte pour montrer à Vishal les outils du métier. Les trois gardes ne savaient pas comment fonctionnaient toutes ces armes, et ils avaient reçu l'ordre de ne pas les tripoter bêtement. Leur terrain de prédilection couvrait les armes blanches, les fusils de fabrication locale et les tamanchas. Tous en portaient un de chaque. Aucune arme ne fut mise à la disposition de Vishal.

Rajbir était parti deux jours plus tôt, mais l'adolescent était calme. Il se plaisait à rester assis près du portail pour observer l'animation de la rue et le défilé des visiteurs qui affluaient chez Gwala. La plupart d'entre eux étaient interrogés à l'entrée, fouillés, mais quelques-uns arrivaient en terrain conquis. Gainda, un costaud au cou épais comme une cuisse, essayait souvent d'impressionner Vishal avec l'importance de certains de ces visiteurs. Directeur des travaux publics, ingénieur en chef, magistrat, superintendant adjoint de la police, président local du parti des basses castes, président local du parti des hautes castes, président local du parti national, président-directeur général du comité des temples, imam de la mosquée locale, grand négociant président du marché du grain, principal du collège, homme d'affaires de Lucknow valant, murmurait-on, cinq milliards.

Vishal n'était impressionné par aucun d'eux. Il guettait seulement l'homme qui pouvait apparaître, sous un déguisement ou un autre. Chaque fois qu'un visiteur se présentait, il l'examinait avec soin, cherchait des indices – armes, complices, n'importe quel signe susceptible de dévoiler sa véritable identité. Au début, Gainda et ses deux acolytes avaient prétendu connaître Donullia, mais Vishal comprit vite qu'eux aussi attendaient encore de l'apercevoir. Et ils étaient là depuis des années.

Gainda racontait des histoires hilarantes sur les méprises qui s'étaient produites à l'entrée. Une fois, ils s'étaient jetés tous les trois aux pieds d'un mendiant en robe ocre, convaincus qu'il s'agissait de Donullia. On leur avait en effet expliqué que le signe révélateur était les chaussures de sport dont Donullia ne se séparait jamais, et comme le mendiant portait aussi un trident – l'arme de Shiv-Shambhu –, ils n'eurent plus aucun doute. Ce fut seulement en voyant Gwala donner quelques aumônes au mendiant qu'ils cessèrent de ramper à ses pieds.

« Je crois que même lui, Gwala, son frère, ne l'a pas vu depuis un temps fou, remarqua Gainda. Certains disent qu'il n'y a plus de Donullia Gujjar. Qu'il a été blessé au cours d'une attaque de la police il y a cinq ans, et qu'il est mort quelque part dans un ravin. Que son nom continue d'être cité continuellement pour éviter que des idiots ne s'excitent et commencent à se faire de grandes idées sur eux-mêmes. Gwala t'a dit que Donullia était ici hier, je parie ? Il répond la même chose à tous ceux qui lui posent la question. Ça les refroidit de penser qu'il était là la veille, qu'il peut traverser la vie des gens comme une ombre dans la nuit, comme un génie sortant de la lampe d'un magicien. Si quelqu'un nous le demande, nous aussi nous répondons qu'il était là hier. La vérité c'est que nous l'avons vu aussi souvent qu'Alexandre le Grand ! Écoute, il n'y a plus de Donullia. Gwala et Bajpai le gardent vivant, et c'est notre boulot d'en faire autant. Tu as peut-être mis en bouille la cervelle de trois types, et tu en as l'air capable, mais n'oublie pas que, comme nous, tu vas faire le planton à cette grille pendant des années. Tu vivras bien, sans jamais manquer de rien. Chaque fois que quelqu'un t'interrogera, tu répondras que Donullia était ici la veille. Mais tu ne le verras jamais parce qu'il est déjà parti là où nous allons tous un jour. »

Gainda leva la tête vers le ciel et fit un signe enjoué de la main droite.

Gainda avait tort. Six semaines après son arrivée, Gwala convoqua Vishal et lui annonça :

« L'inspecteur adjoint est passé me prévenir, mon garçon. Il semble que la police ait suivi ta piste. Il est grand temps que tu partes d'ici. »

Un homme l'attendait dehors sur une moto Yamaha équipée de deux grands rétroviseurs semblables à des antennes d'insecte. Gainda lui fit ses adieux d'une accolade et dit :

« Si tu le vois, dis-lui que tu peux écrabouiller trente-deux dents d'un seul coup et sucer le sang d'un homme comme si c'était du Coca-Cola ! » Il éclata d'un rire sonore, les veines du coup gonflées, et ajouta : « Et ne te jette pas aux pieds du premier vieillard en chaussures de sport ! »

Le conducteur de la moto n'était pas jeune. Ses cheveux courts grisonnaient. Il portait un dhoti blanc, une chemise bleue, et des juttis de cuir naturel sur ses pieds nus. Il dit à Vishal : « Accroche-toi », puis, il enveloppa sa bouche et son nez d'un bandana blanc, démarra en trombe et zigzagua dans les rues animées, en faisant hurler un klaxon digne d'un gros camion. Ils quittèrent bientôt la ville pour s'engager à toute allure sur une route étroite, à travers des petits villages. La moto pétaradante s'enfonçait de plus en plus profondément dans la campagne, et filait sur des voies à demi goudronnées, bordées de champs et de puits. Ils ne croisèrent, dans le jour déclinant, que de rares laboureurs et des files de bétail paresseuses, et, de temps à autre, un cycliste. La poussière formait un nuage mouvant qui obstruait les yeux, la bouche et les narines de Vishal. Il ferma ses paupières et s'agrippa au motard. Les vibrations du moteur se diffusaient dans ses muscles et le holster de l'homme s'incrustait dans son poignet.

Il fut arraché à sa transe rythmique quand il comprit que la moto s'était immobilisée. Le moteur se tut. D'abord, il entendit l'aboiement des chiens, sur plusieurs registres, puis le caquètement des poules. Dans la lumière irréelle du crépuscule, il vit la ferme, devant lui, faite de briques nues, de terre et de bouse. Deux vieux arbres se dressaient sur un côté, un sisso et un margousier aux branches dépouillées et au feuillage effiloché. Chose inhabituelle, la maison se dressait sur deux niveaux, et les petites fenêtres ouvertes étaient comme des yeux aux aguets. Sur le toit plat, tel un cheveu unique, se dressait une antenne de télévision.

Tout autour de la maison, sur plusieurs hectares, s'étiraient des champs ouverts, nus de toute végétation. Au-delà, sur un côté, pointaient des parcelles de canne à sucre roussie. De l'autre côté, beaucoup plus loin, on distinguait la lisière de la jungle. Il était impossible de se faufiler jusqu'à la maison sans être vu. À l'inverse, il était possible en cas de fuite de courir se mettre à couvert dans les cannes à sucre et la forêt.

Les cinq chiens de la ferme vinrent tourner autour des visiteurs et les renifler. Le motard les chassa du pied, mais Vishal fit courir ses mains sur leurs fronts et leurs nuques gracieuses, ravi de retrouver une langue râpeuse et chaude pour lui lécher la peau. Un grand vieillard en dhoti blanc, lunettes cerclées de métal, turban autour de la tête et court bâton à la main, sortit de la maison et s'exclama :

« Ah, l'amour des animaux ! S'ils ne vous aiment pas, ils ne vous laissent pas vivre. S'ils vous aiment, ils ne vous laissent pas tranquille ! Mon ami, tu as un problème !

– Qu'est-ce que je fais ? demanda le motard. Je m'en vais ?

– Sauf si tu veux une tasse de thé. »

Le motard remit son foulard sur son visage et répondit :

« Le vieux, il y a meilleure compagnie sur cette terre que la tienne ! Garde ce garçon vivant jusqu'à ce qu'on lui trouve une utilité ! »

Vishal Tyagi se vit attribuer un charpoy et du linge de lit dans une pièce du premier étage. Des clous plantés dans le mur permettaient d'accrocher les vêtements. Deux autres charpoys, dressés sur le flanc, étaient appuyés dans un coin. Visiblement, c'était un lieu de transit. Dans un angle étaient empilés quelques sacs de grain, un autre de cacahuètes entières, et un autre de mélasse brun foncé. Sur le mur, près de la porte, un grand miroir taché captait et renvoyait la lumière aveuglante du soleil dans la journée. Sur le mur d'en face était accroché un calendrier avec une image de Shiva, souriant, assis sur une peau de tigre, la main reposant sur son trident, le Gange s'écoulant de sa chevelure. Le calendrier datait de quatre ans.

Plaçant le marteau à long manche sous son oreiller, sans autre raison qu'un vague sentiment de sécurité, Vishal regarda par la fenêtre. De là, on voyait l'orée de la forêt. La nuit, on entendait le hurlement des loups et des chacals. Dès lors, les nuits où la lune était haute, il prit l'habitude de s'asseoir devant la fenêtre pendant des heures et d'imaginer les animaux dans le sous-bois touffu. À une époque, expliqua le vieux, les tigres rôdaient régulièrement dans les parages, mais à présent que les hommes étaient devenus des souris, les tigres étaient devenus des chacals.

Autant que Vishal pouvait en juger, l'unique habitant de la maison était le vieil homme. Celui-ci préparait les repas dans une cuisine de fortune aménagée dehors comme la mère de Vishal pour éviter d'enfumer la maison. Chaque matin, de bonne heure, il mettait un dâl à mijoter dans une casserole noircie, et ils le mangeaient ensemble, avec des oignons crus et des pickles de mangue, accompagné de parathas pour le petit déjeuner, de riz pour le déjeuner, et de rotis pour le dîner.

Il y avait aussi du lait, mais c'était du lait de vache et Vishal n'aimait pas ça. Il était habitué au lait de bufflonne, plus épais. Le lait de vache déformait même le goût du thé, et il lui fallut plusieurs jours pour y adapter son palais. Le vieil homme lui dit qu'il avait grand tort :

« Le lait de bufflonne te donne de la graisse, le lait de vache renforce tes muscles et tes os. » Puis, considérant les larges épaules et les biceps saillants de Vishal, il ajouta : « Deux fois plus fort. Tu serais deux fois plus fort si tu buvais du lait de vache. »

Sans même parler de son lait, Vishal ne trouva aucun réconfort auprès de la vache. Il s'agenouilla pour lui offrir son cuir chevelu, mais l'animal n'avait aucune disposition pour l'empathie.

En revanche, Vishal trouva de l'affection auprès des chiens. Il les caressait jusqu'à ce qu'ils s'endorment, leur donnait à la main des rotis trempés dans du dâl et, de temps en temps, quand le vieil homme ne regardait pas, il leur versait du lait. Les chiens ne tardèrent pas à venir lui lécher les mains et le visage, à le suivre pas à pas, puis à grimper sur son charpoy, la nuit, pour se coucher autour de lui. Vishal adorait ça. Leurs corps tièdes, leur souffle régulier, leurs brusques mouvements de tête et leurs fouettements de queue lui procuraient le même sentiment de quiétude que les coups de langue de Shanti. Un matin, en le voyant descendre l'escalier tout couvert de poils de chien, le vieil homme lui dit d'un air dégoûté :

« Dans pas longtemps, tu ouvriras la bouche pour parler et c'est un aboiement qui sortira ! Ouafffff ! »

Les jours passèrent, les semaines. Ponctués par quelques visiteurs en transit. Les chiens se mettaient à japper et à courir dès que quelqu'un posait le pied dans les champs découverts – à pied, à vélo ou à moto. Le vieil homme accueillait le nouveau venu à sa manière acerbe. On mettait en place l'un des charpoys stockés dans la chambre de Vishal et on déroulait la literie. Le protocole imposait de réduire la conversation au minimum. On parlait du temps, des chiens, de la nourriture. Les visiteurs portaient toujours des armes à feu, mais celles-ci passaient aussi inaperçues que des accessoires vestimentaires.

Un soir, les chiens aboyèrent furieusement à l'arrivée du motard au bandana blanc. Lequel lança d'un ton bourru :

« Gwala veut savoir si le garçon est en forme.

– Dis-lui qu'il se porte comme un charme, gloussa le vieux. Il devient plus grand et plus fort grâce au lait de vache et aux poils de chien ! La prochaine fois, c'est six crânes qu'il démolira avec son marteau ! »

Le motard ignora la boutade et poursuivit :

« Gwala dit que la police a mis sa tête à prix pour vingt-cinq mille roupies ! Il paraît que son cousin crie vengeance et essaie de s'en prendre à Rajbir.

– Que dois-je faire ? demanda Vishal.

– Faire ? Toi ? ricana le motard. Rien du tout. Avale le dâl du vieux et branle ta petite quéquette ! Pour ça, tu n'as pas besoin d'aide, hein ? »

Après son départ, le vieil homme expliqua à Vishal :

« Il est arrogant parce que Donullia est son oncle. C'est le frère de sa mère. Mais, en réalité, il est comme nous tous, un simple disciple.

– Tu as déjà vu Donullia ? demanda Vishal.

– De quoi j'ai l'air ! s'esclaffa le vieux. D'un poussin né d'hier ? Je l'ai connu avant qu'il devienne notre Guru. Je le connaissais même avant qu'il soit Donullia ! Son père était mon cousin. Je l'ai connu avant qu'il sache se tenir debout pour pisser ! » Voyant Vishal enregistrer l'information, le vieux s'empressa d'ajouter : « Mais à présent je suis comme vous autres. Un simple disciple. Connaître le poulain avant qu'il se mette à gambader ne veut pas dire que tu continues de le distancer une fois qu'il est devenu cheval ! Aujourd'hui, il est mon Guru à moi aussi. Nous vivons tous de sa générosité et de sa pitié.

– Quand l'as-tu vu pour la dernière fois ?

– La veille de ton arrivée. »

Vishal lui lança un regard sceptique. Il vivait en paix dans cette ferme solitaire – surtout avec les chiens –, mais l'inaction commençait à lui ankyloser les muscles. Près du puits tubulaire, il avait découvert un rocher lisse et pesant qu'il pouvait lancer comme un poids, et il passait de longues heures à s'exercer. Il lui manquait pourtant la sensation jubilatoire qu'il avait éprouvée quand son marteau avait écrabouillé les crânes de ces trois brutes. Jamais au cours de sa vie il ne s'était senti plus pur, plus puissant qu'à cet instant. Même lorsqu'il fuyait vers le royaume de Donullia Gujjar, sa tête éclatait non pas à la perspective de s'évader, mais de l'excitation de rencontrer le célèbre brigand et d'effectuer des missions pour lui.

Or les semaines puis les mois avaient passé, et il n'avait d'autre occupation que d'user différents charpoys, engloutir des montagnes de dâl, dormir avec les chiens, faire de longues promenades dans les champs de canne à sucre, et écouter d'innombrables récits sur l'homme aux mille visages. Gainda avait peut-être raison. Peut-être n'y avait-il plus de Donullia Gujjar, et seule la volonté de ceux qui avaient besoin de son bouclier protecteur le maintenait en vie.

Le vieil homme et le jeune homme étaient assis en tailleur sur des charpoys, face à face, devant la maison. Au-dessus de leurs têtes, le ciel explosait d'étoiles. À brefs intervalles, l'une d'elles quittait son amarrage pour traverser la nuit. C'était la fin de septembre et la brise avait commencé à aiguiser ses dents froides. La lune était lente à monter, mais la forêt commençait déjà à hurler et à s'animer.

« Quand est-il mort ? demanda Vishal.

– Qui ?

– Donullia. »

Le vieux ôta le beedie qu'il serrait entre ses lèvres pour répondre :

« Tu ferais bien d'arrêter de dormir avec ces chiens. Tu commences à aboyer. Quand tu auras vécu assez longtemps, tu comprendras que ce n'est pas une bonne idée de parler à tort et à travers de Donullia Gujjar ! Tu le verras quand il voudra te voir, pas quand toi tu l'auras décidé ! En ce moment même, il est plus vivant que toi et moi. Mais n'oublie jamais que, même mort, il vivra encore ! »

Le bras armé du Guru

Les rêves de Vishal Tyagi avaient acquis une richesse kaléidoscopique qui compensait le néant de ses journées. Chaque matin, il s'éveillait avec un ample résidu d'images flottantes. En général, il aimait ses rêves, qui regorgeaient d'action. Fusils à deux coups, marteaux volants, chevaux au galop, chiens féroces, policiers courant à toutes jambes, ombres mouvantes. À peine éveillé, il refermait les yeux dans une vaine tentative pour recapturer le fil de l'histoire. Ensuite, il sortait son marteau à long manche de sous l'oreiller et le caressait. Il savait que sa vie tombait dans cet espace inconnu entre songe et réalité, et qu'il n'avait pas les outils pour en saisir le sens.

Une nuit, alors qu'il était enfoui dans les profondeurs de son couvre-lit, calé entre les chiens endormis, son rêve devint inhabituellement vivace et menaçant. Il se trouva subitement cerné dans le noir par d'innombrables silhouettes. Des silhouettes sans visage, mais avec des armes bien visibles. Deux se tenaient devant la porte. Deux autres encadraient la fenêtre ouverte à la lune. Au milieu de la pièce, se dressait une forme immense dont la tête paraissait crever le plafond, aux épaules assez larges pour lancer le poids dans le pays voisin, et même au-delà. À côté, à hauteur de ses jambes massives, une autre forme, bosselée, semblait assise sur une chaise.

Vishal se rendit compte que les ombres indistinctes étaient beaucoup plus nombreuses qu'il ne l'avait d'abord cru – certaines grimpaient aux murs, investissaient les coins. Ce rêve-là était tout nouveau. Plus pénétrant, plus sinistre. Soudain, il entendit des gémissements. Les chiens s'enfouissaient sous lui, se glissaient sous les couvertures, entre ses pieds, ses jambes. Cela aussi était étrange. Il ne se rappelait pas que les rêves avaient un fond sonore.

Bon, d'accord, se dit-il. Si c'était l'annonce d'une bataille, autant s'y préparer. Il sortit sa main de la chaleur de l'édredon pour la glisser sous l'oreiller. Aussitôt, ses deux poignets furent saisis et immobilisés. Depuis deux ans, Vishal n'avait jamais rencontré une seule personne de taille et de force à rivaliser avec lui, encore moins à le maîtriser. Or il avait beau essayer de libérer ses bras, ceux-ci étaient pris dans une véritable tenaille. Sa position y était bien sûr pour quelque chose. Un homme très lourd pesait de tout son poids sur ses poignets pour l'épingler au lit. Après tout, c'était un rêve. Des choses invraisemblables étaient permises dans les rêves.

Vishal se détendit et abandonna toute résistance. Une seconde après, son rêve explosa dans un éclair de lumière aveuglante. Quelqu'un lui braquait une torche électrique puissante dans les yeux. Ce n'était donc pas un rêve. Il comprit qu'il avait de sérieux ennuis. La police l'avait retrouvé et toutes les silhouettes présentes dans la pièce étaient là pour l'arrêter. Vishal poussa un rugissement. Il parvint à libérer ses poignets, écarta violemment la torche de son visage et sauta du lit, dispersant du même coup l'édredon et les chiens. Mais avant qu'il eût réussi à se mettre debout, quelque chose lui heurta brutalement la poitrine et il retomba sur le lit, le souffle coupé, au milieu des aboiements assourdissants des chiens.

Lorsque ses pensées s'éclaircirent, la lumière était toujours braquée sur son visage et les couinements des chiens s'estompaient. Une voix basse et rocailleuse s'exclama :

« Dis donc, tu es très fort ! Tu as vraiment défoncé les crânes de trois personnes à toi tout seul ? »

Vishal supposa que son oncle Joginder était probablement là, lui aussi, et que les policiers allaient le tabasser pour le faire avouer. Comme il ne répondait rien, la voix reprit :

« Gwala a-t-il dit qu'il n'avait pas de langue ? »

La haute silhouette plantée au milieu de la pièce, dont la tête crevait le plafond, remarqua en pouffant de rire :

« Beaucoup de langues tombent au fond de la gorge en ta présence, pas vrai ?

– Donullia ! » s'écria alors Vishal.

La voix perchée dans le plafond s'esclaffa :

« Tu vois bien qu'il a une langue ! Et il parle juste. »

La torche avait un peu glissé de ses yeux et Vishal put de nouveau discerner des contours. Oui, il y avait bien un homme assis sur une chaise au milieu de la pièce à côté du géant. D'une voix basse et bourrue, il demanda :

« Tu veux travailler pour le peuple ? Tu veux combattre pour la justice ? Tu veux te servir de ton marteau pour aider les pauvres ?

– Oui, oui, répondit Vishal. Tout ce que vous voudrez. »

Il s'efforçait de distinguer le visage et les traits de l'homme, mais il ne voyait qu'une forme, enveloppée peut-être dans une couverture, avec une sorte de béret sur la tête.

La voix basse poursuivit :

« Je te dirai plus tard ce que j'attends de toi. Dis-moi d'abord ce que toi tu aimerais faire. Hulla, veux-tu lui demander s'il est fait de sable ou d'acier ? »

L'homme à la tête dans le plafond et aux épaules larges comme une armoire enchaîna :

« Dis-nous, petit, as-tu tué ces hommes pour l'argent ou pour le respect ?

– Le respect.

– Ils étaient trois. Tu as eu peur ?

– J'avais le marteau, répondit Vishal.

– Supposons qu'ils aient été six ?

– J'aurais manié le marteau plus vite.

– Et si tu avais eu un fusil ?

– J'en aurais tué douze.

– Tu sais te servir d'un fusil ?

– Je sais comment le pointer et appuyer sur la détente.

– Sais-tu ce qui arrive lorsqu'on est sous la protection de Donullia Gujjar ? demanda la voix de baryton.

– Oui.

– Alors, à partir de maintenant, tu appartiens à lui seul. Tu n'as plus ni famille, ni amis, ni autres allégeances ou loyautés. Tu te donnes à lui comme un véritable soufi. Tu fais uniquement le bien qu'il t'ordonne de faire. Il travaille pour les faibles et les maltraités, et toi tu travailles pour lui. Tes jours lui appartiennent, et tes nuits. Ta vie lui appartient, et ta mort. »

Vishal frissonnait d'enthousiasme.

« Je comprends, dit-il.

– Mais d'abord, reprit l'homme à la tête dans le plafond, nous devons être sûrs que tu n'es pas un indicateur de la police. Parmi nous, certains pensent qu'on ne doit pas te faire confiance. Le vieux dit que tu ne parles pas mais que tu observes tout. Et que tu poses sans cesse des questions sur nous. »

Vishal tourna la tête pour essayer de localiser le vieil homme, mais aucune silhouette ne correspondait à la sienne.

« Le vieux est un chutiya, dit Vishal. Plus stupide que les chiens. »

Quelques silhouettes ricanèrent.

« Dans ce cas, donne une offrande à ton Guru pour prouver ta bonne foi.

– Tout ce que vous voulez.

– Que donne le jeune prince Eklavya, dans le *Mahabharata* ?

– Son pouce.

– Toi, donne ton petit doigt. »

Vishal tendit sa main gauche, tous ses doigts recourbés à l'exception du dernier.

« Inutile de le couper, Katua, reprit la voix de baryton. Marque simplement son appartenance à Donullia Gujjar. Utilise ce marteau. Voyons s'il est efficace. »

À la lisière du faisceau de la torche, Vishal vit apparaître un visage entaillé d'une profonde cicatrice sur la joue. Il l'identifia aussitôt en se souvenant des histoires racontées par son entraîneur. Rajbir lui avait parlé de Katua Kasai. C'était donc vrai ! Tout était vrai ! L'homme à la tête dans le plafond était sans doute Hulla Mallah, qui avait noyé une barque remplie de grands propriétaires terriens et qui était capable de courir à travers la forêt avec un blessé sur ses épaules. Quelque part dans la pénombre, devait également se trouver le soldat borgne, Kana Commando, un Tyagi comme lui. Et puis, bien sûr, l'homme aux contours indistincts coiffé d'un béret, au milieu de la pièce…

Le balafré avait sorti le marteau de sous l'oreiller. Il saisit le petit doigt tendu et le posa sur le bord du cadre en bois du charpoy. La voix dans le plafond questionna :

« Tu es sûr de toi ? Donullia ne veut pas de combattants réticents. Dans son armée, il n'y a que de vrais karma jogis, qui accomplissent leur devoir sans chercher la reconnaissance ni les récompenses. S'il reste une trace de peur ou d'avarice dans ton cœur, retire ta main, recouche-toi sous ton édredon, ferme tes yeux, et restons-en là. Tu pourras retourner à ta vie. »

Le balafré attendait, le marteau levé au-dessus du petit doigt.

Vishal pensa très fort à Rajbir et à l'histoire de Chuchundur. Un rectum en acier. Ces hommes-là en avaient un.

« Oui, répondit-il, je suis sûr de moi. Il me reste neuf doigts. Et celui-ci ne sert à rien pour tenir un marteau ou un fusil. »

La voix grave dit :

« Sais-tu ce que le grand Krishna dit à Arjuna en le voyant immobile, la tête basse, l'arc pointé vers le sol, refusant de combattre ? Krishna lui dit : "Je suis égal en toutes les circonstances, nul ne m'est cher, nul par moi n'est haï. Cependant ceux qui se tournent vers moi avec amour et dévotion, ils sont en moi et je suis aussi en eux. Si même un homme de conduite très perverse se tourne vers moi avec un amour entier et unilatéral, il doit être regardé comme un saint, car la ferme volonté d'effort en lui est une volonté juste et complète. Rapidement il devient une âme de vertu et obtient l'éternelle paix. Telle est ma parole de promesse, ô fils de Kuntî, que celui qui m'aime ne périra pas. Ceux qui prennent refuge en moi, ô Partha, même parias, nés d'un ventre pécheur, atteignent au but suprême." C'est ce que je te dis, fils.

– Guruji, murmura Vishal, bouleversé.

– Accepte donc cette offrande, Katua, reprit la voix d'en haut. Marque-la de l'amour de Donullia. »

La dernière image de Vishal fut la lumière de la torche éclairant le balafré agenouillé, et le mouvement vif de son avant-bras. Puis le monde explosa dans une douleur qui lui arracha un cri venu du plus profond de son être, et le plongea dans une obscurité plus noire que la silhouette au béret incliné.

La première mission dont on chargea Vishal fut l'élimination d'un entrepreneur de travaux publics à Jhansi. L'homme était jeune mais il avait amassé une grande fortune en s'appropriant toutes sortes de contrats gouvernementaux. Dans les cercles citadins, il était connu comme un trident imparable. L'une des dents de son pouvoir était le plus jeune frère de son père, haut fonctionnaire à Lucknow, qui avait été élu à six reprises parmi les bureaucrates les plus corrompus de l'État. La deuxième dent du trident était l'oncle maternel de sa mère, député et ministre de l'Uttar Pradesh occidental, un homme de paille, cité dans plusieurs affaires d'enlèvement et de meurtre. La troisième dent était l'entrepreneur lui-même. Impitoyable, cassant, il utilisait l'argent, les hommes, les armes, les relations influentes pour tout balayer devant lui. Son physique avantageux ajoutait au cocktail d'arrogance, et finit de sceller son destin en l'encourageant à des excès qu'un homme plus quelconque n'aurait pas osés. Avant d'atteindre trente ans, son nom figurait déjà dans une douzaine de plaintes pour enlèvement de jeunes filles. Lesquelles avaient, par la suite, dû retirer leurs plaintes.

Vishal Tyagi était certain que Donullia n'avait aucun grief personnel contre l'entrepreneur. Le messager qui vint à la ferme lui apporter ses instructions était vêtu d'une kurta pajama blanche et affligé d'un zézaiement. Il expliqua que l'entrepreneur était un oppresseur. De multiples plaintes contre lui ayant été déposées aux pieds de Donullia Gujjar, il était temps de mettre un terme à la terreur. Le messager montra à Vishal des photos de sa cible, le renseigna sur son lieu de résidence et ses habitudes, et lui fit noter les détails, les noms, les adresses et le mode opératoire. Vishal était distrait par sa voix enfantine et devait faire un effort pour se concentrer.

Plus tard, lorsque le messager s'en fut allé sur son scooter Bajaj, laissant derrière lui un sillage de poussière, le vieux, qui était accroupi devant la vache et tirait sur ses pis, demanda :

« Qu'est-ce qu'on t'a donné ? Un tamancha ou un pistolet ?

– Ni l'un ni l'autre. »

La main osseuse du vieux s'immobilisa et il s'exclama :

« Ah ! C'est une mise à l'essai ! Le dernier qui est parti comme ça les mains vides n'est jamais revenu. Mais sa famille a reçu une jolie somme d'argent. »

Tout en roulant comme du mastic la chair de son petit doigt privé d'os, Vishal répondit :

« Tu aimes l'argent, hein, le vieux ?

– Pas plus que ma vie.

– Tu as déjà tué quelqu'un ? »

Le vieux reprit le massage des mamelles, son petit seau en cuivre serré entre ses pieds, et répondit :

« Je fais une chose bien plus importante. Je collecte les ossements et je les remets au Gange. Sans moi, aucun de vous n'atteindrait moksha. Je suis le brahmane que Donullia garde pour vous envoyer tous en sécurité sur votre chemin.

– Donc, maintenant, tu vas attendre de ramasser mes ossements ? »

Le vieux sautilla pour suivre la vache qui changeait de place, avec le seau rempli de lait tiède et moussant.

« Ne dis pas des choses pareilles, petit. Il n'y a aucun plaisir à ramasser les carcasses des jeunes gens. Et j'en ai suffisamment recueilli dans ma vie. »

Vishal rencontra son complice dans le tea-shop de l'arrêt de bus. Le complice se prénommait Ali. Il était rasé de près et avait la bouche rougie par le bétel. Ali le conduisit dans un hôtel du bazar bondé, le *New Delite*. On y accédait par un étroit escalier coincé entre une boutique de saris et une petite épicerie, qui menait à plusieurs couloirs mal éclairés et à une petite pièce sans fenêtre. Ali parla peu. La seule remarque qu'il marmonna en apprenant qu'il s'agissait de la première mission de Vishal fut :

« Qu'est-ce qu'ils m'enverront, la prochaine fois ? Un écolier en culotte courte ? Le seul qui va se faire buter bientôt, c'est moi ! »

Vishal n'était pas bavard. Ils dînèrent en silence dans une petite gargote du quartier, puis Ali s'en alla, promettant de revenir le lendemain de bonne heure.

Dix minutes plus tard, Vishal descendit voir le petit homme pâle aux yeux gonflés assis sur le palier du premier étage derrière un bureau en contreplaqué crasseux, avec, derrière lui, une image de la déesse Lakshmi éclairée par une ampoule sous cellophane colorée, et lui demanda une autre chambre. L'employé de l'hôtel, qui n'avait probablement pas vu le soleil depuis dix ans, picorait méticuleusement du bout des doigts quelques cacahuètes étalées sur le comptoir avant de les lancer dans sa bouche.

« Pourquoi ? Le palais n'est pas assez beau pour sa seigneurie Siraj-ud-Daulad, nawab du Bengale ? » dit-il sans lever les yeux. Mais quand Vishal se pencha vers lui et obstrua la lumière de l'ampoule suspendue au plafond, il s'empressa d'ajouter : « Dans ce cas, laissez-moi offrir à sa majesté le Hawa Mahal ! »

Prostitution, drogue, armes, tout se trafiquait ici, et mieux valait ne pas créer de problèmes. On ne savait pas quel genre de dingue descendait à l'hôtel. Certains portaient le nom de leur gang ou leur record d'homicides inscrit sur le front.

Le Hawa Mahal – célèbre Palais des Vents de Jaipur – se révéla être une chambre dotée d'une petite fenêtre au fond du deuxième étage. La fenêtre n'avait pas de barreaux. D'en dessous, sortait la masse informe et décolorée d'une glacière. Sur le côté, un pylône électrique s'élevait d'une étroite ruelle envahie de détritus, d'eau croupie, et du bourdonnement incessant des moustiques. Vishal ferma le loquet de la fenêtre, celui de la porte, et poussa une petite table contre le battant. Après quoi il s'allongea tout habillé sur le lit et, tirant le marteau de son petit sac bleu, le plaça à côté de son oreiller.

Il dormit mal. Toute la nuit, les couloirs furent animés de chuchotements et de bruits de pas. Le triste monde cherchait à s'envoyer en l'air pour échapper à son malheur. Vishal guettait les pas qui s'arrêteraient devant sa porte. Le ciel commençait à pâlir derrière sa fenêtre lorsqu'il s'endormit, et fut presque aussitôt réveillé par des coups tambourinés contre la porte. En une fraction de seconde, il eut son marteau dans la main.

Ali, furibond, postillonnait des brins de bétel. Pour qui Vishal se prenait-il ! Changer de chambre ! Il venait d'engueuler l'employé de l'hôtel ! Était-ce le destin d'Ali de passer sa vie à chaperonner des adolescents et des chutiyas ! Allah donnait femmes, enfants et bétail aux hommes. À lui, il n'avait donné que des chutiyas, des chutiyas et encore des chutiyas ! Certains avec une petite cervelle bonne à rien, certains avec des petits doigts bons à rien, et d'autres avec les deux ! Et qu'est-ce que c'était que ce marteau qu'il tenait brandi dans la main ? Était-il venu pour tuer quelqu'un ou pour fabriquer un meuble ?

L'ancienne lumière rouge explosa dans la tête de Vishal. D'un mouvement vif, il empoigna Ali par son col de chemise, le souleva d'une main jusqu'à ce que le bout de ses sandales effleure à peine le sol, et le plaqua contre le mur. Puis, de l'autre main, il abattit le marteau juste à côté de son oreille gauche. Des éclats de plâtre volèrent. Agrippé au bras de Vishal et remuant frénétiquement les jambes, la trachée artère à demi écrasée, Ali émettait des sons inarticulés pour demander grâce. Vishal le maintint ainsi de longues minutes, jusqu'à ce que la lumière rouge finît par s'estomper. Quand, enfin, il le lâcha, Ali s'écroula sur le sol, la tête entre les mains, cherchant sa respiration. Puis il croassa :

« Maaderchod, est-ce qu'ils t'ont envoyé pour me tuer ? »

Vishal Tyagi ne répondit pas. Ses limites étaient redessinées. Ali le fit monter avec beaucoup de prévenance à l'arrière de son scooter Chetak jaune orné d'un autocollant de Donald Duck, et ils allèrent à Civil Lines, le quartier résidentiel où habitait leur proie pour repérer les lieux.

La façade du mur d'enceinte de la maison, d'environ deux mètres de hauteur, était surmontée de barreaux et de rouleaux de barbelés. Sur la grille du portail, encadrée de piliers surmontés de gros globes de lumières, une pancarte annonçait « Chien méchant », et un assortiment de vigiles en uniforme blanc montait la garde devant. Dans l'allée, à travers la grille, on apercevait plusieurs voitures et au moins deux jeeps. Ali informa Vishal que, dans la petite guérite jouxtant le portail, les gardes rangeaient quelques armes de fabrication locale, y compris un fusil.

Le soir, après dîner, Ali conduisit de nouveau Vishal aux abords de la maison. Cette fois, la grille d'entrée était illuminée par des projecteurs, et l'un des vigiles portait une arme en bandoulière. De sa voix nasale, Ali remarqua :

« Celui-là, quand on tirera la première balle, il chiera une traînée de merde d'ici jusqu'à Lucknow ! »

Plus tard, de retour à Hawa Mahal, il dit :

« Mon cher King Kong, je te prie de rester ici. Je tiens à te retrouver demain matin sans avoir à appeler l'Inspecteur Œil-de-Lynx ! »

Ils avaient prévu de partir avant l'aube pour observer les habitudes matinales de l'entrepreneur qui faisait un jogging et une partie de badminton. Trois options d'attaque s'offraient à eux : pendant le jogging, à l'intérieur de la maison, où il avait un bureau pour recevoir des visiteurs, ou bien sur le chantier de construction de son hôtel, près d'Orcha, à l'endroit où la route goudronnée bifurquait sur une piste étroite qui pourrait se trouver accidentellement bloquée. On leur avait donné dix jours pour prendre leur décision, mettre le plan au point et l'exécuter.

Cette nuit-là aussi, Vishal dormit avec ses chaussures. Le matin, avant cinq heures, ses ablutions terminées, il s'assit sur l'unique chaise de bois pour attendre Ali. Quand il lui ouvrit la porte, celui-ci portait une cagoule verte sur le visage.

« Ha ! Tu ne m'as pas reconnu ? Même ma femme ne me reconnaîtrait pas. Ça lui donnerait peut-être envie d'écarter les jambes ! »

Il roula la cagoule pour la réduire à un épais bandeau sur le front. Même de si bonne heure, Ali avait la bouche pleine de bétel.

Les pâtisseries étaient les seuls commerces animés dans le bazar lorsque Ali démarra le scooter. Juste à la sortie du bazar, le propriétaire d'un tea-shop et son employé mineur, un petit garçon en short déchiré, aux cheveux coupés ras, s'affairaient à disposer les bocaux de biscuits. Ali voulut ralentir, espérant attraper un verre de thé chaud au passage, mais Vishal lui donna une tape sur la tête avec ses phalanges et siffla : « Avance ! »

Le champion de lancer de poids, lent à se mettre en rogne mais à l'explosion fulgurante, n'apprit jamais à parler beaucoup, mais son instinct infaillible lui permit de survivre à bien des situations périlleuses, longtemps après la mort d'Ali et de la plupart des tueurs à gages avec qui il aurait l'occasion de travailler. Les tueurs étaient choisis pour une qualité précise : n'être pas indispensable. C'était une règle. Sans expérience, sans casier judiciaire, sans visage, on attendait d'eux qu'ils exécutent un ou deux contrats avant d'être éliminés par la police ou par le gang commanditaire, ou par consensus mutuel entre les deux. Il n'existait pas de carrière plus éphémère. Quelques-uns, très rares, devenaient des chefs et échappaient au sort du tueur de base. Plus rares encore étaient ceux qui refusaient à la fois de devenir chefs et de mourir. Ceux-là étaient des légendes, les véritables virtuoses de la branche, en harmonie parfaite avec leur art, des combattants de la *Gita* qui dédaignaient la reconnaissance et les récompenses, brillaient par leurs actions d'éclat et pouvaient survivre à tout, encore et toujours.

Dès le début, Vishal Tyagi s'annonça comme l'un d'eux.

Quand ils s'arrêtèrent près du haut banian au coin de la rue, la brume matinale s'élevait encore des bas-côtés et de l'herbe. Le chant des oiseaux, pareil au yodle hystérique du chanteur Kishore Kumar, était de temps à autre estompé par les meuglements plaintifs du bétail que de nombreuses familles influentes du quartier, gagnées par l'obsession très indienne du lait pur, gardaient dans leurs propriétés. Ali s'accroupit et ouvrit le capot du scooter joliment arrondi, exposant ses entrailles métalliques et ses veines de plastique. Le secteur était souvent surveillé par des policiers en patrouille.

Dans la rue spacieuse, les lumières des portails et des vérandas luisaient faiblement ; le jour les tuerait bientôt. La plus lumineuse, et de loin, était le projecteur du portail de l'entrepreneur de travaux publics, tout au bout. Un laitier passa, tête penchée, fredonnant une chanson populaire, ses grands récipients en fer bringuebalant de part et d'autre de sa bicyclette. De sa position accroupie, Ali cracha un long jet rouge et gémit :

« Une tasse de thé ! Tout ce que je veux c'est une tasse de thé ! Ce n'est pas grand-chose ! Même un homme qu'on va pendre a droit à une tasse de thé ! »

Un vendeur de journaux passa à vélo, ses journaux roulés avec leur bandeau de caoutchouc tassés dans le panier avant comme des épis de blé.

« Est-ce que je dois continuer d'astiquer le moteur jusqu'à ce qu'il brille comme un diamant pendant que tu observes le champ de bataille, Général Dyer[1] ? »

1. Militaire britannique responsable du massacre de centaines d'Indiens à Amritsar lors d'un rassemblement pacifique en 1919. *(N.d.T.)*

C'était un miracle si Ali n'était pas déjà mort, songea Vishal. Il était trop nerveux, et trop bavard.

Les derniers filaments de brume s'étaient dissous et l'on distinguait nettement l'extrémité de la rue. Une grille s'ouvrit sur le côté gauche et deux adolescents, jaloux de leurs privilèges, s'élancèrent sur leurs beaux vélos rouges, revêtus de leurs belles tenues de cricket blanches, portant en bandoulière leurs battes dans des étuis de plastique comme des fusils. Ils pédalaient avec les talons pour épargner les clous de leurs chaussures de cricket. Aveuglés par leur fatuité, ils ne remarquèrent même pas les deux hommes accroupis près du scooter. Plus tard, ils n'auraient rien à déclarer à la police.

Une autre grille s'ouvrit sur la gauche. Un vieux couple à la mine sévère, portant d'épaisses lunettes et des tennis blanches, l'homme tenant une canne dans sa main droite et la femme vêtue d'un sari vert, sortirent, regardèrent à droite et à gauche, puis s'éloignèrent d'un pas vif dans la direction opposée, avec de grands mouvements de bras, comme s'ils faisaient la course. Plus tard, ils n'auraient rien à déclarer à la police.

« On s'en va ? suggéra Ali.

– Non.

– Je peux me relever ?

– Non.

– Encore cinq minutes et je n'en serai plus capable ! Mes genoux seront encore plus en marmelade que ceux de ma grand-mère. Comme partenaire, tu n'auras plus Ali le tueur, mais Ali la grenouille ! Croa ! Croa ! »

Vishal lui donna un coup de phalanges sur la tête pour le faire taire. Comment ce type avait-il pu survivre aussi longtemps dans le métier ?

Une autre grille s'ouvrit au bout de la rue. Une silhouette solitaire apparut, tenant trois chiens en laisse, et commença à se diriger vers eux. Le domestique à la peau sombre et aux cheveux clairsemés portait des fripes d'occasion – un ample short kaki et un tee-shirt élimé de *La Fièvre du samedi soir*, avec John Travolta étiré comme un arc, bras en l'air, reins cambrés, *staying alive*. Les chiens, la truffe au ras du sol, tiraient dans tous les sens. Arrivés à leur hauteur, les deux cockers et le précieux loulou de Poméranie au nez retroussé et au glapissement aigu, convergèrent vers les pieds de Vishal, entraînant brutalement le jeune domestique.

« Fichez le camp, chutiya ! Emmène ces sales rats plus loin ! » gronda Ali.

Il eut droit à un nouveau coup de phalanges sur la tête de la part de Vishal, qui se pencha pour caresser les chiens et leur murmurer de douces paroles. Plus tard, le jeune domestique donnerait à la police un signalement précis de l'homme qui avait caressé ses chiens. Signalement qui serait transmis dans tous les commissariats de l'État et commencerait à propager la légende de Hathoda Tyagi. Marteau Tyagi.

Une fois disparu le domestique avec ses chiens, et la rue déserte, Ali cracha un jet rouge et dit :

« Allons-y. Il fait peut-être faire des exercices de gym à sa femme, ce matin. On en a assez vu pour aujourd'hui. Avec un peu de chance, on l'apercevra demain.

– Encore dix minutes, insista Vishal.

– Si j'aboie comme un chien, tu m'écouteras ? Ouaf ! Ouaf ! Ouaf ! »

Vishal envisageait de lui taper de nouveau sur la tête lorsque la grille qu'il surveillait s'ouvrit enfin. Un homme apparut, étirant ses bras, dégrippant ses épaules. Grand, bien bâti, il portait une tenue de jogging d'un bleu chatoyant, le haut ouvert jusqu'à l'estomac de façon étudiée sur un polo blanc au col relevé. Il resta un moment devant la grille pour faire quelques assouplissements de bras, de genoux, de hanches.

« Debout ! » siffla Vishal entre ses dents.

Ali se leva d'un bond, rabaissa le capot, descendit le scooter de sa béquille, et mit le contact. Deux hommes – ils avaient aperçu l'un d'eux la veille devant le portail – venaient d'apparaître derrière le fringant entrepreneur, un fusil en bandoulière. L'entrepreneur était à l'arrêt, comme s'il attendait le coup de feu de départ de la course. Puis il commença à marcher d'un pas vif dans leur direction, en battant vigoureusement les bras devant son torse.

« Putain de sa sœur ! grogna Ali. Il vient vers nous ! Filons d'ici avant qu'il nous remarque !

– Non. Roule vers lui. Je veux le voir de près. » Le scooter passa en seconde avec un hoquet et Vishal ajouta : « Tout près de lui, Ali ! »

Moins d'une centaine de mètres les séparaient. Nerveux, Ali passa la troisième et accéléra plein gaz. En quelques secondes, le scooter arriva à la hauteur de l'entrepreneur. Celui-ci continuait de remuer les bras, engoncé dans sa camisole d'homme privilégié – comme le jeune garçon en tenue de cricket et le couple âgé. Il ne prêta pas attention au scooter avec les deux hommes. Il ne le remarqua vraiment qu'au tout dernier instant, quand la tête du marteau lui défonça le nez et le front, et éteignit d'un coup toutes ses lumières.

Ali n'interrompit pas son accélération. Lorsque les vigiles braquèrent leur arme, le scooter avait déjà tourné le coin de la rue et disparu.

Ali cria dans le vent :

« Salopard de boucher ! Tu ne pouvais pas me prévenir ! J'aurais baissé ma cagoule ! J'avais le visage en pleine lumière, comme une pub pour une crème hydratante ! Je suis mort. Demain, tous les flics de l'État sauront à quoi je ressemble ! Je suis mort ! Ma femme est veuve ! Mes enfants orphelins ! »

Lorsque les vigiles revinrent chercher leur patron, ils découvrirent un marteau à long manche planté dans sa face, au milieu d'une bouillie de sang tiède. Ils ne cédèrent pas à la panique, ne poussèrent pas de cris, ne cherchèrent pas à fuir. Ils se regardèrent longuement. Le patron était mort, bel et bien mort. Et eux au chômage.

Son nom s'éteignit avec le meurtre de l'entrepreneur. Personne ne l'appela plus Vishal. Il devint Hathoda Tyagi pour tout le monde : la police, les médias, le gang de Donullia. C'était le quatrième crâne qui éclatait sous son marteau, et la police de l'État offrit une récompense de cinquante mille roupies pour tout renseignement permettant son arrestation.

À son retour à la ferme, quatre jours plus tard, le vieux lui dit :

« Petit, beaucoup d'anciens du gang vont se sentir minables à côté de toi. Il a fallu dix ans à certains pour que leur tête soit mise à prix cinquante mille roupies. »

Quelques jours après, un matin de bonne heure, une jeep s'arrêta devant la ferme dans un nuage de poussière. C'était Gwala, qu'il n'avait pas vu depuis des mois, vêtu d'une élégante kurta pajama blanche, avec un épais collier en or et tout parfumé. Il l'étreignit avec la tendresse d'un père et l'appela son fils. Il lui confia que Donullia était enthousiasmé par son travail et qu'il avait déclaré avoir enfin trouvé un autre combattant du peuple digne de ce nom. Il lui apprit que, dans la région du Bundelkhand, les gens priaient pour lui parce qu'il les avait délivrés de la menace de l'entrepreneur. Gwala disait que c'était pour les bénédictions du peuple qu'ils travaillaient tous, que c'était cela qui les maintenait en vie.

Assis sur le charpoy devant la maison, tandis que ses hommes de main se promenaient dans les champs alentour, Gwala sirotait le thé brûlant préparé par le vieux et expliquait que la police se mettait en quatre pour le retrouver et l'épingler, mais qu'il ne devait pas s'inquiéter. À Chitrakoot, à quelques kilomètres des ravins du Madhya Pradesh, ils étaient bien loin des fiefs des alliés puissants de l'entrepreneur. Ici, c'était le royaume de Bajpai sahib et de Donullia Gujjar, et rien n'y advenait sans leur assentiment. Gwala ajouta que Bajpai sahib était lui aussi très conscient de l'action exemplaire qu'il avait accomplie, et louait son courage et son dévouement. En fait, Bajpai avait même demandé à rencontrer le jeune homme prochainement, une fois la fièvre retombée.

Hathoda Tyagi l'écouta humblement, silencieusement, en caressant les chiens assis devant lui, les pattes sur ses genoux ou couchés à ses pieds. Il avait l'esprit serein, et rien de ce que disait Gwala n'avait vraiment de sens. Il avait une seule question : sa famille se portait-elle bien ou était-elle encore harcelée ?

« Allons au puits nous laver le visage à l'eau fraîche », suggéra Gwala. Après s'être assuré que personne ne les suivait hormis les chiens, il ajouta : « Donullia aussi aime les animaux, surtout les chiens. Un homme qui aime les chiens, dit-il, est un homme bon. Et si les chiens aiment un homme, c'est un homme bon. » Des aigrettes blanches comme des infirmières prirent leur envol quand ils s'engagèrent sur les étroites diguettes entre les champs. « Plus que le don de ton petit doigt, c'est ton amour des chiens qui l'a conduit à te faire confiance. Tu dois savoir qu'il est presque impossible à Donullia de se fier à quiconque. S'il a survécu tant d'années, c'est parce qu'il est toujours en éveil, même quand il dort. »

De leurs mains à plat comme des lames, ils détournèrent l'eau qui giclait de la bouche du puits tubulaire pour s'asperger le visage. Quand chacun eut fait cela plusieurs fois, Gwala posa sa main sur le dos du garçon et lui annonça que vingt-cinq mille roupies en espèces avaient été remises à ses parents. L'homme qui avait porté l'argent leur avait dit que c'était de la part de leur fils. Il leur avait laissé son téléphone portable pour qu'ils l'appellent s'ils avaient besoin de quoi que ce soit. Il les avait également prévenus qu'il allait rendre une petite visite à leur cousin, Joginder Tyagi. Il avait consolé Joginder de la perte de ses fils, lui avait parlé du monde et de la façon dont les gens devraient se comporter. L'envoyé de Gwala avait ensuite certifié aux parents de Vishal que Joginder ne les ennuierait plus jamais.

Comme Vishal restait silencieux, Gwala le fit pivoter face à lui et tapota ses épaules.

« Cela ne suffit pas ? Tu veux que je leur envoie plus d'argent ?

– Non, non. Vous avez déjà fait beaucoup trop. Je n'ai agi que pour Donullia Gujjar. Et pour vous. Pas pour l'argent. Je n'attendais rien.

– Tu ressembles à mon frère quand il était jeune. Un véritable karma jogi. C'est la raison pour laquelle Donullia vénère Shiva. Parce que le dieu des serpents et des djinns, des animaux et des jogis, le créateur et le destructeur tout-puissant du monde, a tout, et pourtant il vit en ascète. Les hommes les plus puissants du monde, mon fils, comme toi, n'ont pas de besoins. Ils ne vivent que pour donner. »

Vishal Tyagi – marteleur, lanceur de poids, ami des animaux – fut profondément ému. Baissant la tête vers ses pieds poussiéreux chaussés de sandales, ses yeux s'emplirent de larmes, et il sentit monter en lui une bouffée d'amour pour Gwala, et un sentiment de parenté qu'il n'avait jamais éprouvé pour personne. Enfin quelqu'un avait deviné l'homme qu'il était réellement, avait reconnu la beauté de son être profond. Oui, il était comme Donullia. Un combattant doté d'un rectum en acier. Et il ne désirait rien pour lui-même. Sa grande force et son courage n'étaient là que pour servir à la protection des faibles et des opprimés. Il ressentait la paix du vagabond égaré qui a soudain trouvé un foyer.

Dans un élan de gratitude et de bonheur, Vishal se baissa pour toucher les pieds de Gwala. Lorsqu'il se releva, le bon gangster lui tendit un cadeau. Un magnifique pistolet Smith & Wesson 908, calibre 9 mm, avec un barillet à huit coups. C'était une arme sensuelle, qui demandait à être tenue, caressée, utilisée.

« De la part de Donullia. C'est le meilleur qu'il ait. Une preuve de son affection. À présent, tu es sous l'immense parapluie de notre Guru. Nul autre que toi n'a été accepté aussi rapidement par lui. Ne le trahis jamais, ni en action ni en paroles. »

Debout près du mur de briques trépidant du puits tubulaire, alors qu'il admirait les premiers rayons du soleil se refléter sur le pistolet noir, les larges épaules musclées du jeune homme se mirent à trembler. Lentement, comme si son grand corps se vidait de sa force, ses genoux ployèrent lentement. Il s'accroupit, posa le pistolet à ses pieds, et prit sa tête entre ses mains. Exercé à gérer les émotions, les serviteurs et la loyauté, Gwala attendit patiemment. Enfin, d'une voix étranglée, Vishal lui dit :

« Dites à Donullia que je me tuerai plutôt que de le trahir. »

Après le départ de Gwala, le vieux berça tendrement le Smith & Wesson 908 dans ses mains et dit à Vishal :

« Hmmm… Ils te préparent pour de grandes choses. Ça vaut sûrement mieux que de se promener en brandissant un marteau. Mais je suppose que ça te conduira aussi plus vite à la crémation. »

Mois après mois, année après année, Hathoda Tyagi parvint cependant à infléchir les probabilités en sa faveur. Sa retenue naturelle, son absence de cupidité et son désintérêt pour la boisson, la drogue ou les femmes, son instinct de survie acéré et son indéfectible loyauté envers Donullia, le maintinrent en vie. Pendant ces années, il fut le bras armé du dacoit à l'extérieur de son district natal de Chitrakoot. Périodiquement, arrivait à la ferme un message concernant un oppresseur ou un tyran qui méritait d'être guéri, rendu infirme, ou assassiné. Le messager affirmait arriver tout droit de chez Donullia, et lui transmettait les bénédictions du grand homme. Chaque fois, une vague d'affection et de fierté submergeait le combattant.

Calmement, méticuleusement, Hathoda Tyagi préparait son plan. Pour l'explosion dans la tête, la frénésie vengeresse, il s'en remettait à l'instant du passage à l'acte. Parfois, il travaillait avec un complice, ou plusieurs, mais le plus souvent il agissait seul. De temps à autre, il utilisait le marteau – en souvenir du bon vieux temps, pour créer la confusion –, mais en général il se servait du magnifique Smith & Wesson 908. Il lui arrivait de manquer son premier essai, mais il finissait toujours par réussir.

La portée de ses frappes était rarissime. Donullia n'avait jamais compté un tel homme dans ses rangs. Sans poser trop de questions, sans faire d'histoires, quelques jours après avoir reçu un message à la ferme, Hathoda Tyagi montait dans une voiture, un bus, un train, ou se faisait prendre en stop par un camion, et il disparaissait. Quelques jours, une semaine, plusieurs semaines plus tard, la nouvelle parvenait à Donullia que les noms signalés à son tueur figuraient à la rubrique nécrologique du journal.

Au fil des années, Hathoda Tyagi opéra non seulement dans plusieurs districts éloignés de l'Uttar Pradesh, mais aussi beaucoup plus loin, jusqu'à Ludhiana dans le Pendjab, Asansol au Bengale occidental, Jorhat dans l'Assam, Nagpur dans le Maharashtra, Bhilwara au Rajasthan, Simla dans l'Himachal Pradesh, Vadodra au Gujarat, et une fois même dans la citadelle de la pègre : Bombay. Un bon nombre de ces meurtres ne lui fut jamais attribué, mais les autres suffirent à donner à son nom une résonance effrayante.

Tous ses assassinats revêtaient une violence singulière qui était sa signature. Sa brutalité venait de l'explosion dans sa tête. Avec le marteau, le crâne de sa victime était défoncé, le visage écrabouillé. Avec le merveilleux 908, le canon était inséré dans l'oreille, la bouche, le nez, et la cervelle réduite en bouillie. Dans certains cas, disait-on, le canon était enfoncé dans l'anus et la balle voyageait jusqu'au cerveau. Les autopsies nécessitaient alors des rapports de plusieurs pages.

Si le but de la mission était de guérir ou de rendre infirme, les termes du message de Donullia étaient : « Rends-le sage. » Dans ce cas, Hathoda Tyagi se servait uniquement du marteau ou de ses mains nues. Il était grand, puissant, et continuait ses exercices quotidiens d'haltères et de pompes instaurés autrefois par son entraîneur Rajbir, mais il était capable de faire preuve de mesure pour briser délicatement des os pendant des heures jusqu'à ce que le sujet fût totalement assagi. Doigts, orteils, chevilles, genoux, coudes, dents, nez, oreilles, testicules. Parfois, une simple torsion de bras suffisait à aider certains sujets à retrouver une sagesse instantanée dans un hurlement lyrique. Pour sa part, Hathoda n'était guère partisan des guérisons ou des infirmités ; seule la grande générosité de Donullia le poussait à choisir souvent cette option. Hathoda préférait l'explosion dans la tête, l'instant enivrant du pouvoir absolu et de la vengeance, le caractère définitif du cerveau neutralisé. Seuls les morts étaient sages. Les hommes guéris et infirmes pouvaient redevenir imprudents.

Pendant ces années, même s'il n'avait aucun besoin ni d'exigences personnelles, le premier étage de la ferme devint son domaine exclusif, et le travail du vieux limité à son seul service. Chaque fois que Hathoda Tyagi revenait d'une opération – victorieux, indemne, taciturne –, le vieux lui disait :

« Behanchod, décidément, tu es le messager préféré de Yamraj, l'Esprit de la Mort ! Lui seul sait combien d'âmes il t'a ordonné de lui envoyer ! Je sais bien que tu es ici pour me liquider, moi aussi ! »

Dans sa chambre, entouré de ses nombreux chiens – jamais moins de cinq –, Hathoda s'éveillait chaque matin couvert de poils. Quand la vache mourut, il ordonna au vieux d'acquérir une jeune bufflonne, à qui il apprit à lécher son cuir chevelu.

Il la baptisa Shanti, et il lui sembla avoir redécouvert une paix ancienne si longtemps insaisissable.

Ce fut le seul rapprochement avec son enfance. Jamais il ne retourna chez lui, jamais il ne revit sa famille. De temps à autre, un émissaire de Gwala allait remettre une gerbe de roupies à ses parents et s'inquiéter de leurs besoins. Ses sœurs étaient mariées et avaient des enfants. La dernière noce avait donné lieu à une fête somptueuse, comme il sied à la sœur d'une légende. Outre les liasses de roupies, Gwala avait envoyé trois parures d'or et quatre hommes armés pour s'assurer que tout se déroulerait bien. Pour l'occasion les convives s'attendaient – comme dans les films en hindi – à l'apparition du frère redouté. Mais Hathoda Tyagi n'avait plus de liens avec sa famille, et Gwala lui avait déconseillé de s'y rendre. Le gang de Donullia avait peu d'influence dans l'Uttar Pradesh occidental, et le nombre de ses ennemis croissait en proportion de celui de ses victimes. Une fête tapageuse et romantique était l'occasion idéale pour le débusquer et le coincer. Personne ne pouvait savoir que le tueur à gages le plus efficace de Donullia n'était ni tapageur ni romantique.

Quelques années plus tôt, incapable de se contenir, Joginder avait eu une crise et s'en était pris une fois de plus à son cousin. À présent, il était mort. Des tueurs de moindre envergure de l'écurie de Donullia avaient fait le nécessaire. Outre son statut social, les biens de Gyanendra Tyagi s'étaient donc étendus. Il possédait maintenant près de deux cents bighas, soit une cinquantaine d'hectares, un tracteur rouge labourait ses champs, et la maison familiale possédait l'eau courante et une salle de bains rose achetée en ville.

Hathoda Tyagi eut l'occasion de faire la connaissance de plusieurs membres du gang. Certains étaient des anonymes en transit à la ferme ; certains des messagers réguliers et des informateurs, qui apportaient munitions, argent, nouvelles, et ordres d'exécution. Parmi les habitués, il y avait Kaka, un sikh noir de peau, mince et optimiste, affligé d'un bras gauche infirme, qui contait un nouveau chapitre des exploits du grand Donullia à chacune de ses visites. Irradiant de fierté, il clamait : « En combattant les armées d'Aurangzeb, Guru Gobind Singh déclara : "Sava lakh se ek ladaoon ! Chacun de mes disciples vaincra une multitude !" C'est exactement ce que fait notre Donullia ! »

Cela émouvait infiniment Hathoda Tyagi. Il se voyait galoper sur un grand cheval blanc, se tailler un chemin dans les rangs des oppresseurs, restaurer l'équilibre du bien dans le monde. Plus émouvantes encore étaient les rencontres avec certains des proches du grand chef. Hulla Mallah, haut comme une porte, avec une voix douce, des mains assez grandes pour écraser la tête d'un homme comme une orange. Kana Commando, borgne de l'œil gauche, la langue acérée, capable de démonter et de remonter une arme à la lueur d'une bougie, imbattable en matière d'analyse et de stratégie. Et l'homme au visage raviné par une cicatrice, Katua Kasai, tueur froid, à l'arme blanche ou par balle, toujours aux côtés de Donullia, laconique, sec, capable de boire une bouteille entière d'alcool local sans perdre conscience.

Ils arrivaient au milieu de la nuit, à l'improviste, et le vieux filait leur préparer un repas et un lit. Ils étaient accompagnés d'une escorte nombreuse d'hommes armés qui traînaient dans la cour, fumant et bavardant. Parfois, ils venaient seulement en convalescence, pour se remettre d'une blessure ou d'une maladie ; d'autres fois pour rencontrer Gwala, ou Bajpai sahib.

La ferme, entourée par la forêt et éloignée de la ville et du village, petit point indistinct sur l'immense plaine gangétique, était un endroit clé et un poste avancé, défendu aux autres associés. Les entrevues avec les policiers, les fournisseurs d'armes, les négociants, les hommes d'affaires et les politiciens locaux se tenaient dans des endroits mobiles, en ville ou dans la forêt.

Si la nécessité s'imposait d'amener quelqu'un à la ferme, on l'y conduisait les yeux bandés. Le plus souvent il s'agissait de médecins venus traiter des fièvres ou des blessures. Il y en avait un régulier, Srivastavji, doté d'une petite moustache hitlérienne et d'épaisses lunettes, mais il avait parfois besoin d'assistants, voire d'autres docteurs. Dans ces cas-là, lui aussi était amené avec un bandeau sur les yeux. Une petite pièce du rez-de-chaussée était spécialement aménagée pour les opérations chirurgicales, avec une épaisse table en bois éclairée par trois grosses ampoules de 200 watts qui, une fois allumées, obligeaient à éteindre toutes les autres lumières de la ferme.

Il arrivait aussi à des négociants d'être conduits sur place, quand on voulait discuter avec eux de certains arrangements. La discussion ne portait pas sur l'habituelle somme d'argent versée en échange d'une protection, mais sur de nouveaux marchés, y compris la commande d'actions pour neutraliser des ennemis. Dans ces cas-là, l'un des gaillards des ravins – Kana Commando, Hulla Mallah ou Katua Kasai – assistait aux débats pour procurer une bouffée d'authenticité et distiller un peu de terreur. Chaque négociation était effectuée au nom de Donullia Gujjar ; chaque tour de vis portait son nom.

Hathoda Tyagi, dont la réputation ne cessait de grandir, marquait ces rencontres au sommet de sa présence imposante. Il ne parlait jamais et suivait rarement la conversation. Il se contentait d'observer avec fascination la peur qui s'emparait des hommes riches confrontés à la violence physique. Ces hommes impitoyables et dédaigneux avec les sous-fifres, tellement riches qu'il leur aurait fallu trois vies pour dépenser leur fortune, minaudaient et geignaient en présence des compagnons de Donullia. Cependant, dès l'instant où ils avaient commandité un meurtre, ils acquéraient une rare bravoure.

L'assassin comprit que la fortune et le rang social ne délivrent pas de la peur. Seul le courage physique y parvient. Il se sentait véritablement libre, et béni par le seul qui fût véritablement libre lui aussi. Pourtant, pendant ces longues années, malgré son statut spécial, malgré les merveilleuses missives que Donullia lui envoyait, pas une fois Hathoda Tyagi n'entrevit son mécène. Chaque fois qu'il en faisait la demande, on lui répondait qu'il le rencontrerait bientôt, que le grand Donullia n'était pas moins impatient que lui de le voir, qu'une nouvelle crise, un nouveau péril, l'occupait ailleurs.

Souvent les rumeurs extérieures remontaient jusqu'à Hathoda par l'intermédiaire du vieux. Rumeurs d'expansions, d'alliances, de manœuvres politiques. Une nouvelle usine de boissons gazeuses ; un hôtel de vingt chambres avec air conditionné ; un nouveau cinéma ; une école d'ingénieurs ; des différends avec Bajpai sahib ; une alliance en préparation avec le nouveau régime en place à Lucknow ; peut-être une candidature de Gwala aux législatives. Aucun de ces sujets ne retenait l'intérêt de l'assassin. Il savait que rien de tout ceci ne concernait le grand dacoit. Ce n'étaient que les médiocres considérations matérielles des personnes de son entourage, y compris son frère Gwala. Ce qui faisait vibrer Hathoda Tyagi, c'étaient les récits de la dernière opération de Donullia, de son escapade la plus récente.

Le brigand entretenait sa légende en frappant plusieurs fois par an. En guise de souvenir, il renvoya le fils de dix-neuf ans d'un propriétaire yadav en dix-neuf morceaux pendant dix-neuf jours – dans des sachets en plastique, comme de la viande avariée – après l'avoir enlevé au cours de la fête de son dix-neuvième anniversaire.

En septembre 1997, Hathoda Tyagi pressentit l'opportunité de voir enfin son Guru. Ce mois-là, le district tout entier frémissait d'excitation. Dans chaque maison, chaque bureau, sur chaque place de village, à chaque coin de rue de ville, une question se posait : courra-t-il le risque ?

Deux ans plus tôt, Donullia Gujjar avait décrété la construction d'un immense temple dédié à Hanuman – avatar de Shiva, protecteur de Rama, dieu de la force, du courage, du célibat, de la pureté. Le temple était en granit et marbre, avec des piliers et un clocher en fonte. Le socle imposant s'élevait à deux mètres, et l'immense statue centrale du dieu portant la montagne avec l'herbe Sanjivini avait été sculptée par une équipe de maîtres artisans du Rajasthan. La cloche suspendue à l'entrée du sanctuaire, attachée à une poutre, pesait près d'une tonne. Le son faisait vibrer le sol et s'entendait à des kilomètres à la ronde. Le chef brigand avait tout financé, et maintenant que la construction était achevée, le jour était venu de la consacrer.

Sadhus, mendiants, fakirs, prêtres, avaient été invités de tous les horizons, pas seulement de Chitrakoot et de Bénarès. Donullia souhaitait nourrir et honorer plus d'un millier de saints hommes pour commémorer l'inauguration, et il tenait à le faire lui-même. Son intention avait été annoncée et des milliers de personnes prévoyaient de venir pour entrevoir le dieu de la légende. Cela expliquait la présence du plus grand effectif de policiers jamais rassemblé dans le district pour une manifestation civile, sous le commandement du superintendant en personne.

Le soir du 24 septembre, quand Hathoda Tyagi et le vieux quittèrent la grande route pour s'engager sur la bretelle menant au temple situé au pied de la petite colline, ils se trouvèrent emportés par une marée humaine. Hommes et femmes de tous âges, à pied, à bicyclette, à moto, à scooter, sur des chars à bœufs et des charrettes bondés, avançaient avec détermination vers le lieu de pèlerinage. Alors qu'ils négociaient lentement leur voie au milieu de la masse mouvante – leurs pieds servant de gouvernail stabilisateur sur la route – ils se laissèrent gagner par l'atmosphère électrique. Tout le monde vibrait dans l'attente de l'action ; partout il y avait des policiers en uniforme ou en civil. L'homme au marteau évitait leurs regards. Pour se préparer à l'événement, il avait imité son chef et s'était laissé pousser la barbe. C'était un risque, mais il avait dans sa poche le merveilleux Smith & Wesson 908. En cas de besoin, il pourrait sauter de la moto et se mêler à la foule, prêt à tirer.

La rivière humaine s'écoulait au rythme des dholaks, des mandolines à une corde, et des chants à Shiva et à Hanuman. Des vieillards, hommes et femmes, marchaient en s'aidant de bâtons, des enfants voyageaient sur les épaules des jeunes. Au milieu, circulaient des colporteurs qui vendaient des pois chiches, des fruits séchés, de la barbe à papa rose, des pâtisseries dans des boîtes d'aluminium sanglées sur leur dos.

Longtemps avant d'atteindre le temple, le flot humain avait ralenti et s'écoulait lentement, comme la boue dans un caniveau. Le vieux avait éteint le moteur de la moto et ils la propulsaient avec leurs pieds. La ferveur et la tension devenaient plus denses au fur et à mesure de leur avancée et les chants avalaient les bavardages.

Au pied de la colline, le temple ressemblait à un énorme gâteau submergé par des milliers de fourmis. Des lumières et des lanternes virevoltaient dans les mains des croyants, sur les poteaux et sur les arbres. Le chœur d'un kirtan, accompagné de claquements de cymbales, tintements de cloches, et percussions de dholaks, sortait du sanctuaire intérieur – festonné de lumières dansantes –, renvoyé en écho de loin en loin par les anneaux concentriques des dévots enfiévrés.

Tout au long du socle du temple, se tenait une longue file de mendiants – infirmes, lépreux, miséreux aux membres coupés ou rognés, aux yeux crevés ; hommes, femmes, enfants. Ils venaient de partout, certains même des districts voisins, pour se rassembler devant l'autel de la foi. Hathoda Tyagi parcourait les rangs de l'enfer en distribuant des billets de vingt roupies, soulevant une onde de cris et de bénédictions. Il faisait cela chaque fois qu'il en avait l'occasion. N'ayant pas vraiment l'usage de son argent, ce qui n'allait pas à sa famille, il le dépensait en viande pour les chiens, en libéralités pour le vieux de la ferme, et en aumônes pour tous les fakirs et autres mendiants.

Hathoda Tyagi connaissait la prophétie à son sujet. Comme Donullia et les autres membres de la bande, il était béni. Le prêtre avait dit : « Ses planètes sont comme celles de Hrinakashyap. On ne peut le blesser que dans un lieu baigné à la fois de soleil et d'ombre ; il ne peut être blessé que lorsqu'il est en mouvement et pas immobile ; il ne peut être blessé que lorsqu'il a le ventre plein ; il ne peut être blessé que lorsqu'il est caché à la vue ; il ne peut être blessé que par un ennemi tué dans la bataille ; et il ne peut être blessé que coincé entre ses amis. Réunir toutes ces conditions est presque impossible. Donc, vous n'avez pas à vous tourmenter. Rappelez-vous que, pour tuer le démon Hrinakashyap, Vishnou a dû apparaître en personne pour influer sur les éléments. Or, comme vous le savez, les dieux ne descendent plus dans ce pays. »

Hathoda savait également que toute bénédiction a besoin d'être confirmée et gardée intacte par des actes continuels de générosité et de bonté. L'infamie prive de pouvoir les plus grands avantages. Il donnait donc ce dont il avait peu besoin : son argent, et s'efforçait de garder ce dont il avait besoin : les bénédictions des malheureux, qui étaient en fait les bénédictions des dieux.

À mesure qu'ils progressaient, Hathoda et le vieux commencèrent à repérer des membres du gang mêlés à la foule. Ils faisaient comme s'ils ne se connaissaient pas ; leurs regards neutres encourageaient à détourner la tête. Gwala se tenait à l'entrée du sanctuaire pour accueillir les personnalités du district qui avançaient dans un étroit goulet ouvert par des bénévoles pour les hommes de privilège bénéficiant d'un droit d'accès prioritaire au divin. Hauts fonctionnaires du gouvernement, propriétaires terriens, riches commerçants, personnalités des médias, politiciens, s'engouffraient dans ce boyau serré pour être accompagnés par Gwala à l'intérieur du temple. C'était un geste de respect envers Dieu et une légende. L'un et l'autre leur en tiendraient compte. L'un dans cette vie, l'autre dans la prochaine.

Bajpai sahib arriva au milieu d'un essaim de supporters et de policiers, dont les coudes et les épaules lui dégageaient le passage. Sa venue était importante. Depuis quelque temps, la rumeur courait que la romance entre Donullia Gujjar et le rusé brahmane tournait au vinaigre. Beaucoup pensaient que le cordon de police dressé pour l'inauguration du temple était de son fait. Sa présence ici était un alibi, un moyen de dissiper les soupçons de rupture. Bajpai était un brahmane. Jamais il n'affronterait le brigand sur la place publique. Il privilégierait quelque ruelle discrète.

Gwala toucha les pieds du politicien. Quinze minutes plus tard, quand ce dernier sortit du sanctuaire, Hathoda Tyagi croisa son regard et se pencha à son tour pour lui toucher les pieds. Bajpai sahib lui souffla :

« Es-tu sûr que tu devrais être ici ? Il paraît que tu es recherché dans cinq États.

– Donullia a besoin de moi ici ce soir, répondit le jeune homme sans se relever. Je serai toujours là où il a besoin de moi.

– Eh bien, sois prudent. Le moment n'est guère propice. Il y a ici autant de policiers que d'hommes de Dieu !

– Je porte ma vie dans ma poche, et je suis heureux de la donner », dit l'assassin en croisant les mains.

Le politicien enregistra l'information avant de disparaître dans la foule.

Juste avant minuit, un vacarme éclata soudain quand une bande surexcitée de sadhus et de fakirs fit une percée à travers la populace. Barbe flottante, portant d'innombrables colliers et bracelets de perles exotiques, shootés à Dieu et au haschisch, ils avançaient en chantant des hymnes à la gloire de Shiva, faisaient claquer leurs castagnettes et leurs cymbales, tapaient sur leurs dholaks, pinçaient les cordes de leurs ektaras.

Aussitôt, alors que la foule s'écartait devant les soldats de Dieu, les soldats de l'État se rapprochèrent. Quelque part dans cette bruyante tornade orange, se trouvait sans aucun doute celui qu'ils recherchaient. Hathoda Tyagi scruta lui aussi le tourbillon de soldats de Dieu. Était-ce celui-ci ? La barbe mi-longue et grisonnante, le nez busqué proéminent, le poignet tenant fermement l'ektara, encadré par deux grands gaillards ? Non, plutôt celui-là. Un grand turban autour de la tête, des épaules larges, des yeux grands ouverts et éveillés, même dans le délire de la dévotion. Oui, c'était lui.

Hathoda Tyagi se faufila pour approcher des derviches qui se propulsaient vers l'autel, sans perdre de vue son idole. Tout autour, il voyait et sentait les policiers qui tamisaient le groupe, guettant un signal de leurs informateurs. La main de l'assassin flottait à hauteur de sa ceinture. C'était le jour pour lequel il avait vécu. Le jour où il tuerait pour sauver Donullia Gujjar, montrer qu'il avait un rectum en acier, devenir une figure de légende.

Puis son regard croisa celui du dévot et il comprit son erreur. Ses yeux étaient ouverts, en effet, mais ils reflétaient un abandon total, une immersion hébétée dans le moment. Le tourbillon frénétique franchissait maintenant le portail de grès sculpté et commençait à gravir en dansant la courte volée de grandes marches. Gwala attendait en haut, mains jointes, réjoui de l'apparition des armées de Dieu. Avec ses larges épaules, Hathoda se fraya un chemin parallèle jusqu'en haut des marches, et il repéra Donullia à l'instant précis où trois paires de mains de policiers plongeaient entre les corps en transe pour le tirer discrètement à l'écart. L'indice révélateur : les tennis, ne laissait aucun doute. La longue barbe blanche indisciplinée et parsemée de quelques mèches noires, la peau sombre, le corps sec !

L'assassin plongea la main dans sa ceinture pour sortir le 908, prêt à déchaîner le chaos, mais soudain un étau de fer lui emprisonna le poignet. Il tenta de se dégager d'un coup de coude. L'étau lui immobilisait aussi le bras. À son oreille, une voix ferme chuchota :

« Du calme, fils. Le monde est une illusion. Rien n'est jamais ce qu'il semble être. Ceux qui adorent les dieux sont protégés par les dieux. »

Du coin de l'œil, pressé par la foule qui poussait et criait, il vit un homme voûté à l'air fatigué, avec une barbe naissante poivre et sel, des lunettes à monture d'acier et un turban bordeaux délié. Son front s'ornait d'un tilak rouge humide et ses oreilles de boucles d'or.

« Guruji ! dit l'assassin.

– Si tu appelles un homme Guruji, répondit l'homme voûté, alors il devient un Guru. Tu le sais. C'est dans nos écritures. » Et, sans laisser à l'assassin le temps de trouver une réponse, il ajouta : « Comme l'immense Bajrangbali, tu es un homme de pureté, de motivation et de force. Prends ses bénédictions, fils, deviens deux fois l'homme que tu es, et pars très vite. Aujourd'hui n'est pas un jour d'allégresse. Nos amis se comportent comme nos ennemis, et tu as des choses importantes à accomplir.

– Mais, Guruji, je suis là pour vous protéger, protesta Hathoda.

– Je ne bâtis pas des monuments en hommage aux dieux pour avoir ensuite peur des hommes. Il n'existe qu'un seul tout-puissant Hanuman, et il n'existe qu'un seul Donullia Gujjar ! Il n'est pas encore né le policier qui pourrait arracher un seul de ses cheveux. Pars, maintenant, fils ! Va ! »

Le temps de s'apercevoir que l'étau sur son bras s'était desserré, l'homme voûté avait disparu telle une ombre dans la nuit, la cavalcade de sadhus et de fakirs avait pénétré dans le sanctuaire, et les milliers de paysans et de citadins, jeunes et vieux, pauvres et influents, hommes et femmes, hautes castes et basses castes, avaient entonné un crescendo d'hymnes, unis avec les dieux, élevés dans le divin.

Au cours des dix jours suivants, les journaux locaux citèrent des dizaines de dévots qui juraient avoir vu Donullia Gujjar, qui l'avaient même touché. Il n'y avait pas deux descriptions semblables.

L'homme arrêté par la police était un inoffensif panda d'Allahabad. Les tennis qu'il portait aux pieds lui avaient été données par un touriste américain.

Le superintendant de la police reçut une réprimande publique, deux inspecteurs furent mutés, un sous-inspecteur suspendu.

Le district bruissait de spéculations sur la rupture entre Bajpai sahib et Donullia Gujjar, fondées sur le changement d'alliances à Lucknow.

La réputation du temple grimpa en flèche et des centaines de dévots se mirent à le visiter chaque jour.

Hathoda Tyagi marchait sur un nuage.

À la ferme, le vieux lui dit :

« Il t'a appelé fils ? Il t'a touché ? Qu'as-tu donc qui nous manque à tous ? »

Courage. Loyauté. Ascétisme.

Comme le grand dieu Hanuman. Serviteur de Rama. Incarnation de la force. Renonçant.

Au cours des années suivantes, devenu le bras armé de Donullia Gujjar, Hathoda Tyagi tortura et massacra les ennemis de son chef et de son peuple avec une efficacité impassible, faisant voler os et cervelles comme des confettis. Seul, ou avec une équipe, il ne posait jamais de questions et n'échouait jamais. Une fois qu'un nom lui était communiqué, l'homme était quasiment mort.

Hathoda habitait toujours au premier étage de la ferme – le vieux, de plus en plus vieux, était désormais son vassal. Il consacrait son argent et son amour à ses chiens de plus en plus nombreux, et se faisait quotidiennement lécher le cuir chevelu par la bufflonne. Parfois, son ancien entraîneur sportif, Rajbir Gujjar, venait lui rendre visite, mais ils ne partageaient plus grand-chose. Le protégé avait colonisé un territoire dont le professeur n'osait pas franchir les frontières. Avec une générosité caractéristique, le jeune homme offrit à Rajbir plus d'argent qu'il n'en avait jamais vu. Après tout, c'était grâce à lui qu'il avait découvert son rectum en acier, et donné un sens à sa vie dans l'ombre de Donullia.

Hathoda cessa de manger de la viande et prit l'habitude de jeûner le mardi. Donullia lui envoyait régulièrement des cadeaux. De petits objets personnels : une montre Rolex, des chaussures Nike, un déodorant Denim. Mais aussi de nouvelles armes : pistolets, revolvers, et même deux grenades. Il rangeait tout dans la malle en fer, n'utilisant que le 908 et le marteau.

Hathoda était heureux. Il avait une mission. Il avait un guru. Il avait un dieu. Il avait ses chiens et une bufflonne. Il avait un toit au-dessus de sa tête. Et il avait un rectum en acier.

Il n'avait besoin de rien d'autre.

Un jour, Gwala arriva au volant d'une Gypsy bleue flambant neuve, et lui parla d'un individu qui travaillait pour des puissances hostiles à la nation. Pour l'ennemi. Le Pakistan. Cet individu se faisait passer pour un journaliste et il était rusé comme un renard. Il vivait dans la capitale du pays, Delhi, et il était protégé par la police. Il faudrait rassembler une équipe. Gwala l'y aiderait.

Donullia lui donnait sa bénédiction. Kana Commando, Hulla Mallah et Katua Kasai l'assuraient de leur admiration et de leur affection.

Cette mission-là était pour le pays. Pour tous les Indiens. Ils savaient qu'il ne faillirait pas.

Hathoda Tyagi, natif des champs de canne à sucre de l'Uttar Pradesh occidental, spécialiste du curry de cervelle, disciple ascétique de Hanuman et de Donullia, fut submergé par la gratitude et animé d'une intense motivation.

LIVRE 9

La balance de l'éternité

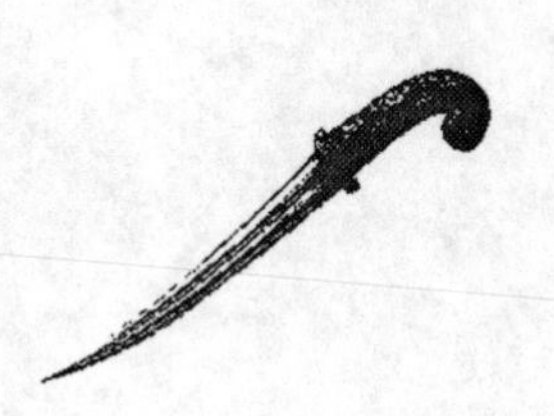

« Kafka ! » dit Jai en avalant une gorgée de thé. « Lis Kafka, lis Miller, lis la presse professionnelle. Il n'y a que ça ! Et ne fais attention ni à Dieu, ni à l'amour ! Le pouvoir est le moteur du monde. Le sexe et l'argent sont les lubrifiants. Au mieux, Dieu est une invocation lancée avant le démarrage du moteur, et n'a donc aucun sens si tu n'as pas de moteur à faire démarrer ! Dieu est une pilule aromatisée, inventée par ceux qui possèdent le pouvoir, l'argent et le sexe, et donnée à ceux qui en sont privés ! L'amour également est une pilule. Certains jours, comme les autres, nous en avalons aussi. Elles sont agréables, ces pilules. Comme un joint, une défonce temporaire ! Mais elles ne sont pas la réalité. La réalité c'est le pouvoir, l'argent, le sexe. J'oubliais une autre pilule. La morale ! »

Et aussi la révolution, pensai-je. Sara, Kafka, Miller et Che Guevara. Pouvoir, sexe et révolution. Le tout réuni dans un seul et même corps inégal et vocalisant, épinglé au mur.

Nous étions assis dans le nouveau et élégant bureau de Jai. Parois de verre tamisées par des stores vénitiens en bois, lumières blanches encastrées dans le plafond, une grande table de travail avec stylos, livres, magazines, papiers, chope à thé gargantuesque et ordinateur, photo en noir et blanc de sa femme (bouche et yeux rieurs) accrochée derrière lui, et une table ronde entourée de quatre chaises, où d'importantes décisions sur le façonnement du monde pouvaient être prises avec discrétion et célérité.

Presque trois ans s'étaient écoulés depuis que nous avions perdu le magazine. La barbe de Jai était plus grise, ses cheveux plus épars. Hormis cela, il n'avait guère changé. Toujours prêt à monter en chaire, sa passion et son éloquence intactes. Mais le discours ne portait plus sur l'État de la nation, la démocratie, la liberté, l'égalité, l'intérêt général, Gandhi, Nehru, ni l'idée de l'Inde. Était venue l'heure de la philosophie du réalisme. Dans un monde défectueux, les humains défectueux poursuivaient des rêves défectueux – le véritable triomphe consistait à être l'un des organisateurs en chef de ce voyage, dont le moteur et les lubrifiants étaient le pouvoir, l'argent et le sexe.

« Kapoor sahib ! Tu te souviens ? On le dénigrait, mais il savait déchiffrer le monde ! Kapoor sahib dirige le monde, Kapoor sahib est le monde ! Tu dois prendre conscience que Kafka n'est pas le pouvoir. Kafka ne faisait que comprendre le pouvoir ! Le pouvoir est le Château ! Kapoor sahib est le Château ! Toi et moi, nous pouvons écrire sur le phallus, mais Kapoor sahib *est* le phallus ! »

Par un typique tour de passe-passe verbal, Jai avait élaboré une théorie vertueuse sur son humiliation. Notre humiliation. En réalité, Kapoor sahib nous avait tous mis à poil et baisés pendant des mois, les trois rajas de la petite culotte inclus, avant de nous virer.

Dans le courant du mois, Jai avait retrouvé un emploi de consultant dans une société de production de télévision spécialisée dans l'information. Il y avait de l'argent. Du vrai. Et beaucoup plus que tout ce que notre misérable entreprise n'avait jamais rapporté. Ce fut la clé qui, une fois encore, libéra l'éloquence de mon ancien associé. Au cours des deux années suivantes, il accorda sa rhétorique à deux nouveaux changements professionnels – décor plus chic, chèques plus conséquents, philosophie du réalisme plus robuste. Désormais, il caracolait sur un zèbre : une chaîne d'informations en continu, qui, selon les besoins du moment, était tantôt un animal noir peint en blanc, tantôt un animal blanc temporairement peint en noir. Jamais le réalisme n'avait été mieux habillé, et Jai était le maître de cet habillage.

L'Inde comptait beaucoup plus de zèbres aujourd'hui qu'en cinq millénaires. Et plus de maîtres en habillage que jamais auparavant.

Parmi ceux-ci, Kapoor sahib faisait figure de modèle. Kapoor sahib était le phallus.

Après nous avoir jetés à la porte, il avait embauché au magazine un vieux cheval de retour venu de l'abreuvoir de l'India International Center. La ville était inondée de ces animaux au nom vaguement familier dont la notoriété restait un mystère. Des hommes qui avaient un jour signé des éditos moralisateurs dans des quotidiens, et qui maintenant disséquaient Delhi devant un whisky-soda dans des bars subventionnés. Eux aussi chevauchaient des zèbres, et quiconque désirant habiller le réalisme pouvait les utiliser. Ainsi donc le magazine ronronnait, plein de grandiloquence politique et stratégique, mais privé de reportages.

« Tu vois ce que c'est devenu ? dit Jai. Un tisonnier qu'on garde dans le feu. Quand on en a besoin – si on en a besoin –, on le sort pour donner un petit coup rapide ! Idéal comme couverture. Comme le magasin de tapis de luxe, avec belle vendeuse et tisane à volonté. »

Après avoir signé la montagne de papiers de cession du magazine, j'avais essayé de quitter le métier. Un vieil éditeur de Daryaganj, fervent amateur de nouvelles jaquettes rutilantes et de dos parfaits – éditions étrangères et signes dollars sur la quatrième de couverture – m'avait proposé un contrat pour deux ouvrages. Le premier sur l'histoire de notre opération d'infiltration pour dénoncer la fraude alimentaire, le second sur la politique de l'Inde moderne. L'avance était suffisante pour me permettre de brouter de l'herbe dans les jardins Lodhi et de boire l'eau de la Yamuna. Mais je tentai le coup. Je mis Dolly-doll à la porte pendant un mois en la bannissant chez sa mère, et m'enfermai dans mon petit bureau pour marteler mon clavier jusqu'à ce qu'il se mette à tanguer et que je sois obligé de lui mettre une cale de chewing-gum sous le pied gauche.

Au bout de six semaines, j'avais soixante mille mots tapés, un titre en place, et une dédicace en tête. Je m'en tenais aux détails de la fraude, délaissant notre navrante histoire personnelle. Jai jugeait mon optique stupide.

« Le drame humain ! C'est ça que les gens réclament ! La fraude alimentaire en soi est ennuyeuse. L'intéressant, c'est ce qui arrive aux individus à cause d'elle ! »

L'éditeur, un homme mince et raffiné, doté d'une moustache en trait de crayon à la mode il y a quarante ans, se réjouissait de mon efficacité. Il me gratifia d'une longue et ferme poignée de main.

Je lui téléphonai une semaine plus tard. Il avait besoin d'un peu plus de temps pour finir de lire mon manuscrit. Je lui laissai dix jours avant de rappeler. Il me dit qu'un livre n'était pas un journal et que les éditeurs avaient des centaines d'ouvrages à traiter. Il me téléphonerait. Dix autres jours passèrent. Dix jours que j'occupais à fignoler le texte, couper, ajouter. Dolly-doll m'enveloppait de regards de douce adoration comme si j'avais écrit le *Mahabharata*. Elle fredonnait des chansons parlant de courage et de détermination. Felicia traversait les heures de la journée tel un fantôme noir, m'apportant thé et toasts.

Cette fois, il ne prit pas mon appel. Son répondeur continuait de jouer le Gayatri Mantra, au point que je crus avoir remis mon manuscrit à un temple et non à une maison d'édition. Je téléphonai à l'un de ses collaborateurs auquel il m'avait présenté. Un Bengali d'âge moyen, dont la vertu première semblait être la sensibilité et non le langage. Il avait d'épaisses lunettes et un tic à l'œil droit.

Il émit un petit rire nerveux et me dit :

« Les avocats ont signalé un problème. Mais je ne peux pas vous en parler. Seul le patron est vraiment au courant. »

Je sautai dans ma voiture et fonçai à Daryaganj. J'eus trois engueulades féroces avant de trouver une place pour me garer.

Mr Sahgal ne montra aucun signe de panique quand je m'engouffrai dans son bureau en écartant son assistante – une dame en sari bleu qui se mit à bêler, traumatisée : « Je vous en prie, monsieur, je vous en prie, monsieur ! » Il portait un costume noir assorti à sa moustache noire. Il me doucha calmement avec les objections légales soulevées par les avocats. Mon manuscrit, posé devant lui, disparaissait sous des Post-it jaunes et roses et je compris qu'il me faudrait tout réécrire. Mon seul argument était que les avocats sont des alarmistes. À quoi il répondit, avec son raffinement habituel :

« Les avocats envoient des gens en prison, et ils en maintiennent d'autres dehors. »

Et ils s'assurent que personne ne fasse jamais rien de valable.

Je m'efforçai d'imiter Jai et usai de mots ronflants : bien public, gouvernance honnête, etc.

Il se contenta de me répondre, lisse et simple comme une glace à la vanille :

« Je ne suis qu'un éditeur, monsieur. Pas mère Teresa. »

Sahgal me tendit mon manuscrit surchargé d'oreilles roses et jaunes comme un cadeau. En sortant de l'immeuble, je grimpai sur le pare-chocs arrière de sa vieille Mercedes blanche jusqu'à ce qu'il s'effondre. Puis, muni d'un caillou pointu, je traçai un sillon dans sa chair d'acier et terminai en dessinant une bite non circoncise. De retour à la maison, je déposai mon manuscrit enluminé sur l'étagère du bureau, sous *Le Festin nu*, puis, m'adressant au ventilateur du plafond, annonçai ma retraite en tant qu'écrivain.

Le lendemain, j'allai voir Guruji.

Il apaisa mes nerfs à vif et me dit quoi faire. Dès mon retour, je commençai à téléphoner à mes relations pour chercher du travail. Je n'appelai pas Jai. J'avais besoin de travail et d'argent, pas de discours sur la vision d'ensemble du monde.

Il n'y avait pas de vision d'ensemble. Il n'y avait pas de connexions grandioses. Seulement une infinité de petits pions.

La seule chose que l'on pouvait faire était de se débrouiller pour pousser chacun les siens. Et chacun s'y appliquait de son mieux sans se préoccuper des autres. Et tous les petits pions – qui se renversaient, se télescopaient – faisaient dégringoler le monde sur le grand toboggan. Mes pions aussi étaient en vrac : épouse, Sara, ombres, assassins. Seul Guruji se portait bien. Mais il n'était pas un pion. Il était Guruji, la réponse à toutes ces foutaises.

Le seul pion, à ma connaissance, qu'il me fût possible de remettre d'aplomb était celui de l'argent et du travail. En deux semaines, je trouvai un emploi de reporter d'investigation dans un quotidien qui se modernisait à une telle vitesse et avec une telle détermination que son graphisme et la taille de ses caractères augmentaient chaque jour, et que des bimbettes blanches de Los Angeles, connues pour avoir volontairement fait circuler leurs vidéos pornos privées, surgissaient à la une en tenue d'Ève. Je demandai au directeur de rédaction – un homme obèse et affable, qui avait toujours les mains enfoncées dans ses poches et faisait sauter ses testicules comme de la salade – de m'indiquer les limites à ne pas franchir. Il se fendit d'un large sourire et me dit qu'il n'y en avait pas, avant de se lancer dans une énumération si longue que je perdis le fil. Parmi les noms interdits figuraient le Premier ministre, le chef de l'opposition, plusieurs dynasties politiques, et assez de grandes maisons d'affaires pour loger un sommet international.

« Vous pouvez attaquer tous les autres », ajouta-t-il sans cesser de sourire.

Bien sûr. On avait le droit de massacrer les lapins. Ils étaient trop nombreux et destinés à la boucherie.

Il n'y avait pas de vision d'ensemble.

Mais le salaire était bon. Et Sara se donnait encore à moi. De plus, deux des trois procès en diffamation instruits contre nous avaient été abandonnés. Des politiciens dans les deux cas. C'était une perte de temps. Seul un bureaucrate persistait. Pour l'instant.

En revanche, les trois nigauds qui avaient titillé l'abruti du ministère de la Défense avec leurs fausses caméras étaient toujours dans le broyeur. Ils apparaissaient de temps en temps dans les journaux ou sur les écrans de télévision, fulminant, pestant, protestant de leur innocence. L'un d'eux – le sosie de Jai – était particulièrement mal engagé. Une parodie de la vision d'ensemble ! Il était le plus visible, le plus bruyant.

Il y a des imbéciles qui n'apprennent jamais.

Le sous-inspecteur Hathi Ram partageait cet avis.

« Un vaurien reste à jamais un vaurien », conclut-il en claquant deux moitiés de biscuit à la crème l'une contre l'autre et fixant sur moi son regard inexpressif.

On était en janvier et mon petit bureau paraissait encore plus exigu avec nous deux emmaillotés de couches de vêtements supplémentaires. Le policier portait un manteau de tweed bon marché et un cache-nez marron. À la lumière de la lampe, son visage semblait tanné avec la barbe naissante qui lui grisait les joues. Comme toujours, il me faudrait être patient pour deviner le vrai motif de sa visite. Aucun Indien ne peut parler ni traiter une affaire franchement ; sans doute parce que cela jetterait la disgrâce sur notre complexe héritage.

« Il y a des exceptions, toutefois, reprit-il. De brigand, Valmiki est devenu poète et saint. Mais ce genre de choses arrive rarement et c'est aussi bien. Je ne suis pas certain que nous voulions trop de saints. Dans ce pays, me semble-t-il, mieux vaut avoir plus de vauriens que de saints. »

J'étais assis sur la chaise, les jambes repliées sous moi, un passe-montagne vert sur la tête. Guruji disait toujours qu'il fallait garder le crâne au chaud et l'aura des ondes du cerveau bien à l'abri. C'est pourquoi les grands rishis avaient les cheveux longs, et les hommes éminents des turbans noués.

« Et moi, qu'est-ce qui m'attend ? demandai-je. Vauriens ou saints ?

– Je ne connais pas grand-chose à la question. C'est la spécialité de gens plus importants que moi. Mon devoir est de vous protéger. Mais j'ai entendu des choses. Des choses pas très bonnes. Il faudrait que je sois moi-même un saint pour vous dire que vos assassins ne sont pas des vauriens. Or les policiers ne sont jamais des saints, c'est connu. Jamais. Les vauriens, les escrocs, les meurtriers le sont parfois. Les flics, eux, ne sont que des flics. »

J'attendis. À ce jeu, Hathi Ram était un maître. Comme Kapoor sahib, comme Guruji, comme Sara, comme Jai. Mais, à sa manière, il était plus honorable. Il travaillait dans la fange, il ne l'avait pas créée. Il claqua de nouveau les deux moitiés de biscuit puis, d'un mouvement lent, se les planta dans la bouche. Les boutonnières de son manteau de tweed étaient tendues à craquer. En trois ans, il avait pris du poids.

« J'ai sans doute tort mais, d'après ce que je sais, l'important n'était pas que vous soyez tué. On vous a envoyé ces tueurs pour qu'ils se fassent arrêter, ou liquider. Bien sûr, ils l'ignoraient. Ils se croyaient en mission. »

Merde. Tout le monde parlait à travers un verre givré.

« Mais qui les a envoyés ? »

Il ouvrit un nouveau biscuit en deux et le passa délicatement sous ses narines pour le humer.

« Je ne sais pas. Un personnage puissant qui voulait se débarrasser d'eux, ou de certains d'entre eux. Le contrat lancé contre vous était un prétexte.

– Donc, on les a piégés. En un sens, eux aussi sont des victimes. »

Sara m'aurait épinglé une médaille sur la poitrine.

Il claqua les deux moitiés du biscuit, les traits durcis.

« Ce sont tous des vauriens, siffla-t-il. Ne vous y trompez pas. Des voleurs, des escrocs, des meurtriers. Ils ne sont pas plus victimes que nous, pris au piège de la vie qu'on nous a donnée. L'un d'eux découpe ses victimes comme des goyaves bien mûres. Deux autres – dont un Chinois – sont de dangereux dealers qui tuent depuis l'âge de dix ans. Ils contrôlent la filière des narcotiques de Kaboul à Calcutta. Le quatrième est un cerveau – un musulman tranquille de Bareilly, qui a violé la fille du chef de la police et a des liens étroits avec la pègre de Bombay. Il entre et sort des prisons de l'Uttar Pradesh comme un pigeon, et partout on le traite avec crainte et respect. Quant au dernier, c'est un Asura. Un démon. Je fuirais la rue où son ombre s'allonge. Il est si fort qu'il peut retourner une voiture Ambassador sur le toit. Les gens disent qu'il a une pierre à la place du cœur. Rien ne l'émeut. Il ne désire rien, ni argent, ni femmes, ni hommages. Il aime tuer, c'est tout. Il vous écrabouille la tête de telle façon que même votre mère ne peut vous reconnaître. Et il n'échoue jamais. Une fois qu'il a un contrat sur vous, autant vous suicider tout de suite. C'est pourquoi beaucoup de gens disent que cette histoire ne colle pas. » Il s'interrompit, assis tout raide sur sa chaise, et me regarda droit dans les yeux. Seules ses lèvres souriaient. « Si vous êtes encore en vie, c'est parce qu'on n'avait pas vraiment l'intention de vous éliminer. »

Par la porte fermée, filtrait un fond sonore de mélodrame télévisé.

« Est-ce que ces hommes travaillent toujours ensemble ? demandai-je. C'est une bande ? »

Hathi Ram laissa échapper un petit ricanement.

« Ça n'arrive qu'au cinéma, mon ami ! Il n'y a que dans les films que l'on voit les membres d'un gang chanter ensemble et acheter des saris pour les femmes de leurs copains ! Ces types-là en savent moins l'un sur l'autre que moi sur votre rose noire. » Il esquissa un signe du menton vers la porte fermée. Il parlait de Felicia, dont la peau le fascinait. « Ce qui n'est pas clair, c'est s'il était prévu qu'ils soient pris avant ou après vous avoir tué. Si on voulait juste les punir un peu, ou se débarrasser d'eux pour de bon. »

Sara, voyante du siècle.

« Mais pourquoi procéder d'une façon aussi alambiquée, en fomentant un complot d'assassinat ? »

Le policier avait recollé son biscuit et le faisait tourner entre ses doigts comme une pièce de monnaie.

« C'est l'Inde, mon ami. Pourquoi faire simple quand on peut faire compliqué ? Êtes-vous déjà allé chercher un permis de conduire ou une carte de rationnement ? Avez-vous déjà déposé une plainte dans un commissariat de police ? Avez-vous inscrit un enfant dans une école ? C'est l'esprit brahmane, si rusé, si tordu, qui trace une ligne droite en faisant des cercles.

– Admettons. Mais, si je n'étais pas vraiment une cible, pourquoi une protection policière ? Pourquoi si longtemps ?

– Parce que je peux me tromper. Je vous ai dit ce que je pense. J'ignore ce qu'ont en tête les hommes qui prennent les décisions. Ce n'est pas mon boulot de chercher à le savoir. Si tout le monde se met à réfléchir, il y aura une montagne de réflexions et plus de police. Mon travail consiste à vous protéger. Ces doutes que je partage avec vous, je ne les exprime pas en tant que policier mais en tant qu'ami. Depuis tout ce temps, je suis un ami, n'est-ce pas ? Même les geôliers finissent par se lier d'amitié avec les prisonniers. Ils s'aperçoivent que l'un sans l'autre, ils n'ont aucun sens. Et vous et moi sommes du même côté, non ? »

Hathi Ram dit cela d'un ton doux, mais son regard était dur. Quel flic hors pair il avait dû être. Je savais qu'il prenait sa retraite dans six mois. Il m'avait souvent confié que ses nuits étaient envahies de rêves de son village et de la ferme familiale. Les manguiers, la canne à sucre, l'or du blé mûr, le vert des touffes de choux, l'odeur de la bouse, la fumée du feu de bois dans le dâl, le lait tiré du pis de la vache, le chant lancinant du coucou, le bruit de la pluie sur la terre, le ciel empli d'étoiles. À sa manière si singulière, il m'avait dit : « Je veux décliner et me désintégrer là où je suis né et où j'ai été façonné. Je veux que mon âme se promène dans les champs de mon enfance, pas dans les rues de Delhi, où elle se ferait écraser chaque jour par une Maruti. »

« Lequel d'entre eux, à votre avis, était visé ?

– Qui peut le dire ? Ce sont tous de foutus maaderchods ! Ils méritent tous les cinq d'être liquidés. Ce pays a besoin qu'on en pende quelques milliers. Les autres se tiendront tranquilles. Mon intuition me dit que c'est ce paisible musulman de Bareilly. On raconte qu'il est très calme, ne se plaint jamais, ne parle pas, ne demande rien, sauf des morceaux de bois qu'il sculpte en permanence. Personne n'est jamais venu payer sa caution ni le représenter devant la cour. Les hommes de sa trempe portent le monde à l'intérieur d'eux-mêmes. Ils peuvent aller partout, faire n'importe quoi. À l'époque du terrorisme, du Pakistan, de la pègre, de la corruption de la politique, un homme comme lui a pu franchir des frontières dangereuses. On raconte qu'il refuse avec entêtement d'être libéré sous caution. Pourquoi ? Quel genre d'homme redoute la liberté, sinon celui qui redoute la liberté qu'ont d'autres hommes de le tuer.

– Si vous savez tout cela, pourquoi les services de renseignement ne sont-ils pas au courant ?

– Ils savent ce qu'ils sont censés savoir. Ce qu'on leur a dit. Dans un gouvernement, il n'est jamais bon de savoir plus qu'on ne devrait. Le gouvernement est un gigantesque puzzle, et chacun de nous une petite pièce. Notre place est prédéfinie, marquée. La meilleure pièce est celle qui s'imbrique tranquillement dans son logement et aide à compléter le puzzle. Mais ne vous inquiétez pas. Ils finiront par trouver ce qu'ils sont supposés trouver. N'oubliez pas que le gouvernement n'échoue jamais, ne se trompe jamais. Le gouvernement a toujours raison. »

Je jetai un coup d'œil au dos du *Festin nu* sur l'étagère. Hathi Ram l'avait ignoré aujourd'hui. Burroughs aurait adoré Hathi Ram.

« Ils seront bientôt libérés, je suppose ?

– Pas si le gouvernement ne le souhaite pas.

–Vous allez lever ma protection policière ? »

Une ombre somnolait, allongée dehors, informe et débraillée, le froid museau du 9 mm contre son pubis.

« Pas si le gouvernement ne le souhaite pas.

– Je vous offre une autre tasse de thé, inspecteur ?

– Une tasse, c'est de l'amitié. Deux, c'est de l'intimité. Et donc toujours une régression. Amis, on peut discuter de grands sujets, de philosophie, des affaires du pays. Quand on est intimes, on parle de nos femmes, de nos patrons, du prix du lait et des légumes. Nous deviendrions de petits hommes obsédés par de petites choses. Alors plus de thé, mon ami. Plus de thé. »

Là-dessus, il recolla les deux moitiés de biscuit et mit le tout dans sa bouche.

Sara, bien entendu, était d'une autre école. Elle croyait aux intimités fulgurantes. À ses yeux, cela ne conduisait pas à la médiocrité mais permettait d'atteindre des sommets. Plus d'un an après la reprise du magazine par Kapoor sahib, elle n'avait rien perdu de sa détermination. Elle laissa tomber le moineau et engagea deux jeunes avocats proprets et bien rasés, qui se gominaient les cheveux et s'exprimaient d'un ton tranchant. Les quelques fois où je les croisai, ils fleuraient si bon l'eau de toilette que j'eus envie de les embrasser. Ils étaient désespérément amoureux de Sara et accouraient au moindre appel à son appartement de Vasant Kunj.

Sara connaissait la vérité. Sara avait découvert la vérité. Sara avait travaillé pour découvrir la vérité. Elle y avait consacré d'intenses heures et rencontré une foule de personnes.

Porte n° 3, à la prison centrale de Tihar, les gardiens la reconnaissaient. Elle obtenait un permis de visite sans discussion. Les autres avocats eux-mêmes lui avaient reconnu le droit inaliénable de parler avec leurs clients. Jamais elle n'avait paru plus redoutable. Elle s'était mise à porter un grand châle Naga tissé, à bandes noires, blanches et rouges, et orné de quelques lances entrecroisées.

« Je suis en guerre », m'expliqua-t-elle.

Quand elle sortait pour travailler, reine guerrière suivie de ses deux gominés parfumés, l'entremêlement des choses les plus improbables au monde était à son comble.

En apprenant que Hathi Ram voyait en Kabir M le cerveau de la conspiration visant à m'assassiner, elle ouvrit son châle Naga et renâcla comme un cheval prêt à partir à la charge. Je faillis me mettre à couvert en la voyant bondir du sofa pour se ruer dans sa chambre. Elle revint, les mains en coupe, et en versa le contenu sur le plateau de marbre de la table. Six petits poussins de bois. Les tailles variaient à peine. Elle les remit chacun d'aplomb et les aligna.

Je fredonnai :

« Six petits poussins s'en allèrent jouer, par les champs et les collines… »

Sara me foudroya de son mépris.

« Pauvre bigot imbécile. Ton Hathi Ram, que tu trouves si merveilleux, n'est rien qu'un abruti de policier de plus. Tu vois ces poussins ? C'est ce que fabrique le grand cerveau du complot. Kabir sculpte des petits poussins dans du bois de manguier ! Tu trouves ça dangereux, Mr Sarbacane ? La pègre ! Le pauvre garçon connaissait à peine sa grand-mère ! En fait, il ne connaît même pas son nom de famille ! Il écrit M. M pour… maltraité. Maltraité par ce pays, jour après jour, depuis sa naissance ! C'est vrai qu'il préfère rester en prison. Hathi Ram a raison. Il ne cherche même pas à être libéré sous caution. Mais ce n'est pas parce qu'il a peur de quelqu'un à l'extérieur. C'est simplement parce qu'il n'a personne dehors. Pour lui, la prison est un endroit plus rassurant, plus agréable, plus douillet. Tu peux le comprendre ? Il y a des gens qui ne peuvent pas supporter ton monde pourri ! Qui éprouvent le besoin de se cacher dans le premier trou venu, si sale soit-il.

– Je t'expliquais simplement ce que pense Hathi Ram. Je suis certain que Kabir est innocent.

– Pas innocent, siffla-t-elle. Lésé. Abusé. Abîmé. Brimé. » Elle marchait de long en large dans l'espace exigu entre le salon et la table de la salle à manger, son châle flottant sur ses bras comme les ailes d'un oiseau prédateur. « Quand il était adolescent, un policier l'a tabassé pour une faute commise par ses camarades. Là où toi, tu as un pénis, il ne lui reste qu'une petite boule de chewing-gum. Ils en ont fait de la bouillie. Depuis, il ne s'en sert que pour pisser. Ce garçon a fréquenté une école de missionnaires, où les curés chantaient "Écoutez la musique des anges dans le ciel" ! Essaie d'imaginer ce que lui ont fait subir les flics. Il a appris à sculpter le bois en prison, et il n'arrête pas. Tu penses que ces petites figurines sont dangereuses ? »

Je pris un poussin. C'était léger comme une plume. Les contours étaient lisses, le bec pointu. J'aurais dû en planter un entre les fesses de Kapoor sahib. Doux oiseau de pénitence : un gage d'amour de la part des sous-fifres.

Après une période de succès, pendant laquelle j'avais chorégraphié Sara avec le brio d'un maestro, j'avais de nouveau perdu la main. Je ne savais plus comment m'y prendre. J'ignorais ce qui suscitait son mépris et ce qui pouvait faire renaître le désir. Certaines remarques audacieuses de ma part avaient terminé en catastrophe.

« La police est incontrôlable », dis-je.

Elle explosa, son châle rouge et noir se gonflait d'un air menaçant.

« Pas seulement la police ! Tout le monde ! Tout ! Le pays entier est incontrôlable ! Tu sais ce que fait ton fameux cerveau ? Il simule de petits vols de voitures, se fait arrêter rapidement et retourne en prison ! Il est trop doux même pour provoquer un événement cataclysmique qui le mettrait à l'ombre pour toujours. Bêtement, son père l'a prénommé Kabir pour honorer la grande fusion de la culture hindoue-musulmane. L'imbécile aurait dû se douter que c'était le meilleur moyen pour que son fils se fasse malmener par les deux camps. Circoncis par les uns, broyé par les autres. Le pauvre garçon n'avait même pas un contrat pour te tuer. Il a juste accepté de conduire une voiture à Delhi, sans savoir pourquoi ni qui l'accompagnait. Quant à celui qu'ils appellent Chaku, il a été brutalisé étant enfant par des propriétaires terriens de haute caste, et a dû fuir pour sauver sa peau. Ensuite, Hathoda Tyagi… tu sais pourquoi ils l'ont surnommé ainsi ? Marteau ? Parce qu'il a dû se défendre avec un marteau le jour où des cousins ont violé ses sœurs à cause d'une affaire de partage de terres. L'histoire de Kaliya et Chini est tragique. Ils n'ont même pas un soupçon de famille. Ils ont grandi sur des quais de gare et survécu en volant des offrandes. Les voilà, tes redoutables assassins ! »

Du ton le plus neutre, sans bien comprendre où tout cela menait, je dis :

« La police déforme tout. »

Sara battit de ses ailes rouges et noires si vivement que je crus qu'elle allait s'envoler et fondre sur moi.

« Pas la police ! Pas uniquement la police ! Dis-moi qui crée les vraies distorsions ? Explique-moi ce que tu es censé faire ? Qui donne des ordres à la police ? Qui est supposé arrêter ceux qui donnent des ordres à la police ? Et les hommes qui donnent des ordres à la police, qui leur donne des ordres ? Je t'écoute ! Dis-le-moi !

– Tu as raison. »

Je ne savais pas où elle allait s'envoler. Elle portait sa longue jupe colorée du Rajasthan, ornée de petits éclats de miroir. Au-dessus, le corsage était couleur citron vert, sans manches, très délicat sur son torse gracile. Elle battait des ailes, dévoilant son ventre caramel. J'aurais pu la contempler toute la journée.

« Parle, je t'écoute, reprit-elle. Qui contrôle les hommes qui donnent des ordres à la police ? »

Sans sourire, interdit, je mis mes doigts en pointe sous mon menton et répondis :

« Où veux-tu en venir ?

– À Kapoor. Et aux buts qu'il poursuit. Ses désirs, au bout du compte, deviennent ceux de la police et des hommes qui contrôlent la police. Ce qu'il t'a fait, à toi et aux trois larbins, il le fait à tout le monde. Il est monstrueusement riche et peut obliger n'importe qui à le sucer ! »

Un instant, je crus que nous allions nous envoyer en l'air. Mais Sara était ailleurs, comme cela lui arrivait de plus en plus souvent ces temps-ci. Sa véhémence commençait à la gagner tout entière.

« Je pense que c'est beaucoup plus compliqué, Sara. C'est une danse complexe entre le pouvoir politique, la police et l'argent. Et nous aussi, bien sûr. La presse. »

Je me trouvai très bon. J'avais juste envie d'enfouir mon visage dans ce nombril caramel et ne plus jamais entendre un mot.

« Ce n'est pas compliqué ! renâcla-t-elle avec un battement d'ailes. Et ce n'est pas une danse ! Le pouvoir prétend que c'est une danse. La police et la presse aussi. La brute gavée de fric, elle, sait que ce n'est pas une danse. La brute gavée de fric sait que, foncièrement, c'est l'autre créature qui décide de tout, celle qui mène le reste du monde comme une chaîne de forçats. La brute gavée de fric te laisse dans ton illusion de la danse tant que cela lui convient. Et, quand l'envie l'en prend, elle te coupe les couilles. Souviens-toi de Kapoor. Vous cherchiez tous vos testicules partout ! »

Les trois rajas du prêt-à-porter, petites brutes du tiroir-caisse. Et les deux ignobles champions de la foi publique. Tous en quête de leurs cojones, sur la musique de Clayderman, au milieu des sirènes nues en larmes.

« C'était différent, dis-je. Une situation extravagante.

– Absolument pas. Ni différent ni extravagant. Partout dans le pays, il se passe la même chose ! La brute gavée de fric a coupé les testicules de tout le monde, du Kanyakumari au Cachemire. Kabir est en prison parce qu'un Kapoor sahib l'a voulu. Ou que certains des autres y soient. Kabir, le pauvre jobard, n'était que le chauffeur.

– Mais à quoi bon ?

– À quoi bon quoi ?

– À quoi bon une opération aussi sophistiquée pour jeter quelques pauvres types en prison ?

– Parce que les hommes sont tordus, labyrinthiques et sophistiqués ! Ils empruntent des routes tortueuses même pour obtenir des résultats simples. Il suffit de voir ce que vous êtes capables de faire juste pour baiser ! Même une brute gavée de fric ne peut pas simplement ouvrir la porte d'une prison pour y jeter les gens. Souviens-toi comme Kapoor vous a fait lanterner pendant des mois. Il y a peut-être des facteurs en jeu dont nous n'avons pas idée. Comment le saurais-je ? Suis-je Interpol ? »

Non, ma douce. Tu es un tendre oiseau de paradis volant sur une ligne de coke.

« Donc, résumai-je, Hathi Ram et toi êtes du même avis. Selon vous, il n'y avait pas de vrai contrat pour m'assassiner. Ces types se sont fait piéger pour une raison que nous ignorons. »

Le tendre oiseau de paradis émit un cri strident.

« Non ! Hathi Ram et moi ne sommes pas du même avis ! Lui pense que ce sont des criminels purs et durs et qu'ils méritent leur châtiment. Et moi, tu sais très bien ce que je pense ! »

Non, folle sorcière, je ne sais pas ! Je me fiche désormais de ce que les autres pensent. J'ignore qui a commandité les tueurs. Un politicien quelconque, le Pakistan, la police, un personnage très riche. Ou les assassins eux-mêmes, sous le coup d'une joyeuse impulsion. J'ignore aussi pourquoi. Je me réjouis simplement qu'on les ait arrêtés à temps, qu'ils soient derrière des barreaux depuis trois ans et que personne n'ait envie de les en faire sortir. Il se peut que tu aies raison, qu'ils soient des anges, mais je préfère ne pas mettre cette hypothèse à l'épreuve ni les voir se promener en liberté, cherchant de nouveau à me faire la peau !

« J'espère que tu vas réussir à les faire sortir », dis-je.

Son nombril caramel incitait à l'hypocrisie.

En rentrant chez moi, je conclus que je devais accepter le fait que la courbe de notre relation était en chute libre. Toutes nos rodomontades devenaient insupportables. Les derniers mois avaient été insipides, nos échanges se terminant non pas dans une prometteuse crucifixion, mais par ma fuite fatiguée. Je devais imaginer un moyen de clore ce chapitre de ma vie, devenu une intrigue banale. Je ne savais plus pourquoi je venais voir Sara, et je ne pouvais pas rester loin d'elle. Une fois où j'avais réussi à m'abstenir pendant une semaine, elle m'avait envoyé deux messages impertinents et j'avais accouru. Elle m'avait accueilli nue. Depuis ce jour, sonner à une porte est à jamais devenu pour moi un instant serre-burnes.

Avec le temps, j'eus le sentiment d'être devenu un jouet. Sara voulait réparer le monde, cela ne faisait aucun doute. Pour aller à la prison, au tribunal, voir les avocats, jour après jour, semaine après semaine, mois après mois, année après année, il fallait être soit dément soit très motivé ! Dans son cas, c'était probablement les deux. Peu à peu, je m'étais convaincu que je n'étais plus qu'un accessoire dans son grand projet pour l'univers. L'arbre en carton-pâte autour duquel elle jouait ses coups, l'homme qui procurait les assassins, qui fournissait un mobile. Certains jours, j'avais la sensation que la passion elle-même était fabriquée, comme un élément de théâtre, la véritable intrigue se jouant en dehors de la scène. Hormis la démence et l'idéalisme, je ne voyais pas d'autre explication.

Il m'apparut que notre relation ne serait tranchée qu'une fois le sort des assassins réglé – une fois qu'ils seraient disculpés, jugés, tirés d'affaire.

Jusque-là, au mieux, il me restait à espérer qu'elle m'ouvrirait sa porte nue.

Guruji ne portait que son dhoti, malgré le froid vif. On était fin février. C'était le soir, quelques minutes avant que le rouge du ciel ne vire au gris sombre. De la terrasse du dera, les champs alentour formaient une mer d'un vert lumineux. Dans deux semaines, les blés commenceraient à se teinter d'or. Parmi les vagues de vert étincelaient les fleurs délicates de moutarde, pareilles à des taches de soleil. Le meuglement des bêtes flottait dans l'air, des volées d'oiseaux passaient en tous sens en criaillant.

Guruji était sur son charpoy, ses longs cheveux caressant ses épaules osseuses, ses jambes maigres repliées sous lui. Tout autour, sur le dhurrie de sol, étaient assis des hommes du village et deux ou trois femmes, emmitouflés dans des châles et des couvertures, venus confier leurs chagrins et recevoir ses bénédictions.

Assis dans un coin, j'observais les dévots approcher un à un à ses pieds pour lui murmurer leurs malheurs. Il les écoutait, la tête penchée, puis il énonçait sa sagesse à voix haute afin que tous en profitent. Une fois sa prescription formulée, il tendait la paume pour recevoir la pièce qu'il avait donnée lors de la visite précédente, la mettait dans un mince cylindre de métal posé près de lui, secouait vigoureusement le cylindre pour que le cliquetis des pièces flotte à travers champs, rouvrait le couvercle, en sortait une autre pièce, la pressait contre son front, puis la plaçait dans la main du disciple. Le service telecom spécial Guruji. Le cylindre en métal vert était un emboîtage de whisky Glenfidish. Au fil des ans, toutes sortes de récipients avaient fait leur apparition, y compris des boîtes de biscuits Dundee. Un maître spirituel transformant l'eau en vin et le papier en pain.

Après le départ du dernier dévot, les champs étaient plongés dans le noir et la conversation des chiens avait débuté. Derrière le charpoy, Bhura s'agenouilla sur le sol et massa les jambes décharnées de Guruji. Une grande timbale en cuivre remplie de lait chaud avait été apportée pour le maître. Ce serait son repas. On m'en servit une plus petite, en fer-blanc brûlant. Ça sentait bon le lait fraîchement tiré.

Guruji but une gorgée et me dit :

« Tu es encore malheureux ? Pourquoi ?

– Je ne vois rien qui pourrait me rendre heureux.

– Regarde autour de toi. Le blé mûrit, les étoiles brillent, les vaches donnent du lait, la brise est fraîche. Regarde-toi. Tu es vivant, tes membres bougent, tes yeux voient, tes oreilles entendent, tu as un toit sur ta tête, une voiture pour te déplacer, une femme dans ta cuisine, et de l'argent dans ta poche. Ça n'est pas assez ?

– Vous savez, Guruji, les hommes ne vivent pas seulement avec ça. Les hommes ont besoin de plus.

– Ce n'est pas un besoin, mon fils. C'est un désir. Et il n'y a rien de mal à désirer. Quand tu entres dans une boutique et achètes trois savons au lieu d'un, tu paies pour trois, n'est-ce pas ? Toutes les transactions de ta vie sont semblables. Plus tu désires, plus tu paies. Les gens reviennent du marché en se plaignant d'avoir trop dépensé. Mais, au départ, c'est qu'ils ont trop désiré. Ton amie, cette femme qui te donne du souci, tu la désires avec force, n'est-ce pas ?

– Je n'en suis plus très sûr.

– Ne te laisse pas retenir par tes fantômes. Désirer est une bonne chose, mais il est bon aussi d'avancer. Le mouvement, comme le désir, est l'essence même du monde. Tout doit être en état de mouvement perpétuel. Le soleil, la lune, les étoiles. L'air, l'eau, la terre. Les hommes, les animaux, les germes. Tout doit être dans un flux. Et de même que tu paies le prix de ton désir, tu paies un prix pour le mouvement. Celui-qui-sait-tout est aussi le comptable le plus perspicace de l'univers. Il maintient l'équilibre parfait de la balance entre les gains et les pertes. Ne crains pas les pertes. Au bout du compte, à la toute fin, l'équilibre sera rétabli. Jusque-là, le voyage se poursuivra. Finalement, tout le monde terminera au même endroit, chacun avec son bilan équilibré. La seule différence sera le chemin emprunté pour y arriver. Ce n'est pas la destination finale qui fera la différence entre nous, mais la qualité du voyage. Les choix que nous faisons, les chemins que nous prenons. C'est le miracle du libre choix. C'est le miracle des hommes. L'opportunité n'est pas de faire moksha, l'opportunité c'est de vivre. La moksha est la même pour tous, et chacun y accédera un jour ou l'autre. Mais la vie est discrète, multiple et différente ; c'est notre luxe et notre cadeau. Alors, mon fils, ne crains pas de désirer, et ne crains pas d'avancer. »

Oui, c'était bien la raison qui me poussait à revenir ici, pensai-je en regardant le clair de lune inonder les champs de blé. Quelques pilules cosmiques qui donnaient un sens à toutes ces foutaises. Une bonne rasade de Vedanta. Si seulement je pouvais convaincre Mrs Terminator d'essayer une fois. Elle découvrirait qu'il existe un dessein derrière la Constitution de l'Inde et le Code pénal.

« Guruji, je ne connais toujours pas la vérité sur les hommes qui ont été arrêtés et mis en prison. Même aujourd'hui, trois ans après, les scénarios divergent. »

Guruji, qui était allongé sur le côté, se redressa, les jambes croisées sous lui, et Bhura se mit à lui pétrir la nuque et le dos.

« Ces hommes ne te tracassent que parce qu'elle se soucie d'eux, n'est-ce pas ? Tu les aurais oubliés si elle ne cessait de te harceler à leur sujet. Crois-moi, elle n'arrêtera pas. C'est son karma. Les hommes commettent la grande erreur de penser que le karma de la femme tourne autour de son homme. En vérité, le karma d'une femme est beaucoup plus complexe que celui d'un homme. Il y a les enfants, les parents, les domestiques, la belle-famille, la guerre incessante contre les petites injustices de ce monde, les petits animaux et les petites gens, le silencieux effondrement des murs, la compassion tranquille. Il leur faut être la voile qui capte le vent de la bonne fortune, le coussin qui amortit la chute d'un destin brutal, le cataplasme sur la plaie, la pilule contre la maladie. Par contraste, le karma des hommes se réduit à la poursuite de l'argent et du pouvoir, dont l'accumulation ne connaît pas de limites. C'est pourquoi la plupart des hommes considèrent leur vie comme un échec, tandis que les femmes poursuivent leurs efforts. »

J'acquiesçai et attendis la suite.

Il posa les mains sur le cadre en bois du charpoy et se souleva lentement, en gardant sa position assise, les jambes croisées sous lui. Les veines de ses bras filandreux se gonflèrent. Il redescendit doucement, puis recommença l'exercice une demi-douzaine de fois.

« Comprends, mon fils, que cette femme n'arrêtera jamais, reprit-il, légèrement essoufflé par sa démonstration jogique. Tu as deux options : aller jusqu'au bout de la route qu'elle a choisi d'explorer, ou en choisir une autre. Et n'oublie pas que ce n'est pas toi qu'elle cherche mais ses propres réponses. Le travail du guru consiste à indiquer les nombreuses voies possibles, non à dire laquelle prendre. C'est à celui qui cherche de décider. Et l'un des chemins est le mouvement. Il faut resserrer le cordon de ton pajama et avancer. »

Comme il présentait bien les choses. Autrement dit, fermer sa braguette et partir en courant.

« Si je vais jusqu'au bout de la route qu'elle a prise, que trouverai-je, Guruji ?

– Exactement ce que tu as trouvé au départ. Cinq hommes payés pour te tuer. Et une femme qui veut, pour des raisons personnelles, faire d'eux ce qu'ils ne sont pas.

– Donc, il n'y a aucun doute. Ce sont tous des assassins ?

– Tu parles comme si le monde n'avait jamais vu d'assassins auparavant. Qu'étaient les grands rois ? Que sont les grands leaders d'aujourd'hui ? Des hommes envieux ont tué, et aussi des saints. Ces hommes sont des assassins, mais ils ne sont pas méprisables. Leur mobile n'est pas l'argent, ni la sainteté, ni la gloire, ni la fortune.

– Expliquez-moi ce qu'ils sont. »

Guruji sourit :

« Tu devrais peut-être aller au bout de cette route pour le découvrir. Les objectifs des hommes sont souvent identiques, pas leurs mobiles. Mon seul souci était ta sécurité. Eh bien, tu es sain et sauf, et tu le resteras. Ils ont manqué l'occasion de te tuer et elle ne se représentera plus.

– Donc, je n'ai plus besoin de gardes du corps ?

– C'est au gouvernement d'en décider, pas à un homme de foi. Mais oui, en effet, si quelqu'un a quelque chose à craindre, ce sont tes assassins, pas toi. Ils ne sont que des marionnettes au bout d'un fil, et leur marionnettiste risque de se désintéresser d'eux. »

J'avais du mal à le suivre. Je fis une dernière tentative.

« Mais avec elle ? Que dois-je faire ? »

Guruji posa les mains sur le sol en brique de la terrasse et, d'un mouvement fluide, il se hissa à l'envers, les chevilles serrées, les orteils pointés vers les étoiles. Ses cheveux coulèrent sur ses doigts écartés et le dhoti blanc se tassa entre ses cuisses. C'était une asana parfaite ; à peine un tremblement parcourut son corps. Si Sara nous avait vus à cet instant, dans cette position, lui la tête en bas, son visage presque au même niveau que le mien, elle aurait poussé un hurlement à transpercer le ciel.

« Je t'ai toujours dit qu'il vaut mieux faire en sorte d'être la bouche plutôt que la mangue, dit Guruji. La mangue est bonne mais c'est la bouche qui savoure. Quelle que soit la perfection du fruit, c'est la bouche qui le mange, lentement ou rapidement, ou pas du tout. J'espère, mon fils, que tu n'as pas fait de cette femme la bouche. Pour moi, qui suis à l'envers, je trouve judicieux que tu resserres le cordon de ton pajama et que tu avances. Qui sait, il est peut-être temps pour toi aussi de te mettre sur la tête pour voir les choses sous un autre angle. »

Se mettre sur la tête.

Fermer sa braguette et partir en courant.

Au crépuscule, le château de Kafka avait un air impénétrable et troublant, exactement comme à notre dernière visite. La sentinelle sur son piédestal jouait toujours avec son téléphone portable, et la cabine d'ascenseur décollait avec une trépidation à vous donner une syncope. Seule différence : Jai ne m'accompagnait pas. Je me perdis dans le dédale de couloirs, de portes et de cloisons en carton-pâte, et je dus téléphoner à Dubeyji pour qu'il vienne me chercher. La moustache du sous-inspecteur était toujours aussi hérissée qu'une queue d'écureuil sous son nez de rongeur. Il arborait une chemise saharienne crème, plusieurs maulis élimés à son poignet, un médaillon autour du cou, et une expression enjouée. Comme la dernière fois, nous nous assîmes dans son bureau placard avec la fenêtre meurtrière anti-suicide, nos genoux en contact sous la table.

Le dossier d'instruction était enfin prêt et sur le point d'être enregistré, et Dubeyji m'avait proposé de venir le lire, en précisant que je n'y étais pas obligé. Hathi Ram, à qui j'avais demandé par téléphone ce qu'il en pensait, m'avait répondu : « Allez-y et lisez le dossier attentivement. Ces gens sont de vrais flics qui mènent de vraies enquêtes, pas des machinistes à cent roupies plantés aux feux rouges comme nous ! » Sara avait ricané : « Ha ! Un dossier d'instruction ! Ça doit être cocasse de lire le dernier roman du créatif atelier d'écriture du gouvernement ! » Et Guruji, la tête à l'envers ou à l'endroit je l'ignorais, m'avait encouragé : « Bien sûr il faut y aller. La vérité revêt plusieurs formes. Tu dois connaître toutes les vérités pour connaître l'unique vérité. »

Dubeyji tapota son attaché-case en Skaï brun posé près de sa chaise et me demanda, la moustache frémissante et les yeux brillants :

« Voulez-vous le lire, ou préférez-vous que je vous en fasse le résumé ?

– Je vous écoute.

– C'était vrai. Vous ne saviez rien.

– Je vous l'ai dit. »

Un sourire découvrit ses dents de rongeur.

« Nous ne sommes pas payés pour croire ce que vous nous dites. Mais pour découvrir la vérité.

– Toujours ? dis-je avec un sourire de cadavre.

– Toujours. Pour découvrir la vérité, toujours. Mais pas toujours pour la révéler. La révélation ou non-révélation de la vérité relève de la décision de nos supérieurs. La nation est une entreprise vaste, complexe et glorieuse. Toute vérité qui ne cadre pas avec est dangereuse, antinationale, et n'a pas le droit d'exister. »

Il ne souriait plus et sa moustache était immobile.

« Ce que vous allez me raconter… c'est la vérité ?

– Je le crois. »

Il sortit un dossier marron de son attaché-case et l'ouvrit. À l'intérieur, il y avait une liasse de papiers ficelés ensemble. Sur le rebord de la meurtrière était posée une gamelle en fer-blanc bon marché. À côté, pliée en deux, une serviette à main rose et blanche. Et, encore à côté, dans le seul espace vacant, une grosse bouteille de rhum Old Monk transformée en vase, avec deux brins défraîchis de monnaie-du-pape. J'étais prêt à parier que, dans son portefeuille, Dubeyji conservait une photo de sa mère et une image de la déesse Lakshmi. Quand il rentrait chez lui, dans sa boîte en béton de fonction, sa femme devait le harceler avec les frais de scolarité et le prix des légumes, sans soupçonner qu'il aidait à soutenir la nation.

Il renifla bruyamment sa moustache à deux reprises, baissa les yeux sur ses papiers, et commença :

« Le cerveau et le chef de l'opération destinée à vous assassiner est le dénommé Hathoda Tyagi. C'est un criminel endurci et un tueur à gages originaire de l'Uttar Pradesh, mais qui opérait surtout dans la région de Chitrakoot. » Il leva les yeux et sourit. « Beaucoup de gens de son espèce vivent dans des lieux saints. Ils croient sans doute qu'un bain quotidien dans le Gange les lavera de leurs péchés.

– Mais pourquoi ? Vous le savez, à présent ?

– Pour l'instant, je vous expose le comment. Ensuite nous tenterons de comprendre le pourquoi. Je continue ?

– Bien sûr.

– Cet homme – presque un adolescent – ne travaille pas seul. Il opère pour les chefs de la puissante mafia de l'Uttar Pradesh et du Bihar, et il a la réputation de ne jamais manquer son coup. Sa spécialité, apparemment, est le curry de cervelle. À ses débuts, il se servait d'un marteau. Maintenant, il utilise des armes à feu sophistiquées. L'identification de ses victimes prend des jours, des semaines. D'après nos informations, il a été envoyé à Katmandou, au Népal, afin de prendre le contrat auprès de l'homme qui l'emploie – un puissant chef dacoit qui a des relations politiques appelé Donullia Gujjar. Le 16 février, il y a quatre ans, le jeune homme gagne Katmandou par la route, dans une Maruti 800, et séjourne dans la maison d'un homme d'affaires local, un certain Sher Singh Thapa, importateur de vêtements et d'électronique. Une semaine plus tard, ils rencontrent deux individus dénommés Sulaiman et Qayoom Ali, pakistanais tous les deux, agents de l'ISI. Ils demeurent tous ensemble dans la maison pendant une semaine. C'est à ce moment que l'opération est planifiée. Nous savons que les deux Pakistanais ont remis à Hathoda Tyagi une avance de cinq cent mille roupies[1], et une caisse comprenant quatre AK 47, quatre AK 56, une douzaine de pistolets, ainsi que dix grenades et deux gilets pare-balles. Il devait toucher encore sept cent mille roupies une fois le contrat exécuté. »

Un homme froid au crâne dégarni apparut dans l'entrebâillement de la porte et nous tendit deux verres de thé. Dubeyji avala le sien d'un coup avec un soupir de plaisir. Puis il renifla bruyamment sa moustache et reprit :

« Après le départ des deux Pakistanais, Hathoda Tyagi reste encore une semaine à Katmandou. On ne sait pas exactement

1. Environ huit mille euros. *(N.d.T.)*

pourquoi. Probablement pour préparer le passage des armes de l'autre côté. Ce qu'on sait, en revanche, c'est qu'il n'a pas quitté la maison de tout son séjour. Il n'a fait aucune promenade, visité aucun temple, n'est allé dans aucun restaurant et n'a pas mis les pieds dans le quartier chaud. Un type du coin, un certain Naik – probablement un ancien militaire – lui a rendu plusieurs visites. Nous pensons que c'est lui qui a organisé le transfert des armes de l'autre côté de la frontière. »

Dubeyji se leva, posa son pied gauche sur le droit, croisa ses mains au-dessus de sa tête, ferma les yeux, et s'étira. Il ne ressemblait pas à Shiva. Juste à un fonctionnaire du gouvernement à l'esprit tordu.

« Si vous touchez des pots-de-vin aux feux rouges, vous avez les membres exercés, reprit-il en se rasseyant. Mais quand vous restez sans bouger dans ce trou, vous avez besoin de faire quelques asanas pour favoriser la circulation du sang. »

Il aurait dû rencontrer Guruji la tête en bas, sa moustache plantée dans ses narines.

« Peu de temps après le contrat passé à Katmandou, les quatre autres tueurs sont contactés. Ils restent vagues sur les détails. Quelqu'un les a appelés pour leur demander de se présenter pour une mission. Évidemment, ils ne connaissent pas son vrai nom. Détail intéressant, aucun des autres n'a nommé Hathoda Tyagi comme étant la personne qui les avait contactés. En revanche, tous les quatre déclarent s'être sentis à la fois honorés et terrifiés en apprenant qu'ils allaient travailler avec lui.

– Savaient-ils dans quel but on les engageait ?

– Selon eux, ils ignoraient que c'était pour un meurtre et pensaient participer au casse d'une bijouterie. Ils mentent.

Chacun d'eux a été choisi pour une tâche spécifique. Kabir, le musulman, était le chauffeur. Il avait pour tâche de voler le véhicule utilisé pour l'assassinat, et un autre pour leur fuite. Chaku, qui connaît bien Delhi, devait servir de guide. Les deux drogués, Kaliya et Chini, étaient les tueurs de secours. Après le meurtre, il était prévu qu'ils se séparent. Kabir volerait une petite Maruti, et il disparaîtrait avec Hathoda Tyagi dans les badlands de Meerut et Muzzaffarnagar. Les drogués iraient à la gare prendre un train pour une destination lointaine, et y resteraient planqués pendant des semaines ou des mois. Pour Chaku, il n'y avait pas de problème. Il trouverait refuge auprès de ses protecteurs politiques. Et vous, après votre crémation, vous iriez à Indralok, où des apsaras vous attendraient pour danser le bharatanatyam devant vous. »

Je le regardai en souriant, en me disant que sa moustache était peut-être fausse et que je devrais la lui tirer pour le rendre plus réel.

« Et alors ? Que s'est-il passé ?

– Ce qui se passe toujours. L'homme propose et Dieu dispose. Mais nous n'en sommes pas encore là. Reprenons le fil. Début avril, les cinq tueurs se retrouvent dans les environs de Gorakhpur, dans une maison appartenant à un commerçant-trafiquant-politicien local du nom de Pandit. La maison est cernée de champs que traverse une voie ferrée. De nombreux trains ralentissent sur cette portion de voie pour laisser charger et décharger des hommes et du matériel. On ne peut pas arrêter Pandit car la maison est benami. Autrement dit, elle a été achetée par un prête-nom. Le terrain aussi est benami. Si on s'engage dans cette procédure, il y en a pour dix ans et d'ici là vos tueurs seront sans doute morts.

– Ce Pandit faisait partie du complot ?

– Non, répondit Dubeyji en plissant son nez de rongeur. Nous pensons que, dans le cas présent, il était simplement un hôtelier qui fournissait une salle pour leurs réunions. Comme les hommes d'affaires, les criminels ont aussi besoin de salles de conférences. Celle de Pandit est l'une des meilleures de toute la région. De nombreux sommets nationaux et internationaux sur le meurtre, le trafic d'armes et de drogue, se tiennent chez lui. Impossible de réserver une salle si on ne connaît pas le propriétaire des lieux, ou quelqu'un qui le connaît. Et on ne peut pas l'arrêter parce que tout est benami, et que cela prendrait des années.

– C'est le gouvernement qui vous fournit les dialoguistes ?

– Pardon ?

– Quand cela s'est-il passé ?

– Peu après que Kabir, le musulman, soit parti pour Patna avec les deux camés, pour revenir quelques jours plus tard avec une Sumo volée. La semaine suivante, des hommes de Pandit sont venus de la ville maquiller la voiture, changer la plaque d'immatriculation, et souder un containeur d'un mètre vingt de long sous la banquette arrière. Seuls un AK 56, deux AK 47 et quatre pistolets pouvaient y loger. Le reste des armes, ils l'ont laissé chez Pandit. Chaku – le politique de la bande – avait apporté quelques jolies photos de vous, découpées dans des magazines. Il avait aussi un plan de votre quartier, avec votre maison encerclée au stylo vert. On a tout retrouvé sur eux. Le plan prévoyait d'abord un arrêt dans la banlieue de Delhi, à Ghaziabad, où ils laisseraient la Sumo. Ensuite, un repérage de votre quartier. Ils sont venus à trois : Chaku, le musulman, et Hathoda Tyagi, en auto-rickshaw. Ils sont passés devant votre maison et en ont fait le tour. Vous avez un chien borgne ? »

Je sentis mon ventre se nouer.

« Oui.

– Ils ont joué avec le chien et lui ont donné des biscuits. Deux jours plus tard, en venant effectuer une deuxième reconnaissance, Hathoda Tyagi lui a apporté de la viande. À partir de cet instant, apparemment, quelque chose a mal tourné. Une dispute a éclaté. Le coup était prévu le 6 mai et a été reporté au 9. Puis finalement au 14. Nous le savons par les services spéciaux de la police de Delhi qui avaient mis le téléphone portable de Chaku sur écoute. Du moins celui qu'il utilisait pour ce travail. À propos, sachez que la police vous couvrait déjà à ce moment-là. Depuis le 4 mai, exactement. Vous vous en étiez aperçu ?

– Non. Pas du tout. »

Sans se lever, Dubeyji reprit sa posture de yoga, les mains au-dessus de la tête, pour s'étirer.

« Ils étaient plus de vingt ! Plus de vingt policiers nuit et jour pour vous sauver la vie ! Vous croyez qu'on leur en est reconnaissant ? Si vous aviez heurté un cochon sur la route et été blessé dans la collision, tout le monde aurait accusé la police de mal faire son travail, ou de toucher des pots-de-vin, ou de détruire le pays. Que peut la police contre un accident de cochon sur la route ? En revanche, quand ils risquent leur vie pour vous protéger de cinq assassins, ils n'ont pas droit à un seul compliment. »

Je m'efforçai de prendre un air solennel. Les auréoles de sueur sur sa chemise étaient larges comme des escalopes. Il abaissa ses bras et fit rouler ses épaules avant de poursuivre.

« Le 14 mai, à sept heures du matin, un agent de la circulation posté à un feu rouge près du temple d'Akshardham arrête une Sumo blanche pour vérification. L'agent demande au conducteur – le musulman – de descendre de voiture et de montrer ses papiers. Vingt policiers, pour la plupart des membres des services spéciaux, se trouvent alors dans cinq véhicules stationnés alentour. Tous armés, et un seul en uniforme. Dès l'instant où leur informateur confirme qu'il s'agit bien d'Hathoda Tyagi et de ses coéquipiers, deux Gypsy viennent se coller devant et derrière la Sumo, tandis que l'agent de la circulation empoigne le musulman. Tout se déroule en dix minutes. Les deux camés et Chaku crient leur innocence, et prétendent avoir fait du stop à Ghaziabad. Le musulman et le tueur ne disent rien. Les choses en sont restées là. Les deux muets ont continué de garder le silence, et les trois bavards n'ont pas cessé de changer de version. Depuis qu'ils sont en prison, ils ont repris leurs habitudes. Les camés, Chini et Kaliya, sont déjà à la tête de la mafia de la drogue qui sévit dans la prison. Ils semblent heureux. Ils jouent au billard, au tennis de table, et passent leur temps ensemble. Hathoda Tyagi est un solitaire invétéré, mais tout le monde le craint. Même la mafia. Parfois, il protège certains des prisonniers les plus faibles. Les relations de Chaku lui permettent de mener la belle vie. Il ne manque de rien : argent, cigarettes, nourriture, et même du whisky. Les gardiens le traitent bien. Le musulman est le plus étrange de tous. Il connaît un peu l'anglais et il aide les détenus à remplir leurs demandes. Mais, la plupart du temps, il travaille tranquillement à l'atelier de menuiserie, où il sculpte de petits poussins en bois. Il y en a assez pour peupler un élevage de volailles. » Il s'interrompit un moment avant d'ajouter : « Mais ce sont tous des salauds minables. De la racaille.

– Mais qui voulait m'éliminer, Dubeyji ? Que dit votre dossier d'instruction ?

– Le Pakistan.

– Le Pakistan ?

– L'ISI. Les services secrets. Ils sont plus puissants que leurs politiciens. Plus puissants même que leur armée. L'ISI veille sur l'intérêt national. L'ISI comprend ce qu'est l'intérêt national. Ce n'est pas comme chez nous. Ici, les services secrets sont comme un chien en laisse à qui n'importe quel petit fonctionnaire peut botter le cul. Si nous avions les mêmes pouvoirs que l'ISI, nous pourrions nettoyer le pays. Nous débarrasser de toute la vermine, de tous les salauds, comme ceux qui ont lancé un contrat contre vous. »

Et rendre toutes les fenêtres anti-suicides, et installer partout un dédale de cloisons en carton-pâte afin d'obliger tout le monde à passer sa vie à ouvrir et fermer des portes sans jamais arriver nulle part, et donner une fausse moustache à chacun pour qu'il l'agite sous le nez de son voisin.

« Mais pourquoi ? insistai-je.

– Pour déstabiliser notre gouvernement. Notre pays. Engendrer le chaos. »

Je songeai à Jai et au discours géopolitique qu'il aurait pu tirer de ça.

« Pourquoi ?

– L'ennemi est rusé, motivé et implacable », répondit-il sans la moindre trace de légèreté dans la voix. Dubeyji utilisait de plus en plus le hindi, à présent. La colère avait chassé en lui les mondanités de l'anglais. « L'ennemi saisit toutes les occasions de frapper. Comme il ne peut pas nous abattre d'un coup, il cherche à nous vider de notre sang par une multitude de blessures. Les autres imbéciles de journalistes, avec leurs caméras-espions, qui mettent la pagaille au ministère de la Défense, eux aussi ont un contrat sur eux ! Qui veut les tuer ? Oui, vous avez deviné ! Et pourquoi ? Bingo, vous avez encore deviné. Vous tous, habitants de notre grand pays, vous vivez dans un rêve d'innocence. Pendant ce temps, tandis que vous regardez bêtement un film ou un match de cricket, l'ennemi travaille, il sectionne vos artères, cisaille vos muscles, injecte du poison dans votre corps, sème des explosifs sous vos pieds, creuse la terre pour qu'elle s'effondre sous vos pas. Vous tous – pas vous personnellement, mais votre espèce –, vous remplissez les journaux de tant de boue que personne ne peut jamais voir le vrai tableau. Même quand une bombe explose sous nos fesses, certains y voient le contre-ut d'une comédie musicale. Je peux vous assurer que l'ennemi est aux anges. Il a du mal à croire à autant de stupidité de notre part. Hindustan, bada mahaan, Mu mein beedi, haath mein paan. »

Dubeyji avait vraiment besoin que quelqu'un l'emmène au multiplex le plus proche, le colle devant un grand écran et lui plonge son nez de rongeur dans un cornet de pop-corn.

« Je peux avoir une copie du dossier d'instruction ?

– Plus tard, répondit-il en posant une main dessus. C'est encore confidentiel. »

Je levai les yeux sur l'affiche vert vif accrochée au mur. Les petits esprits discutent des gens. Les esprits moyens discutent des événements. Les grands esprits discutent des idées. Les esprits supérieurs travaillent en silence.

« J'aimerais savoir, dis-je.

– Un jour, vous saurez. Ne vous inquiétez pas. Nous nous occupons de tout.

– Il s'agit de mon assassinat.

– C'est sans importance. »

Pas mal, me dis-je un jour. J'ai réussi. Je n'avais pas revu Sara depuis près d'un an.

J'avais suivi le conseil de Guruji : j'avais remonté ma braguette et j'étais parti en courant. J'avais aussi fini par considérer, comme le rongeur du château, que tout cela était sans importance. En fait, m'éloigner de Sara s'était révélé plus facile que je ne l'avais imaginé. Au début, quand le besoin de la voir me submergeait, j'enfilais mes tennis et je courais autour du parc du quartier comme Forrest Gump, jusqu'à ce que les enfants finissent par me montrer du doigt, jusqu'à ce que le martellement de mes pieds sur le sol me vide la tête, jusqu'à ce qu'il ne me reste plus rien à faire que rentrer m'effondrer chez moi.

Nous continuions de nous envoyer des messages, mais j'en effaçais tout esprit ludique et m'en tenais à l'information de pure forme. Sara mit un certain temps, je pense, à s'en apercevoir, trop tournée sur elle-même pour remarquer le changement. Puis, un jour où je m'excusais une fois encore de ne pas aller la voir, elle comprit. Je reçus une enveloppe contenant une feuille de papier ministre pliée comme une carte. Il y était dessiné deux œufs fendus et dégoulinants. Dessous, elle avait écrit : Conte des testicules percés. En sous-titre : La passionnante histoire de cinq assassins et d'un tireur de sarbacane. Sur la page intérieure, elle avait collé une image de la déesse Lakshmi, tous ses bras en action, les yeux étincelant de fureur, la guirlande de têtes décapitées autour de son cou resplendissant. En signature : Sara, Ton Humble Décoration Murale.

Kali, Mahakali, Inder ki Beti, Brahma ki Saali, Tera Vaar Jaaye Khali.

Je ne savais pas si c'était une provocation, comme autrefois, ou un véritable congé. Je fus tenté de riposter, de déclencher la spirale qui aboutirait à une symphonie d'insultes contre le mur. Mais je m'abstins et, lentement, son emprise magnétique sur moi s'estompa au point que, certains jours, Sara ne s'imposait plus à mes pensées.

Quelqu'un me donna l'adresse d'un salon de massage à Lajpat Nagar, situé au deuxième étage d'un immeuble du marché, au-dessus d'une boutique vendant des ustensiles de cuisine et de la vaisselle en porcelaine. Dans l'escalier, il y avait des posters de dieux, de déesses, et d'un Jésus bleu vif sur la croix. L'une des six filles du salon était couleur chocolat amer. Elle n'avait que de rares clients. Les filles étaient assises en rang sur des chaises en plastique, les hommes entraient, choisissaient les plus claires de peau, et les emmenaient dans les petites cabines alignées dans le couloir, tandis que chocolat amer brodait des oiseaux et des arbres dans un cadre en bois. Je ne prenais qu'elle. Je ne lui ai jamais demandé son nom, jamais parlé. Elle avait les cheveux frisés, la peau ferme et brillante. Et ses mains, plongées dans l'huile, lui gagnaient son grand karma. Dans une prochaine vie, elle était assurée de naître princesse.

Le salon de massage fut pour moi une vraie découverte. Une ou deux fois par semaine, je pouvais m'y rendre et me réconcilier avec le corps. Je m'étonnais de n'avoir pas expérimenté plus tôt ce genre de relation charnelle. Plus honnête, moins névrotique que tout ce que j'avais connu. Le corps force en permanence à mentir. C'était un moyen d'éviter le mensonge. Avec le jogging obsessionnel, cela me permettait d'affronter les moments où Sara envahissait ma tête.

J'avais également écouté le conseil du rongeur et cessé de penser aux tueurs. Sans la voix pénétrante de Sara dans mon oreille, ce fut assez facile. À l'époque, je reçus une dernière visite d'Hathi Ram. Son temps dans la police touchait à sa fin.

Il retournait dans son village de l'Haryana, retrouver le cri du coucou de son enfance, les champs verdoyants, la fumée du feu de bois, les gouttes de pluie réveillant les senteurs de la terre. Assis dans mon petit bureau, Hathi Ram caressa *Le Festin nu* et me dit :

« Jusqu'à la fin de ma vie, je vais continuer de jeûner le lundi. Je dois expier trente-deux ans de mensonges de policier. Shiva est le plus aisé à satisfaire, et Shiva sait que j'étais obligé de faire tout ce que j'ai fait. Shiva sait que le monde doit être continuellement créé et détruit par la pratique du bien et du mal, et que même ceux d'entre nous qui faisons le mal, jouons simplement le rôle qui nous est imparti dans le drame de l'univers. »

D'un signe de la tête, je désignai l'ombre dressée près du portail de la maison et demandai :

« Combien de temps encore ?

– Je ne sais pas.

– Ai-je vraiment besoin de lui ?

– Je ne pense pas.

– Alors pourquoi ?

– Je ne sais pas.

– Qui le sait ?

– Ça ne vaut même pas la peine de le découvrir. Croyez-vous que nous sachions toujours d'où viennent les ordres ? Ne vous sentez pas coupable d'avoir un garde du corps. Prenez cela comme un droit légitime que vous reconnaît le haut gouvernement indien. »

À présent, assis dans mon bureau, dans le noir, les pieds sur la table, je me sentais vide. Le bruit de la télévision filtrait par la porte. Dolly-doll absorbait ses feuilletons de la soirée, le menton dans les mains. La charbonneuse Elizabeth – la charbonneuse Felicia avait quitté la maison six mois plus tôt – m'avait déjà apporté quatre tasses de thé. Dans le vaste monde, seules deux décisions requéraient mon attention. Un : le trek de trente jours du Kailash Mansarovar jusqu'à la demeure des dieux. Deux : le poste sur une chaîne d'informations que me proposait Jai. La perspective de me rapprocher de Shiva et de fuir Dolly-doll et le reste plaidaient en faveur du trek. Mais les formalités du départ, les tests médicaux, et la torture de rester coincé pendant trente jours sur des sentiers himalayens avec des dévots furieux, véhéments et débiles, plaidaient contre. En faveur de l'offre de Jai : l'argent. Il était clair que la télévision était branchée sur un pipeline que la presse écrite n'avait pas encore déniché. Ou bien cela répondait à l'équation : plus le média est minable, plus on est payé pour s'abaisser à y travailler. Ça, c'était un argument contre, tout comme la névrose de l'apparence. Cravate et rasage impeccable. Je compris néanmoins que l'argent l'emportait sur Dieu. Jai avait résumé ainsi les choses : « Tu as tout vu, maintenant. À toi de décider. Tu veux être un Chutiya-Nandan-Pandey, ou tu veux être dirigé par des Chutiya-Nandan-Pandey ? »

Soudain, le bourdonnement furieux et la petite lueur du téléphone portable percèrent le silence et l'obscurité de la pièce. L'écran affichait Kali, le nom sous lequel j'avais enregistré Sara dans le répertoire. Le message était bref : appelle. J'hésitai un moment, mais je n'avais plus peur depuis déjà longtemps. Elle se montra très professionnelle. Une standardiste communiquant une information. Il fallait qu'on se voie. Elle avait des choses importantes à me dire. Où ? Devant le Taj Mahal au clair de lune, imbécile !

Je chargeai la charbonneuse Elizabeth de prévenir la memsahib que je ne rentrerais peut-être pas dîner, et j'emmenai mon ombre avec moi, sur le siège arrière. C'était un nouveau. Il me protégeait depuis six mois seulement et il ignorait où nous allions. Sara m'ouvrit la porte en sarong noir et haut blanc, des anneaux multicolores sur ses bras minces. La mémoire du plaisir me parcourut comme de l'adrénaline, et une envie folle me saisit de la clouer au mur. Mais je n'eus pas le temps de dire un mot. Une femme inconnue venait de surgir derrière elle. Épaisse, les cheveux courts, un poignet de tennis rouge et bleu au bras. Probablement capable de tuer d'un coup de karaté.

Elles buvaient du rhum coupé d'eau et me donnèrent une tasse de thé assez grande pour m'y baigner. Je tentai de capter le regard de Sara, de créer une synapse d'intimité – sa vue avait suffi à faire fondre toutes mes résolutions –, mais ses yeux ne laissaient rien transparaître. On aurait dit qu'un changement fondamental s'était produit en elle. Son énergie était contenue, sa voix calme. Une fois assis, moi dans le fauteuil en rotin, Sara sur le sofa, la karatéka sur une chaise de la table de la salle à manger, Sara me demanda :

« Tu veux connaître toute l'histoire ?

– L'histoire de quoi ?

– De l'édification du Taj Mahal, bien sûr !

– Tu veux dire que tu as déniché autre chose sur mes assassins ?

– Tu as envie de savoir oui ou non ?

– Oui. »

Je glissai un regard vers la table. La karatéka jouait avec le poignet de tennis et ne me quittait pas des yeux. Je me demandai si sa présence était accidentelle.

D'une voix prodigieusement plate et basse, Sara remarqua :

« J'ai toujours pensé que tu avais un rôle secondaire dans l'affaire. Le complot visant à te tuer avait un autre objectif que ta mort.

– Oui, je sais. Le Pakistan. L'ISI. Une manœuvre pour déstabiliser le gouvernement. »

Le pion géopolitique expliquant sa situation.

« Tu n'entends rien. Tu ne vois rien. Tu n'apprends rien. Rien ne te fait changer. Les informations, les stimuli, l'expérience, tout rebondit sur toi comme de l'eau sur un rocher. Tu es obsédé par les dieux et les gurus, tu baises tout ce qui bouge, tu ne travailles que pour l'argent. C'est tout. Rien ne te dérange. Rien ne t'affecte. »

Elle n'était pas en colère. Elle ne m'aiguillonnait pas. Je restai muet. Elle poursuivit.

« Tout ce que les flics t'ont raconté est faux. Souvent, ils ne le savent pas eux-mêmes. Ils croient que c'est vrai. La plupart sont eux aussi des pions sur un échiquier beaucoup plus vaste. Écoute-moi attentivement. Le complot contre toi n'a rien à voir avec ton enquête et ton article, ni avec l'ISI. Oui, le jeune Tyagi s'est rendu à Katmandou. Oui, il a rencontré là-bas des hommes qui l'ont chargé de t'éliminer. Oui, ils lui ont fourni des armes. Et beaucoup d'argent, en guise d'avance. Oui, le groupe de cinq s'est réuni dans une ferme près de Gorakhpur. Oui, c'est là qu'ils ont mis au point les détails de l'opération. Mais, non, l'objectif premier du plan n'était pas de t'assassiner. Et, non, les hommes qui ont lancé un contrat contre toi n'appartiennent pas à l'ISI. »

Elle parlait avec mesure. Elle avala une gorgée de rhum. Une mouche bourdonnait dans la pièce. La karatéka se leva, roula un magazine, se figea un instant, puis, d'un geste fulgurant, écrasa la mouche sur la table. Guruji aurait dit que toute vie est potentiellement une tache noire.

« Les véritables cibles étaient les tueurs eux-mêmes. Pas tous. Deux seulement. Les autres étaient comme toi. De la chair à canon. Des dommages collatéraux. Tu l'as deviné, les deux visés étaient le jeune Tyagi et le dénommé Chaku. Quelqu'un voulait se débarrasser d'eux. Le véritable plan consistait à les liquider en même temps que toi. Vous étiez tous censés périr dans une dramatique fusillade. Les commanditaires avaient informé la police d'un complot. Lors des deux premières reconnaissances faites par les présumés tueurs autour de ta maison, ils étaient déjà filés par une armée d'agents en civil de la cellule secrète de la police. Les ordres étaient de tirer pour tuer. C'était une jolie manipulation. L'ISI porterait le chapeau de ton assassinat, et la police serait encensée pour avoir liquidé les assassins. Mais quelque chose a grippé. »

Sara se tut pour vider son verre d'un trait. La karatéka approcha avec les deux bouteilles et lui resservit un mélange parfaitement dosé.

« On ne sait pas précisément ce qui a cloché. Mais la date de l'opération a été reportée, une fois puis une autre fois. Peut-être à la suite d'un différend entre les tueurs et leurs commanditaires. Enfin, les hommes n'ont pas été arrêtés comme cela a été dit à l'entrée de Delhi avant l'opération, ni le matin où les médias ont annoncé la nouvelle. Ils ont été arrêtés la veille, en pleine nuit, dans le petit hôtel où ils étaient descendus à Shahdara. N'importe qui peut le vérifier en posant quelques questions, même toi. Il n'y a pas eu de bagarre, ni de fusillade. Aucun n'a riposté ni cherché à fuir. Pas même le soi-disant monstre, Hathoda Tyagi. Ils sont restés une journée dans les locaux de la branche secrète de la police, et il n'existe aucun compte rendu de leur arrestation. Ensuite, ils ont été présentés devant les médias et le tribunal. »

La lumière dansait sur ses clavicules. Sara avait besoin d'une inoculation urgente de Vedanta, pourtant elle était assez folle pour percer à jour les vérités de ce pays de folie. Comment avais-je pu la laisser partir ? S'il l'avait connue, Guruji ne m'aurait peut-être jamais conseillé de remonter mon pantalon et de partir en courant. Un bref instant, je faillis tomber amoureux d'elle. Sans la présence de la karatéka, une parole sentimentale m'aurait peut-être échappé.

« Mais si l'idée était de les tuer, pourquoi la police ne l'a pas fait ? demandai-je.

– À mon avis, les policiers ne savaient pas qu'ils *devaient* les tuer. Ceux qui ont laissé filtrer l'information sur le complot espéraient que les tueurs se feraient descendre dans le feu de l'action. À l'hôtel, de sang-froid, c'était impossible. Il y avait trop de policiers, trop de témoins. Ces choses-là peuvent se pratiquer au Bihar. À Delhi, c'est difficile. Contrairement à ce que pensent la plupart des gens, nous avons une certaine presse libre, et un pouvoir judiciaire à peu près indépendant. »

Elle dit cela d'un ton neutre. Décidément, quelque chose avait changé en elle.

« Donc, si je comprends bien, la cible principale était le jeune Tyagi ?

– C'est évident. Et aussi Chaku. Les trois autres étaient là pour la figuration. Les deux garçons des quais de gare, Kaliya et Chini, sont deux paumés, contents avec un peu d'argent, de drogue et de sexe. Ils sont sans doute plus convenables que la plupart des gens que tu fréquentes. Et Kabir, le gentil

Kabir, est un ange abîmé. Il mérite qu'on le prenne dans ses bras pour le protéger. Même en prison, il émane de lui une aura de paix. Il sculpte ses poussins de bois et les offre à tout le monde. Il ne demande rien, parle peu. Il n'a pas d'avocat et refuse de remplir une demande de mise en liberté. Personne ne l'ennuie, ni les détenus ni les gardiens. Peu à peu, les gens commencent à l'appeler Baba, comme un sage. Hathoda Tyagi et Chaku se tiennent à l'écart des trois autres. Ils n'ont rien à faire avec eux. Ils se tiennent aussi à l'écart l'un de l'autre.

– Ils vont obtenir leur mise en liberté ?

– Oui. Bientôt. Mais ils auront déjà accompli la majorité de leur peine. C'est ainsi que les choses se passent dans ce pays maudit.

– Comment as-tu appris tout ça ?

– Si tu cherches, tu trouves. »

Pendant le quart d'heure suivant, je m'échinai à rebrancher la prise qui nous avait électrisés, fait chanter et se consumer nos corps. Les épaules délicates, le long sarong noir, la peau caramel, me transperçaient d'une douleur inattendue. J'espérais, si j'arrivais à rétablir le contact entre nous, me débarrasser de la karatéka. Mais Sara avait coupé le courant et s'était éloignée de mon champ électromagnétique. C'était peut-être feint, mais elle ne regardait même plus dans ma direction, et préférait se tourner vers la table pour parler d'une nouvelle loi quelconque régulant le nombre de détenus dans les prisons de l'Haryana. Elle était comme une bureaucrate qui en a fini avec un solliciteur et attend, avec une exaspération polie, qu'il s'en aille. Je crus un bref instant à une de ses anciennes provocations. Mais quand je croisai son regard, je vis qu'il n'y avait là plus rien pour moi. Et puis je savais que si je tentais le moindre geste, la karatéka m'assommerait avec sa chaise.

Quelques jours plus tard, un samedi, saisi d'une étrange impulsion – sans doute provoquée par ma rencontre avec Sara –, je pris la route de Muzzaffarnagar en compagnie de mon ombre. Nous devions partir de très bonne heure car la région était inhospitalière. « Il faudra revenir bien avant le coucher du soleil, insista mon ombre, natif d'une région aussi notoire. Après la tombée de la nuit, même les policiers armés n'osent pas s'y aventurer. »

Malgré l'heure matinale de cette fin d'hiver, avec la brume encore accrochée aux fossés, les routes étaient surchargées et l'on avait l'impression de ne jamais pouvoir s'extraire de l'emprise de Delhi. Doigt de béton après doigt de béton, l'ancienne ville gagnait du terrain pour absorber la campagne environnante. Là où jadis germait une graine, fleurissaient des fosses septiques. À l'emplacement de chaque arbre coupé, poussait un réverbère. La grande route regorgeait de canne à sucre en partance pour les usines : sur des chars à bœufs, des remorques de tracteurs, des petits camions, et je roulais fenêtres fermées pour éviter d'être tailladé par une tige volante.

Dès la sortie de l'enfer de Muzzaffarnagar, il nous fallut quitter la route, puis nous arrêter toutes les dix minutes pour demander le chemin. Des arbres noueux au feuillage couvert de poussière cernaient les champs bien carrés de canne à sucre qui s'étendaient à perte de vue. J'avais relevé l'adresse sur les dossiers de Sethiji, le gros pingouin. À un certain moment, la petite route intérieure n'était plus goudronnée. Une mare d'eau noirâtre marquait l'entrée du village. Ici, les maisons étaient construites avec un mélange de terre et de briques de récupération. Des antennes de télévision pointaient, drues comme des cheveux. Je remarquai au moins deux petites voitures Maruti qui étincelaient sous le soleil.

Finalement, il fallut nous garer et poursuivre à pied à travers des champs de blé vert et de canne à sucre. En chemin, se dressait un bosquet de vieux manguiers au feuillage terne et à l'écorce pâle. Là, des chiens nous prirent en charge et nous escortèrent en aboyant jusqu'à la maison.

La partie principale de l'habitation était en brique enduite, les pièces adjacentes en brique nue, avec un toit de chaume. Dans la cour, près d'un long abreuvoir en terre, cinq buffles et deux bœufs ruminaient en chœur. Je remarquai des tuyaux et des fils : eau courante et électricité.

Gyanendra Tyagi était étendu sur un charpoy, deux coussins sales sous un coude, une canette de chocolat malté Bournvita à côté de lui. Il avait l'air vieux, les yeux chassieux, les cheveux blancs dégarnis, sans turban. Sa jambe infirme, découverte par le dhoti retroussé, était maigre comme une allumette. Il ne cessait de se racler la gorge et de cracher dans la canette de Bournvita. Comme une grande majorité d'Indiens, Gyanendra Tyagi était probablement en train de mourir de la tuberculose.

Quand je lui dis que j'étais journaliste, il cracha un épais glaviot dans la boîte et, sans préambule, marmonna qu'il n'avait rien à dire sur son fils, qu'il ne l'avait pas revu depuis des années. Mon ombre prit un tabouret de bambou qui traînait et alla s'asseoir dans un coin de la cour en me jetant un regard de mépris. C'était bien sa chance d'être affecté à la protection d'un minable de mon espèce.

Comme j'insistais, le vieil homme finit par avouer que son fils s'était laissé entraîner par de mauvaises fréquentations et avait suivi une mauvaise pente. Un basse caste, un Gujjar moniteur de sport, avait mis la main sur son fils et l'avait corrompu. Les Tyagis comme lui ne frayaient pas avec cette caste de criminels, ni en amitié ni par mariage. Savais-je que, avant qu'un père gujjar donne sa fille en mariage, il vérifiait si son futur gendre pouvait escalader un mur à toute vitesse et s'introduire par une fenêtre fermée ? Eh bien, c'était un homme de cette caste perverse qui avait détourné son fils.

Mais son fils était son fils, et donc un bon garçon. Depuis toutes ces années, il avait réglé les conflits familiaux et régulièrement envoyé de l'argent. Quand sa sœur avait été maltraitée par son mari, il avait fait casser les deux jambes du fautif, puis fait parvenir de l'argent en guise de réparation.

Une vieille femme frêle sortit d'un trou noir dans le mur de briques de la maison, son salwar kamiz élimé et délavé. Les chiens tournèrent autour d'elle en remuant la queue, puis retournèrent se coucher sous le charpoy. Elle me jeta un regard au travers de ses lunettes à monture de fer et me demanda :

« C'est Guddu qui vous envoie ? »

Je lui répondis que non, et elle ajouta :

« Vous l'avez vu récemment ? »

Je dis que non et elle poursuivit :

« Eh bien, quand vous le verrez, dites-lui que le mari de Lalli a recommencé à la battre, que son père a besoin de se faire opérer le genou, que la bufflonne que nous avions achetée à Ghomuru est morte. Dites-lui que sa mère approche un peu plus chaque jour du lieu de crémation et que s'il venait lui montrer une dernière fois son visage, elle pourrait s'abandonner à la paix de l'éternité. Dites-lui qu'il n'y a plus d'argent à la maison. » Elle se dirigea vers l'abreuvoir puis, se retournant, ajouta : « Et dites-lui que j'attends qu'il se marie pour que la lignée de Gyanendra Tyagi ne s'éteigne pas ! »

Je m'efforçais d'imaginer une réponse lorsque le vieil homme posa soudain sa canette de Bournvita et demanda d'un ton alarmé :

« Mon fils va bien ? Êtes-vous venu nous apporter une mauvaise nouvelle ? »

À quoi sa femme répondit :

« Le shastri a dit à sa naissance que personne ne pouvait lui faire de mal. Ses planètes sont comme celles de Hrinakashyap. On ne peut le blesser que dans un lieu baigné à la fois de soleil et d'ombre ; il ne peut être blessé que lorsqu'il est en mouvement et pas immobile ; il ne peut être blessé que lorsqu'il a le ventre plein ; il ne peut être blessé que lorsqu'il est caché à la vue ; il ne peut être blessé que par un ennemi tué dans la bataille ; et il ne peut être blessé que coincé entre ses amis. Réunir toutes ces conditions est presque impossible. Donc, vous n'avez pas à vous tourmenter. Rappelez-vous que, pour tuer le démon Hrinakashyap, Vishnou a dû apparaître en personne pour influer sur les éléments. Et nous savons que les dieux ne descendent plus dans ce pays. »

J'assurai que leur fils allait bien. Que, à ma connaissance, il était en bonne santé. Et que Vishnou n'était pas descendu.

C'est le moment que choisit mon ombre pour sortir son arme. Il la posa sur ses genoux et commença à la caresser. Le vieillard poussa un cri à glacer le sang et nous cracha une bordée d'injures, nous traitant de fils de pédés, de putains, d'eunuques et de balayeurs. Sa femme revint de l'abreuvoir et chargea vers nous sur ses jambes vacillantes en nous insultant avec la même vigueur. Les chiens jaillirent de sous le charpoy en aboyant. Je tentai d'expliquer au vieux couple que c'était mon garde du corps, un policier, mais ils écumaient de fureur, hors d'eux. Le vieux ramassa même sa canette de Bournvita pour me la lancer à la figure, et la vieille folle se dressa telle une guerrière en armure, prête à nous écraser.

Nous battîmes en retraite, poursuivis par les chiens hurlants jusqu'à la voiture.

Une fois à l'abri dans la fraîcheur de l'air climatisé, mon ombre remarqua :

« Arre, sahib, pourquoi fréquentez-vous des gens aussi mal nés ? Il faut toujours les tenir à distance. »

L'expédition me guérit de ma curiosité. J'abandonnai mes vagues projets de voyage à Bareilly, Chitrakoot et Kikarpur, et ne tentai même pas la moindre incursion sur le territoire irréel des quais de la gare de New Delhi. Le Sergent Sara et sa bande d'âmes sensibles pouvaient continuer de faire le spectacle, encouragés par des fans enthousiastes. Moi, j'avais une vie à vivre.

Guruji, Hathi Ram et Dubeyji avaient raison. Ce pays était fou et incontrôlable, les cinq hommes étaient des criminels et des pervers, et ils devaient régler leurs comptes sordides. J'en avais assez des orphelins, des charmeurs de serpents, des sculpteurs sur bois, des artistes du couteau, des maîtres du marteau, des pingouins de tribunal, des rongeurs de château, et du labyrinthe de toutes leurs souffrances. Ce n'était pas moi qui faisais le monde, je n'étais pas responsable. Que les Chutiya-Nandan-Pandey le dirigent à leur guise, et que Jai et son chœur de médias le chantent.

Le Vedanta, il y a des millénaires, a proclamé que tout est illusion. Maya. La souffrance du vagabond et la pompe de l'empereur. Et que la colère est naïve. Dans la balance de l'éternité, l'équilibre sera rétabli entre tous. J'oubliai mes assassins et, après quelques tentatives – repoussées avec rudesse – pour renouer le contact, je finis par oublier Sara aussi.

Je renonçai à la montagne d'argent que m'offrait Jai pour bêler à la télé, et au pèlerinage de trente jours au Kailash Mansarovor. La seule pensée de marcher vers la demeure glacée de Shiva en compagnie de commerçants décervelés n'ayant d'autre idée en tête que de demander de l'argent à Dieu m'épuisait d'avance. À la place, je décidai d'apprendre le sanskrit.

Il aurait été aussi facile d'apprendre le football américain. La panoplie d'écoles et la diversité des approches avaient de quoi déconcerter. Je n'avais nulle envie de m'asseoir sur un banc d'université ouverte, ni sous un arbre avec le crâne tonsuré. Un vieux correcteur tamoul du journal me trouva un professeur disposé à venir chez moi. Ce docteur Sarma était plus âgé que mon père, il portait dhoti et sandales, et pendant ses premières leçons je dus faire un effort surhumain pour comprendre un simple mot. Ce n'était pas seulement à cause de son accent telougou, mais aussi des abstractions engourdissantes – religieuses, langagières et culturelles – qu'il empilait sans prendre sa respiration. Je compris pourquoi, pendant des siècles, cette langue avait été apprise par cœur. Elle n'offrait aucune prise. Le docteur Sarma sirotait le thé d'Elizabeth, se balançait d'avant en arrière en ronronnant d'une voix chantante, et j'étais fasciné.

Quelques semaines plus tard, je demandai à mon collègue s'il ne connaissait pas quelqu'un de plus jeune. Mon nouveau professeur venait du Kerala, portait des jeans et faisait de l'humour en anglais. C'était aussi un amateur de cinéma indien. Peu à peu, je commençai à apprendre la mère de toutes les langues, à acquérir les mots dans lesquels le cosmos fut expliqué en premier, avant que les boucaniers coloniaux n'écrasent tout, la lettre et l'esprit.

Au journal, je me rendais compte à quel point, dans le monde, une petite réputation peut vous mener loin. Sur la base d'un seul article révélant un scandale, qui n'avait rien apporté sinon ma ruine, des assassins et des ombres, on me traitait comme un savant. J'étais censé être un spécialiste de la politique et des questions stratégiques. Je pouvais me la couler douce pendant des jours, puis, pour justifier ma présence, assener quelques banalités sur un sujet d'intérêt national quelconque dans les pages opinion. Quelquefois, plus simplement encore, je réalisais une interview, une partie de ping-pong inutile avec quelque ministre de bas étage, menée et pondue en l'espace d'une heure. Peu de métiers sont moins éprouvants que le journalisme moderne.

Pour le plaisir et la paix, il y avait le salon de massage, la peau chocolat amer, les cheveux frisés, les mains baignées dans l'huile, les doigts assouplis par la broderie.

Et chaque jour je courais au club de sport. Je martelais le bitume de la piste jusqu'à ce que la fatigue et la sueur évacuent toute trace de sentimentalisme et de folie, toute illusion, jusqu'à ce que mon esprit soit clair et lisse comme une feuille de verre. La méditation par le jeu de jambes.

Les ombres étaient toujours là, et je ne les remarquais que par leurs absences.

Puis, un jour, se produisit la rencontre.

Nous étions en mars et je me rendais à Abu Dhabi pour assister à une conférence de deux jours sur la gestion des tensions en Asie du Sud. Je devais faire escale à Mascate, dans le sultanat d'Oman, où j'avais quatre heures à tuer dans le salon d'attente de première classe. C'était un endroit sombre, luxueux et de mauvais goût. En Inde, on aurait pu y loger une vingtaine de familles. À part moi, le vaste espace de sofas, de canapés, de fauteuils et de tables, ne contenait que deux autres personnes. Deux femmes serrées dans un coin, enveloppées dans un hijab tellement grand que seuls leurs doigts étaient visibles. Après quelques allers et retours au bar et aux toilettes, je m'affaissai dans un sofa en satin bordeaux et m'endormis.

Quand je m'éveillai, frigorifié par la climatisation, je découvris un homme assis en face de moi, qui m'observait avec intensité. Il avait une barbe taillée avec soin, un nez fort, et il était vêtu d'un salwar kamiz crème. Ses lunettes étaient suspendues à son cou par une chaînette noire, et quelques traces de henné méchaient sa chevelure ondoyante. Je lui adressai un sourire crispé et il me dit :

« Je sais qui vous êtes et ce que vous avez fait.

– Que savez-vous ?

– Vous avez révélé une affaire de corruption au sein du ministère de l'Agriculture, et vous avez été victime d'une tentative d'assassinat. Êtes-vous toujours sous la protection de la police ?

– Oui, en effet.

– J'espère que, maintenant, vous avez compris que vous n'étiez pas vraiment en cause. Que le complot visait non pas à vous tuer, mais à liquider d'autres personnes. Vous auriez pu être abattu, c'est vrai, mais ce n'était pas le but.

– Quel était donc le but, selon vous ? Se débarrasser de qui ?

– Avez-vous rencontré vos assassins ?

– Une fois. Au tribunal.

– Vous souvenez-vous d'un jeune homme très robuste ?

– Hathoda Tyagi. »

Il éclata d'un rire sonore et claqua ses deux mains.

« Hathoda Tyagi ! Oui, Hathoda Tyagi ! Vous avez retenu le nom. Savez-vous pour qui il travaillait ? »

Il s'exprimait dans un mélange de hindi et d'anglais. Je remarquai qu'il avait des bagues à presque tous les doigts, serties de pierres de différentes couleurs.

« Un mafieux de Chitrakoot ?

– Pas n'importe lequel. Donullia Gujjar, l'un des plus dangereux et des plus puissants dacoits qui aient jamais existé dans cette région du monde. Que savez-vous à son sujet ?

– Rien », dis-je. L'air conditionné me pétrifiait, ma vessie explosait, mais je sentais que ce n'était pas le moment d'interrompre la conversation.

« Le problème de Donullia, c'est qu'il ne vivait pas sa vie en anglais. Voilà pourquoi vous ne connaissez rien de lui. S'il avait tiré des petits pois et non des balles, coupé des carottes et non des gorges, mais baragouiné l'anglais, tout le monde aurait entendu parler de lui, de Delhi à Bombay, de Madras à Mascate. Et s'il était une femme, comme Phoolan Devi, on tournerait des films et on écrirait des livres sur sa vie, et il se ferait élire au Parlement. Pourtant, croyez-moi, c'est un dacoit bien plus renommé, et plus pur. Il a toujours vécu en dacoit, dans les jungles et les ravins. Vous buvez du Coca-Cola ? »

J'hésitai un instant, soupçonnant une question piège. Puis je répondis que oui.

Il se leva et traversa la vaste salle jusqu'à l'aire de service. Son grand visage n'était pas trompeur. C'était un homme de haute taille. Sous son salwar kamiz crème, il portait des sandales de cuir bien cirées. J'en profitai pour filer aux toilettes. Le savon sentait le gâteau à la fraise. Je m'aspergeai le visage d'eau fraîche.

À mon retour, l'homme me dit :

« J'ai cru que vous aviez sauté dans le premier avion pour vous enfuir ! »

Dans leur coin, les deux femmes voilées se distrayaient avec un de ces jeux de mains qui amusent les enfants.

« Sous notre peau, nous sommes tous les mêmes, remarqua l'homme. Nous cherchons tous un moment de joie.

– Quel est votre nom ?

– Rashid Iqbal, répondit-il avec un sourire condescendant. Rashid Iqbal. On m'appelle Iqbal Mian. Quelle importance ? Ce pourrait être Akbar le Grand. L'important est ce que je sais. » Il but une gorgée de Coca dans son verre et ajouta : « Le Coca-Cola à la tirette n'est jamais aussi bon qu'en canette.

– Que faites-vous, Rashid Iqbal ? »

À chaque échange, il délaissait un peu plus l'anglais au profit de l'hindi.

« Je suis dans la politique. Mais je pourrais être menuisier ou barbier. Quelle importance ? L'important est ce que je peux faire pour vous. Mon activité principale consiste à me faire des amis. Vous voyez, dans cette salle d'attente de Mascate, je suis devenu plus riche. J'ai fait de vous mon ami. Alors vous devez m'appeler Iqbal Mian, et moi je dois faire tout ce que je peux pour vous.

– Vous êtes de Chitrakoot, Iqbal Mian ?

– Des environs. Là où résident les dieux, réside aussi Iqbal Mian. L'Uttar Pradesh est vaste comme trois pays, mais il nous appartient tout entier. Vous savez, cet Hathoda Tyagi y était redouté comme très peu d'hommes l'ont été. Il n'avait ni peur ni faiblesse. Il cassait la tête des gens comme moi je casse des œufs. Et sans jamais échouer. Il avait pour Donullia une loyauté totale. Il était comme un fils pour lui. On raconte que, en apprenant l'arrestation de Tyagi, Donullia est entré dans une colère terrible. Il a frappé ses hommes et exigé de savoir comment cela avait pu se produire. Donullia est un grand dacoit, néanmoins ce n'est qu'un gujjar. Un gujjar extrêmement rusé, mais qui ne pèse rien face à la ruse cosmique d'un brahmane.

– Je ne comprends pas. »

Il aurait fallu mettre immédiatement Guruji, Sara, Hathi Ram et le rongeur sur haut-parleur pour donner un sens à tout cela.

Rashid Iqbal ne souriait plus.

« Bajpai sahib, dit-il. L'éminence grise de la politique dans notre région est Bajpai sahib. Pendant des années, Donullia et lui ont été alliés. Donullia s'arrangeait pour que personne n'envisage de contester à Bajpai sahib son emprise politique. Il s'assurait que le résultat des élections soit conforme à ses souhaits. De son côté, Bajpai sahib veillait à ce qu'aucun policier n'ose tourner le regard du côté de Donullia. Ils étaient également associés en affaires. Le frère de Donullia, Gwala, était son représentant officiel. Gwala vivait comme un prince tandis que son frère dormait au clair de lune. Pendant des années, Bajpai sahib a soutenu le Yadav suprême de notre État, et comme le Yadav a conquis le pouvoir et prospéré, Bajpai sahib et Donullia aussi. Le dacoit envoyait souvent ses hommes aider le Yadav dans d'autres secteurs de l'État. Ensemble, Bajpai sahib et Donullia formaient une combinaison redoutable : pouvoir politique, argent, force des armes. Mais, voyez-vous, quand Allah donne aux hommes l'espoir et le paradis, il leur donne aussi une occasion de se ridiculiser. Gwala, à force de dormir dans des lits moelleux acquis grâce aux privations de son frère, s'est levé un matin et a décidé que la bonne chère et une vie agréable ne suffisaient pas. Lui aussi aspirait au pouvoir politique. Voitures avec gyrophare, résidences gouvernementales, sa photo dans les journaux en train de faire un discours et de couper des rubans, le chef de la police et le magistrat du district à ses ordres. Pourquoi laisser tout cela au seul Bajpai sahib ? Surtout que c'était en partie grâce à leurs muscles. Vous voulez un autre verre de Coca-Cola ?

– Non, merci.

– Je déteste l'Amérique, mais j'adore leur Coca-Cola et leur cinéma. J'ai vu *Rocky* au moins trente fois. Chaque fois que je suis déprimé, je regarde la vidéo et je me sens mieux. Quand ma femme veut obtenir quelque chose de moi, elle m'appelle Rocky. »

Les femmes voilées s'étaient recroquevillées dans leurs fauteuils pour dormir. Deux taches d'encre noire. Plus un centimètre de peau n'était visible. Plus un signe de vie. Malgré mon refus, Rocky revint avec deux autres verres de Coca.

« Vous disiez donc que Gwala est devenu ambitieux…

– Il n'y a rien de mal à cela, répondit-il, cette fois exclusivement en hindi. Même un insecte peut nourrir l'ambition de devenir un insecte plus gros. Mais un insecte ne doit pas faire trop de bruit, de crainte de pousser quelqu'un à l'écraser. Lorsque Bajpai sahib a commencé à prendre ses distances avec le chef Yadav pour se rapprocher du leader basse caste, Gwala a cru voir une opportunité. Il a obligé son frère à renoncer à son allégeance envers Bajpai sahib, et s'est mis à courtiser lui-même le Yadav. »

Jusque-là, je le suivais.

« Donc, Bajpai sahib s'est éloigné du Yadav, mais pas Gwala et Donullia. Au contraire, ils ont établi un lien direct avec le Yadav et rompu avec Bajpai sahib.

« Ce n'est pas aussi net et tranché qu'un résultat d'examen, a souri avec délectation Iqbal Mian. En politique et dans les affaires, les choses ne sont pas ainsi. Mais, oui, c'est plus ou moins cela. Les frères pensaient qu'ils n'avaient plus besoin de Bajpai sahib. Ils se croyaient assez grands pour mener leur propre cirque politique. Bien sûr, ils étaient stupides. En tout cas Gwala l'était. N'imaginez jamais pouvoir l'emporter sur un brahmane. Êtes-vous un brahmane ? Non, tant mieux. L'esprit d'un brahmane est pire qu'un jalebi. Vous savez, ces tortillons au miel ? Impossible de savoir où mène telle ou telle pensée. En fait, Bajpai sahib avait vu le vent tourner. Ce fut une élection très serrée, comme vous le savez. Et les basses castes gagnèrent. Il était donc temps pour Bajpai sahib de neutraliser Donullia et cet imbécile de Gwala. Or, c'est bien connu, un brahmane n'attaque jamais de front. Il vous empoisonne lentement en vous conviant à sa table. D'abord, des procès pour fraude fiscale et infractions diverses furent intentés contre Gwala. Puis, un superintendant de police très sévère fut nommé dans le district. Quand les deux frères demandèrent son aide à Bajpai sahib, il promit de faire son possible.

– Quel rapport avec mon assassinat ? » demandai-je en regardant ma montre.

J'allais embarquer dans cinq minutes.

« Le tueur engagé pour vous assassiner était l'homme que Bajpai sahib redoutait le plus au monde. Il savait que, une fois la guerre déclarée avec les frères, cet homme était capable de le tuer. Il savait que Hathoda Tyagi était un exécuteur infaillible, insensible à la peur, et sa loyauté à Donullia totale. C'est Bajpai sahib qui s'est arrangé pour que le contrat lancé contre vous soit confié à Hathoda Tyagi. Par l'entremise de Gwala bien entendu. Ensuite, il a prévenu ses amis de Delhi qui tiennent la police, et il a attendu le dénouement.

– Donc, ça n'avait vraiment rien à voir avec moi ni notre article.

– L'existence d'armes nucléaires en Irak était-elle décisive ? Comme Saddam, vous étiez un prétexte. Votre mort importait peu. L'homme pour qui toute l'opération a été montée, l'homme qui devait être éliminé, c'était Hathoda Tyagi. »

La jeune femme très décorative en charge du salon d'attente – son joli visage gâté par des couches superflues de fond de teint – m'informa d'une voix ferme que je devais embarquer. Je me levai, la vessie à nouveau chahutée par la nervosité et le Coca-Cola.

« Et alors, qu'est-ce qui a cloché ?

– Vous avez une femme ?

– Oui.

– Jolie ? »

Je ne répondis pas.

Il se leva à son tour, dépliant sa haute taille, et me dit :

« Vous avez un chien ? Un chien borgne ?

– Il y a un bâtard qui traîne dans ma rue.

– C'est grâce à lui que vous êtes vivant.

– Je ne comprends pas.

– Dans votre *Mahabharata*, j'ai lu que le seul compagnon de Yudhishtra au cours de son dernier voyage est un chien errant. Votre chien vous a sauvé la vie. Le jour où Hathoda Tyagi est venu en reconnaissance avec ses équipiers pour observer votre maison, il a aperçu votre femme à la porte qui donnait à manger au chien et le caressait. De retour à Ghaziabad, il a commencé à poser des questions à votre sujet. Il voulait savoir pourquoi il fallait vous tuer. Personne n'a pu lui fournir une explication valable. S'en est suivie une altercation entre lui et Gwala, qui avait été dupé en acceptant ce contrat de Bajpai sahib. Quelques jours plus tard, à regret, Hathoda Tyagi est retourné devant chez vous et, cette fois encore, il a vu votre femme jouant avec le chien devant la porte. Il avait apporté de la viande pour l'animal et il semble même qu'il ait échangé quelques mots avec votre femme au sujet du chien. Ensuite, il a découvert que vous étiez journaliste et n'aviez aucun lien avec le Pakistan ou l'ISI. Cette fois, il a eu une violente altercation téléphonique avec Gwala. La cellule spéciale de la police avait déjà mis son téléphone sur écoute et attendait qu'il passe à l'action pour pouvoir le descendre. Or Hathoda Tyagi a déclaré à Gwala qu'il refusait la mission. Pour lui, il était clair que ça ne pouvait pas être une décision de Donullia, et il rendrait l'avance d'argent qu'il avait reçue. À ce moment-là, quelqu'un – sans doute Bajpai sahib via un intermédiaire, et selon toute probabilité le tout-puissant conseiller personnel d'un ministre de haut rang, un homme connu sous le nom de Mr Healthy – ordonna à la police d'intervenir. Le dénommé Mr Healthy – dont le sexe est paraît-il plus long que la jambe – voulait lui aussi se débarrasser d'un élément encombrant de l'équipe de tueurs. Hathoda Tyagi et ses compagnons n'ont pas été arrêtés dans la banlieue. C'est faux. Ils ont été surpris dans un appartement de Shahdara, en pleine nuit, deux jours avant la date annoncée de leur arrestation. Aucun n'a résisté, car ils se doutaient que les flics avaient l'ordre de tirer à vue. Évidemment, les policiers qui ont mené l'assaut ne savaient rien. Ils pensaient arrêter une bande de malfrats, parmi lesquels un célèbre tueur à gages. »

La jeune femme du salon grimaçait comme si on lui arrachait les dents. Elle se trémoussait et se frottait les mains d'un air furieux.

« S'il vous plaît, monsieur, les portes de l'avion vont fermer dans quelques minutes ! »

J'avais mon bagage à main sur l'épaule, ma carte de visite dans ma main tendue.

Je dis, en marchant à reculons :

« Iqbal Mian, vous voulez bien me téléphoner quand vous reviendrez en Inde ? Comment êtes-vous au courant de tout cela ? Savez-vous autre chose ?

– Si vous voulez en apprendre davantage, c'est facile, répondit-il en lisant ma carte. Bien sûr il y a autre chose. Il y a toujours autre chose. » Il eut un sourire glacé et ajouta : « Jusqu'à ce qu'il n'y ait plus rien. »

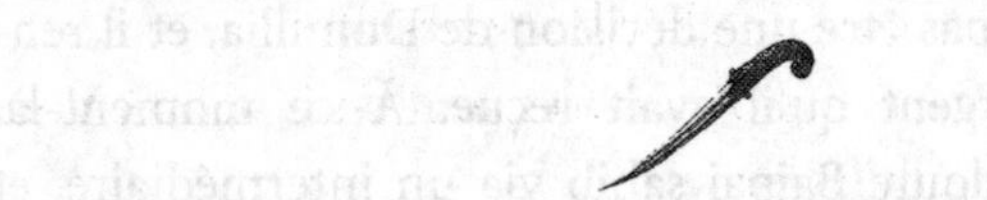

Quelques heures plus tard, dans une chambre d'hôtel chic et sans charme d'Abu Dhabi, je téléphonai à Dubeyji le rongeur sur son téléphone portable. Il y avait près d'un an que je ne lui avais pas parlé, et il mit un instant à me remettre. Puis, d'une voix guillerette, il s'exclama en hindi :

« Voici une journée qui se présente sous des auspices favorables. Il est rare qu'on se souvienne de nous une fois notre tâche accomplie.

– Dubeyji, connaissez-vous un certain Iqbal Mian ? »

J'imaginai son sourire et sa moustache frétillante.

« Lequel ? Le monde est rempli de Iqbal Mian. Il y en a assez dans l'Uttar Pradesh et le Bihar pour former une armée et conquérir le Népal.

– Celui-ci est de Chitrakoot, ou des environs. Politicien, ou homme d'affaires.

– En ce moment, je ne connais que le dossier qui m'occupe. Un ministre du Madhya Pradesh impliqué dans une affaire d'enlèvement et d'extorsion. Et aucun Iqbal Mian n'est concerné.

– Vous souvenez-vous, dans mon affaire, de Hathoda Tyagi ?

– Il y a des individus que l'on n'oublie jamais. Hathoda Tyagi. Un tueur de haut vol. Le meilleur spécialiste du curry de cervelle de toute l'Inde du Nord. Main solide et langue cousue. On n'avait rien pu tirer de lui. »

Les esprits supérieurs travaillent en silence.

« Savez-vous s'il était lié avec un grand dacoit du nom de Donullia Gujjar, et un politicien appelé Bajpai sahib ?

– Je ne me rappelle pas les détails. Il faudrait que je vérifie. Mais l'affaire est close, à présent.

– Pourquoi ? On a laissé tomber les poursuites ?

– Seulement dans son cas. Les autres sont en instance. Vous savez sûrement ce qui s'est passé ? »

Derrière la fenêtre de l'hôtel, le ciel était bleu sale. Pas un oiseau ne brodait le vent. N'y avait-il pas d'oiseaux dans ce monde de pétrole et de béton ?

« Non, je l'ignore. Racontez-moi.

– C'est vrai, j'avais oublié. Vous êtes un grand journaliste de la presse anglaise. Vous ne lisez pas les journaux hindis. C'est un monde bien étrange que celui où les hommes ne gardent la trace ni de leurs amours ni de leurs assassins. » J'attendis la suite. Il reprit : « Chez nous et dans la police, tout le monde est au courant. Dans notre métier, on entend de drôles de choses tous les jours. Mais celle-ci est la plus étrange de toutes.

– Ah oui ?

– Il y a deux mois, Hathoda Tyagi devait être conduit à Dehradun pour être entendu par le tribunal dans une autre affaire de meurtre qu'on avait déterrée contre lui. En raison de sa réputation, la garde avait été renforcée. Trois hommes armés de la police de Delhi l'escortaient. Des policiers solides, connus pour leur dureté. Tyagi était attaché par une corde à l'un d'eux.

Leur vieille jeep Willy est tombée en panne sur la route et ils ont pris beaucoup de retard. À leur arrivée à Saharanpur, le soleil se couchait. Juste avant l'entrée de la ville, ils se sont arrêtés dans une dhaba pour boire un thé et grignoter quelque chose. Ils étaient assis sur des charpoys, à l'extérieur, et venaient de commencer à boire leur thé, lorsque deux jeunes gens à moto se sont arrêtés juste à côté d'eux et ont ouvert le feu. Les trois policiers ont été abattus, tous les autres clients ont fui. En un éclair, Hathoda Tyagi a arraché la corde qui le liait au policier et a sauté sur la moto entre les deux jeunes gens, qui ont redémarré aussitôt. Mais un des policiers n'était pas mort. Il a réussi à pointer son fusil 303 et à tirer une balle. »

Le téléphone se tut. Je crus que la communication avait été coupée, mais le rongeur était toujours là. L'histoire était trop grandiose pour qu'il ne cherche pas à susciter les réactions de son public.

« Surprenant, dis-je. Et ensuite ?

– Le 303 est un fusil Enfield. Il date de la Seconde Guerre mondiale. Il peut tuer un éléphant à un kilomètre. Il a stoppé les armées d'Hitler. La balle du policier a transpercé les trois hommes. Elle est entrée dans le dos de celui assis à l'arrière et ressortie par la poitrine de celui de devant, en traversant Hathoda Tyagi au passage. Le temps que le policier retombe en arrière, mort, Hathoda Tyagi et ses deux sauveteurs l'étaient déjà. »

À mon retour à Delhi, la pluie de fin d'hiver tombait. Il faisait nuit avant l'heure et les encombrements étaient pires que jamais. Le temps de héler un taxi, ma veste était trempée. C'était une vieille Ambassador, avec une portière fermée par une ficelle. Le vieux chauffeur sardar sourit :

« Les trois autres fonctionnent ! »

Le moteur était fatigué et ne cessa de toussoter et de crachoter pendant tout le trajet.

« J'espère que toute cette pluie ne va pas gâter le blé, remarqua le chauffeur. Les paysans n'ont plus d'avenir dans ce pays maudit.

– Ce n'est qu'une averse. Tout ira bien.

– Puissiez-vous avoir raison. »

Les rues de mon quartier étaient désertes, les traits de pluie striaient la lumière des réverbères. Les grands arbres ruisselaient. Je donnai un pourboire généreux au chauffeur.

Mon ombre perpétuelle n'était plus sous l'auvent mais, juste derrière sa chaise vide, une petite forme était recroquevillée. Le chien se redressa au son de mes pas lourds. Je pressai la sonnette, et me penchai pour lui caresser la tête. Il eut un mouvement de recul, puis, un peu hésitant, se mit à remuer la queue. Son pelage était humide, rêche et tiède. Je le caressais toujours lorsque la porte s'ouvrit. Je demandai à Elizabeth d'aller chercher du lait et du pain pour le chien.

Dolly regardait la télévision dans la chambre. Elle s'est levée d'un bond incertain, grande et mince dans son blue-jean et son chemisier blanc. J'ai enlevé ma veste en lui demandant :

« Tu as envie de sortir voir un film et dîner quelque part ? »

Ses yeux se sont éclairés comme jamais auparavant.

Glossaire

Aampaad : pulpe de mangue et sucre.

Aarti : rite religieux hindou, impliquant le balancement cérémonial de lampes allumées devant l'objet à adorer ou à honorer.

Aloo : pomme de terre.

Aloo tikki : beignet de pommes de terre.

Anna : ancienne unité monétaire, équivalant à 1/16e de roupie.

Apsaras : nymphes célestes d'une grande beauté, compagnes des Devas (entités bienfaisantes), autant que des Asuras (démons). Elles symbolisent le plaisir des sens et de l'esprit.

Arjuna (« le blanc ») : l'un des cinq princes Pandavas, héros du *Mahabharata* et principalement de la *Bhagavad-Gita*, à qui Krishna donne son enseignement.

Basti : village ou quartier.

Bhaiya : terme un peu péjoratif pour désigner le Bihar, dans le nord de l'Inde.

Bharatanatyam : forme de danse classique indienne originaire du sud de l'Inde.

Bhojpuri : un des dialectes du hindi.

Bindi (appelé aussi tilak) : marque portée sur le front par la plupart des hindous. Quand il n'est pas tout simplement un signe censé porter bonheur, apposé au cours d'une cérémonie religieuse ou en guise de bienvenue, le bindi indique l'appartenance à un groupe religieux pour un homme ou la situation maritale pour une femme.

Bundis : petites boules de farine de pois chiche, salées ou sucrées.

Burfi : dessert à base de pistaches et d'amandes.

Chappals : sandales.

Charas : haschisch en Inde.

Charpoy : lit formé d'un cadre de bois tendu de sangles en cordes tressées.

Chât : snacks variés très épicés, souvent accompagnés de chutney de tamarin, que l'on peut acheter dans des petites échoppes le long des rues, emportés ou consommés sur place.

Chunni : longue écharpe.

Churidar : pantalon étroit semblable au salwar.

Chywanprash : confit sucré de fruits, d'épices et d'herbes, ainsi que d'ingrédients prescrits comme compléments alimentaires en médecine ayurvédique.

Dacoit : voleur armé.

Dâl : purée de lentilles.

Dâl-roti : pain sans levain et pois.

Dhaba : gargote, petit restaurant du bord de route.

Dharma : ensemble de règles et des phénomènes qui régissent l'ordre du monde et la loi sociale qui en découle, et comportement escompté de chacun (variable selon la naissance) pour contribuer à son maintien. Plus généralement : droit, justice, vertu.

Dhoti : pagne long traditionnel.

Dhurrie : tapis de coton tressé.

Diwali : « fête des lumières », festival indien et hindou célébré le septième mois du calendrier, en l'honneur de Lakshmi, déesse de la richesse.

Diya : lampe à mèche.

Drona : maître d'armes chargé de former les jeunes Pandavas dans le *Mahabharata*.

Dupatta : longue écharpe portée sur la tête.

Durga (« invisible » en sanskrit) : incarnation de Devi, la déesse mère, Durga se manifeste lorsque les forces du mal menacent l'existence même des dieux.

Galli : ruelle.

Gamcha : traditionnelle serviette de coton fin.

Gobhi : chou-fleur.

Gorakhnath : saint itinérant et jogi hindou du XIe siècle, qui fonda les Kanphata jogis.

Govinda : « bouvier », autre nom de Krishna.

Gudagesha : épithète appliquée à Arjuna et signifiant « qui a maîtrisé le sommeil ».

Gujjars : basse caste rurale, dont les membres sont hindous, sikhs ou musulmans.

Gulab jamun : boulette de lait concentré séché mélangé à de la farine, frite dans le ghee, puis plongée dans un sirop de sucre.

Gurdwara : lieu de culte des Sikhs.

Guru : à la fois guide spirituel, psy et conseiller.

Halwa : gâteau au miel et graines de sésame.

Hanuman : dieu important de l'hindouisme, fidèle à Rama. Fils de Vayu, le dieu du vent, il a l'apparence d'un singe à la force prodigieuse.

Hawala (« confiance, échange » en hindi) : système traditionnel de paiement informel distribué. De nos jours, il est essentiellement utilisé pour les envois de fonds par les travailleurs immigrés vers leur pays d'origine.

Holi (fête de) : ou « fête des couleurs », célèbre l'arrivée du printemps, au moment de la pleine lune. Au cours des fêtes, on s'asperge d'eau colorée.

Hookah : narguilé.

Hrinakashyap : ami des Pandavas dans le *Mahabharata*.

Hrishikesha : épithète appliquée à Krishna et signifiant « souverain des sens ».

Hushbi : éthiopien.

Imphal : capitale de l'État de Manipur, au nord-est de l'Inde, haut lieu de la guérilla maoïste.

Jalebi : friandise très sucrée, trempée dans du sirop.

Jat : population du nord-ouest de l'Inde.

Jhumkas : boucles d'oreilles en or serties de cristal, de zircon et de perles.

Jutti : chaussure traditionnelle brodée de perles.

Karma : dans l'hindouisme, désigne l'ensemble des actions d'un individu au cours d'une vie qui détermineront son existence future. Plus généralement : destin.

Khir : sucrerie semi-liquide ou liquide à base de riz ou de lait concentré séché.

Khokho : sport populaire pratiqué en Inde.

Kirpan : poignard courbe à manche de métal, symbole d'appartenance à la religion sikh.

Kohinoor : fameux diamant de cent six carats, actuellement monté sur la couronne de la famille royale britannique.

Kulad : tasse en terre cuite.

Kulcha : petit pain farci de viande ou de légumes.

Kurta : tunique.

Kurukshetra : littéralement « champ de Kuru », où s'est déroulée la grande bataille de l'épopée du *Mahabharata*.

Laddu : pâtisserie ronde à base de farine de pois chiche.

Lakshmi : déesse hindoue de la fortune et de l'abondance, épouse de Vishnou.

Lassi : yaourt dilué dans de l'eau avec du sel, des fruits ou du sucre.

Lathi : matraque de bambou utilisée par la police.

Lota : pot à eau.

Lunghi : pagne traditionnel de style sarong.

Mahabharata : épopée sanskrite de la mythologie hindoue, analogue par son ampleur et sa portée religieuse à la Bible, et quinze fois plus longue que l'*Iliade*. Vaste poème épique et livre sacré de l'Inde, il relate la « Grande Geste » des Bhârata, les hauts faits guerriers qui se serraient déroulés environ 2200 ans avant l'ère chrétienne, entre deux branches de la famille royale : les Pandavas et les Kauravas, pour la conquête du pays des Aryas au nord de l'Inde. Un des textes fondateurs de l'Inde avec le *Ramayana*. L'un des épisodes, la *Bhagavad-Gita* (le « Chant céleste »), incluse dans le sixième livre, est à lui seul un traité de la « Voie de l'action », chef-d'œuvre de la pensée hindouiste qui montre que la connaissance doit précéder l'action qui, sans elle, ne serait que vaine agitation. La *Bhagavad-Gita* est aussi un texte essentiel dans le yoga puisque Krishna y transmet à Arjuna les sept formes de yoga.

Mahakali (« Kali la noire ») : mère créatrice et destructrice, déesse du temps, de la mort et de la délivrance.

Mandir : temple hindou.

Mauli : bracelet porte-bonheur fait de fil rouge.

Maulvi : religieux musulman en Inde du Nord, habilité à célébrer les mariages.

Maya : déesse hindoue créatrice de l'abondance comme de l'illusion et de la dualité dans l'univers.

Mian : nom de famille et titre de noblesse utilisé à la fois par les hindous et les musulmans de la caste Rajput en Inde du Nord.

Moksha : libération finale de l'âme.

Muharram (mois de) : premier mois du calendrier musulman.

Muttar panir : petits pois et dés de fromage au curry.

Naan : pain cuit dans un four d'argile.

Namasté : salutation respectueuse hindoue.

Nataraja : danseur cosmique (Shiva nataraja).

Paan : chique de bétel.

Pakora : beignet de légumes frits.

Panda : prêtre brahmane.

Paratha : galette de pain chaude fourrée de viande hachée et épicée. Souvent servie au petit déjeuner.

Pir : sage, homme saint.

Pungi : clarinette des charmeurs de serpents.

Puri : galette de farine de blé.

Rasgulla : boulette de panir dans un sirop parfumé à l'essence de rose.

Rasmalai : boulette de fromage dans un sirop parfumé à l'essence de rose, mise à bouillir dans du lait de bufflonne.

Rishi : dans l'hindouisme, c'est un sage qui « a entendu » les hymnes du Veda. Un rishi peut être considéré comme une combinaison d'un patriarche, d'un saint, d'un prêtre, d'un précepteur, d'un auteur des hymnes védiques, d'un sage, d'un ascète, d'un prophète et d'un ermite.

Rudraksha mala : rosaire traditionnel. En sanskrit, le mot *RUDRAKSHA* signifie « les larmes de Rudra » car il est dit que le tout premier arbre rudraksha a poussé d'une larme de Rudra. En Inde, les jogis qui adorent Shiva portent des graines de rudraksha qui sont consacrées à Shiva. Ces graines sont connues pour être bénéfiques à la santé de ceux qui les portent et pour soutenir les efforts spirituels.

Sadhu : mystique errant.

Sardar : « tête » en persan, le titre de sardar se réfère à un chef militaire ou politique. En Inde, le terme désigne un homme de religion sikh.

Sati : suicide d'une veuve sur le bûcher de son mari.

Siachen : glacier himalayen (6 000 mètres d'altitude) que se disputent l'Inde et le Pakistan.

Sirji : déformation indienne de l'anglais sir. Le suffixe « ji » est une marque de respect.

Subzi : plat à base de pommes de terre et de chou-fleur. Terme générique désignant les légumes en Inde du Nord.

Surma : poudre noire pour se maquiller les yeux.

Tabeez : amulette avec une inscription coranique portée sur un collier ou un bracelet.

Tandava : danse cosmique de Shiva, par laquelle il crée puis détruit l'univers.

Tehmat : sarong entourant les jambes.

Thakur : caste, nom honorifique. Les Thakurs sont des commerçants.

Tikki : viande grillée.

Tyagi (« celui qui a renoncé » en sanskrit) : communauté d'agriculteurs appartenant à la caste des brahmanes et répandue en Inde du Nord.

Vedanta : mot sanskrit signifiant enseignement philosophique, présenté dans les Veda, textes sacrés de l'hindouisme.

Yadav : caste noble descendant de la dynastie de Yadu.

Yamraj : dieu de la mort.

Zamindar : propriétaire terrien.

Zari zardori : vêtements de soie brodés d'argent et d'or.

Remerciements

Tehelka et ses nombreuses batailles publiques ne cessent d'augmenter mes dettes, de toutes sortes, envers un grand nombre d'amis, de collègues, de défenseurs, d'avocats et d'inconnus. La plupart d'entre eux n'ont aucun lien avec mes romans, mais ils me permettent de continuer à écrire.

Geetan, Tiya et Cara, mes premières lectrices, mes premiers amours, les coordonnées de ma vie et de ma paix.

Inderjit, Shakuntala et Minty, le cocon originel vers lequel je me tourne toujours.

Shoma, pour sa grâce et son courage – entre autres choses – à garder le cap face aux coups durs.

Sanjoy et Puneeta, compagnons de voyage incomparables.

Pour leur amour, leur amitié et leur réconfort : Aditya, Nicku et Mike, Peali et Amit, Shammy, Priyanka et Raj, Manika, Gayatri, Yamini, Satya Sheel, Shobba et Govind, Sheela et Rajeev, Roma et Bilu, Bani et Niki, Nandini et Sumir, Preeti et Yuvi, Smita, Bindu, varun, Mala et Tejbir, NJ, Renu et Pavan, Sunita Kohli, Sabeen et Zack, Dee et UD, Sunil Khilnani, Prasoon Joshi, Toliaji, Renu et Tibu, SM, Karan et Kabir, Gunjun, Chottu, Deepak, Adarsh, Nadira et Vidia Naipaul, Manish Tewari, Meet Malhotra, Doug Wilson, Tony et Ram Jethmalani, Rajeev C., Cyrus Guzder, Siddharth

Kothari, MD, Jakes, Prashant Bushan, Arundhati Roy, Prom et Kapil Sibal.

Susan, Ram, Ranbir et Ajay, qui aplanissent les plis de mes journées.

Tous mes remarquables collègues de *Tehelka*, qui produisent en permanence un journalisme dont nous pouvons être fiers.

Ritu Sud, qui bataille pour mettre de l'ordre dans le chaos de ma vie.

Marc Parent, qui prend joyeusement à bras-le-corps tous mes efforts.

Annick Le Goyat qui sait donner une âme française à ma voix indienne.

Nandita, pour son excellent travail éditorial, et Karthika V.K. qui a escorté si merveilleusement le livre du début à la fin.

Vera Michalski, Oliviero, Elisabetta et David Godwin, pour leur talent et leurs encouragements considérables.

Mon amie Vatsala, qui, avec sa générosité naturelle, met de côté ses propres travaux pour lire les miens avec acuité.

Andy, comme toujours, pour son aide à dessiner le projet.

CET OUVRAGE
A ÉTÉ COMPOSÉ PAR NORD COMPO
ET ACHEVÉ D'IMPRIMER
SUR ROTO-PAGE
PAR L'IMPRIMERIE FLOCH
À MAYENNE EN MAI 2009

N° d'impression : 73942.
Dépôt légal : septembre 2009
Imprimé en France